Pré-cálculo Para leigos

O Pré-cálculo une Álgebra II e Cálculo. Ele envolve gráficos, lida com ângulos e formas geométricas, como círculos e triângulos, e encontra valores absolutos. Você descobre novos modos de registrar soluções com a notação de intervalo e como colocar identidades trigonométricas nas equações.

CÍRCULO UNITÁRIO DO PRÉ-CÁLCULO

No pré-cálculo, o círculo unitário lembra ruas unitárias. É um círculo muito pequeno em um gráfico que inclui as coordenadas 0,0. Ele tem um raio 1, por isso a unidade. A figura aqui mostra todas as medidas desse círculo:

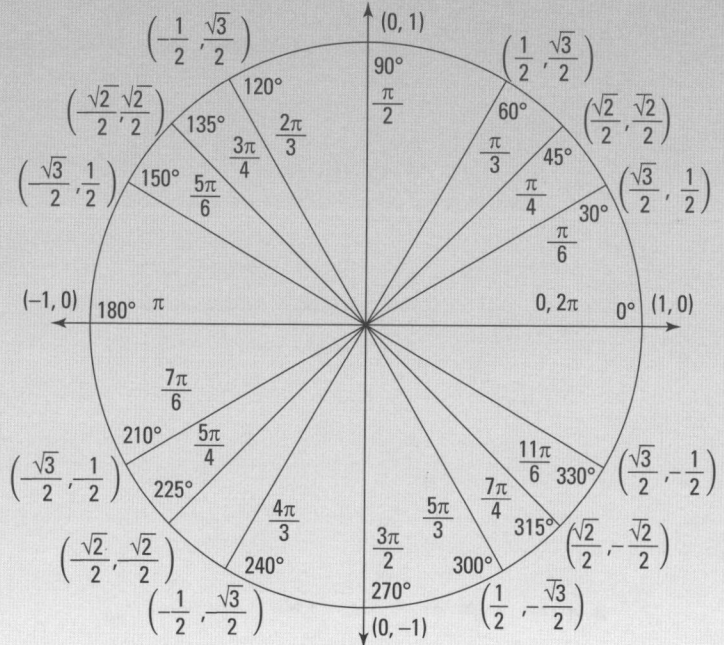

TRIÂNGULOS RETÂNGULOS E FUNÇÕES TRIGONOMÉTRICAS DO PRÉ-CÁLCULO

Se você estudar pré-cálculo, verá triângulos e, com certeza, o Teorema de Pitágoras. Esta é a definição do teorema e como aplicá-la em triângulos retângulos especiais:

Teorema de Pitágoras: $(cateto)^2 + (cateto)^2 = (hipotenusa)^2$

$$\text{sen}\,\theta = \frac{cateto\ oposto}{hipotenusa} \qquad \cos\theta = \frac{cateto\ adjacente}{hipotenusa} \qquad \text{tg}\,\theta = \frac{cateto\ oposto}{cateto\ adjacente}$$

Triângulos retângulos especiais:

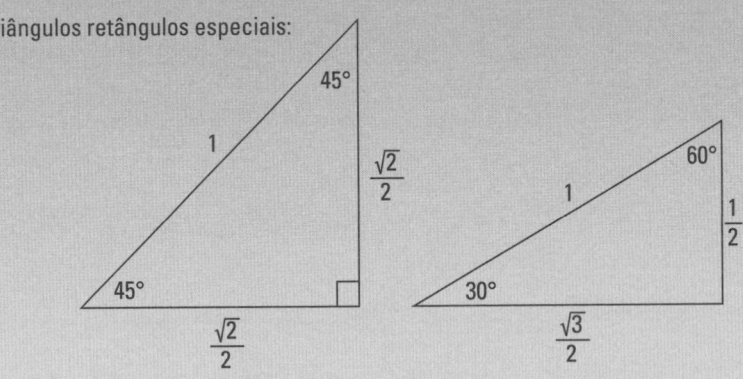

Pré-cálculo

Para
leigos

Pré-cálculo

para leigos

Tradução da 3ª Edição

Mary Jane Sterling

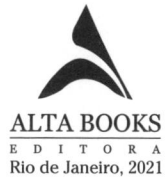

ALTA BOOKS
E D I T O R A
Rio de Janeiro, 2021

Pré-Cálculo Para Leigos®– Tradução da 3ª Edição
Copyright © 2021 da Starlin Alta Editora e Consultoria Eireli. ISBN: 978-85-508-1577-0

Translated from original Pre-Calculus For Dummies®, 3rd Edition. Copyright © 2019 by John Wiley & Sons, Inc. ISBN 978-1-119-50877-9. This translation is published and sold by permission of John Wiley & Sons, Inc., the owner of all rights to publish and sell the same. PORTUGUESE language edition published by Starlin Alta Editora e Consultoria Eireli, Copyright © 2021 by Starlin Alta Editora e Consultoria Eireli.

Todos os direitos estão reservados e protegidos por Lei. Nenhuma parte deste livro, sem autorização prévia por escrito da editora, poderá ser reproduzida ou transmitida. A violação dos Direitos Autorais é crime estabelecido na Lei nº 9.610/98 e com punição de acordo com o artigo 184 do Código Penal.

A editora não se responsabiliza pelo conteúdo da obra, formulada exclusivamente pelo(s) autor(es).

Marcas Registradas: Todos os termos mencionados e reconhecidos como Marca Registrada e/ou Comercial são de responsabilidade de seus proprietários. A editora informa não estar associada a nenhum produto e/ou fornecedor apresentado no livro.

Impresso no Brasil — 1ª Edição, 2021 — Edição revisada conforme o Acordo Ortográfico da Língua Portuguesa de 2009.

Produção Editorial	**Produtor Editorial**	**Equipe de Marketing**	**Editor de Aquisição**
Editora Alta Books	Thiê Alves	Livia Carvalho	José Rugeri
Gerência Editorial		Gabriela Carvalho	j.rugeri@altabooks.com.br
Anderson Vieira		marketing@altabooks.com.br	
		Coordenação de Eventos	
Gerência Comercial		Viviane Paiva	
Daniele Fonseca		comercial@altabooks.com.brw	
Equipe Editorial	Rodrigo Ramos	**Equipe de Design**	**Equipe Comercial**
Ian Verçosa	Thales Silva	Larissa Lima	Daiana Costa
Illysabelle Trajano		Marcelli Ferreira	Daniel Leal
Luana Goulart		Paulo Gomes	Kaique Luiz
Maria de Lourdes Borges			Tairone Oliveira
Raquel Porto			Vanessa Leite
Tradução	**Revisão Gramatical**	**Revisão Técnica**	**Diagramação**
Eveline Vieira Machado	Alberto Gassul Streicher	Kleber Kilhian	Lucia Quaresma
	Thamiris Leiroza	Licenciado em Matemática, MBA e Gestão Financeira	
Copidesque			
Alessandro Thomé			

Publique seu livro com a Alta Books. Para mais informações envie um e-mail para autoria@altabooks.com.br

Obra disponível para venda corporativa e/ou personalizada. Para mais informações, fale com projetos@altabooks.com.br

Erratas e arquivos de apoio: No site da editora relatamos, com a devida correção, qualquer erro encontrado em nossos livros, bem como disponibilizamos arquivos de apoio se aplicáveis à obra em questão.

Acesse o site **www.altabooks.com.br** e procure pelo título do livro desejado para ter acesso às erratas, aos arquivos de apoio e/ou a outros conteúdos aplicáveis à obra.

Suporte Técnico: A obra é comercializada na forma em que está, sem direito a suporte técnico ou orientação pessoal/exclusiva ao leitor.

A editora não se responsabiliza pela manutenção, atualização e idioma dos sites referidos pelos autores nesta obra.

Ouvidoria: ouvidoria@altabooks.com.br

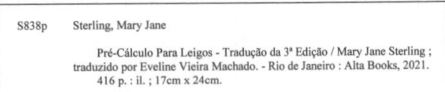

Dados Internacionais de Catalogação na Publicação (CIP) de acordo com ISBD

S838p   Sterling, Mary Jane

Pré-Cálculo Para Leigos - Tradução da 3ª Edição / Mary Jane Sterling ; traduzido por Eveline Vieira Machado. - Rio de Janeiro : Alta Books, 2021.
416 p. : il. ; 17cm x 24cm.

Tradução de: Pre-Calculus For Dummies
Inclui índice.
ISBN: 978-85-508-1577-0

1. Matemática. 2. Pré-Calculo. I. Machado, Eveline Vieira. II. Título.

2020-3286   CDD 512
CDU 512

Elaborado por Vagner Rodolfo da Silva - CRB-8/9410

Rua Viúva Cláudio, 291 — Bairro Industrial do Jacaré
CEP: 20.970-031 — Rio de Janeiro (RJ)
Tels.: (21) 3278-8069 / 3278-8419
www.altabooks.com.br — altabooks@altabooks.com.br
www.facebook.com/altabooks — www.instagram.com/altabooks

Sobre a Autora

Mary Jane Sterling é autora de outros livros da série *Para Leigos*: *Álgebra I, Álgebra II, Trigonometria, Álgebra Linear, 1001 Problemas de Álgebra I, Business Math* e *Finite Math*. Mesmo já estando aposentada na Bradley University, ela continua envolvida na Matemática fazendo edições, escrevendo problemas, dando consultoria e, às vezes, aulas particulares. Uma de suas atividades favoritas é dar aulas a pessoas aposentadas; esses "alunos" empolgados amam aprender coisas como: *Matemágica, Arte e Matemática, Problemas Clássicos de Matemática* etc.

Agradecimentos da Autora

Gostaria de agradecer ao incrível editor de projetos, Christopher Morris, por sua ajuda incessante e seu apoio. Obrigado aos editores de tecnologia Doug Shaw e Connor Morris. E mais uma vez, obrigado a Lindsay Lefevere, que sempre parece encontrar novos projetos interessantes para mim.

Sumário Resumido

Introdução 1

Parte 1: Introdução ao Pré-cálculo 5
- **CAPÍTULO 1:** Antes do Pré-cálculo 7
- **CAPÍTULO 2:** Trabalhando com Números Reais 19
- **CAPÍTULO 3:** Blocos de Construção das Funções do Pré-cálculo 31
- **CAPÍTULO 4:** Trabalhando com Funções 49
- **CAPÍTULO 5:** Cavando e Usando Raízes para Desenhar Funções Polinomiais 69
- **CAPÍTULO 6:** Funções Exponenciais e Logarítmicas 99

Parte 2: Fundamentos da Trigonometria 119
- **CAPÍTULO 7:** Circulando pelos Ângulos 121
- **CAPÍTULO 8:** Simplificando o Gráfico e a Transformação das Funções Trigonométricas 153
- **CAPÍTULO 9:** Determinando com Identidades Trigonométricas: Fundamentos 187
- **CAPÍTULO 10:** Identidades Avançadas: A Chave do Sucesso 207
- **CAPÍTULO 11:** Controlando Triângulos Oblíquos com as Leis dos Senos e dos Cossenos 229

Parte 3: Geometria Analítica e Resolução de Sistemas 249
- **CAPÍTULO 12:** Raciocínio Plano: Números Complexos e Coordenadas Polares 251
- **CAPÍTULO 13:** Criando Seções Cônicas ao Fatiar Cones 267
- **CAPÍTULO 14:** Simplificando Sistemas, Gerenciando Variáveis 299
- **CAPÍTULO 15:** Sequências, Séries e Expansão de Binômios para o Mundo Real 331
- **CAPÍTULO 16:** Avante com o Cálculo 355

Parte 4: A Parte dos Dez 371
- **CAPÍTULO 17:** Dez Gráficos Polares 373
- **CAPÍTULO 18:** Dez Hábitos para Ajustar Antes do Cálculo 379

Índice 387

Sumário

INTRODUÇÃO 1
    Sobre Este Livro 1
    Penso que... 2
    Ícones Usados Neste Livro 3
    Além Deste Livro 3
    De Lá para Cá, Daqui para Lá 4

PARTE 1: INTRODUÇÃO AO PRÉ-CÁLCULO 5

CAPÍTULO 1: Antes do Pré-cálculo 7
    Pré-cálculo: Visão Geral 8
    Noções Básicas dos Números (Não, Nada de Contá-los!) 9
        Muitos tipos de número: Termos a saber 9
        Operações fundamentais realizadas com números 11
        Propriedades dos números: Verdades a lembrar 11
    Demonstrações Visuais: Quando a Matemática Segue a Forma com Função 12
        Termos e conceitos básicos 13
        Desenhando igualdades e desigualdades lineares 14
        Reunindo informações dos gráficos 15
    Tenha uma Calculadora Gráfica 17

CAPÍTULO 2: Trabalhando com Números Reais 19
    Resolvendo as Desigualdades 20
        Resumindo o passo a passo da desigualdade 20
        Resolvendo equações e desigualdades quando há valor absoluto 21
        Expressando soluções para desigualdades com a notação de intervalo 23
    Variações sobre Divisão e Multiplicação: Trabalhando com Radicais e Expoentes 24
        Definindo e relacionando radicais e expoentes 25
        Reescrevendo radicais como expoentes (ou criando expoentes racionais) 25
        Eliminando o radical de um denominador: Racionalizando 27

CAPÍTULO 3: Blocos de Construção das Funções do Pré-cálculo ... 31

Qualidades dos Tipos Especiais de Função e Seus Gráficos ... 32
    Funções pares e ímpares ... 32
    Funções injetoras ... 33
Lidando com Funções Modelo e Seus Gráficos ... 33
    Funções lineares ... 33
    Funções quadráticas ... 33
    Funções raiz quadrada ... 34
    Funções valor absoluto ... 35
    Funções cúbicas ... 36
    Funções raiz cúbica ... 37
Desenhando Funções com Mais de Uma Regra: Funções por Partes ... 37
Preparando o Terreno para as Funções Racionais ... 39
    Etapa 1: Procure as assíntotas verticais ... 40
    Etapa 2: Procure as assíntotas horizontais ... 41
    Etapa 3: Ache as assíntotas oblíquas ... 42
    Etapa 4: Localize os interceptos x e y ... 43
Colocando os Resultados em Ação: Gráfico das Funções Racionais ... 43
    Gráfico de $f(x) = \dfrac{3x-1}{x^2+4x-21}$ ... 44
    Gráfico de $g(x) = \dfrac{6x+12}{4-3x}$ ... 46
    Gráfico de $h(x) = \dfrac{x^2-9}{x+2}$ ... 47

CAPÍTULO 4: Trabalhando com Funções ... 49

Transformando Gráficos Modelo ... 50
    Esticando e achatando ... 50
    Translações ... 52
    Reflexões ... 54
    Combinando várias transformações (transformação nela mesma!) ... 55
    Transformando funções ponto a ponto ... 57
Prepare o Bisturi: Operando com Funções ... 58
    Adição e subtração ... 59
    Multiplicação e divisão ... 60
    Dividindo uma composição de funções ... 61

Ajustando o domínio e o intervalo das funções combinadas (se aplicável)..........61
Virando de Dentro para Fora com Funções Inversas..........64
Desenhando uma inversa..........64
Invertendo uma função para encontrar sua inversa..........66
Verificando uma inversa..........67

CAPÍTULO 5: Cavando e Usando Raízes para Desenhar Funções Polinomiais..........69

Entendendo Graus e Raízes..........70
Fatorando uma Expressão Polinomial..........71
Sempre a primeira etapa: Procurando o MDC..........72
Abrindo a caixa que contém um trinômio..........73
Reconhecendo e fatorando polinômios especiais..........75
Agrupando para fatorar quatro ou mais termos..........78
Encontrando as Raízes de uma Equação Fatorada..........79
Decifrando uma Equação Quadrática Quando Ela Não Fatorar..........79
Usando a fórmula quadrática..........80
Completando o quadrado..........80
Resolvendo Polinômios Não Fatoráveis com um Grau Maior que Dois..........82
Contando as raízes totais de um polinômio..........82
Contando raízes reais: Regra dos sinais de Descartes..........83
Contando raízes imaginárias: Teorema fundamental da álgebra..........84
Adivinhando e verificando as raízes reais..........85
Inverta: Usando Soluções para Encontrar Fatores..........91
Desenhando Polinômios..........92
Quando todas as raízes são números reais..........93
Quando as raízes são números imaginários: Combinando todas as técnicas..........96

CAPÍTULO 6: Funções Exponenciais e Logarítmicas..........99

Explorando as Funções Exponenciais..........100
Pesquisando os prós e os contras das funções exponenciais..........100
Desenhando e transformando funções exponenciais..........102
Logaritmos: A Inversa das Funções Exponenciais..........104
Entendendo melhor os logaritmos..........105
Gerenciando propriedades e identidades dos logaritmos..........105
Mudando a base de um log..........107

Calculando um número quando conhece seu logaritmo:
Logaritmos inversos... 107
Desenhando logaritmos 108
Salto Básico para Simplificar e Resolver Equações.............. 111
Vendo o processo de resolução de equações
exponenciais... 112
Resolvendo equações logarítmicas 115
Crescimento Exponencial: Enunciado na Cozinha 116

PARTE 2: FUNDAMENTOS DA TRIGONOMETRIA......... 119

CAPÍTULO 7: Circulando pelos Ângulos........................... 121

Apresentando os Radianos: Os Círculos nem Sempre Foram
Medidos em Graus.. 122
Razões Trigonométricas: Aprofundando-se Mais nos
Triângulos Retângulos....................................... 123
Representando um seno.................................... 123
Procurando um cosseno 125
Saindo pela tangente 126
Descobrindo o lado oposto: Funções trigonométricas
recíprocas 127
Trabalhando ao inverso: Funções trigonométricas
inversas 128
Entendendo como as Razões Trigonométricas Funcionam
no Plano Cartesiano.. 129
Círculo Unitário do Modo Certo 131
Familiarizando-se com os ângulos mais comuns 132
Desenhando ângulos incomuns........................... 133
Considerando as Razões Especiais do Triângulo................ 134
Baseado em 45: Triângulo de **45°**, **45°** e **90°** 134
O velho conhecido 30 e 60: Triângulo de **30°**, **60°** e **90°** 136
Triângulos e Círculo Unitário: Juntos para o Bem Comum 137
Colocando os ângulos principais corretamente, sem
transferidor 138
Recuperando os valores da função trigonométrica no
círculo unitário 141
Descobrindo o ângulo de referência para determinar os
ângulos no círculo unitário................................ 144
Medindo Arcos: Quando o Círculo Entra em Movimento 149

CAPÍTULO 8: **Simplificando o Gráfico e a Transformação das Funções Trigonométricas**....................153

Traçando os Gráficos Modelo do Seno e do Cosseno...........154
  Traçando o seno...154
  Vendo o cosseno...156
Desenhando Tangente e Cotangente...........................158
  Resolvendo a tangente...................................159
  Explicando a cotangente.................................161
Desenhando Secante e Cossecante............................163
  Desenhando a secante....................................164
  Examinando a cossecante.................................166
Transformando Gráficos Trigonométricos.....................167
  Lidando com gráficos do seno e do cosseno...............168
  Ajustando os gráficos da tangente da cotangente.........178
  Transformando os gráficos da secante e da cossecante....182

CAPÍTULO 9: **Determinando com Identidades Trigonométricas: Fundamentos**....................187

Não Perca o Fim de Vista: Um Manual Rápido sobre Identidades..188
Alinhando Meios e Extremidades: Identidades Trigonométricas Básicas..................................189
  Identidades recíprocas e da razão.......................189
  Identidades pitagóricas.................................192
  Identidades pares/ímpares...............................194
  Identidades de cofunção.................................196
  Identidades de periodicidade............................198
Resolvendo as Dificuldades das Provas Trigonométricas: Técnicas a Saber...201
  Lidando com denominadores exigentes.....................201
  Sozinho em cada lado....................................205

CAPÍTULO 10: **Identidades Avançadas: A Chave do Sucesso**....................207

Descobrindo as Funções Trigonométricas das Somas e das Diferenças..208
  Procurando o seno de $(a \pm b)$........................209
  Calculando o cosseno de $(a \pm b)$.....................212
  Domando a tangente de $(a \pm b)$.......................215
Dobrando um Ângulo e Encontrado Seu Valor Trigonométrico...218
  Encontrando o seno de um arco duplo.....................218
  Calculando cossenos para dois...........................220
  Afastando suas preocupações.............................221
  Diversão dobrada com as tangentes.......................222

Obtendo Funções Trigonométricas de Ângulos Comuns
  Divididos em Dois 223
Uma Ideia de Cálculo: Mudando de Produtos para Somas
  e Vice-versa 225
    Expressando produtos como somas (ou diferenças) 225
    Passando de somas (ou diferenças) para produtos 226
Eliminando Expoentes com Fórmulas de Redução da Potência ... 227

CAPÍTULO 11: Controlando Triângulos Oblíquos com as Leis dos Senos e dos Cossenos 229

Determinando um Triângulo com a Lei dos Senos 231
  Quando duas medidas do ângulo são conhecidas 232
  Quando dois comprimentos dos lados consecutivos
    são conhecidos 235
Conquistando um Triângulo com a Lei dos Cossenos 242
  LLL: Encontrando ângulos usando apenas os lados 243
  LAL: Marcando o ângulo no meio (e os dois lados) 245
Preenchendo o Triângulo Calculando a Área 247
  Encontrando a área com dois lados e um ângulo incluído
    (para LAL) 247
  Usando a Fórmula de Herão (para LLL) 248

PARTE 3: GEOMETRIA ANALÍTICA E RESOLUÇÃO DE SISTEMAS 249

CAPÍTULO 12: Raciocínio Plano: Números Complexos e Coordenadas Polares 251

Entendendo Real versus Imaginário 252
Combinando Real e Imaginário: Sistema de Números
  Complexos 253
    Entendendo a utilidade dos números complexos 253
    Realizando operações com números complexos 254
Desenhando Números Complexos 256
Plotando em Torno do Polo: Coordenadas Polares 257
  Entendendo o plano das coordenadas polares 258
  Desenhando coordenadas polares com valores negativos .. 260
  Mudando entre as coordenadas polares 261
  Representando equações polares 265

CAPÍTULO 13: Criando Seções Cônicas ao Fatiar Cones 267
    Cone a Cone: Identificando as Quatro Seções Cônicas 268
        Desenho (forma gráfica) 268
        Impressão (forma da equação)..........................270
    Dando Voltas: Desenhando Circunferências 271
        Desenhando circunferência na origem....................271
        Desenhando circunferências distantes da origem 272
        Escrevendo na forma de centro e raio 273
    Subindo e Descendo com Parábolas..........................274
        Identificando as partes................................274
        Entendendo as características de uma parábola padrão 275
        Plotando variações: Parábolas por todo o plano 276
        Vértice, eixo de simetria, foco e diretriz 277
        Identificando os valores de mínimo e de máximo nas
          parábolas.......................................281
    Espessura na Elipse 283
        Identificando elipses e expressando-as com a álgebra.......284
        Identificando as partes da equação 285
    Junte Duas Curvas, e o que Você Tem? Hipérboles 288
        Visualizando os dois tipos de hipérboles e suas partes 289
        Desenhando hipérbole com uma equação 291
        Encontrando as equações das assíntotas 293
    Expressando Seções Cônicas Fora do Domínio das
      Coordenadas Cartesianas.................................294
        Desenhando seções cônicas de forma paramétrica 294
        Equações das seções cônicas no plano das coordenadas
          polares...297

CAPÍTULO 14: Simplificando Sistemas, Gerenciando Variáveis....................................299
    Manual sobre Opções para a Resolução de Sistemas 300
    Soluções Algébricas dos Sistemas com Duas Equações 301
        Resolvendo sistemas lineares..........................302
        Trabalhando com sistemas não lineares 305
    Resolvendo Sistemas com Mais de Duas Equações 308
    Decompondo Frações Parciais..............................311
    Avaliando Sistemas de Desigualdades 312
    Apresentando Matrizes: Fundamentos.......................314
        Aplicando operações básicas em matrizes 315
        Multiplicando uma matriz por outra 316
    Simplificando Matrizes para Facilitar o Processo de Resolução...317
        Escrevendo um sistema em forma de matriz 318

Forma escalonada reduzida por linhas...................318
Forma aumentada 319
Colocando as Matrizes para Trabalhar 320
Usando a eliminação gaussiana para resolver sistemas 320
Multiplicando uma matriz por sua inversa.................325
Usando determinantes: Regra de Cramer 328

CAPÍTULO 15: Sequências, Séries e Expansão de Binômios para o Mundo Real 331

Falando em Sequência: Entendendo o Método Geral 332
Determinando os termos da sequência....................333
Trabalhando ao contrário: Formando uma expressão a partir dos termos 333
Sequências recursivas: Um tipo de sequência geral 334
Diferença entre Termos: Sequências Aritméticas..............335
Usando termos consecutivos para encontrar outro 336
Usando dois termos quaisquer 337
Razões e Termos em Pares Consecutivos: Sequências Geométricas...338
Identificando determinado termo quando termos consecutivos são dados 339
Fora de ordem: Lidando com termos não consecutivos......339
Criando uma Série: Somando os Termos de uma Sequência.....341
Revendo a notação da soma geral........................341
Somando uma sequência aritmética.......................342
Vendo como uma sequência geométrica é somada 343
Expandindo com o Teorema Binomial 347
Dividindo o teorema binomial 349
Expandindo usando o teorema binomial...................350

CAPÍTULO 16: Avante com o Cálculo 355

Examinando as Diferenças entre Pré-cálculo e Cálculo 356
Entendendo Seus Limites 357
Encontrando o Limite de uma Função 359
Modo gráfico 359
Modo analítico...360
Modo algébrico 361
Operando no Limite: Leis do Limite 365
Calculando a Taxa Média de Mudança 366
Explorando a Continuidade em Funções......................367
Determinando se uma função é contínua 368
Descontinuidade nas funções racionais....................369

PARTE 4: A PARTE DOS DEZ ... 371

CAPÍTULO 17: Dez Gráficos Polares ... 373
Espiral para Fora ... 373
Paixão pelo Cardioide ... 374
Cardioides e Feijão-manteiga ... 374
Lemniscatas Inclinadas ... 375
Laço com Lemniscatas ... 376
Rosas com Pétalas Pares ... 376
Uma Rosa É uma Rosa Sempre ... 377
Limaçon ou Caracol? ... 377
Limaçon de Lado ... 378
Bifólio ou Orelhas de Coelho? ... 378

CAPÍTULO 18: Dez Hábitos para Ajustar Antes do Cálculo ... 379
Descubra o que Pede o Problema ... 380
Desenhe (Quanto Mais, Melhor) ... 380
Planeje Seu Ataque — Identifique os Alvos ... 381
Escreva as Fórmulas ... 382
Mostre Cada Etapa do Trabalho ... 382
Saiba Quando Parar ... 383
Verifique Suas Respostas ... 384
Pratique Muitos Problemas ... 385
Controle a Ordem das Operações ... 385
Cuidado ao Lidar com Frações ... 386

ÍNDICE ... 387

Introdução

Bem-vindo ao *Pré-cálculo Para Leigos*, um livro para todos, com oportunidades iguais. Você é bem-vindo para participar, não importa se apenas busca uma revisão rápida ou se precisa de uma preparação séria antes de lidar com o cálculo. Você pode estar lendo este livro por ótimos motivos. Talvez sua álgebra esteja um pouco enferrujada e você queira uma revisão que foque o material de que precisará para o Cálculo. E talvez seu preparo em trigonometria não seja tão completo quanto gostaria, e queira se aprofundar nos tópicos básicos. Independentemente do motivo para ter aberto o livro, encontrará material que o ajudará a percorrer o caminho do pré-cálculo até o cálculo.

Você também pode estar pensando: "Eu realmente precisarei do pré-cálculo?" A resposta é sim, se está pensando seriamente em fazer um curso ou dois sobre Cálculo. É importante saber os fundamentos para poder se concentrar nos tópicos incríveis que descobrirá no Cálculo. E os conceitos neste livro também são usados em muitas aplicações reais e em áreas da Matemática.

Este livro tem um único objetivo: ensiná-lo os tópicos tratados no pré-cálculo do modo mais simples possível, sendo apresentado com palavras que você pode entender, trazendo figuras e imagens para aprofundar mais sua compreensão.

Sobre Este Livro

Este livro não precisa ser lido necessariamente do começo ao fim. Ele é estruturado para que você possa ir para um capítulo em particular e atender a suas necessidades.

Todo o vocabulário é correto, claro e explicado em termos matemáticos, quando necessário, para determinado tópico. A precisão é importante, pois torna a explicação mais rápida e clara e permite que todos pensem a mesma coisa sobre o tema em questão.

O pré-cálculo pode ser uma área especial da Matemática, mas o material tratado nele vem de muitas áreas diferentes: Álgebra, Geometria, Trigonometria, Geometria Analítica etc. O que você necessita vai variar, dependendo do curso de Cálculo ou do livro que usará depois. Como não é possível prever exatamente do que precisará para o próximo livro, você encontrará cada conceito a ser considerado. Basta usar este livro de acordo com suas necessidades em particular.

Conforme pensa sobre o que fazer com todas as áreas tratadas neste livro, considere duas alternativas:

» Pesquise apenas o que precisa saber, quando precisar. Este livro é útil para essa técnica. Use o índice, o sumário ou, melhor ainda, o sumário resumido no início do livro para encontrar o que precisa.

» Comece no início e leia o livro, capítulo a capítulo. Essa abordagem é uma boa maneira de lidar com os assuntos, porque os tópicos às vezes se baseiam nos anteriores. Mesmo que você seja fera em Matemática e queira passar rápido por uma seção que acha que sabe, pode ser lembrado de algo que você esqueceu. Recomendo ler desde o início e seguir lentamente no material. Quanto mais prática tiver, melhor.

Penso que...

Não é possível supor que, só porque algumas pessoas amam de paixão a Matemática, você compartilha do mesmo entusiasmo pelo assunto. Mas podemos imaginar que você abriu este livro por um motivo: precisa de uma reciclagem sobre o assunto, precisa aprender pela primeira vez, está tentando reaprender para algum desafio no futuro ou precisa ajudar outra pessoa em casa. Também podemos supor que já viu, pelo menos em parte, muitos dos conceitos encontrados nesse tema, porque o pré-cálculo é o próximo nível dos conceitos de Geometria e Álgebra II.

Há uma suposição de que você deseja fazer um trabalho. Embora o pré-cálculo não seja a finalidade dos cursos de Matemática por aí, ainda assim é um nível mais avançado. Será preciso trabalhar um pouco, mas você sabia disso, não é? E está ansioso pelo desafio!

E está muito claro que você tem espírito aventureiro e escolheu adotar este material, pois o pré-cálculo não é necessariamente um assunto obrigatório. Talvez seja porque ama Matemática ou não tem nada melhor para fazer neste momento, ou porque o estudo desse material aprimorará seus conhecimentos. É óbvio que você conseguiu entender alguns conceitos bem complexos em Geometria e Álgebra II. Se chegou tão longe, conseguirá ainda mais. Este livro está aqui para ajudar!

Ícones Usados Neste Livro

Neste livro, você encontrará pequenos desenhos (chamados *ícones*) que servem para chamar sua atenção para algo importante ou interessante.

DICA

Quando vir este ícone, você saberá que ele indica um modo de facilitar muito sua vida. É bom quando fica mais fácil.

LEMBRE-SE

Você verá este ícone quando houver uma antiga ideia de que nunca deve se esquecer. É usado quando é preciso se lembrar de um conceito aprendido antes ou de um conceito de um curso anterior de Matemática. Ele também chama a atenção para um detalhe sendo usado de modo especial.

CUIDADO

Pense no ícone Cuidado como um grande sinal para parar. A presença desse ícone o alerta quanto a erros comuns ou aponta algo que pode ser um pouco complicado.

PAPO DE ESPECIALISTA

O material após este ícone é uma matemática incrível; está bem relacionado ao assunto em mãos e geralmente apresenta fórmulas e técnicas matemáticas muito específicas do tópico atual. Às vezes fará referência a um processo ainda mais complicado ou fórmula que pode ou não ser necessária na hora, mas que é bom saber. E você pode até encontrar uma nota detalhando mais ou explicando uma aplicação ou referência técnica, para uma futura leitura atenta.

Além Deste Livro

Além do material impresso que você está lendo agora, este produto também tem algumas coisinhas interessantes com acesso na web. Não importa se você entende bem os conceitos do pré-cálculo, é provável que encontre algumas perguntas sobre as quais não faz a menor ideia. Você pode acessar a Folha de Cola Online no site da editora Alta Books. Procure pelo título do livro. Faça o download da Folha de Cola completa, bem como de erratas e possíveis arquivos de apoio.

De Lá para Cá, Daqui para Lá

Se você já tem um bom conhecimento de Álgebra básica, sinta-se à vontade para pular o Capítulo 1 e vá direto para o Capítulo 2. Se deseja uma atualização, sugiro ler o Capítulo 1. Na verdade, tudo no Capítulo 2 também é uma revisão, exceto talvez pela notação de intervalo. Portanto, se você for muito impaciente ou um gênio da Matemática, ignore tudo até a notação de intervalo no Capítulo 2. Conforme avançar no livro, lembre-se de que muitos conceitos no pré-cálculo são tirados da Álgebra II, portanto, não cometa o erro de pular os capítulos porque eles lhe pareçam familiares. Eles podem parecer, mas é possível que incluam um material novinho. Veja uma pequena lista das seções que podem lhe parecer familiares, mas incluem novos conceitos aos quais você deve prestar atenção:

» Conversão de funções comuns

» Solução dos polinômios

» Todas as informações de trigonometria

» Números complexos

» Matrizes

Então por onde começar? Vá direto para o pré-cálculo! Muita sorte e divirta-se!

1 Introdução ao Pré-cálculo

NESTA PARTE...

Aprimore suas habilidades algébricas.

Identifique as áreas desafiadoras em Álgebra e vença esses desafios.

Trabalhe a partir dos tipos básicos de função e faça o gráfico de suas transformações.

Realize operações com números reais e funções.

NESTE CAPÍTULO

» Lembrando números e variáveis

» Aceitando a importância do gráfico

» Preparando-se para o pré-cálculo pegando uma calculadora gráfica

Capítulo 1
Antes do Pré-cálculo

O pré-cálculo é a ponte (levadiça, suspensa, coberta) entre Álgebra II e Cálculo. Em seu campo, você revisa os conceitos vistos antes em Matemática, mas logo desenvolve a partir deles. Algumas ideias muito novas são vistas, mas até elas se baseiam no material analisado antes; a principal diferença é que os problemas são muito mais desafiadores (por exemplo, passar de sistemas lineares para os não lineares). Você continua criando até o final da ponte, que se dobra como o início do Cálculo. Não tenha medo! O que é mostrado aqui o ajudará a atravessar essa ponte (sem pedágio).

Como é provável que você já tenha aprendido Álgebra I, Álgebra II e Geometria, supomos neste livro que já sabe como fazer certas coisas. Mas para assegurar, neste capítulo, explico com mais detalhes alguns itens em particular antes de prosseguir para o material do pré-cálculo.

Neste capítulo, se houver algum tópico que você não conheça, não lembra como fazer ou não se sente confortável fazendo, sugiro escolher outro livro de Matemática da *Para Leigos* e leia-o antes de começar a ler este. Se for necessário fazer isso, não sinta como se tivesse fracassado em Matemática. Até os profissionais precisam pesquisar coisas de vez em quando. Use esses livros como faz com as enciclopédias ou a internet; se não souber o material, pesquise e continue nesse ponto.

Pré-cálculo: Visão Geral

Você não ama as pré-estreias e os trailers dos filmes? Algumas pessoas chegam cedo no cinema só para ver o que será lançado no futuro. Bem, considere esta seção um trailer que você vê alguns meses antes de o filme *Pré-cálculo Para Leigos* ser exibido! A lista a seguir apresenta alguns itens aprendidos antes em Matemática e exemplos de aonde chegará com o pré-cálculo:

» **Álgebras I e II:** Lidam com números reais e resolvem equações e desigualdades.

Pré-cálculo: Expressa as desigualdades de um novo modo, chamado *notação de intervalo*.

Você pode ver soluções para as desigualdades na notação de conjunto, como $\{x \mid x > 4\}$. Isso é lido na notação de desigualdade como $x > 4$. No pré-cálculo, normalmente essa solução é expressa como um intervalo: $(4, \infty)$ (para saber mais, veja o Capítulo 2).

» **Geometria:** Determina os triângulos retângulos, cujos lados são todos positivos.

Pré-cálculo: Determina os não triângulos retângulos, cujos lados nem sempre são representados por números positivos.

Você aprendeu que o comprimento nunca pode ser negativo. Mas, bem, no pré-cálculo, às vezes são usados números negativos para os comprimentos dos lados dos triângulos. É para mostrar onde os triângulos ficam no plano cartesiano (eles podem ficar em qualquer um dos quatro quadrantes).

» **Geometria/trigonometria:** Usa o Teorema de Pitágoras para encontrar os comprimentos dos lados de um triângulo.

Pré-cálculo: Organiza alguns ângulos usados com frequência e seus valores da função trigonométrica em um belo pacote conhecido como *círculo unitário* (veja a Parte 2).

Neste livro, você descobre um atalho útil para encontrar os lados dos triângulos, que é até mais prático para encontrar os valores trigonométricos para os ângulos nesses triângulos.

» **Álgebras I e II:** Fazem o gráfico das equações em um plano cartesiano.

Pré-cálculo: Faz o gráfico de uma nova maneira com o sistema de coordenadas polares (veja o Capítulo 12).

Diga adeus aos velhos tempos do gráfico no plano cartesiano. Você tem um novo modo de fazer gráficos que envolve círculos. Não estou tentando deixá-lo tonto; na verdade, as coordenadas polares podem produzir belas imagens.

» **Álgebra II:** Lida com números imaginários.

Pré-cálculo: Somar, subtrair, multiplicar e dividir números complexos é chato quando números complexos estão na forma retangular $(a+b\,i)$. No pré-cálculo, você se familiariza com algo novo chamado *forma polar* e a utiliza para encontrar soluções para as equações que nem sabia que existiam.

Noções Básicas dos Números (Não, Nada de Contá-los!)

Ao iniciar com o pré-cálculo, você deve ficar à vontade com conjuntos de números (naturais, inteiros, racionais etc.). A esta altura em sua carreira de matemático, também deve saber como fazer operações com números. Você pode encontrar uma revisão rápida desses conceitos nesta seção. E mais, certas propriedades são verdadeiras para todos os conjuntos, e é útil saber seus nomes. Revejo isso nesta seção também.

Muitos tipos de número: Termos a saber

Os matemáticos nomeiam tudo só porque podem; isso os faz se sentirem especiais. Nesse sentido, eles ligam nomes a muitos conjuntos de números para separá-los e consolidá-los na cabeça dos alunos de uma vez por todas.

» **Conjunto dos números naturais ou cardinais: {0,1, 2, 3...}**. Reúne os números que usamos para contar.

» **Conjunto dos números inteiros: {... –3, –2, –1, 0, 1, 2, 3...}**. Esse conjunto inclui números positivos, negativos e 0.

DICA

Lidar com inteiros é como lidar com dinheiro: pense nos positivos como tendo dinheiro e nos negativos como devendo. Isso é importante ao operar com números (veja a próxima seção).

» **Conjunto dos números racionais: números que podem ser expressos como fração, com o numerador e o denominador sendo inteiros.** A palavra *racional* vem da ideia de uma razão (fração ou divisão) de dois inteiros.

Exemplos de números racionais incluem (mas não se limitam a) $\frac{1}{5}, -\frac{7}{2}$ e 0,23. Um número racional é qualquer um com a forma $\frac{p}{q}$, em que p e q são inteiros, mas q nunca é 0. Se você vir um número racional na forma decimal, notará que o decimal para ou se repete.

Adicionar e subtrair frações significa encontrar um denominador comum. E as raízes devem possuir os radicandos iguais para adicionar e subtrair. Por exemplo, é possível somar $\sqrt{3}$ e $2\sqrt{3}$, mas não $\sqrt{3}$ e $\sqrt{6}$.

» **Conjunto dos números irracionais: todos os números que não podem ser expressos como frações.** Exemplos de números irracionais incluem $\sqrt{2}, \sqrt[3]{4}$ e π.

» **Conjunto de todos os números reais: todos os conjuntos vistos anteriormente.** Para ter um exemplo de número real, pense em um número... qualquer um. Seja qual for, é real. Qualquer número da lista anterior funciona como exemplo. Os números que não são reais são imaginários.

Como vendedores na TV e anúncios na internet, os números reais estão em todo lugar; não podemos nos livrar deles, nem no pré-cálculo. Por quê? Eles incluem todos os números, exceto os seguintes:

- **Fração com zero no denominador:** Tais números não existem e são chamados de *indefinidos*.

- **Raiz quadrada de um número negativo:** Fazem parte dos *números complexos*; a raiz negativa é a parte *imaginária* (veja o Capítulo 12). E isso inclui qualquer raiz par de um número negativo.

- **Infinito:** É um conceito, não um número real.

» **Conjunto dos números imaginários: raízes quadradas de números negativos.** Os números imaginários têm uma unidade imaginária, como *i*, 4*i* e –2*i*. Eles costumavam ser considerados números inventados, mas os matemáticos logo perceberam que eles aparecem no mundo real. Eles ainda são chamados de imaginários porque são raízes quadradas de números negativos, mas fazem parte da linguagem dos matemáticos. A unidade imaginária é definida como $i = \sqrt{-1}$ (para saber mais sobre esses números, vá para o Capítulo 12).

» **Conjunto dos números complexos: a soma ou a diferença de um número real e um imaginário.** Os números complexos lembram estes exemplos: $3 + 2i$, $2 - \sqrt{2}i$ e $4 - \frac{2}{3}i$. Mas também cobrem todas as listas anteriores, inclusive os números reais (3 é igual a $3 + 0i$) e os números imaginários (2i é igual a $0 + 2i$).

O conjunto dos números complexos é o mais completo no vocabulário da Matemática, porque inclui números reais (qualquer número imaginado), números imaginários (*i*) e qualquer combinação dos dois.

LEMBRE-SE

Operações fundamentais realizadas com números

De números positivos e negativos até frações, decimais e raízes quadradas, você deve saber como realizar as operações básicas com todos os números reais. Elas incluem soma, adição, subtração, multiplicação, divisão, potenciação e encontrar as raízes dos números. A *ordem das operações* é como elas são realizadas.

DICA

O mnemônico usado com mais frequência para lembrar a ordem é PEMDAS, que significa

1. **P**arênteses (e outros mecanismos de agrupamento).

2. **E**xpoentes (e raízes, que podem ser escritas como expoentes).

3. **M**ultiplicação e **D**ivisão (o que ocorrer primeiro, da esquerda para a direita).

4. **A**dição e **S**ubtração (o que ocorrer primeiro, da esquerda para a direita).

LEMBRE-SE

Um tipo de operação normalmente desconsiderado ou esquecido é o *valor absoluto*. Ele dá a distância de 0 na linha numérica. O valor absoluto deve ser incluído na etapa dos parênteses porque é preciso considerar primeiro o que está dentro das barras desse valor (as barras são um mecanismo de agrupamento). Não se esqueça de que o valor absoluto é sempre positivo ou zero. Ei, mesmo que você esteja andando para trás, ainda está andando!

Propriedades dos números: Verdades a lembrar

Lembrar-se das propriedades dos números é importante porque você as vê sempre no pré-cálculo. Talvez não use com frequência pelo nome, mas precisa saber quando usá-las. A lista a seguir mostra essas propriedades:

» **Propriedade reflexiva:** $a = a$. Por exemplo, $10 = 10$.

» **Propriedade simétrica:** Se $a = b$, então $b = a$. Por exemplo, se $5 + 3 = 8$, então $8 = 5 + 3$.

» **Propriedade transitiva:** Se $a = b$ e $b = c$, então $a = c$. Por exemplo, se $5 + 3 = 8$ e $8 = 4 \cdot 2$, então $5 + 3 = 4 \cdot 2$.

» **Propriedade comutativa da adição:** $a + b = b + a$. Por exemplo, $2 + 3 = 3 + 2$.

- » **Propriedade comutativa da multiplicação:** $a \cdot b = b \cdot a$. Por exemplo, $2 \cdot 3 = 3 \cdot 2$.
- » **Propriedade associativa da adição:** $(a+b)+c = a+(b+c)$. Por exemplo, $(2+3)+4 = 2+(3+4)$.
- » **Propriedade associativa da multiplicação:** $(a \cdot b) \cdot c = a \cdot (b \cdot c)$. Por exemplo, $(2 \cdot 3) \cdot 4 = 2 \cdot (3 \cdot 4)$.
- » **Identidade aditiva:** $a + 0 = a$. Por exemplo, $-3 + 0 = -3$.
- » **Identidade multiplicativa:** $a \cdot 1 = a$. Por exemplo, $4 \cdot 1 = 4$.
- » **Propriedade inversa aditiva:** $a + (-a) = 0$. Por exemplo, $2 + (-2) = 0$.
- » **Propriedade inversa multiplicativa:** $a \cdot \frac{1}{a} = 1$. Por exemplo, $2 \cdot \frac{1}{2} = 1$ (mas lembre-se de que $a \neq 0$).
- » **Propriedade distributiva:** $a(b+c) = a \cdot b + a \cdot c$. Por exemplo, $10(2+3) = 10 \cdot 2 + 10 \cdot 3 = 20 + 30 = 50$.
- » **Propriedade multiplicativa de zero:** $a \cdot 0 = 0$. Por exemplo, $5 \cdot 0 = 0$.
- » **Propriedade do produto zero: Se** $a \cdot b = 0$, **então** $a = 0$ **ou** $b = 0$. Por exemplo, se $x(x+2) = 0$, então $x = 0$ ou $x + 2 = 0$.

LEMBRE-SE

Se você tentar realizar uma operação que não está na lista anterior, é provável que ela não esteja correta. Afinal, a álgebra existe desde 1.600 a.C., e se uma propriedade existe, é possível que alguém já a tenha descoberto. Por exemplo, pode parecer tentador dizer que $10(2+3) = 10 \cdot 2 + 3 = 23$, mas está incorreto. O processo certo e a resposta são $10(2+3) = 10 \cdot 2 + 10 \cdot 3 = 50$. Saber o que não pode ser feito é tão importante quanto saber o que pode.

Demonstrações Visuais: Quando a Matemática Segue a Forma com Função

Os gráficos são ótimas ferramentas visuais. São usados para mostrar o que acontece nos problemas matemáticos, em empresas e experimentos científicos. Por exemplo, eles podem ser usados para mostrar como algo (por exemplo, os preços de imóveis) muda com o tempo. Pesquisas podem ser usadas para obter fatos ou opiniões, com os resultados sendo exibidos em gráficos. Abra um jornal de qualquer dia e poderá encontrar um gráfico em algum lugar.

Espero que o parágrafo anterior responda à pergunta sobre por que é necessário entender como construir gráficos. Mesmo que na vida real ninguém ande por aí com papel quadriculado e lápis para tomar decisões, o gráfico é essencial na Matemática e em outros caminhos da vida. Apesar da ausência do papel quadriculado, os gráficos estão em todo lugar.

Por exemplo, quando os cientistas saem e coletam dados ou medem coisas, muitas vezes eles organizam os dados como valores x e y. Em geral, eles procuram algum tipo de relação geral entre esses dois valores para dar apoio às suas hipóteses. Esses valores podem ser representados graficamente por meio de um sistema de coordenadas para mostrar tendências nos dados. Por exemplo, um bom cientista pode mostrar com um gráfico que, quanto mais você lê este livro, mais entende o pré-cálculo! (Outro cientista pode mostrar que pessoas com braços mais longos têm pés maiores. Que chato!)

Termos e conceitos básicos

Desenhar equações em gráficos é uma grande parte do pré-cálculo, portanto, é bom rever os fundamentos do gráfico antes de passar para os gráficos mais complicados e diferentes vistos posteriormente no livro.

Embora alguns gráficos no pré-cálculo pareçam muito familiares, outros serão novos, e possivelmente intimidadores. Este livro o deixará mais familiarizado com esses gráficos para que se sinta mais confortável ao trabalhar com eles. Mas as informações neste capítulo são em grande parte aquilo de que você se lembra da Álgebra II. Prestou atenção, certo?

Cada ponto no plano sobre o qual os gráficos são construídos, ou seja, um plano com eixo horizontal (x) e eixo vertical (y), criando quatro quadrantes, é chamado de par de coordenadas (x, y), normalmente referido como *par de coordenadas cartesianas*.

PAPO DE ESPECIALISTA

O nome *coordenadas cartesianas* vem do matemático francês e filósofo que inventou os gráficos, René Descartes. Descartes combinou a álgebra e a geometria euclidiana (geometria plana), e seu trabalho teve influência no desenvolvimento da geometria analítica, do cálculo e da cartografia.

Relação é um conjunto (que pode ser vazio, mas neste livro considero apenas os conjuntos não vazios) de pares ordenados que podem ser desenhados em um plano cartesiano. Cada relação é como um computador que expressa x como a entrada e y como a saída. Você sabe que está lidando com uma relação quando o conjunto está entre chaves (assim: { }) e tem um ou mais pontos. Por exemplo, R = {(2, −1), (3, 0), (−4, 5)} é uma relação com três pares ordenados. Considere cada ponto como (entrada, saída), exatamente como em um computador.

Domínio de uma relação é o conjunto de todos os valores de entrada, em geral listados do menor para o maior. O domínio do conjunto R é {–4, 2, 3}. *Intervalo* é o conjunto de todos os valores de saída, também listados do menor para o maior. O intervalo de R é {–1, 0, 5}. Se qualquer valor no domínio ou no intervalo é repetido, não é preciso listá-lo duas vezes. Em geral, o domínio é a variável x e o intervalo é y.

LEMBRE-SE

Se aparecerem valores diferentes, como m e n, a entrada (domínio) e a saída (intervalo) ficam em ordem alfabética, a menos que seja informado o contrário. Nesse caso, m seria sua entrada/domínio e n seria sua saída/intervalo. Mas quando escrita com uma vírgula, a relação é sempre (entrada, saída).

Desenhando igualdades e desigualdades lineares

Quando você descobriu pela primeira vez como desenhar uma reta no plano cartesiano, aprendeu a pegar os valores do domínio (x) e colocá-los na equação para resolver os valores do intervalo (y). Então, realizou o processo diversas vezes, expressou cada par como um ponto de coordenada e ligou os pontos para fazer uma linha. Alguns matemáticos chamam isso de *método "plug and chug"*.

Pouco depois do trabalho chato, alguém disse: "Espere! Você pode usar um atalho." Esse atalho envolve uma equação chamada de *forma inclinação-intercepto*, expressada como $y = mx + b$. A variável m representa a inclinação da reta (veja a próxima seção), e b representa o intercepto-y (ou onde a reta cruza o eixo y). Você pode mudar as equações que não estão escritas na forma inclinação-intercepto para essa forma resolvendo y. Por exemplo, desenhar $2x - 3y = 12$ requer que se subtraia $2x$ dos dois lados da igualdade para obter $-3y = -2x + 12$. Então divida cada termo por -3 para obter

$$y = \frac{2}{3}x - 4$$

Marque o primeiro ponto -4 no eixo y. Para encontrar o segundo ponto, suba dois pontos e desloque três à direita. A inclinação geralmente é expressa como uma fração porque é o coeficiente angular, nesse caso $\frac{2}{3}$.

As *desigualdades* são usadas para comparações, que são uma grande parte do pré-cálculo. Elas mostram uma relação entre duas expressões (maior que, menor que, maior ou igual a e menor ou igual a). O gráfico de uma desigualdade começa exatamente como a de uma igualdade (você ainda coloca a equação na forma inclinação-intercepto), mas no final há duas decisões a tomar:

> A reta é *tracejada*, indicando *y* < ou *y* >, ou é *sólida*, indicando $y \leq$ ou $y \geq$?

> Você sombreia sob a reta para *y* < ou $y \leq$, ou sombreia acima para *y* > ou $y \geq$? As desigualdades simples (como *x* < 3) expressam todas as possíveis respostas. Para tanto, você mostra isso sombreando o lado da reta que funciona na equação original.

Por exemplo, ao representar graficamente $y < 2x - 5$, siga estas etapas:

1. Marque o primeiro ponto em –5 no eixo *y*.
2. Suba dois pontos e desloque um à direita para encontrar o segundo ponto por onde a reta passa.
3. Ao ligar os pontos, você produz uma reta tracejada que passa pelos pontos.
4. Sombreie a metade inferior do gráfico (por causa do sinal <) para mostrar todos os possíveis pontos na solução.

Reunindo informações dos gráficos

Depois de se acostumar com coordenadas e de representar graficamente as equações de retas no plano cartesiano, os livros comuns de Matemática e os professores começam a fazer perguntas sobre pontos e retas desenhados. As três coisas principais pedidas são as distâncias entre dois pontos, o ponto médio do segmento que liga os dois pontos e a inclinação exata de uma reta que passa por dois pontos.

Calculando a distância

PAPO DE ESPECIALISTA

Saber como calcular a distância usando as informações de um gráfico é muitíssimo útil, portanto, primeiro veja uma revisão rápida de algumas coisas. *Distância* é a separação de dois objetos ou dois pontos. Para encontrar a distância, representada por *d*, entre dois pontos (x_1, y_1) e (x_2, y_2) em um plano cartesiano, por exemplo, use a seguinte fórmula:

$$d = \sqrt{(x_2 - x_1)^2 + (y_2 - y_1)^2}$$

É possível usar essa equação para encontrar o comprimento do segmento entre dois pontos em um plano cartesiano sempre que for preciso. Por exemplo, para saber a distância entre A(–6, 4) e B(2, 1), primeiro identifique as partes: $x_1 = -6$ e $y_1 = 4$; $x_2 = 2$ e $y_2 = 1$. Substitua esses valores na fórmula da distância: $d = \sqrt{(2-(-6))^2 + (1-4)^2}$. O resultado é $\sqrt{73}$.

Encontrando o ponto médio

PAPO DE ESPECIALISTA

A descoberta do ponto médio de um segmento aparece em tópicos sobre cones (veja o Capítulo 13). Para encontrar o ponto médio do segmento, representado por M, que liga dois pontos, calcule a média dos valores x e y e expresse a resposta como um par ordenado:

$$M = \left(\frac{x_1 + x_2}{2}, \frac{y_1 + y_2}{2} \right)$$

Você pode usar essa fórmula para encontrar o centro de vários gráficos em um plano cartesiano, mas, no momento, basta encontrar o ponto médio. Calcule o ponto médio do segmento que liga dois pontos (veja a seção anterior) usando a fórmula mostrada. Isso resultaria em $M = \left(\frac{-6+2}{2}, \frac{4+1}{2} \right)$ ou $\left(-2, \frac{5}{2} \right)$.

Descobrindo a inclinação da reta

PAPO DE ESPECIALISTA

Quando você coloca a equação linear no gráfico, a inclinação tem seu papel. A inclinação de uma reta informa a posição dela no plano cartesiano. Quando existem dois pontos dados (x_1, y_1) e (x_2, y_2) e é pedido para encontrar a inclinação da reta que passa por eles, use a seguinte fórmula:

$$m = \frac{y_2 - y_1}{x_2 - x_1}$$

Se os mesmos dois pontos A e B da seção anterior forem usados e os valores forem colocados na fórmula, a inclinação será de $-\frac{3}{8}$.

As inclinações positivas sempre sobem à direita ou descem à esquerda no plano. As negativas descem à direita ou sobem à esquerda (observe que, se você movesse a inclinação para baixo e à esquerda, ela seria negativa dividida por um valor negativo, tendo um resultado positivo). As linhas horizontais têm uma inclinação zero, e as verticais, uma inclinação indefinida.

DICA

Se você já confundiu os diferentes tipos de inclinação, lembre-se do esquiador na pista de esqui:

» Quando ele sobe a montanha, realiza muito trabalho (inclinação +).

» Quando desce a montanha, é ela quem faz o trabalho (inclinação −).

» Quando ele está parado no terreno, não faz nenhum trabalho (inclinação 0).

» Quando atinge uma parede (a linha vertical), ele terminou e não pode mais esquiar (inclinação indefinida)!

Tenha uma Calculadora Gráfica

Recomenda-se comprar uma calculadora gráfica para o trabalho com pré-cálculo. Desde sua invenção, a ênfase e o tempo gastos nos cálculos em sala de aula e no dever de casa mudaram, porque a parte pesada não é mais necessária. Muitos gostam de fazer grande parte do trabalho com a calculadora, mas outros preferem não usá-la. Uma calculadora gráfica faz muitas coisas, e mesmo que você não a utilize em cada item, sempre poderá verificar o trabalho nos problemas complexos com uma à mão.

Há muitos tipos diferentes de calculadoras gráficas disponíveis, e suas atividades internas individuais são diferentes. Para descobrir qual comprar, peça a opinião de alguém que já teve aula de pré-cálculo, depois pesquise na internet para ver a melhor oferta.

LEMBRE-SE

Muitos conceitos teóricos neste livro, e no pré-cálculo em geral, se perdem com o uso de uma calculadora gráfica. As pessoas dizem "Coloque os números e obtenha a resposta". Com certeza, temos a resposta, mas você sabe mesmo o que a calculadora fez para chegar à resposta? Não. Por isso, este livro alterna entre usar a calculadora e fazer problemas complicados à mão. Mas tendo você permissão ou não para usar uma calculadora gráfica, seja inteligente em seu uso. Se pretende usar o cálculo depois deste curso, é preciso saber a teoria e os conceitos que fundamentam cada tópico.

O material mostrado aqui nem chega a ensiná-lo a usar sua calculadora gráfica única, mas o pessoal incrível da *Para Leigos* tem livros inteiros sobre seu uso, dependendo do tipo de calculadora que você tem. Mas posso dar alguns conselhos gerais. Veja uma lista de sugestões que o ajudariam a usar tal calculadora:

» **Sempre confirme se o modo na calculadora está definido de acordo com o problema trabalhado.** Procure um botão na calculadora que informe *modo*. Dependendo da marca, esse botão permite mudar coisas como graus ou radianos, $f(x)$ ou $r(\theta)$, como analisado no Capítulo 12. Por exemplo, se você trabalha com graus, deve verificar se a calculadora tem isso antes de pedir que ela resolva um problema. O mesmo vale para trabalhar com radianos. Algumas calculadoras têm mais de 10 modos diferentes. Tenha cuidado!

» **Verifique se pode determinar y antes de tentar construir um gráfico.** Você pode plotar qualquer coisa na calculadora gráfica, desde que seja possível resolver y para escrevê-lo como uma função. As calculadoras são configuradas para aceitar apenas equações resolvidas para y.

LEMBRE-SE

As equações que você precisa determinar para *x* muitas vezes não são funções verdadeiras e não são estudadas no pré-cálculo, exceto as seções cônicas, e os alunos normalmente não têm permissão para usar calculadoras gráficas para esse material porque é inteiramente baseado em gráficos (veja o Capítulo 13).

» **Fique atento a todos os menus de atalho disponíveis e use quantas funções puder da calculadora.** Em geral, no menu de gráficos da calculadora, você pode encontrar atalhos para outros conceitos matemáticos (como mudar um decimal para fração, encontrar raízes de números ou inserir matrizes e realizar operações com elas). Cada marca de calculadora é única, portanto, leia o manual. Os atalhos são ótimas maneiras de verificar suas respostas!

» **Digite uma expressão exatamente como ela está. A calculadora fará o trabalho e a simplificará.** Todas as calculadoras gráficas realizam a ordem das operações para você, assim, nem é preciso se preocupar. Apenas saiba que alguns atalhos predefinidos de matemática iniciam automaticamente com parênteses.

Por exemplo, a maioria das calculadoras inicia uma raiz quadrada como $\sqrt{(}$, portanto, todas as informações digitadas depois ficam automaticamente dentro do sinal de raiz até que você feche o parêntese. Por exemplo, $\sqrt{(4+5)}$ e $\sqrt{(4)} + 5$ representam dois cálculos diferentes, assim, dois valores diferentes (3 e 7, respectivamente). Algumas calculadoras avançadas até resolvem a equação para você. Muito em breve, provavelmente você nem terá aulas de pré-cálculo; a calculadora ficará no seu lugar!

Certo, depois de ler este capítulo, você está pronto para alçar voo no pré-cálculo. Boa sorte e curta a viagem!

NESTE CAPÍTULO

» Trabalhando com equações e desigualdades

» Dominando radicais e expoentes

Capítulo 2
Trabalhando com Números Reais

Se você está estudando pré-cálculo, é provável que já tenha visto as Álgebras I e II, e sobreviveu (ufa!). Também pode estar pensando: "Fico feliz que tenha acabado; agora posso ver coisas novas." Embora o pré--cálculo apresente muitas ideias e técnicas novas e incríveis, essas novidades se fundamentam na base sólida da álgebra. Uma pequena revisão o ajudará a determinar a solidez dessa base.

É pressuposto que você saiba de cor certas habilidades em álgebra, mas este livro começa revendo as mais complicadas, que se tornaram os fundamentos do pré-cálculo. Neste capítulo, você encontra uma revisão da resolução das desigualdades, equações com valores absolutos e desigualdades, radicais e expoentes racionais. Há também uma introdução ao novo modo de expressar os conjuntos de solução: notação de intervalo.

Resolvendo as Desigualdades

Você está familiarizado com as equações e sabe como resolvê-las. Os professores de pré-cálculo geralmente supõem que o aluno sabe resolver equações, portanto, a maioria dos cursos começa com desigualdades. *Desigualdade* é uma sentença matemática indicando que duas expressões não são iguais, ou que podem ou não ser iguais. Os símbolos a seguir expressam as desigualdades:

Menor que: <   Menor ou igual a: ≤

Maior que: >   Maior ou igual a: ≥

Resumindo o passo a passo da desigualdade

As desigualdades são definidas e resolvidas de modo muito parecido com as equações. Na verdade, para resolvê-las, proceda exatamente como faria em uma equação, com uma exceção.

LEMBRE-SE Se você multiplica ou divide uma desigualdade por um número negativo, deve mudar o sinal da desigualdade para o oposto.

Por exemplo, ao resolver $-4x + 1 < 13$, siga estas etapas:

Subtraia 1 de cada lado: $-4x < 12$

Divida cada lado por -4: $x > -3$

Ao dividir os dois lados por -4, você muda o sinal de menor que para o sinal de maior que. É possível verificar essa solução pegando um número que é maior que -3 e colocando-o na equação original para assegurar uma sentença verdadeira. Se usar 0, por exemplo, obterá $-4(0) + 1 < 13$, que é uma sentença verdadeira.

CUIDADO Trocar o sinal de desigualdade é uma etapa que muitos alunos esquecem. Veja uma desigualdade com números, como $-2 < 10$. É uma sentença verdadeira. Se você multiplicar por 3 nos dois lados, obterá $-6 < 30$, que ainda é verdadeira. Mas se multiplicar por -3 nos dois lados (e não corrigir o sinal) obterá $6 < -30$. Essa sentença é falsa, mas é importante que elas sempre sejam verdadeiras. O único modo para a desigualdade funcionar é trocar o sinal para que seja $6 > -30$. A mesma regra se aplica se você divide $-2 < 10$ por -2 nos dois lados. A única solução para o problema fazer sentido é declarar que $1 > -5$.

Resolvendo equações e desigualdades quando há valor absoluto

Se você se recorda da Álgebra I, é possível que se lembre de que uma equação com valor absoluto normalmente tem duas soluções possíveis. Valor absoluto é um pouco mais complicado de lidar ao resolver as desigualdades. Do mesmo modo, as desigualdades têm duas soluções possíveis:

» Uma em que a quantidade dentro das barras do valor absoluto é maior que um número.

» Outra em que a quantidade é menor que um número.

Na terminologia matemática, a desigualdade $|ax \pm b| < c$ — em que a, b e c são números reais — sempre há duas desigualdades:

$$ax \pm b < c \quad \text{E} \quad ax \pm b > -c$$

"E" vem do gráfico do conjunto de soluções, que pode ser visto na Figura 2-1a.

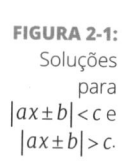

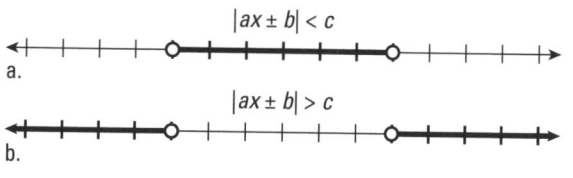

FIGURA 2-1: Soluções para $|ax \pm b| < c$ e $|ax \pm b| > c$.

a. $|ax \pm b| < c$

b. $|ax \pm b| > c$

A desigualdade $|ax \pm b| > c$ se torna

$$ax \pm b > c \quad \text{OU} \quad ax \pm b < -c$$

"OU" também vem do gráfico, que é visto na Figura 2-1b.

Veja dois avisos dos quais se lembrar quando trabalhar com valores absolutos:

LEMBRE-SE

» **Se o valor absoluto é menor que (<), menor ou igual a (≤) um número negativo, ele não tem solução.** Um valor absoluto sempre deve ser zero ou positivo (a única coisa menor que um número negativo é outro número negativo). Por exemplo, a desigualdade com valor absoluto $|2x - 1| < -3$ não tem solução, porque diz que a desigualdade é menor que um número negativo.

Obter 0 como uma possível solução é perfeito. Mas é importante observar que não ter solução é algo totalmente diferente. Não ter uma solução significa que nenhum número funciona, nunca.

> **Se o resultado é maior ou igual a um número negativo, a solução são todos os números reais.** Por exemplo, dada a equação $|x-1|>-5$, x são todos os números reais. O lado esquerdo da equação é um valor absoluto, e ele sempre representa um número positivo. Como os números positivos são sempre maiores que os negativos, essas desigualdades sempre têm solução. Qualquer número real colocado na equação funciona.

Para resolver e desenhar o gráfico de uma desigualdade com um valor absoluto, por exemplo, $2|3x-6|<12$, siga estas etapas:

1. **Separe a expressão com valor absoluto.**

   Nesse caso, divida os dois lados por 2, para obter $|3x-6|<6$.

2. **Divida a desigualdade em duas sentenças separadas.**

   Esse processo resulta em $3x-6<6$ e $3x-6>-6$. Notou como o sinal de desigualdade mudou na segunda parte? Quando você troca de positivo para negativo em uma desigualdade, deve mudar o sinal.

   CUIDADO: Não caia na armadilha de mudar a equação dentro das barras do valor absoluto. Por exemplo, $|3x-6|<6$ não muda para $3x+6<6$ e nem para $3x+6>-6$.

3. **Resolva as duas desigualdades.**

   As soluções para os problemas são $x<4$ e $x>0$.

4. **Desenhe o gráfico das soluções.**

   Crie uma reta numérica e mostre as respostas para a desigualdade. A Figura 2-2 mostra a solução, porque é o gráfico de todos os números menores que 4 e maiores que 0.

FIGURA 2-2: Solução para $2|3x-6|<12$ em uma reta numérica.

Expressando soluções para desigualdades com a notação de intervalo

Agora chegou a hora de se aventurar com a notação de intervalo para expressar onde um conjunto de soluções começa e termina. *Notação de intervalo* é outro modo de expressar o conjunto de soluções para uma desigualdade e é importante porque é como ele é expresso em cálculo. A maioria dos livros sobre pré-cálculo e alguns professores agora pedem que todos os conjuntos sejam escritos nessa notação.

CUIDADO

O jeito mais fácil de criar uma notação de intervalo é primeiro desenhar um gráfico da solução em uma reta numérica como uma representação visual do que acontece no intervalo.

Se o ponto de coordenada do número usado para definir o intervalo não for incluído na solução (para < ou >), o intervalo é chamado de *intervalo aberto*. É mostrado no gráfico com um círculo aberto na ponta e usando parênteses na notação. Se o ponto é incluído na solução (≤ ou ≥), é chamado de *intervalo fechado*, mostrado no gráfico com um círculo preenchido na ponta e usando colchetes na notação.

Por exemplo, o conjunto de solução $-2 < x \leq 3$ é mostrado na Figura 2-3. *Nota:* Você pode reescrever esse conjunto como uma sentença *E*:

$$-2 < x \quad \text{E} \quad x \leq 3$$

FIGURA 2-3: Gráfico de $-2 < x \leq 3$ em uma reta numérica.

Na notação de intervalo, a solução é escrita como $(-2, 3]$.

Resultado: as duas desigualdades *precisam* ser verdadeiras ao mesmo tempo.

Você também pode usar gráficos de sentenças (também conhecidas como *conjuntos disjuntos*, porque as soluções não se sobrepõem). As sentenças *ou* são duas desigualdades diferentes em que uma ou outra é verdadeira. Por exemplo, a Figura 2-4 mostra o gráfico de $x < -4$ OU $x > -2$.

FIGURA 2-4: Gráfico da sentença *ou*: $x < -4$ OU $x > -2$.

Escrever o conjunto da Figura 2-4 na notação de intervalo pode ser confuso. A variável x pode pertencer a dois intervalos diferentes, mas como eles não se sobrepõem, é preciso que fiquem separados:

» O primeiro intervalo é $x < -4$. Ele inclui todos os números entre o infinito negativo e –4. Como $-\infty$ não é um número real, use um intervalo aberto para sua representação. Portanto, na notação de intervalo, escreva essa parte do conjunto como $(-\infty, -4)$.

» O segundo intervalo é $x > -2$. Esse conjunto são todos os números entre –2 e o infinito positivo, então escreva-o como $(-2, \infty)$.

O conjunto inteiro é descrito como $(-\infty, -4) \cup (-2, \infty)$. O símbolo entre os dois conjuntos é o *símbolo de união* e significa que a solução pode pertencer a qualquer intervalo.

LEMBRE-SE

Ao resolver uma desigualdade com valor absoluto que é maior que um número, escreva suas soluções como sentenças OU. Veja o exemplo a seguir: $|3x-2|>7$. Você pode reescrever essa desigualdade como $3x-2>7$ OU $3x-2<-7$. Existem duas soluções: $x>3$ ou $x<-5/3$.

Nessa notação, a solução é $\left(-\infty, -\frac{5}{3}\right) \cup (3, \infty)$.

Variações sobre Divisão e Multiplicação: Trabalhando com Radicais e Expoentes

Radicais e expoentes (também conhecidos como *raízes* e *potências*) são dois elementos comuns (e muitas vezes desafiadores) da álgebra básica. E é claro que eles o seguem por todo lugar na matemática, como uma nuvem de mosquitos segue um novato no acampamento. O melhor a fazer para se preparar para o cálculo é ser muito consistente no que pode ou não ser feito ao simplificar as expressões com expoentes e radicais. É importante isso para que, quando surgirem problemas matemáticos complicados, as respostas corretas também possam aparecer. Esta seção traz o conhecimento sólido necessário para esses desafios.

Definindo e relacionando radicais e expoentes

Antes de se aprofundar nos radicais e nos expoentes, veja se você se lembra dos fatos na seguinte lista sobre o que são e como se relacionam:

LEMBRE-SE

» **Radical é a raiz de um número.** Os radicais são representados pelo sinal $\sqrt{}$. Por exemplo, se você extrai a *raiz quadrada* do número 9, obtém 3, porque $3 \cdot 3 = 9$. A raiz quadrada de 9, como uma equação, é escrita $\sqrt{9} = 3$. Se extrair a *raiz cúbica* de 27, obtém 3, porque $3 \cdot 3 \cdot 3 = 27$. A raiz cúbica de 27, como uma equação, é escrita $\sqrt[3]{27} = 3$.

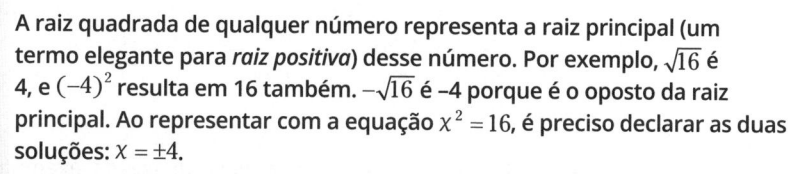

A raiz quadrada de qualquer número representa a raiz principal (um termo elegante para *raiz positiva*) desse número. Por exemplo, $\sqrt{16}$ é 4, e $(-4)^2$ resulta em 16 também. $-\sqrt{16}$ é -4 porque é o oposto da raiz principal. Ao representar com a equação $x^2 = 16$, é preciso declarar as duas soluções: $x = \pm 4$.

E mais: você não pode ter a raiz quadrada de um número negativo, mas pode ter a raiz cúbica. Por exemplo, a raiz cúbica de -8 é -2, porque $(-2)^3 = -8$.

» **Um *expoente* representa a potência do número.** Se o expoente é um número inteiro, digamos 2, significa que a base é multiplicada por ela mesma essa quantidade de vezes, ou seja, duas vezes, nesse caso. Por exemplo, $3^2 = 3 \cdot 3 = 9$.

Outros tipos de expoente, inclusive os negativos e os fracionários, têm significados diferentes e são explicados nas próximas seções.

Reescrevendo radicais como expoentes (ou criando expoentes racionais)

Às vezes, um modo diferente (embora equivalente) de expressar os radicais facilita a simplificação de uma expressão. Por exemplo, quando há um problema na forma de radical, pode ser mais fácil se você reescrevê-lo usando *expoentes racionais* ou expoentes que são frações. Você pode reescrever os radicais sob a forma de expoente racional usando a propriedade a seguir: o numerador da fração que compõe o expoente indica a potência, e o denominador, a raiz que você está obtendo.

$$x^{m/n} = \sqrt[n]{x^m} = \left(\sqrt[n]{x}\right)^m = \left(x^{1/n}\right)^m$$

Por exemplo, você pode escrever $8^{2/3} = \sqrt[3]{8^2} = \left(\sqrt[3]{8}\right)^2 = \left(8^{1/3}\right)^2$. Use o formato que preferir para determinar o valor. Se usar $\left(\sqrt[3]{8}\right)^2$, primeiro extraia a raiz cúbica de 8 obtendo 2 e, em seguida, eleve ao quadrado. A resposta será 4.

DICA

A ordem desses processos realmente não importa. É possível encontrar:

» A raiz cúbica de 8, e, em seguida, elevar ao quadrado.

» O quadrado de 8, e, em seguida, extrair a raiz cúbica.

Tanto faz, a resposta será 4. Dependendo da expressão original, o problema ficará mais fácil se você extrair a raiz primeiro, depois a potência; ou pode querer fazer a potência primeiro. Por exemplo, $64^{3/2}$ fica mais fácil se você a escreve como $(64^{1/2})^3 = 8^3 = 512$, em vez de $(64^3)^{1/2}$, porque teria de encontrar a raiz quadrada de 262.144.

LEMBRE-SE

Os expoentes fracionários são raízes, nada mais. Por exemplo, $64^{1/3}$ não significa 64^{-3} e nem $64 \cdot \frac{1}{3}$. Nesse caso, você encontra a raiz mostrada no denominador (a raiz cúbica), depois a eleva à potência no numerador (a primeira potência). Portanto, $64^{1/3} = 4$.

Veja algumas etapas que mostram o processo. Para simplificar a expressão $\sqrt{x}\left(\sqrt[3]{x^2} - \sqrt[3]{x^4}\right)$, em vez de trabalhar com raízes, execute o seguinte:

1. Reescreva a expressão inteira usando expoentes racionais.

$x^{1/2}(x^{2/3} - x^{4/3})$

Agora você tem todas as propriedades dos expoentes disponíveis para ajudá-lo a simplificar a expressão.

2. Distribua para se livrar dos parênteses.

Ao multiplicar os monômios de mesma base, some os expoentes.

Assim, o expoente no primeiro termo é:

$\frac{1}{2} + \frac{2}{3} = \frac{7}{6}$

E o expoente no segundo é:

$\frac{1}{2} + \frac{4}{3} = \frac{11}{6}$

O resultado é $x^{1/2}(x^{2/3} - x^{4/3}) = x^{7/6} - x^{11/6}$.

3. Como a solução é escrita na forma exponencial, não na radical, como estava a expressão original, reescreva-a para combinar com a original.

Isso resultará em $\sqrt[6]{x^7} - \sqrt[6]{x^{11}}$.

Em geral, sua resposta final deve estar no mesmo formato do problema original; se o problema estiver na forma de radicais, sua resposta deve ficar com radicais. E se o problema original estiver na forma exponencial com expoentes racionais, sua solução deve estar assim também.

Eliminando o radical de um denominador: Racionalizando

Outra convenção da Matemática é que não se deixam radicais no denominador de uma expressão quando a reescreve em sua forma final; o processo usado para eliminar os radicais no denominador é chamado de *racionalização*. Essa convenção facilita reunir termos afins, e suas respostas serão muito simplificadas.

LEMBRE-SE

Na forma racionalizada, um numerador pode conter um radical, mas o denominador não. A expressão final pode parecer mais complicada na forma racional, mas às vezes é isso que precisa ser feito.

Esta seção mostra como eliminar os radicais chatos que podem aparecer no denominador da fração. O foco está em duas situações separadas: as expressões que têm um radical no denominador e as que têm dois termos no denominador, pelo menos com um sendo um radical.

Raiz quadrada

Racionalizar expressões com uma raiz quadrada no denominador é fácil. No final das contas, basta se livrar da raiz. Normalmente, o melhor modo de fazer isso em uma equação é elevar ao quadrado os dois lados. Por exemplo, se $\sqrt{x-3} = 5$, então $\left(\sqrt{x-3}\right)^2 = 5^2$ ou $x - 3 = 25$.

CUIDADO

Mas não caia na armadilha de racionalizar uma fração elevando ao quadrado o numerador e o denominador. Por exemplo, elevando as partes superior e inferior de

$$\frac{2}{\sqrt{3}},$$

você obtém $\left(\frac{2}{\sqrt{3}}\right)^2 = \frac{2^2}{\left(\sqrt{3}\right)^2} = \frac{4}{3}$, e $\frac{2}{\sqrt{3}}$ não equivale a $\frac{4}{3}$.

Em vez disso, siga estas etapas:

1. **Multiplique o numerador e o denominador pelo mesmo número que aparece no denominador, neste caso, a raiz quadrada de três.**

   Se você multiplicar o numerador e o denominador de uma fração por um mesmo número é como se estivesse multiplicando por 1 e a fração não se altera. Fica assim:

   $$\frac{2}{\sqrt{3}} \cdot \frac{\sqrt{3}}{\sqrt{3}}$$

2. **Multiplique os numeradores e os denominadores, e depois simplifique.**

   Para este exemplo,

   $$\frac{2}{\sqrt{3}} \cdot \frac{\sqrt{3}}{\sqrt{3}} = \frac{2\sqrt{3}}{\sqrt{3}\sqrt{3}} = \frac{2\sqrt{3}}{\sqrt{9}} = \frac{2\sqrt{3}}{3}$$

Raiz cúbica

O processo de racionalizar uma raiz cúbica no denominador é bem parecido com o da raiz quadrada. Para eliminar uma raiz cúbica no denominador da fração, eleve ao cubo. Se o denominador for uma raiz cúbica, multiplique o numerador e o denominador pela mesma raiz cúbica, mas elevada ao quadrado para obter o cubo de uma raiz cúbica e, assim, eliminar a raiz. Uma raiz cúbica elevada ao cubo elimina a raiz. Pronto!

Por exemplo, para racionalizar $\frac{6}{\sqrt[3]{4}}$, multiplique o numerador e o denominador por $\left(\sqrt[3]{4}\right)^2$. Então o resultado é $\frac{6}{\sqrt[3]{4}} \cdot \frac{\left(\sqrt[3]{4}\right)^2}{\left(\sqrt[3]{4}\right)^2} = \frac{6\left(\sqrt[3]{4}\right)^2}{\left(\sqrt[3]{4}\right)^3} = \frac{6\left(\sqrt[3]{4}\right)^2}{4}$. O numerador pode ser simplificado elevando-se 4 ao quadrado e obtendo $\frac{6\sqrt[3]{16}}{4}$.

Uma raiz quando o denominador é um binômio

É possível racionalizar o denominador de uma fração quando ele tem um binômio com um ou mais termos radicais. Por exemplo, veja as seguintes expressões:

$$\frac{3}{x + \sqrt{2}}$$

$$\frac{-2}{\sqrt{x} - \sqrt{5}}$$

Eliminar o radical nesses denominadores envolve usar o conjugado dos denominadores. *Conjugado* é um binômio formado usando o oposto do segundo termo do binômio original. O conjugado de $a + \sqrt{b}$ é $a - \sqrt{b}$. O conjugado de $x + 2$ é $x - 2$; do mesmo modo, o conjugado de $x + \sqrt{2}$ é $x - \sqrt{2}$.

PAPO DE ESPECIALISTA

Multiplicar um número por seu conjugado requer que se siga o método PEIU (Primeiros, Externos, Internos, Últimos). Portanto, $(x + \sqrt{2})(x - \sqrt{2}) = x^2 - x\sqrt{2} + x\sqrt{2} - \sqrt{2}^2$. Os dois termos do meio sempre se cancelam, e os radicais desaparecem. Para esse problema, o resultado é $x^2 - 2$.

Veja um exemplo típico que envolve racionalizar um denominador usando o conjugado. Primeiro simplifique a expressão:

$$\frac{1}{\sqrt{5} - 2}$$

Para racionalizar esse denominador, multiplique o numerador e o denominador da fração pelo conjugado do denominador, que é $\sqrt{5} + 2$. O passo a passo ao se fazer essa multiplicação é

$$\frac{1}{\sqrt{5} - 2} \cdot \frac{\sqrt{5} + 2}{\sqrt{5} + 2} = \frac{\sqrt{5} + 2}{(\sqrt{5} - 2)(\sqrt{5} + 2)}$$

$$= \frac{\sqrt{5} + 2}{\sqrt{5}^2 + 2\sqrt{5} - 2\sqrt{5} - 2^2}$$

$$= \frac{\sqrt{5} + 2}{\sqrt{25} - 4} = \frac{\sqrt{5} + 2}{5 - 4} = \frac{\sqrt{5} + 2}{1} = \sqrt{5} + 2$$

Veja um segundo exemplo. Suponha que você precise simplificar o seguinte problema:

$$\frac{\sqrt{2} - \sqrt{6}}{\sqrt{10} + \sqrt{8}}$$

Siga estas etapas:

1. Multiplique pelo conjugado do denominador.

O conjugado de $\sqrt{10} + \sqrt{8}$ é $\sqrt{10} - \sqrt{8}$.

$$\frac{\sqrt{2} - \sqrt{6}}{\sqrt{10} + \sqrt{8}} \cdot \frac{\sqrt{10} - \sqrt{8}}{\sqrt{10} - \sqrt{8}}$$

2. Multiplique os numeradores e os denominadores.

Use o método PEIU no numerador e no denominador (sim, é complicado!). Veja o resultado:

$$= \frac{\sqrt{20} - \sqrt{16} - \sqrt{60} + \sqrt{48}}{\sqrt{10}^2 - \sqrt{80} + \sqrt{80} - \sqrt{8}^2}$$

3. Simplifique.

O numerador e o denominador são simplificados primeiro.

$$= \frac{2\sqrt{5} - 4 - 2\sqrt{15} + 4\sqrt{3}}{10 - 8}$$

resultando em

$$= \frac{2\sqrt{5} - 4 - 2\sqrt{15} + 4\sqrt{3}}{2}$$

É possível simplificar ainda mais essa expressão porque todos os termos do numerador são divisíveis pelo denominador, obtendo

$$= \sqrt{5} - 2 - \sqrt{15} + 2\sqrt{3}.$$

LEMBRE-SE

Para sua resposta final, simplifique os radicais sempre que possível. Você pode somar ou subtrair apenas radicais que tenham termos semelhantes. Isso significa que o número dentro do radical e o índice (número que informa se é uma raiz quadrada, cúbica, quarta etc.) são iguais.

Racionalizando um numerador

Racionalizar um numerador pode parecer o contrário do que você quer, mas no cálculo será apresentado o *quociente da diferença*, em que esse processo pode ser necessário. Não se preocupe com as explicações agora. Basta observar que racionalizando o numerador é possível fatorar a fração. Essa necessidade ficará muito clara ao encontrar derivados no cálculo.

Por exemplo, pode ser pedido que você simplifique a fração $\frac{\sqrt{x+h} - \sqrt{x}}{h}$ racionalizando o numerador. O numerador e o denominador são multiplicados pelo conjugado do numerador.

$$\frac{\sqrt{x+h} - \sqrt{x}}{h} \cdot \frac{\sqrt{x+h} + \sqrt{x}}{\sqrt{x+h} + \sqrt{x}} = \frac{\left(\sqrt{x+h} - \sqrt{x}\right)\left(\sqrt{x+h} + \sqrt{x}\right)}{h\left(\sqrt{x+h} + \sqrt{x}\right)}$$

$$= \frac{\sqrt{x+h}\sqrt{x+h} + \sqrt{x}\sqrt{x+h} - \sqrt{x}\sqrt{x+h} - \sqrt{x}\sqrt{x}}{h\left(\sqrt{x+h} + \sqrt{x}\right)}$$

$$= \frac{x + h - x}{h\left(\sqrt{x+h} + \sqrt{x}\right)} = \frac{h}{h\left(\sqrt{x+h} + \sqrt{x}\right)}$$

Agora a fração pode ser reduzida dividindo-se pelo fator comum h.

$$\frac{\not{h}}{\not{h}\left(\sqrt{x+h} + \sqrt{x}\right)} = \frac{1}{\sqrt{x+h} + \sqrt{x}}$$

Maravilha! Você pode não ver como esse resultado é ótimo no momento, mas gostará dele quando estudar cálculo.

NESTE CAPÍTULO

» Identificando, fazendo o gráfico e convertendo funções modelo

» Reunindo funções por partes

» Separando e desenhando o gráfico de funções racionais

Capítulo 3
Blocos de Construção das Funções do Pré-cálculo

Os mapas-múndi identificam cidades como pontos e usam retas para representar as estradas que os conectam. Os mapas modernos de países e cidades usam um sistema de grade para ajudar os usuários a encontrar as localizações com facilidade. Se não encontrar o local que procura, é só ver em um índice que fornece uma letra e um número. Essas informações restringem sua área de pesquisa, sendo possível descobrir fácil como chegar aonde deseja.

Você pode pegar essa ideia e usá-la para seus próprios fins no pré-cálculo por meio do processo de representação de gráficos. Mas em vez de nomear cidades, as marcas nomeiam pontos no plano cartesiano (analisado em detalhes no Capítulo 1). Um ponto nesse plano relaciona dois números, em geral na forma de entrada e saída. O plano cartesiano é parecido com um grande computador, porque se baseia em entrada e saída, e você faz o papel do sistema operacional. Essa ideia de entrada e saída é mais bem expressa matematicamente usando-se funções. *Função* é um conjunto de pares ordenados, em que todo valor *x* tem um, e apenas um, valor *y* (ao contrário de uma relação).

Este capítulo mostra como realizar seu papel como sistema operacional, explicando o mapa-múndi dos pontos e retas no plano cartesiano.

Qualidades dos Tipos Especiais de Função e Seus Gráficos

As funções podem ser categorizadas de muitos modos diferentes. Nas próximas seções, veremos funções em termos de operações realizadas. Porém, aqui vemos classificações que funcionam para muitos tipos. Se você sabe que uma função é par, ímpar ou injetora, então sabe como ela pode ser aplicada e se pode ser usada como um modelo em certa situação. Você terá um alerta para como ela se comporta em diferentes circunstâncias.

Funções pares e ímpares

Saber se uma função é par ou ímpar ajuda a desenhar o gráfico, porque essa informação mostra qual metade dos pontos é preciso representar. Esses tipos são simétricos, portanto, qualquer coisa que aparece em uma metade é exatamente o que aparece na outra. Se uma função é par, o gráfico é simétrico no eixo *y*. Se ela é ímpar, o gráfico é simétrico na origem.

» **Função par:** A definição matemática de uma *função par* é $f(-x) = f(x)$ para qualquer valor de *x*. O exemplo mais simples é $f(x) = x^2$; $f(3) = 9$ e $f(-3) = 9$. Basicamente, a entrada oposta produz o mesmo resultado. Visualmente falando, o gráfico é uma imagem espelhada no eixo *y*.

» **Função ímpar:** A definição de uma *função ímpar* é $f(-x) = -f(x)$ para qualquer valor de *x*. A entrada oposta produz o mesmo resultado. Esses gráficos têm uma simetria de 180° na origem. Se você o girar de ponta-cabeça, ficará igual. Por exemplo, $f(x) = x^3$ é uma função ímpar porque $f(3) = 27$ e $f(-3) = -27$.

Funções injetoras

Uma função é considerada injetora se cada valor de saída é único; ele aparece apenas uma vez no intervalo. Outro modo de dizer isso é que cada valor de entrada tem exatamente um valor de saída (que é basicamente a definição de função) e cada valor de saída vem exatamente do valor de entrada. Não há repetições nos valores de saída. Exemplos de funções injetoras são $f(x) = 2x^3$ e $g(x) = \frac{1}{x}$. Essas funções são o único tipo que tem funções inversas. Você verá mais sobre as funções inversas no Capítulo 4.

Lidando com Funções Modelo e Seus Gráficos

Em Matemática, vemos certos tipos de gráficos de função repetidamente. Há funções básicas e variações sobre as funções originais. As funções básicas são chamadas de *gráficos modelo* e incluem gráficos de funções quadráticas, raízes quadradas, valor absoluto, polinômios cúbicos e raízes cúbicas. Nesta seção, há informações sobre como desenhar gráficos modelo para se preparar para um trabalho mais avançado na forma de transformações, encontradas no Capítulo 4.

Funções lineares

Uma *função linear* é a mais simples de todas as funções envolvendo variáveis. A função linear modelo é $f(x) = x$ e é a reta que corta a origem, dividindo o primeiro e o terceiro quadrantes. Essa função modelo é ímpar, portanto, tem simetria na origem.

Funções quadráticas

Funções quadráticas são equações polinomiais em que o maior expoente de um termo que contém a variável independente possui grau dois. A equação $f(x) = x^2$ é uma função quadrática e é o gráfico modelo de todas as outras funções quadráticas. O gráfico de $x = y^2$ não é uma função, porque qualquer valor x positivo produz dois valores y diferentes; veja (4, 2) e (4, -2), por exemplo.

DICA

O atalho para desenhar o gráfico da função $f(x) = x^2$ é aproveitar o fato de que é uma função par. Inicie no ponto (0, 0) (a *origem*) e marque esse ponto, chamado *vértice*. Note que o ponto (0, 0) é o vértice da função modelo, mas não de todas as funções quadráticas. Mais adiante, ao transformar os gráficos, o vértice se move no plano cartesiano. Em cálculo, esse ponto é chamado de *ponto crítico*. Sem entrar na definição de cálculo, significa apenas que o ponto é especial.

O gráfico de qualquer função quadrática é chamado de *parábola*. Todas as parábolas têm a mesma forma básica (para saber mais, veja o Capítulo 13). Para obter os outros pontos no gráfico de $f(x) = x^2$, se desloque pelo eixo x. Em x = 1, você obtém y = 1; para x = 2, você obtém y = 2^2; para x = 3, obtém y = 3^2 e assim por diante. Como as funções pares são simétricas no eixo y, esse gráfico ocorre nos dois lados do vértice e continua, mas, em geral, bastam alguns pontos em qualquer lado do vértice para que se tenha uma boa ideia de como fica. Verifique a Figura 3-1 para ter um exemplo de uma função quadrática em forma de gráfico.

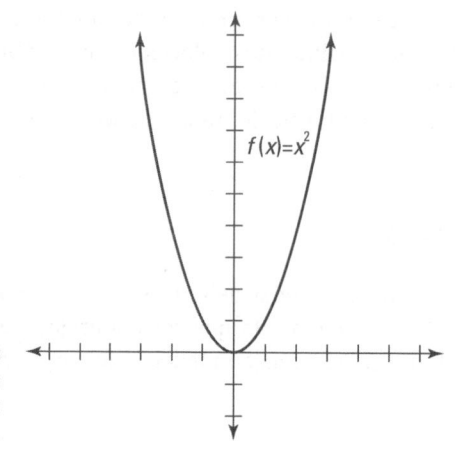

FIGURA 3-1: Gráfico de uma função quadrática.

Funções raiz quadrada

LEMBRE-SE

Um *gráfico raiz quadrada* está relacionado a um gráfico quadrático (veja a seção anterior). O gráfico quadrático é $f(x) = x^2$, enquanto o gráfico de raiz quadrada é $g(x) = x^{1/2}$. O gráfico de uma função raiz quadrada lembra a metade esquerda de uma parábola que foi girada 90° em sentido horário. Você também pode escrever a função raiz quadrada como $g(x) = \sqrt{x}$.

34   PARTE 1 **Introdução ao Pré-cálculo**

Mas existe apenas a metade da parábola no gráfico raiz quadrada, por dois motivos. O gráfico modelo existe somente quando x é zero ou positivo (porque não é possível encontrar a raiz quadrada de números negativos e o domínio consiste apenas em números não negativos). A função $g(x) = \sqrt{x}$ é positiva porque é pedido que você encontre apenas a raiz principal ou positiva.

Esse gráfico se inicia na origem (0, 0) então se desloque pelo eixo x. Em x = 1, você obtém $y = \sqrt{1}$; para x = 2, você obtém $y = \sqrt{2}$; para x = 3, você obtém $y = \sqrt{3}$ e assim por diante. Veja a Figura 3-2 para ter um exemplo do gráfico.

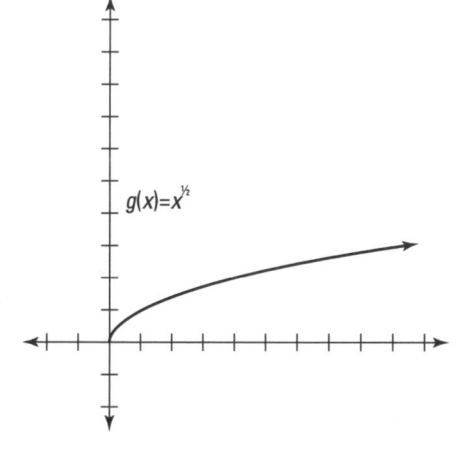

FIGURA 3-2: Gráfico da função raiz quadrada modelo $f(x) = \sqrt{x}$.

Observe que os valores obtidos plotando pontos consecutivos não geram exatamente os números mais bonitos. Ao contrário, tente escolher números para que possa encontrar com facilidade a raiz quadrada. Veja como funciona: comece na origem e se desloque pelo eixo x. Escolha x = 1, para obter $y = \sqrt{1}$; x = 4, para obter $y = \sqrt{4}$; x = 9, para obter $y = \sqrt{9}$ e assim por diante.

Funções valor absoluto

O gráfico modelo do valor absoluto da função $y = |x|$ transforma todas as entradas em saídas não negativas (0 ou positivas). Para desenhar o gráfico das funções valor absoluto, comece na origem e se desloque igualmente nas direções dos eixos x e y. Em x = 1, y = 1; em x = 2, y = 2; em x = 3, y = 3 e assim por diante. É outra função par, portanto, é simétrica no eixo vertical. A Figura 3-3 mostra o gráfico em ação.

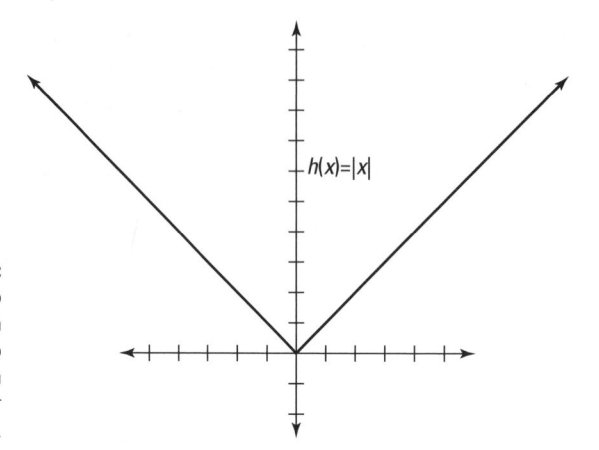

FIGURA 3-3: Ficando positivo com o gráfico de uma função valor absoluto.

Funções cúbicas

LEMBRE-SE

Em uma *função cúbica*, o grau mais alto em qualquer variável é três; $f(x) = x^3$ é a função modelo. Você começa desenhando o gráfico modelo da função cúbica em seu ponto crítico, que também é a origem (0, 0). Mas a origem não é um ponto crítico para toda variação da função cúbica.

A partir do ponto crítico do gráfico da função cúbica, se desloque para a direita pelo eixo *x*. Em *x* = 1, você obtém *y* = 1^3; para *x* = 2, você obtém *y* = 2^3 e assim por diante. A função x^3 é uma função ímpar, portanto, você gira metade do gráfico em 180° na origem para obter a outra metade. Ou pode se deslocar para a esquerda pelo eixo *x*. Em *x* = -1, você obtém *y* = $(-1)^3$; para *x* = -2, você obtém *y* = $(-2)^3$ e assim por diante. Como você irá plotar os pontos no gráfico é uma questão pessoal. Considere $g(x) = x^3$ na Figura 3-4.

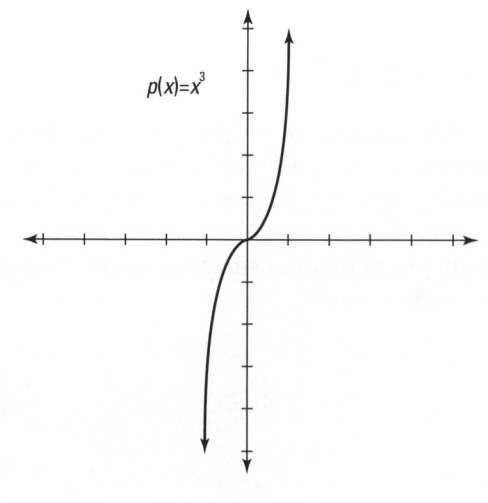

FIGURA 3-4: Representação gráfica da função cúbica modelo.

Funções raiz cúbica

LEMBRE-SE

As *funções raiz cúbica* estão para as funções cúbicas do mesmo modo como as funções raiz quadrada estão para as funções quadráticas. As funções cúbicas são escritas como $f(x) = x^3$, e as funções raiz cúbica, como $g(x) = x^{1/3}$ ou $g(x) = \sqrt[3]{x}$.

É importante observar que uma função raiz cúbica é ímpar porque ajuda a desenhar o gráfico. O ponto crítico do gráfico modelo da raiz cúbica está na origem (0, 0), como mostrado na Figura 3-5.

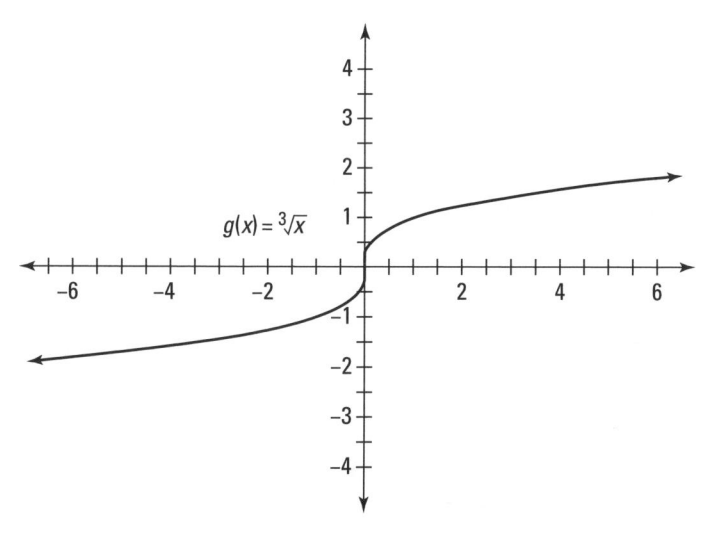

FIGURA 3-5: Gráfico de uma função raiz cúbica.

Desenhando Funções com Mais de Uma Regra: Funções por Partes

As *funções por partes* são divididas; elas consistem em mais de uma regra atribuída a diferentes partes do domínio. Tal função tem mais de uma regra, e cada regra é definida apenas em um intervalo específico. Basicamente, a saída depende da entrada, e, às vezes, o gráfico da função parece estar literalmente dividido em partes.

O exemplo a seguir representa uma função por partes:

$$f(x) = \begin{cases} x^2 & se \quad x \leq -2 \\ |x| & se \quad -2 < x \leq 3 \\ \sqrt{x} & se \quad x > 3 \end{cases}$$

Essa função está dividida em três partes, dependendo dos valores do domínio para cada uma:

» A primeira parte é a função quadrática $f(x) = x^2$ e existe apenas no intervalo $(-\infty, -2]$. Contanto que a entrada para essa função seja menor ou igual a –2, a saída é o resultado da inserção de valores na função quadrática.

» A segunda parte é a função valor absoluto $f(x) = |x|$ e existe apenas no intervalo $(-2, 3]$.

» A terceira parte é a função raiz quadrada $f(x) = \sqrt{x}$ e existe apenas no intervalo $(3, \infty)$.

Para desenhar o gráfico dessa função de exemplo anterior, siga estas etapas:

1. **Esboce levemente uma função quadrática e escureça apenas os valores no intervalo.**

    Por causa do intervalo da função quadrática da primeira parte, escureça todos os pontos à esquerda de –2. E como $x = -2$ (o intervalo é $x \leq -2$), o círculo em $(-2, 4)$ é preenchido.

2. **Entre –2 e 3, o gráfico está reservado para a função modular $|x|$, se $-2 < x \leq 3$; esboce o gráfico de valor absoluto (veja a seção anterior "Funções valor absoluto"), mas preste atenção apenas nos valores x entre –2 e 3.**

    Não inclua –2 (use um círculo aberto), mas 3 é incluído (círculo fechado).

3. **Os valores de x maiores que 3 estão reservados para a função: $\sqrt{x}$, pois $x > 3$.**

    Trace essa função linear, mas apenas à direita de $x = 3$ (esse ponto é um círculo aberto). O produto final é mostrado na Figura 3-6.

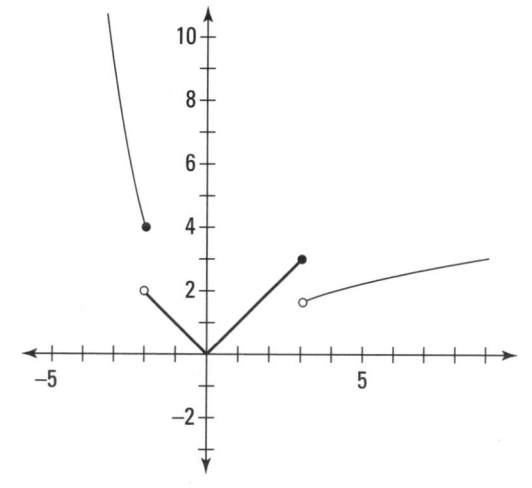

FIGURA 3-6: Essa função por partes é descontínua.

PAPO DE ESPECIALISTA

Observe que não é possível desenhar o gráfico da função por partes sem tirar o lápis do papel. Matematicamente falando, isso é chamado de *função descontínua*. Praticaremos as descontinuidades com funções racionais posteriormente neste capítulo.

As funções valor absoluto também podem ser descritas ou definidas como funções por partes. A função absoluta $f(x) = |x|$ pode ser escrita como:

$$f(x) = \begin{cases} x & se \quad x \geq 0 \\ -x & se \quad x < 0 \end{cases}$$

Basicamente, isso mostra que a entrada x é igual à saída, contanto que x não seja negativo. Se for um número negativo, então a saída será o oposto de x.

Preparando o Terreno para as Funções Racionais

Além das funções modelo comuns, desenharemos o gráfico de outro tipo de função no pré-cálculo: *funções racionais*, que basicamente são funções em que uma variável aparece no denominador da fração. (Essa situação não é igual àquela dos expoentes racionais vistos no Capítulo 2. A palavra *racional* significa fração; no Capítulo 2 vimos frações como expoentes, e agora, são a função inteira.)

PAPO DE ESPECIALISTA

A definição matemática de uma *função racional* é uma função que pode ser expressa como o quociente de dois polinômios, como

$$f(x) = \frac{p(x)}{q(x)}$$

em que o grau de $q(x)$ é maior que zero.

DICA

A variável ou as variáveis no denominador de uma função racional poderiam criar uma situação em que o denominador é igual a zero para certos valores no domínio. É claro que a divisão por zero é um valor indefinido em matemática. Muitas vezes, em uma função racional, encontramos pelo menos um valor de x para o qual a função racional é indefinida, e nesse momento o gráfico terá uma *assíntota* vertical, ou seja, o gráfico chega cada vez mais perto desse valor, mas nunca o ultrapassa. Saber de antemão que esses valores de x são indefinidos ajuda a criar o gráfico.

Nas próximas seções, veja as etapas envolvidas ao encontrar as saídas (e finalmente o gráfico) das funções racionais.

Etapa 1: Procure as assíntotas verticais

Ter a variável na parte inferior de uma fração pode criar um problema; o denominador de uma fração nunca deve ser zero. Com as funções racionais, você pode encontrar algum(ns) valor(es) do domínio de x que torna(m) o denominador zero. A função "salta" esse valor no gráfico, criando o que é chamado de *assíntota*. Desenhar o gráfico da assíntota vertical primeiro mostra o número no domínio em que seu gráfico não pode passar. O gráfico se aproxima desse ponto, mas nunca toca nele. Com isso em mente, qual(is) valor(es) para x você *não* pode colocar na função racional?

As seguintes equações são todas racionais:

$$f(x) = \frac{3x-1}{x^2 + 4x - 21}$$
$$g(x) = \frac{6x+12}{4-3x}$$
$$h(x) = \frac{x^2 - 9}{x+2}$$

Experimente encontrar o valor para x no qual a função é indefinida. Use as seguintes etapas para encontrar a assíntota vertical para $f(x)$ primeiro:

1. Defina o denominador da função racional para ser igual a zero.

Trabalhando nas três funções racionais dadas, você cria as equações:
$x^2 + 4x - 21 = 0$; $4 - 3x = 0$ e $x + 2 = 0$

2. Determine o x da equação.

Um exemplo em que o denominador é zero, mas não há nenhuma assíntota vertical, é quando o numerador também é zero para o mesmo valor de x. Reduzir primeiro a fração eliminará essa consideração.

Primeiro, veja o denominador de $f(x) = \dfrac{3x-1}{x^2+4x-21}$.

A expressão $x^2 + 4x - 21$ é quadrática (veja a seção anterior "Funções quadráticas" e o Capítulo 5). É possível fatorar essa expressão como $(x+7)(x-3) = 0$. Defina cada fator para ser igual a zero para ter uma solução. Se $x + 7 = 0$, $x = -7$. Se $x - 3 = 0$, $x = 3$. Suas duas assíntotas verticais, portanto, são $x = -7$ e $x = 3$.

Agora é possível encontrar a assíntota vertical para $g(x)$. Siga as mesmas etapas:

$$4 - 3x = 0$$
$$x = \frac{4}{3}$$

E esta é a assíntota vertical para $g(x)$. Foi fácil! É hora de fazer tudo de novo para $h(x)$:

$$x + 2 = 0$$
$$x = -2$$

Mantenha essas equações para as assíntotas verticais por perto, porque precisará delas quando desenhar o gráfico mais tarde.

Etapa 2: Procure as assíntotas horizontais

Para encontrar uma assíntota horizontal de uma função racional, é preciso ver o grau dos polinômios no numerador e no denominador. *Grau* é a potência mais alta da variável na expressão polinomial. Veja como fazer:

» Se o denominador tem um grau maior, a assíntota horizontal é automaticamente o eixo x ou $y = 0$.

A função $f(x) = \dfrac{3x-1}{x^2+4x-21}$ tem uma assíntota horizontal $y = 0$, porque o grau no numerador é 1, e o do denominador é 2. O denominador vence.

» Se o numerador e o denominador têm o mesmo grau, você deve dividir os coeficientes principais (os coeficientes dos termos com graus mais altos) para encontrar a assíntota horizontal.

Tenha cuidado! Às vezes os termos com os graus mais altos não são escritos primeiro no polinômio. Você sempre pode reescrever os dois polinômios para que os graus mais altos venham primeiro, se preferir. Por exemplo, pode reescrever o denominador de $g(x) = \dfrac{6x+12}{4-3x}$ como $-3x+4$ para que ele apareça na ordem descendente.

A função g(x) tem o mesmo grau em cima e embaixo. Para encontrar a assíntota horizontal, divida os coeficientes principais nos termos com grau mais alto. Você obtém $y = \dfrac{6}{-3}$ ou $y = -2$. E essa é a assíntota horizontal para g(x). Mantenha essa equação para fazer o gráfico!

» Se o numerador tem um grau maior, exatamente um a mais que o denominador, o gráfico terá uma assíntota oblíqua; veja a Etapa 3 para ter mais informações sobre como proceder nesse caso.

Etapa 3: Ache as assíntotas oblíquas

As *assíntotas oblíquas* não são horizontais nem verticais. Na verdade, uma assíntota nem precisa ser uma reta; ela pode ser uma curva simples ou complexa. Mas este capítulo ficará na reta.

Para encontrar uma assíntota oblíqua, é preciso usar uma divisão longa de polinômios para encontrar o quociente. Você divide o numerador da função racional pelo seu denominador. O quociente (desprezando o resto) fornece a equação da reta da assíntota oblíqua.

LEMBRE-SE

A divisão longa dos polinômios é analisada no Capítulo 5. Você deve entender essa divisão longa para concluir o gráfico de uma função racional com uma assíntota oblíqua.

A função $h(x) = \dfrac{x^2-9}{x+2}$ tem uma assíntota oblíqua porque o polinômio do numerador é um grau maior que o do denominador. Usando a divisão longa, dividindo x^2-9 por $x+2$ obtemos um quociente $x-2$ e ignoramos o resto -5. Esse quociente significa que a assíntota oblíqua resulta na equação $y = x-2$. Como a equação é de primeiro grau, ela é desenhada usando a forma inclinação-intercepto. Memorize essa assíntota oblíqua, porque o gráfico é pra já!

Etapa 4: Localize os interceptos *x* e *y*

A peça final do quebra-cabeças é encontrar os interceptos (em que a reta ou a curva cruza os eixos *x* e *y*) da função racional, se existirem.

> **DICA**
>
> » Para encontrar o intercepto-y de uma equação, substitua a variável x por 0. O intercepto-y de $f(x) = \dfrac{3x-1}{x^2+4x-21}$ é encontrada quando todos os xis são 0. Obtemos $f(x) = \dfrac{-1}{-21}$, significando que o intercepto-y é $\left(0, \dfrac{1}{21}\right)$.
> O intercepto-y de $g(x) = \dfrac{6x+12}{4-3x}$ é (0, 3), e a de $h(x) = \dfrac{x^2-9}{x+2}$ é $\left(0, -\dfrac{9}{2}\right)$.
>
> » Para encontrar o intercepto-x ou os interceptos de uma função, faça $y = 0$.
>
> Para qualquer função racional, o atalho é igualar o numerador igual a zero e resolver. Às vezes, quando fazemos isso, a equação obtida não tem solução, significando que a função racional não tem um intercepto-x.
>
> O intercepto-x de $f(x) = \dfrac{3x-1}{x^2+4x-21}$ é encontrada fazendo $3x - 1 = 0$, e resolvendo, encontrando $x = \dfrac{1}{3}$. Assim o intercepto-x é $\left(\dfrac{1}{3}, 0\right)$.
>
> Agora, encontrando os interceptos para g(x) e h(x):
>
> $g(x) = \dfrac{6x+12}{4-3x}$ tem um intercepto-x em $(-2, 0)$.
>
> $h(x) = \dfrac{x^2-9}{x+2}$ tem interceptos-x em $(-3, 0)$ e $(3, 0)$.

Como nas assíntotas verticais, você deve ter cuidado para que o fator que fornece o intercepto também não seja um fator do denominador. Tente simplificar primeiro a fração para eliminar esse fator.

Colocando os Resultados em Ação: Gráfico das Funções Racionais

Após calcular todas as assíntotas e os interceptos *x* e *y* para uma função racional (vimos o processo na seção anterior), temos todas as informações necessárias para começar a desenhar o gráfico da função racional, que significa localizar os interceptos, quaisquer assíntotas e determinar o comportamento da função conforme se aproxima de uma assíntota vertical pela esquerda ou pela direita e conforme se aproxima da assíntota horizontal por cima ou por baixo. As três funções apresentadas na seção anterior serão desenhadas agora, usando as informações conhecidas e descobrindo um pouco mais para ajudar no gráfico.

Gráfico de $f(x) = \dfrac{3x-1}{x^2+4x-21}$

Para desenhar a função f(x), faça o seguinte:

1. **Desenhe a(s) assíntota(s) vertical(is).**

   LEMBRE-SE Sempre que você desenhar assíntotas, use retas pontilhadas, não sólidas, porque elas não fazem parte da função racional.

   Para f(x), você descobriu que as assíntotas verticais são $x = -7$ e $x = 3$, portanto, desenhe duas retas verticais pontilhadas, uma em $x = -7$ e outra em $x = 3$.

2. **Desenhe a(s) assíntota(s) horizontal(is).**

   Continuando com o exemplo, a assíntota horizontal é y = 0 (ou seja, o eixo x).

   LEMBRE-SE Em qualquer função racional em que o denominador tem um grau maior como valores de x infinitamente grandes, a fração fica infinitamente menor até se aproximar de zero (esse processo é chamado de *limite*; é possível vê-lo de novo no Capítulo 16).

3. **Plote o(s) intercepto(s)-x e o(s) intercepto(s)-y.**

   O intercepto-y é $\left(0, \dfrac{1}{21}\right)$, e o intercepto-x é $\left(\dfrac{1}{3}, 0\right)$.

A Figura 3-7 mostra como ficou o gráfico até o momento.

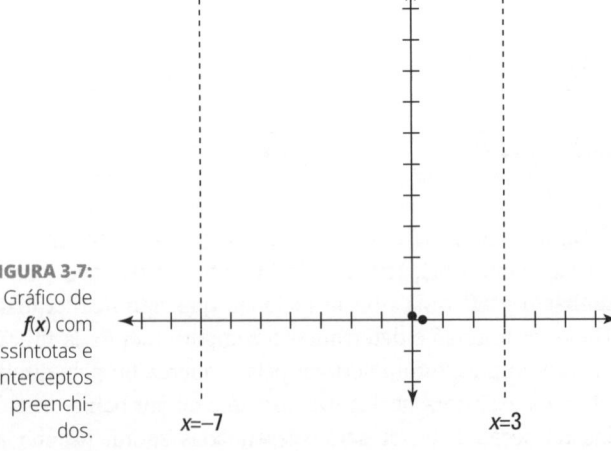

FIGURA 3-7: Gráfico de f(x) com assíntotas e interceptos preenchidos.

x=−7   x=3

4. **Preencha o gráfico da curva entre as assíntotas verticais.**

As assíntotas verticais dividem o gráfico e o domínio de $f(x)$ em três intervalos: $(-\infty, -7)$, $(-7, 3)$ e $(3, \infty)$. Para cada um dos três, você deve escolher, pelo menos, um valor de teste e colocá-lo na função racional original; esse teste determina se o gráfico nesse intervalo está acima ou abaixo da assíntota horizontal (eixo x).

a. *Teste um valor no primeiro intervalo.*

Em $f(x)$, o primeiro intervalo é $(-\infty, -7)$, assim você pode escolher qualquer número desejado, contanto que seja menor que -7. Pode escolher $x = -8$ para este exemplo, e agora temos $f(-8) = \dfrac{-25}{11}$.

Esse valor negativo informa que a função está sob a assíntota horizontal no primeiro intervalo.

b. *Teste um valor no segundo intervalo.*

Se você observar o segundo intervalo $(-7, 3)$ na Figura 3-7, perceberá que já tem dois pontos de teste posicionados. O intercepto-y tem um valor positivo, informando que o gráfico está acima da assíntota horizontal para essa parte do gráfico.

Agora vem a curvatura: parece lógico que um gráfico nunca deve cruzar uma assíntota; ele deve ficar cada vez mais próximo. Nesse caso, há um intercepto-x, que significa que o gráfico realmente cruza sua própria assíntota horizontal. O gráfico fica negativo no resto do intervalo.

DICA

Às vezes, os gráficos das funções racionais cruzam uma assíntota horizontal, e outras, não. Nesse caso, em que o denominador tem um grau maior e a assíntota horizontal é o eixo x, depende da função ter raízes ou não. Você pode descobrir igualando o numerador a zero e resolvendo a equação. Se encontrar uma solução, há um zero, e o gráfico cruzará o eixo x. Se não, o gráfico não cruza o eixo x.

LEMBRE-SE

As assíntotas verticais são as únicas que *nunca* são cruzadas. Uma assíntota horizontal realmente informa em qual valor o gráfico está se aproximando para valores infinitamente grandes ou negativos de x.

c. *Teste um valor no terceiro intervalo.*

Para o terceiro intervalo, $(3, \infty)$, você pode usar o valor de teste 4 (pode usar qualquer número maior que 3) para determinar o local do gráfico no intervalo. Obtemos $f(4) = 1$, que informa que o gráfico está acima da assíntota horizontal para o último intervalo.

Conhecendo um valor de teste em cada intervalo é possível plotar o gráfico iniciando no ponto de teste e seguindo em direção às assíntotas horizontais e verticais. A Figura 3-8 mostra o gráfico completo de f(x).

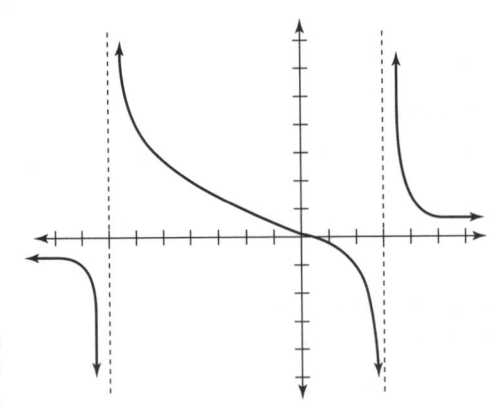

FIGURA 3-8: Gráfico final de *f*(x).

Gráfico de $g(x) = \dfrac{6x+12}{4-3x}$

As funções racionais com graus iguais no numerador e no denominador se comportaram desse modo por causa dos limites (veja o Capítulo 16). O que você precisa lembrar é que a assíntota horizontal é o quociente dos coeficientes principais das partes superior e inferior da função (veja a seção anterior "Etapa 2: Procure as assíntotas horizontais" para ter mais informações).

A função g(x) tem graus iguais nas variáveis de cada parte da fração. Siga estas etapas simples para desenhar g(x), como mostrado na Figura 3-9:

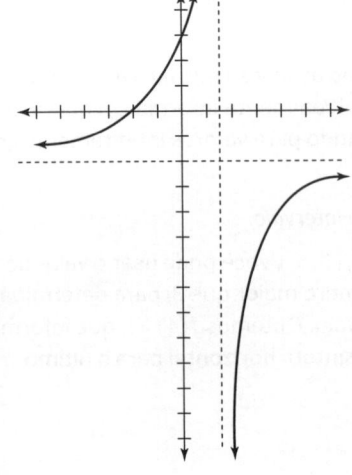

FIGURA 3-9: Gráfico de *g*(x), que é uma função racional com graus iguais nas partes superior e inferior.

1. **Trace a(s) assíntota(s) vertical(is) para g(x).**

   Com seu trabalho na seção anterior, encontre apenas uma assíntota vertical em $x = \frac{4}{3}$, que significa considerar apenas dois intervalos: $\left(-\infty, \frac{4}{3}\right)$ e $\left(\frac{4}{3}, \infty\right)$.

2. **Trace a assíntota horizontal para g(x).**

   Você descobriu na Etapa 2 da seção anterior que a assíntota horizontal é $y = -2$. Portanto, trace uma reta horizontal nessa posição.

3. **Plote os interceptos x e y para g(x).**

   Você descobriu na Etapa 4 da seção anterior que os interceptos são $(-2,0)$ e $(0,3)$.

4. **Use valores de teste para determinar se o gráfico está acima ou abaixo da assíntota horizontal.**

   Os dois interceptos já estão localizados no primeiro intervalo e acima da assíntota horizontal, portanto, você sabe que o gráfico nesse intervalo inteiro está acima da assíntota horizontal (pode ver facilmente que g(x) nunca pode ser igual a −2). Agora escolha um valor de teste para o segundo intervalo maior que $\frac{4}{3}$. Escolha $x = 2$. Substituir isso na função g(x) resulta em −12. Você sabe que −12 fica abaixo de −2, portanto, sabe que o gráfico fica abaixo da assíntota horizontal nesse segundo intervalo.

Gráfico de $h(x) = \dfrac{x^2 - 9}{x + 2}$

As funções racionais, em que o numerador tem grau maior, realmente não têm assíntotas horizontais. Se o grau do numerador de uma função racional é exatamente um a mais que o grau do denominador, ela tem uma assíntota oblíqua, encontrada usando-se a divisão longa (veja o Capítulo 5). Se o grau no numerador é maior que um no denominador, então não há uma assíntota horizontal nem oblíqua.

É hora de desenhar $h(x) = \dfrac{x^2 - 9}{x + 2}$:

1. **Trace a(s) assíntota(s) vertical(is) de h(x).**

   Você encontra apenas uma assíntota vertical para essa função racional: $x = -2$. E como a função tem apenas uma assíntota vertical, encontramos somente dois intervalos para o gráfico: $(-\infty, -2)$ e $(-2, \infty)$.

2. **Trace a assíntota oblíqua de h(x).**

   Como o numerador dessa função racional tem o grau maior, a função tem uma assíntota oblíqua. Usando a divisão longa, você descobre que a assíntota oblíqua resulta na equação $y = x - 2$. Trace uma reta pontilhada, não uma reta sólida.

3. **Plote os interceptos x e y para h(x).**

   Você descobre que os interceptos-x são (-3,0) e (3, 0); e o intercepto-y é $\left(0, -\frac{9}{2}\right)$.

4. **Use valores de teste para determinar se o gráfico está acima ou abaixo da assíntota oblíqua.**

   Observe que os interceptos fornecem pontos de teste convenientes em cada intervalo. Não é preciso criar seus próprios pontos, mas é possível, se realmente quiser. No primeiro intervalo, o ponto de teste (-3,0), daí o gráfico, está localizado acima da assíntota oblíqua. No segundo intervalo, os pontos de teste $\left(0, -\frac{9}{2}\right)$ e (3, 0), assim como o gráfico, estão localizados abaixo da assíntota oblíqua.

A Figura 3-10 mostra o gráfico completo de $h(x)$.

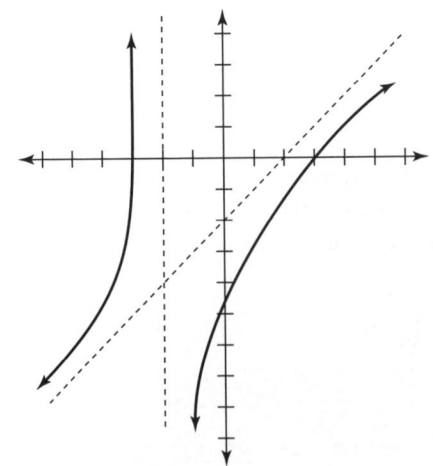

FIGURA 3-10: Gráfico de *h(x)*, que tem uma assíntota oblíqua.

NESTE CAPÍTULO

» **Transformando uma função em muitas outras**

» **Realizando diferentes operações nas funções**

» **Encontrando e verificando as inversas das funções**

Capítulo 4
Trabalhando com Funções

Uma função matemática básica serve como modelo para muitas, muitas outras funções. Adicionando ou subtraindo números, multiplicando ou dividindo, uma função modelo pode ser movida, mudada, dilatada e reduzida. Em geral, a função básica ainda é reconhecida e grande parte de suas propriedades permanece intacta. Facilita não ter de adicionar funções totalmente diferentes, basta fazer alguns ajustes menores na original.

As operações básicas nos números racionais também se aplicam às funções. Mas há uma operação inteiramente nova que se aplica apenas às funções combinadas: a *composição*. É como compor uma música, quando certos padrões sonoros são inseridos em diferentes partes do arranjo para criar algo incrível.

As funções inversas desfazem as operações da função original. Assim como as operações inversas desfazem algo que a operação fez, as funções inversas operam para desfazer outras funções.

Transformando Gráficos Modelo

Em certas situações, é preciso usar uma função modelo para obter o gráfico de uma versão mais complicada da mesma função. Por exemplo, você pode desenhar o seguinte *transformando* cada uma em seu gráfico modelo:

$f(x) = -2(x+1)^2 - 3$ **vem de** $f_1(x) = x^2$.

$g(x) = \frac{1}{4}|x-2|$ **tem a função modelo** $g_1(x) = |x|$.

$h(x) = (x-1)^4 + 2$ **iniciou como a função** $h_1(x) = x^4$.

Contanto que você tenha o gráfico da função modelo, poderá transformá-la usando as regras descritas nesta seção. Ao usar uma função modelo para essa finalidade, escolha entre os diferentes tipos de transformação (explicadas em mais detalhes nas próximas seções):

» Algumas transformações fazem o gráfico modelo dilatar ou contrair na vertical ou na horizontal, ficando mais alto ou achatado.

» As translações fazem com que o gráfico modelo se mova para a esquerda, para a direita, para cima ou para baixo (ou uma mudança combinada na horizontal e na vertical).

» As reflexões invertem o gráfico modelo sobre uma reta horizontal ou vertical. Eles fazem o que o nome sugere: espelham os gráficos modelo (a menos que outras transformações estejam envolvidas, claro).

LEMBRE-SE
Os métodos usados para transformar as funções funcionam para todos os tipos de funções comuns; o que funciona para uma função quadrática também funcionará para uma função valor absoluto. Função é sempre função, portanto, as regras para transformar as funções sempre se aplicam, não importa o tipo com o qual esteja lidando.

E se você não conseguir se lembrar desses métodos de atalhos posteriormente, sempre é possível usar o caminho longo: escolha valores aleatórios para x e coloque-os na função para ver quais valores de y obterá.

Esticando e achatando

LEMBRE-SE
Um número (ou *coeficiente*) multiplicando na frente de uma função faz uma mudança na altura ou na inclinação. O coeficiente sempre afeta a altura de cada ponto no gráfico da função. É comum dizer que tal transformação *estica* caso o coeficiente seja maior que 1 e *achata* se fica entre 0 e 1.

Por exemplo, o gráfico de $f(x) = 4x^3$ pega o gráfico de $f(x) = x^3$ e o dilata por um fator 4. Isso significa que sempre que você plota um ponto no gráfico, o valor original é multiplicado por 4 (tornando o gráfico quatro vezes mais alto em cada ponto). Assim, a partir da origem, desloque pelo eixo x. Escolha x = 1 para obter $y = 4 \cdot 1^3 = 4$; para x = 2, você obtém $y = 4 \cdot 2^3 = 32$; para x = 3, você obtém $y = 4 \cdot 3^3 = 108$ e assim por diante.

Quando o coeficiente estiver entre 0 e 1 (uma fração própria), então a curva é achatada. A Figura 4-1 mostra dois gráficos diferentes para ilustrar as transformações que ocorrem ao se multiplicar por 4 e $\frac{1}{4}$.

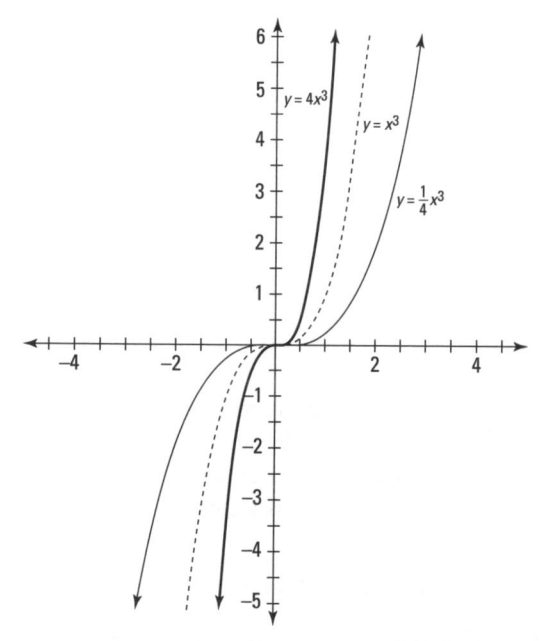

FIGURA 4-1: Gráfico das transformações $y = 4x^3$ e $y = \frac{1}{4}x^3$.

Um número que multiplica uma variável dentro da operação de uma função, em vez de depois da operação ter sido realizada, também afeta o movimento horizontal do gráfico.

Por exemplo, observe o gráfico de $y = (4x)^3$ (veja a Figura 4-2). Para encontrar os pontos por onde o gráfico passa, escolha $x = \frac{1}{4}$ para obter y = 1; para $x = \frac{1}{2}$, você obtém y = 8; para $x = \frac{3}{4}$, você obtém y = 27 e assim por diante. Para o gráfico de $y = (\frac{1}{4}x)^3$, escolha x = 2 para obter $y = \frac{1}{8}$; para x = 4, obtém y = 4; para x = 8, obtém y = 8 e assim por diante. Na Figura 4-2, vemos o que acontece quando o multiplicador na operação é alterado. Se é maior que 1, o gráfico é esticado; se está entre 0 e 1, o gráfico é achatado.

FIGURA 4-2:
Gráfico de duas transformações:
$y = (4x)^3$ e
$y = \left(\frac{1}{4}x\right)^3$.

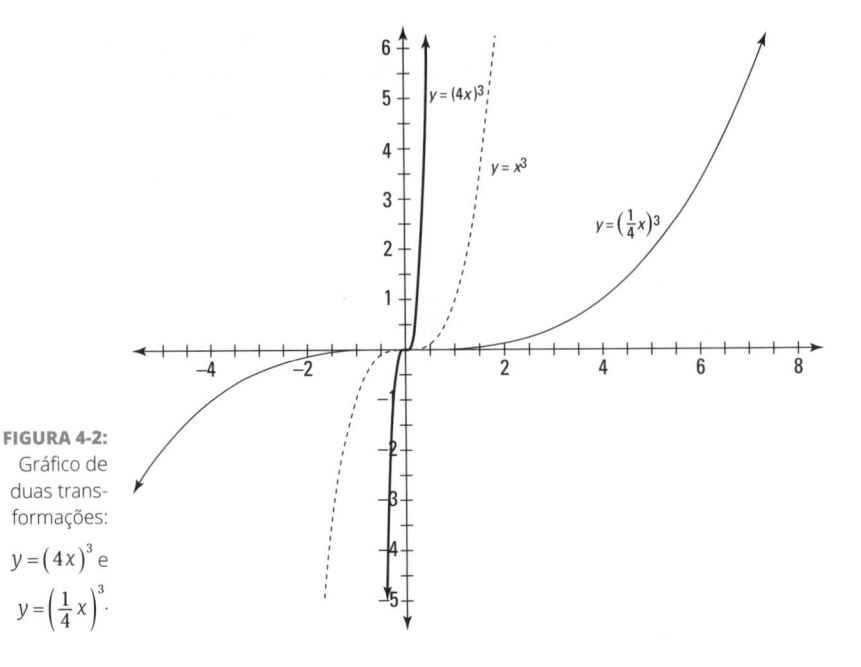

Translações

Deslocar o gráfico na horizontal ou na vertical é chamado de *translação*, ou seja, cada ponto no gráfico modelo é deslocado para a esquerda, a direita, para cima ou para baixo. Nesta seção, encontraremos informações sobre dois tipos de translações: deslocamentos horizontais e verticais.

Deslocamentos horizontais

Um número adicionado ou subtraído na operação da função entre parênteses ou em outro agrupamento cria um *deslocamento horizontal*. Tais funções são escritas na forma $f(x \pm h)$, em que h representa o deslocamento horizontal.

LEMBRE-SE

O número que corresponde a h nessa função faz o oposto do que parece fazer. Por exemplo, se você tem a equação $g(x) = (x-3)^2$, move o gráfico de $f(x) = x^2$ para a direita em três unidades; na função $k(x) = (x+2)^2$, move o gráfico de $f(x) = x^2$ em duas unidades para a esquerda.

Por que funciona assim? Examine a função modelo $f(x) = x^2$ e o deslocamento horizontal $g(x) = (x-3)^2$. Quando $x = 3$, $f(3) = 3^2 = 9$ e $g(3) = (3-3)^2 = 0^2 = 0$. A função $g(x)$ age como $f(x) = x^2$ quando x é 0, isto é, $f(0) = g(3)$. Também é verdade que $f(1) = g(4)$. Cada ponto na função modelo se move para a direita em três unidades; daí três ser o deslocamento horizontal de $g(x)$.

PARTE 1 **Introdução ao Pré-cálculo**

A Figura 4-3 mostra os gráficos da função modelo, $f(x) = x^2$, a translação para a direita em $g(x) = (x-3)^2$ e para a esquerda, $k(x) = (x+2)^2$.

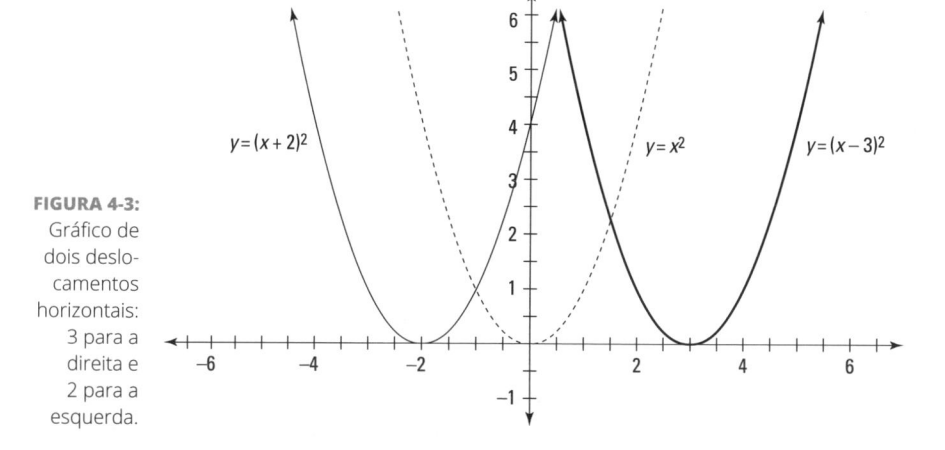

FIGURA 4-3: Gráfico de dois deslocamentos horizontais: 3 para a direita e 2 para a esquerda.

Deslocamentos verticais

Adicionar ou subtrair números totalmente separados da operação da função causa um *deslocamento vertical* no gráfico da função. Considere a expressão $f(x) + v$, em que v representa o deslocamento vertical. Observe que o acréscimo da variável existe fora da operação da função.

Os deslocamentos verticais são menos complicados que os horizontais (veja a seção anterior), porque a leitura deles informa exatamente o que fazer. Na equação $h(x) = |x| - 4$, é possível adivinhar o que o gráfico fará: ele move a função $f(x) = |x|$ para baixo em quatro unidades, ao passo que o gráfico de $g(x) = |x| + 3$ move a função $f(x)$ para cima em três.

Nota: Não vemos nenhuma dilatação nem contração vertical para $f(x)$ ou $g(x)$, porque o coeficiente na frente de x^2 das duas funções é 1. Se outro número fosse multiplicado, teríamos uma dilatação ou uma contração vertical.

Para desenhar a função $h(x) = |x| - 4$, note que o deslocamento vertical desce quatro unidades. A Figura 4-4 mostra o gráfico transformado, assim como o gráfico de $g(x) = |x| + 3$.

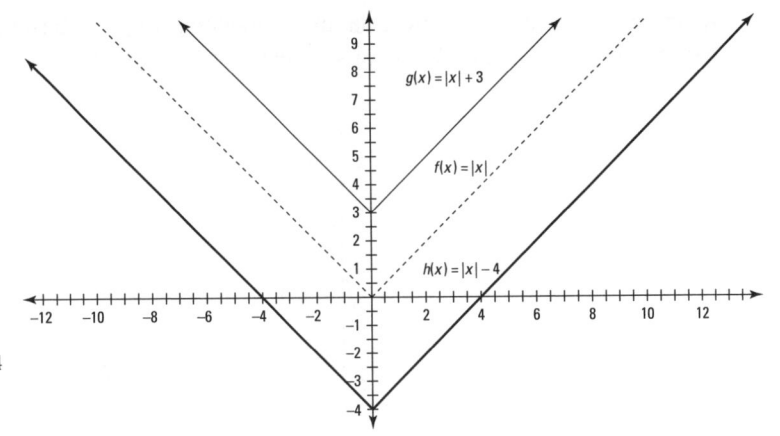

FIGURA 4-4:
Gráfico dos deslocamentos verticais:
$h(x) = |x| - 4$
e
$g(x) = |x| + 3$.

LEMBRE-SE

Ao fazer a translação de uma função cúbica, o ponto crítico se move na horizontal ou na vertical para que o ponto de simetria no qual o gráfico se baseia se mova também. Na função $k(x) = x^3 - 4$, por exemplo, o ponto de simetria é (0, -4).

Reflexões

As *reflexões* pegam a função modelo e fornecem uma imagem de espelho em uma reta horizontal ou vertical. Você encontrará dois tipos de reflexões:

» **Um número negativo multiplica a função inteira (como em** $f(x) = -1x^2$**):** O negativo fora da operação da função causa uma reflexão na reta horizontal, porque torna o valor de saída negativo se era positivo, e vice-versa. Veja a Figura 4-5, que mostra a função modelo $f(x) = x^2$ e a reflexão $g(x) = -1x^2$. Se você encontrar o valor das duas funções no mesmo número no domínio, obterá valores opostos no intervalo. Por exemplo, se $x = 4$, $f(4) = 16$ e $g(4) = -16$.

» **Um número negativo multiplica apenas a entrada de x (como em** $f(x) = \sqrt{-x}$**):** As reflexões verticais funcionam como as horizontais, exceto que ela ocorre na reta vertical e se reflete lado a lado, não de cima para baixo. Agora temos um negativo dentro da função. Para essa reflexão, avaliar as entradas opostas nas duas funções produz a mesma saída. Por exemplo, se $f(x) = x^2$, você pode escrever sua reflexão em uma reta vertical como $g(x) = -x^2$. Quando $f(4) = 2$, $g(-4) = 2$ também (verifique o gráfico na Figura 4-6).

PARTE 1 **Introdução ao Pré-cálculo**

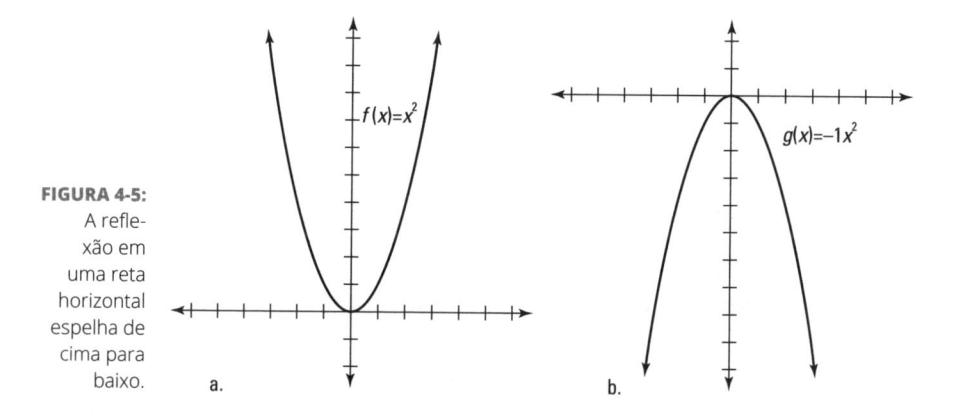

FIGURA 4-5: A reflexão em uma reta horizontal espelha de cima para baixo.

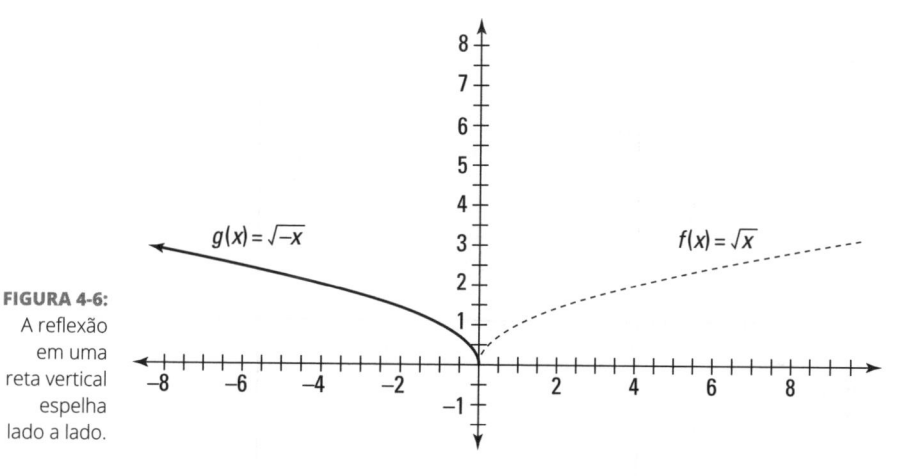

a. $f(x)=x^2$

b. $g(x)=-1x^2$

FIGURA 4-6: A reflexão em uma reta vertical espelha lado a lado.

$g(x) = \sqrt{-x}$

$f(x) = \sqrt{x}$

Combinando várias transformações (transformação nela mesma!)

Certas expressões matemáticas permitem combinar a dilatação, a contração, a translação e a reflexão de uma função, tudo em um gráfico. Uma expressão que mostra todas as transformações em uma é $a \cdot f[c(x-h)] + k$, em que

a é a transformação vertical.

c é a transformação horizontal.

h é o deslocamento horizontal.

k é o deslocamento vertical.

CAPÍTULO 4 **Trabalhando com Funções**

Por exemplo, $f(x) = -2(x-1)^2 + 4$ se desloca uma unidade para a direita, quatro unidades para cima, dilata duas vezes e se reflete de cabeça para baixo. A Figura 4-7 mostra cada estágio.

» A Figura 4-7a é o gráfico modelo: $k(x) = x^2$.

» A Figura 4-7b é o deslocamento horizontal em uma unidade: $h(x) = (x-1)^2$.

» A Figura 4-7c é o deslocamento vertical em quatro unidades: $g(x) = (x-1)^2 + 4$.

» A Figura 4-7d é a dilatação em duas vezes: $f(x) = -2(x-1)^2 + 4$ (note que, como o valor era negativo, o gráfico também ficou de cabeça para baixo).

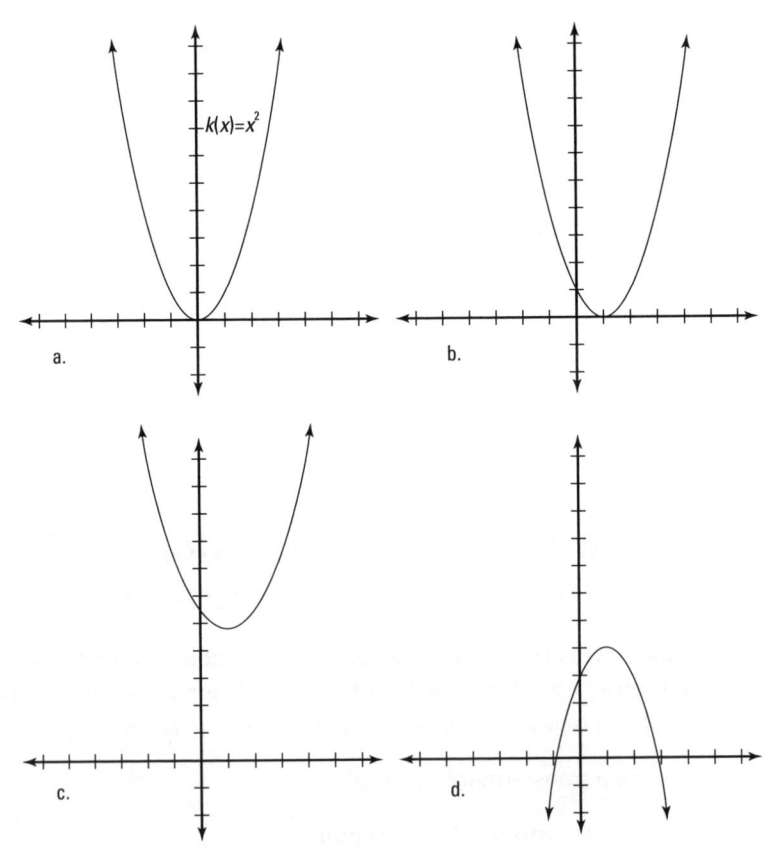

FIGURA 4-7: Visão de várias transformações.

Mais uma transformação: uma ilustração da importância da ordem do processo. Você desenha a função $q(x) = \sqrt{4-x}$ com as seguintes etapas:

1. **Reescreva a função na forma** $a \cdot f[c(x-h)] + v$.

    Inverta os dois termos sob o radical para que o *x* venha primeiro (na ordem decrescente). E não se esqueça do sinal negativo! Fica assim: $q(x) = \sqrt{-x+4}$.

2. **Fatore o coeficiente na frente de *x*.**

    Agora temos $q(x) = \sqrt{-(x-4)}$.

3. **Reflita o gráfico modelo.**

    Como –1 está dentro da função raiz quadrada, *q*(*x*) é uma reflexão horizontal na reta vertical $x = 0$.

4. **Desloque o gráfico.**

    A forma fatorada de *q*(*x*) (na Etapa 2) mostra que o deslocamento horizontal são quatro unidades para a direita.

A Figura 4-8 mostra o gráfico de *q*(*x*).

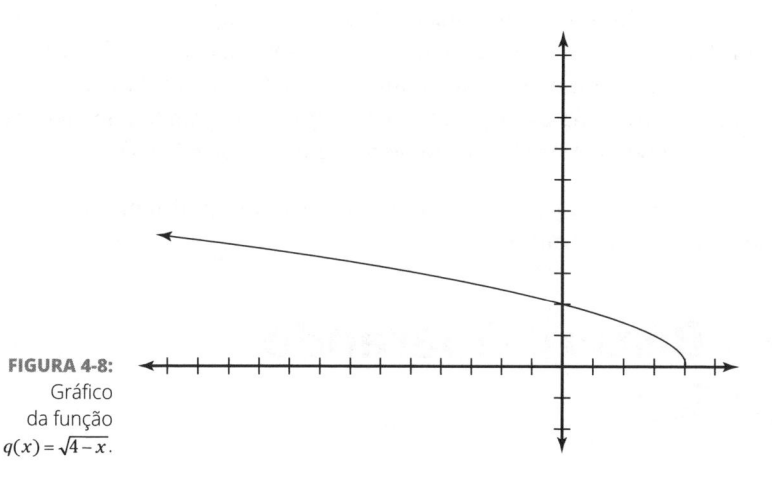

FIGURA 4-8: Gráfico da função $q(x) = \sqrt{4-x}$.

Transformando funções ponto a ponto

Para alguns problemas, pode ser preciso transformar uma função, dado apenas um conjunto de pontos aleatórios no plano cartesiano. É um modo de criar um novo tipo de função que não existia antes. Apenas se lembre de que *todas* as funções seguem as mesmas regras de transformação, não apenas as funções comuns explicadas até então neste capítulo.

Por exemplo, os gráficos de $y = f(x)$ e $y = \frac{1}{2}\big(f(x-4)-1\big)$ são mostrados na Figura 4-9.

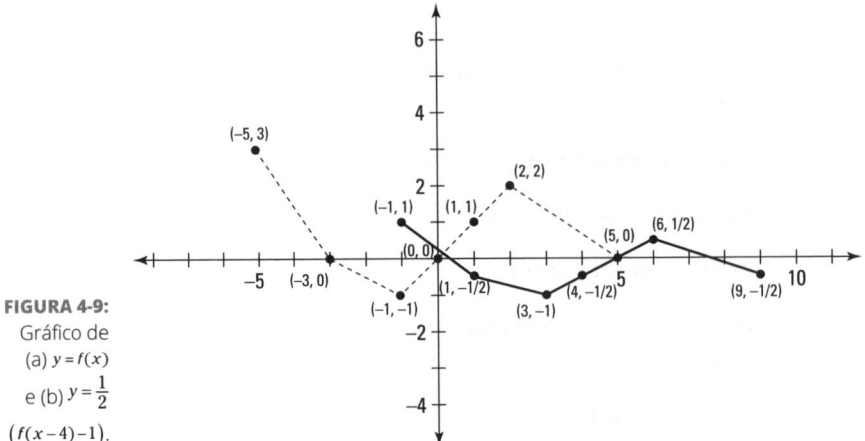

FIGURA 4-9: Gráfico de (a) $y = f(x)$ e (b) $y = \frac{1}{2}\big(f(x-4)-1\big)$.

A Figura 4-9a (segmentos de reta pontilhada) representa a função modelo. A Figura 4-9b (segmentos de reta sólida) transforma a função modelo contraindo-a em um fator de $\frac{1}{2}$ e fazendo a translação dela para a direita em quatro unidades e para baixo em uma unidade. O primeiro ponto aleatório na função modelo é $(-5, 3)$; deslocar para a direita em quatro unidades coloca você em $(-1, 3)$ e deslocar para baixo em uma unidade o coloca em $(-1, 2)$. Como a altura convertida é dois, contraia a função encontrando a metade da coordenada y, obtendo 2. Você acabará no ponto final, que é $(-1, 1)$.

LEMBRE-SE

Repita esse processo para quantos pontos encontrar no gráfico original para obter um gráfico transformado.

Prepare o Bisturi: Operando com Funções

Sim, desenhar funções é divertido, mas e se você precisar de algo mais? Bem, temos novidades; também é possível realizar operações matemáticas com funções. Isso mesmo, você verá como adicionar, subtrair, multiplicar ou dividir duas ou mais funções. Também verá uma operação especial para as funções: a composição.

LEMBRE-SE

Operar com funções (às vezes chamado de *combinar*) é muito fácil, mas os gráficos das novas funções combinadas podem ser difíceis de criar, porque nem sempre elas têm as mesmas funções modelo, portanto, nenhuma transformação de funções modelo que o permita desenhar com facilidade. Assim, normalmente não vemos diversas funções modelo no pré-cálculo... bem, talvez algumas. Se for pedido que você desenhe o gráfico de uma função combinada, deve recorrer ao antigo método "plug and chug" ou talvez usar a calculadora gráfica.

Esta seção explica as várias operações que você pode precisar fazer nas funções, usando as três funções a seguir nos exemplos:

$$f(x) = x^2 - 6x + 1$$
$$g(x) = 3x^2 - 10$$
$$h(x) = \sqrt{2x - 1}$$

Adição e subtração

Quando for pedido para somar as funções, basta combinar os termos afins, se houver algum. Por exemplo, $(f+g)(x)$ pede para somar as funções $f(x)$ e $g(x)$:

$$(f+g)(x) = (x^2 - 6x + 1) + (3x^2 - 10)$$
$$= 4x^2 - 6x - 9$$

A soma de x^2 e $3x^2$ é $4x^2$; $-6x$ permanece porque não tem termos afins; 1 e –10 resultam em –9.

Mas o que você faz se é pedido para somar $(g+h)(x)$? Temos a seguinte equação:

$$(g+h)(x) = (3x^2 - 10) + \sqrt{2x - 1}$$

Como não há termos afins a adicionar, não é possível simplificar mais a resposta. Terminamos!

Quando for pedido para subtrair, distribua o sinal negativo na segunda função, usando a propriedade distributiva (veja o Capítulo 1), então trate o processo como um problema de adição:

$$(g-f)(x) = (3x^2 - 10) - (x^2 - 6x + 1)$$
$$= (3x^2 - 10) + (-x^2 + 6x - 1)$$
$$= 2x^2 + 6x - 11$$

Multiplicação e divisão

Multiplicar e dividir funções é um conceito parecido com somar e subtrair (veja a seção anterior). Ao multiplicar funções, use a propriedade distributiva sempre, depois some os termos afins para simplificar. Contudo, a divisão é mais complicada. Veremos primeiro a multiplicação e guardamos a divisão mais complexa por último. Veja o preparo para multiplicar $f(x)$ e $g(x)$:

$$(fg)(x) = (x^2 - 6x + 1)(3x^2 - 10)$$

Siga estas etapas para multiplicar as funções:

1. **Distribua cada termo do polinômio à esquerda para cada termo do polinômio à direita.**

   Comece com $x^2(3x^2)+x^2(-10)+(-6x)(3x^2)+(-6x)(-10)+1(3x^2)+1(-10)$.

   Termine com $3x^4 - 10x^2 - 18x^3 + 60x + 3x^2 - 10$.

2. **Combine os termos afins para obter a resposta final para a multiplicação.**

   Essa etapa simples resulta em $3x^4 - 18x^3 - 7x^2 + 60x - 10$.

As operações que requerem a divisão das funções podem envolver a fatoração para cancelar os termos e simplificar a fração (se não estiver acostumado com esse conceito, verifique o Capítulo 5). Se for pedido para dividir $g(x)$ por $f(x)$, escreva a seguinte equação:

$$\left(\frac{g}{f}\right)(x) = \frac{3x^2 - 10}{x^2 - 6x + 1}$$

Como nem o denominador, tampouco o numerador fatoram, a nova função combinada já está simplificada, e terminamos.

LEMBRE-SE

Pode ser pedido que você encontre um valor específico de uma função combinada. Por exemplo, $(f + h)(1)$ pede para substituir x por 1 na função combinada $(f + h)(x) = (x^2 - 6x + 1) + \sqrt{2x - 1}$. Ao substituir x por 1, você obtém

$$(1)^2 - 6(1) + 1 + \sqrt{2(1) - 1} = 1 - 6 + 1 + \sqrt{2 - 1}$$
$$= -4 + \sqrt{1} = -4 + 1 = -3$$

Dividindo uma composição de funções

Uma *composição* de funções é uma função agindo em outra. Pense nisso como colocar uma função dentro de outra. A composição $f(g(x))$, também escrita como $(f \circ g)(x)$, significa que você coloca a função $g(x)$ inteira em $f(x)$. Para resolver tal problema, trabalhe de dentro para fora:

$$f(g(x)) = f(3x^2 - 10) = (3x^2 - 10)^2 - 6(3x^2 - 10) + 1$$

Esse processo coloca a função $g(x)$ na função $f(x)$ em todo lugar em que $f(x)$ requer x. Essa equação basicamente simplifica como $9x^4 - 78x^2 + 161$, no caso de ser pedida a simplificação da composição.

Do mesmo modo, $g(f(x)) = (g \circ f)(x) = 3(\sqrt{2x-1})^2 - 10$, que simplifica como $3(2x-1) - 10$, porque a raiz quadrada e o quadrado se cancelam. Essa equação simplifica ainda mais como $6x - 13$.

Você também pode ser solicitado a encontrar um valor de uma função composta. Para encontrar $(g \circ f)(-3)$, por exemplo, ajuda saber que é como ler hebraico: trabalhamos da direita para a esquerda. Nesse exemplo, é pedido que coloque −3 em $f(x)$, obtenha uma resposta, então coloque a resposta em $g(x)$. Veja as duas etapas em ação:

$$f(-3) = (-3)^2 - 6(-3) + 1 = 28$$
$$g(28) = 3(28)^2 - 10 = 2.342$$

Ajustando o domínio e o intervalo das funções combinadas (se aplicável)

Se você examinou as seções anteriores que explicam adição, subtração, multiplicação e divisão de funções, ou a colocação de uma função em outra, pode estar imaginando se todas elas atrapalham o domínio e o intervalo. Bem, a resposta depende da operação realizada e da(s) função(ões) original(is). Mas, sim, *existe* a possibilidade de que o domínio e o intervalo mudem ao combinar as funções.

A seguir estão dois tipos principais de funções cujos domínios *não* são todos números reais:

- » **Funções racionais:** O denominador de uma fração nunca pode ser zero, portanto, às vezes, as funções racionais são indefinidas e não têm números no domínio.

- » **Funções raiz quadrada (e qualquer raiz com um índice par):** O *radicando* (o que fica abaixo do símbolo da raiz) não pode ser negativo. Para descobrir como o domínio é afetado, defina o radicando para ser maior ou igual a zero e resolva. Essa solução informará o efeito.

Quando começar a combinar as funções (como somar um polinômio e uma raiz quadrada, por exemplo), o domínio da nova função combinada também será afetado. O mesmo pode ser dito sobre o intervalo de uma função combinada; a nova função será baseada na(s) restrição(ões) das funções originais.

LEMBRE-SE

O domínio é afetado quando combinamos funções com a divisão, porque as variáveis acabam no denominador da fração. Quando isso acontece, é preciso especificar valores no domínio para o qual o quociente da nova função é indefinido. Os valores indefinidos também são chamados de *valores excluídos* do domínio.

Por exemplo, se você divide $g(x) = 3x^2 - 10$ por $f(x) = x^2 - 6x + 1$ para obter a nova função $h(x) = \dfrac{3x^2 - 10}{x^2 - 6x + 1}$, a fração excluiu os valores, porque f(x) é uma equação quadrática com raízes reais. As raízes de f(x) são $3 + 2\sqrt{2}$ e $3 - 2\sqrt{2}$, então esses valores são excluídos do domínio.

Infelizmente, não há um método infalível para encontrar o domínio e o intervalo de uma função combinada. O domínio e o intervalo encontrados para tal função dependem do domínio e do intervalo de cada função original individual. O melhor modo é ver a aparência das funções, criando um gráfico com o método "plug and chug". Assim, é possível ver o mínimo e o máximo de x, o que pode ajudar a determinar o domínio da função, e o mínimo e o máximo de y, ajudando a determinar o intervalo.

Se você não tem uma opção de gráfico, basta dividir o problema e ver primeiro os domínios e os intervalos individuais. Dadas duas funções, $f(x) = \sqrt{x}$ e $g(x) = 25 - x^2$, suponha que você precise encontrar o domínio da nova função combinada $f(g(x)) = \sqrt{(25 - x^2)}$. Para tanto, é necessário encontrar o domínio de cada função individual primeiro. Veja como encontrar o domínio da função composta $f(g(x))$:

1. Encontre o domínio de *f(x)*.

Como não é possível encontrar a raiz quadrada de um número negativo, o domínio de *f* tem de ser números não negativos. Matematicamente, escreva isso como $x \geq 0$ ou na notação de intervalo, $[0, \infty)$.

2. Encontre o domínio de *g(x)*.

Como a função *g(x)* é um polinômio, seu domínio são números reais ou $(-\infty, \infty)$.

3. **Encontre o domínio da função combinada.**

   Quando for pedido especificamente para ver a função composta f(g(x)), note que g está dentro de f. Você ainda está lidando com uma função raiz quadrada, significando que todas as regras se aplicam. Portanto, o novo radicando da função composta não pode ser menor que −5 ou maior que 5, que compõe o domínio da função composta: $-5 \leq x \leq 5$ ou $[-5,5]$.

Para encontrar o intervalo da mesma função composta, considere também primeiro o intervalo das funções compostas:

1. **Encontre o intervalo de f(x).**

   Uma função raiz quadrada sempre resulta em números não negativos, portanto, seu intervalo é $y \geq 0$.

2. **Encontre o intervalo de g(x).**

   A função g(x) é um polinômio de grau par (especificamente, quadrática) e os polinômios de grau par sempre têm um valor mínimo ou máximo. Quanto maior o grau no polinômio, mais difícil é encontrar o mínimo ou o máximo. Como essa função é "apenas" uma quadrática, podemos encontrar seu mínimo ou máximo localizando o vértice.

   Primeiro, reescreva a função como $g(x) = -x^2 + 25$. Isso mostra que a função é uma quadrática transformada, na qual o vértice se deslocou para cima, em y = 25, e virou de cabeça para baixo. Portanto, a função nunca fica maior que 25 na direção y. O intervalo é $y \leq 25$.

3. **Encontre o intervalo da função composta f(g(x)).**

   A função g(x) atinge seu máximo, y = 5, quando $x = 0$. Portanto, a função composta também atinge seu máximo em y = 5 quando $x = 0$: $f(g(0)) = \sqrt{25 - 0^2} = 5$. O intervalo da função composta tem de ser menor ou igual a esse valor ou $y \leq 5$.

   O gráfico dessa função combinada também depende do intervalo de cada função individual. Como o intervalo de g(x) deve ser não negativo, assim deve ser a função combinada, que é escrita como $y \geq 0$. Então, o intervalo da função combinada é $0 \leq y \leq 5$. Se você desenhar essa função combinada na calculadora gráfica, obterá um meio círculo de raio 5 com centro na origem.

DICA

Virando de Dentro para Fora com Funções Inversas

Muitas operações na Matemática têm inversas: a adição desfaz a subtração, a multiplicação desfaz a divisão (e vice-versa). Como as funções são apenas formas mais complicadas de operações, elas também têm inversas. Uma *função inversa* simplesmente desfaz outra função. Nem todas têm inversas. Apenas as funções injetoras (veja o Capítulo 3) podem ter inversas, e isso é muito especial.

Talvez o melhor motivo para saber se as funções são inversas entre si é que, se você puder desenhar a função original, *normalmente* poderá desenhar a inversa também. É onde começa esta seção. Às vezes, no pré-cálculo, será pedido que você mostre que duas funções são inversas entre si ou que encontre a inversa de certa função, portanto, verá essas informações posteriormente nesta seção também.

LEMBRE-SE

Se $f(x)$ é a função original, $f^{-1}(x)$ é o símbolo de sua inversa. Essa notação é usada estritamente para descrever a função inversa, e não

$$\frac{1}{f(x)}.$$

O um negativo no expoente, $f^{-1}(x)$, é usado assim para representar a inversa, não a recíproca. Se você quiser indicar a recíproca de $f(x)$, use $[f(x)]^{-1}$.

Desenhando uma inversa

DICA

Se for pedido que desenhe a inversa de uma função, você pode fazer do modo longo e encontrar primeiro a inversa (veja a próxima seção), ou pode se lembrar de um fato e fazer o gráfico. Que fato, você pergunta? Bem, é que uma função e sua inversa são reflexos uma da outra na reta $y = x$. Essa reta é uma função linear que passa pela origem e tem uma inclinação 1. Quando for pedido que desenhe uma função e sua inversa, pode escolher desenhar isso como uma reta pontilhada; assim, ela age como um grande espelho, e é possível ver literalmente os pontos da função se refletindo na reta e tornando-se os pontos inversos da função. Refletir sobre essa reta troca x e y, fornecendo uma maneira gráfica de encontrar a inversa sem plotar toneladas de pontos.

O melhor modo de entender esse conceito é vê-lo em ação. Por exemplo, confie que essas duas funções são inversas entre si:

$$f(x) = 2x - 3$$
$$g(x) = \frac{x+3}{2}$$

Para ver como x e y trocam de lugar, siga estas etapas:

1. **Pegue um número (qualquer um) e coloque-o na primeira função dada.**

   Uma boa escolha é –4. Quando $f(-4)$, obtemos –11. Esse ponto é representado assim: $(-4, -11)$.

2. **Pegue o resultado da Etapa 1 e coloque-o na outra função.**

   Nesse caso, precisamos encontrar $g(-11)$. Quando conseguir, terá –4 de novo. Esse ponto é representado assim: $(-11, -4)$. Pare!

Isso funciona com *qualquer* número e *qualquer* função: o ponto (a, b) na função se torna o ponto (b, a) em sua inversa. Mas não deixe que essa terminologia o engane. Como são apenas pontos, você representa da mesma maneira que sempre fez.

DICA

O domínio inteiro e o intervalo trocam de lugar entre uma função e sua inversa. Por exemplo, sabendo que apenas alguns pontos de certa função $f(x) = 2x - 3$ incluem $(-4, -11)$, $(-2, -7)$ e $(0, -3)$, sabemos automaticamente que os pontos na inversa $g(x)$ serão $(-11, -4)$, $(-7, -2)$ e $(-3, 0)$.

Portanto, se for pedido que desenhe uma função e sua inversa, tudo que você terá de fazer é desenhar a função e trocar todos os valores x e y em cada ponto para desenhar a inversa. Veja que todos os valores trocam de lugar na função $f(x)$, e sua inversa $g(x)$ (e vice-versa), refletidos na reta $y = x$.

Agora, você pode desenhar uma nova função $f(x) = 3x - 2$ e sua inversa sem nem saber qual é a inversa. Como a função dada é linear, podemos desenhá-la usando a forma inclinação-intercepto. Primeiro desenhe $y = x$. A forma inclinação-intercepto fornece pelo menos dois pontos: o intercepto-y em $(0, -2)$ e se você usar $x = 1$, obterá $(1, 1)$. Se você usar $x = 2$, obterá $(2, 4)$. Assim, a função inversa passa pelos pontos $(-2, 0)$, $(1, 1)$ e $(4, 2)$. A função e a inversa são mostradas na Figura 4-10.

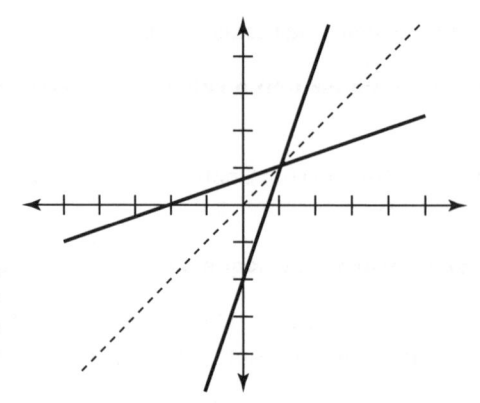

FIGURA 4-10:
Gráfico de
$f(x) = 3x - 2$
e sua
inversa.

Invertendo uma função para encontrar sua inversa

Se você tem uma função e precisa encontrar sua inversa, primeiro lembre-se de que o domínio e o intervalo trocam de lugar nas funções. Literalmente, você troca $f(x)$ e x na equação original. Quando faz essa mudança, chama a nova $f(x)$ por seu nome verdadeiro, $f^{-1}(x)$, e determina a função.

Por exemplo, siga as etapas para encontrar a inversa desta função:

$$f(x) = \frac{2x-1}{3}$$

1. **Troque *f(x)* e *x* na equação.**

    Quando troca $f(x)$ e x, obtém

    $$x = \frac{2f(x)-1}{3}$$

    Também é possível mudar $f(x)$ para y, tornando a notação um pouco mais simples.

2. **Mude a nova *f(x)* para seu devido nome:** $f^{-1}(x)$.

    A equação fica assim

    $$x = \frac{2f^{-1}(x)-1}{3}$$

3. **Determine $f^{-1}(x)$.**

   Esta etapa tem três partes:

   a. Multiplique os dois lados por 3 para obter $3x = 2f^{-1}(x) - 1$.

   b. Adicione 1 aos dois lados para obter $3x + 1 = 2f^{-1}(x)$.

   c. Por fim, divida os dois lados por 2 para obter a inversa:
   $$f^{-1}(x) = \frac{3x+1}{2}$$

Verificando uma inversa

Às vezes, pode ser necessário verificar se duas funções dadas são realmente inversas entre si. Para tanto, você precisa mostrar que $f(g(x))$ e $g(f(x)) = x$.

DICA Quando for pedido para encontrar a inversa de uma função (como na seção anterior), recomenda-se verificar se o que você fez foi correto, se o tempo permitir.

Por exemplo, mostre que as seguintes funções são inversas entre si:
$$f(x) = 5x^3 + 4$$
$$g(x) = \sqrt[3]{\frac{x-4}{5}}$$

1. **Mostre que $f(g(x)) = x$.**

   Esta etapa é uma questão de colocar a função g(x) em cada x na equação:
   $$f(g(x)) = 5[g(x)]^3 + 4 = 5\left[\sqrt[3]{\frac{x-4}{5}}\right]^3 + 4$$

   E como elevar ao cubo uma raiz cúbica resulta no expoente 1,
   $$= \cancel{5}\left[\frac{x-4}{\cancel{5}}\right] + 4 = x - 4 + 4 = x$$

2. **Mostre que $g(f(x)) = x$.**

   De novo, coloque os números e comece a simplificar:
   $$g(f(x)) = \sqrt[3]{\frac{f(x)-4}{5}} = \sqrt[3]{\frac{5x^3+4-4}{5}} = \sqrt[3]{\frac{\cancel{5}x^3}{\cancel{5}}}$$
   $$= \sqrt[3]{x^3} = x$$

   As funções são inversas entre si, pois ambas as composições resultaram em x.

> **NESTE CAPÍTULO**
>
> » Explorando a fatoração das equações quadráticas
>
> » Resolvendo equações quadráticas que não podem ser fatoradas
>
> » Decifrando e contando as raízes de um polinômio
>
> » Usando soluções para encontrar fatores
>
> » Plotando polinômios no plano cartesiano

Capítulo **5**

Cavando e Usando Raízes para Desenhar Funções Polinomiais

Desde os tempos da Álgebra, as variáveis substituem as incógnitas nas equações. Provavelmente você se sente muito à vontade usando variáveis agora, portanto, está pronto para descobrir como lidar com equações que usam vários termos e aprender como construir seus gráficos.

Quando as variáveis e as constantes se multiplicam, o resultado de uma variável multiplicada por uma constante é um *monômio*, que significa "um termo". Exemplos de monômios incluem $3y$, x^2 e $4ab^3c^2$. Ao criar expressões adicionando e subtraindo monômios distintos, você obtém polinômios, porque criou algo com mais de um termo. Em geral, *monômio* se refere a um polinômio com um termo apenas; *binômio* se refere a dois termos; *trinômio*, a três; e a palavra *polinômio* é reservada para quatro ou mais. Pense em um polinômio como o guarda-chuva sob o qual estão binômios e trinômios. Cada parte de um polinômio adicionada ou subtraída é um termo; por exemplo, o polinômio $2x + 3$ tem dois termos: $2x$ e 3.

LEMBRE-SE

Parte da definição oficial de um polinômio é que ele nunca pode ter uma variável no denominador de uma fração, não pode ter expoentes negativos e nem expoentes fracionários. Os expoentes nas variáveis têm de ser inteiros não negativos.

Neste capítulo, pesquisaremos a(s) *solução(ões)* da equação polinomial dada, ou seja, o(s) valor(es) que a torna(m) verdadeira. Quando a equação dada é igual a zero, essas soluções são chamadas de *raízes* ou *zeros*. Essas palavras são usadas alternadamente porque representam a mesma ideia: onde o gráfico cruza o eixo *x* (um ponto chamado de intercepto-*x*). Veremos como encontrar as raízes das funções polinomiais e como representar funções com gráficos.

Entendendo Graus e Raízes

O *grau* de um polinômio está intimamente relacionado a seus expoentes e determina como trabalhar com o polinômio para encontrar as raízes. Para descobrir esse grau, basta encontrar o grau de cada termo somando os expoentes das variáveis (lembre-se de que quando não há expoente, isso significa 1). A maior soma é o grau do polinômio inteiro. Por exemplo, considere a expressão $3x^4y^6 - 2x^4y - 5xy + 2$:

> O grau de $3x^4y^6$ é $4+6$ ou 10.
>
> O grau de $2x^4y$ é $4+1$ ou 5.
>
> O grau de $5xy$ é $1+1$ ou 2.
>
> O grau de 2 é 0, porque não tem variáveis.

Assim, esse polinômio tem grau 10.

Uma *expressão quadrática* é um polinômio cujo grau mais alto é dois. Um exemplo de polinômio quadrático é $3x^2 - 10x + 5$. O x^2 no polinômio é chamado de *termo quadrático*, porque é o que torna a expressão inteira quadrática. O número na frente de x^2 é chamado de *coeficiente principal* (no exemplo anterior é 3). O *x* é chamado de *termo linear* ($-10x$), e o número em si é chamado de *constante* (5).

Sem fazer cálculo é quase impossível conseguir um gráfico perfeitamente preciso de uma função polinomial plotando pontos. Mas em pré-cálculo, você pode encontrar as raízes de um polinômio (se houver) e usá-las como um guia para ter uma ideia de como ficará o gráfico do polinômio. Basta colocar um valor x entre as duas raízes (interceptos-x) para ver se a função é positiva ou negativa nesse intervalo. Por exemplo, pode ser pedido para você desenhar o gráfico da equação $y = 3x^2 - 10x + 5$. Agora, você sabe que essa equação é um polinômio de segundo grau, portanto, pode ter duas raízes e pode cruzar o eixo x em até duas vezes (falaremos mais sobre o motivo posteriormente).

Este capítulo começa resolvendo os polinômios quadráticos porque as técnicas necessárias para determiná-los são específicas. Fatorar, completar o quadrado e usar a fórmula quadrática são métodos excelentes para resolver polinômios quadráticos; contudo, com frequência eles não funcionam para polinômios de graus mais altos. Em seguida, você passa para polinômios de grau maior (como x^3 ou x^5, por exemplo) porque muitas vezes as etapas requeridas para resolvê-los são mais longas e complicadas.

DICA

É possível resolver muitos tipos de equações polinomiais (inclusive quadráticas) usando as etapas descritas quase no final deste capítulo. Mas resolver equações quadráticas usando as técnicas especificamente reservadas para elas economiza tempo e esforço.

Fatorando uma Expressão Polinomial

Lembre-se de que, quando duas ou mais variáveis ou constantes são multiplicadas para obter um produto, cada multiplicador do produto é chamado de *fator*. Você viu os fatores pela primeira vez quando a multiplicação foi apresentada (lembra das árvores de fatores, fatoração etc.?). Por exemplo, um conjunto de fatores de 24 é 6 e 4 porque $6 \cdot 4 = 24$.

Em Matemática, *fatoração* ou *fatorar* é a reorganização de um polinômio em um produto de outros polinômios menores. Se preferir, pode multiplicar esses fatores juntos para obter o polinômio original (que é uma maneira de verificar suas habilidades de fatoração). Por exemplo, o polinômio $f(x) = x^5 - 4x^4 - 8x^3 + 32x^2 - 9x + 36$ consiste em seis termos que podem ser reescritos como quatro fatores, $f(x) = (x+3)(x-3)(x-4)(x^2+1)$.

LEMBRE-SE

Um meio de resolver uma equação polinomial é fatorar o polinômio como produto entre dois ou mais binômios (expressões com dois termos). Depois de ser totalmente fatorado, use a propriedade do produto zero para resolver a equação. Essa ideia é analisada mais adiante em "Encontrando as Raízes de uma Equação Fatorada".

Temos diversas opções para fatorar:

> » Para um polinômio, não importa quanto termos ele tem, sempre verifique primeiro o *máximo divisor comum* (MDC). É a maior expressão que aparece em todos os termos igualmente. Usar o MDC é como fazer a propriedade distributiva ao inverso (veja o Capítulo 1).
>
> » Se a expressão é um *trinômio* (tem três termos), você pode usar o método PEIU (Primeiros, Externos, Internos e Últimos) (para multiplicar os binômios) ao contrário ou o método da caixa para fatoração.
>
> » Se a expressão é um binômio, procure a diferença de quadrados, a diferença de cubos ou a soma de cubos depois de fatorar o MDC, se houver um.

As seções a seguir detalham cada um desses métodos.

LEMBRE-SE Se um polinômio quadrático não fatora, é chamado de *primo*, porque seus únicos fatores são 1 e ele mesmo. Quando tiver tentado todos os truques de fatoração que tem na manga (MDC, PEIU ao contrário, diferença de quadrados etc.) e a equação quadrática não fatorar, então você pode completar o quadrado ou usar a fórmula quadrática para resolver a equação. A escolha é sua. Também é possível escolher *sempre* completar o quadrado ou a fórmula quadrática (e pular a fatoração) para resolver uma equação. Às vezes, fatorar pode ser mais rápido, então recomendamos experimentar isso primeiro.

DICA A forma padrão de uma expressão quadrática é $ax^2 + bx + c$. Se você tem uma expressão quadrática que não está no padrão, reescreva-a colocando os termos na ordem decrescente dos graus. Essa etapa facilita a fatoração (e algumas vezes nem é necessário fatorar).

Sempre a primeira etapa: Procurando o MDC

Não importa quantos termos um polinômio tem, é sempre importante verificar primeiro o MDC. Se ele tem um MDC, fatorar o polinômio torna o resto muito mais fácil, porque agora cada termo tem menos fatores e números menores. Se o MDC inclui uma variável, seu trabalho fica até mais fácil, pois os graus dos resultados são menores.

CUIDADO Se você se esquece de fatorar o MDC, também pode se esquecer de encontrar uma solução, e isso pode confundi-lo de vários modos! Sem uma solução, é possível não ver uma raiz, e você pode acabar com um gráfico incorreto para o polinômio. Então, todo seu trabalho seria perdido!

Para fatorar o polinômio $6x^4-12x^3+4x^2$, por exemplo, siga estas etapas:

1. **Divida cada termo em fatores primos.**

Essa etapa expande a expressão original para
$3 \cdot 2 \cdot x \cdot x \cdot x \cdot x - 3 \cdot 2 \cdot 2 \cdot x \cdot x \cdot x + 2 \cdot 2 \cdot x \cdot x$

2. **Procure os fatores que aparecem em cada termo para determinar o MDC.**

No exemplo, pode ver um 2 e dois xis em cada termo: $3 \cdot \underline{2} \cdot \underline{x} \cdot \underline{x} \cdot x \cdot x - 3 \cdot \underline{2} \cdot 2 \cdot \underline{x} \cdot \underline{x} \cdot x + \underline{2} \cdot 2 \cdot \underline{x} \cdot \underline{x}$. O MDC aqui é $2x^2$.

3. **Fatore o MDC de cada termo na frente dos parênteses e agrupe o restante dentro dos parênteses.**

Agora temos $2 \cdot x \cdot x (3 \cdot x \cdot x - 3 \cdot 2 \cdot x + 2)$.

4. **Multiplique cada termo para simplificar.**

A forma simplificada da expressão na Etapa 3 é $2x^2(3x^2 - 6x + 2)$.

5. **Distribua para ter certeza de que o MDC está correto.**

Se você multiplicar $2x^2$ por cada termo dentro dos parênteses, obterá $6x^4 - 12x^3 + 4x^2$. Agora pode dizer com confiança que $2x^2$ é o MDC.

Abrindo a caixa que contém um trinômio

Depois de verificar se um trinômio possui um MDC (independentemente de ter um ou não), experimente fatorar de novo. Talvez ache mais fácil fatorar depois de o MDC ter sido fatorado. O polinômio na última seção tem dois fatores: $2x^2$ e $3x^2 - 6x + 2$. O primeiro fator, $2x^2$, não é fatorável porque é um monômio. Mas o segundo pode ser fatorado de novo porque é um trinômio, e se o fizer, terá mais dois fatores binomiais.

Muitas pessoas preferem usar o método "adivinhe e confira" de fatoração, em que escrevemos dois conjuntos de parênteses — ( )( ) — e literalmente adivinhamos os fatores para saber se algo funciona. Outro método usado é o *PEIU* (Primeiros, Externos, Internos e Últimos) (também chamado de *Método Britânico*). O método PEIU de fatoração pede que você siga as etapas necessárias para aplicá-lo nos binôminos, só que ao contrário. E um terceiro método, que ficou muito popular, é o *método da caixa*, mostrado aqui.

Por exemplo, para fatorar $3x^2 + 19x - 14$, siga estas etapas:

1. **Desenhe um quadrado dois por dois e coloque o primeiro termo do binômio no quadrante esquerdo superior, e o último, no direito inferior.**

$3x^2$	
	−14

2. **Multiplique os dois termos na caixa.**

   $3x^2(-14) = -42x^2$

3. **Escreva todos os fatores lineares do produto resultante, em pares.**

   Os fatores de −42x2 são: −42x e 1x, 42x e −1x, −21x e 2x, 21x e −2x, −14x e 3x, 14x e −3x, −7x e 6x, 7x e −6x. É provável que você tenha notado que existem apenas quatro conjuntos de fatores, com mudanças nos sinais dos dois termos.

4. **Nessa lista, encontre o par que soma e produz o termo linear.**

   Você busca o par cuja soma é +19x. Para esse problema, a reposta é 21x e −2x.

5. **Coloque os dois termos na caixa, não importa onde.**

$3x^2$	$21x$
$-2x$	-14

6. **Encontre o MDC de cada par, na horizontal e na vertical; escreva os MDCs no topo e na lateral da caixa.**

	x	7
$3x$	$3x^2$	$21x$
-2	$-2x$	-14

7. **Escreva o produto dos dois binômios formados pelos termos no topo e nas laterais do quadrado, respectivamente.**

   $(x+7)(3x-2)$

   São os dois fatores binomiais do trinômio.

Dependendo de onde os dois fatores foram colocados na Etapa 5, a ordem dos dois binômios pode mudar. Mas isso não afeta a resposta final.

LEMBRE-SE

Se nenhum dos pares de fatores listados na Etapa 3 fornecer o termo do meio, então terminamos. Os fatores não precisam ser bonitos, até radicais são aceitos. Mas se não fatorar, então o trinômio é primo, ou seja, não fatora.

Reconhecendo e fatorando polinômios especiais

O objetivo de fatorar é descobrir os fatores originais do polinômio que dão um produto final em particular. Você passa muito tempo fatorando polinômios em álgebra, e fatorar apenas desfaz o processo original da multiplicação. É um pouco parecido com o programa *Jeopardy!* — você sabe a resposta, mas procura a pergunta.

Podem ocorrer casos especiais ao fatorar trinômios e binômios; você deve reconhecê-los rápido para economizar tempo.

> » **Trinômios quadrado perfeito:** Ao multiplicar um binômio por ele mesmo, o produto é chamado de *quadrado perfeito*. Por exemplo, $(a+b)^2$ dá o trinômio quadrado perfeito $a^2 + 2ab + b^2$. Observe que o termo do meio é duas vezes o produto das raízes do primeiro e do terceiro termos.
>
> » **Binômios com diferença de quadrados:** Ao multiplicar um binômio por seu conjugado, o produto é chamado de *diferença de quadrados*. O produto de $(a-b)(a+b)$ é $a^2 - b^2$. Fatorar uma diferença de quadrados também requer etapas próprias, o que é explicado nesta seção.

Dois outros tipos especiais de fatoração não apareceram quando você aprendeu o método PEIU, pois não são o produto de dois binômios:

> » **Soma de cubos:** Um fator é um binômio, e o outro, um trinômio. O binômio $a^3 + b^3$ pode ser fatorado como $(a+b)(a^2 - ab + b^2)$.
>
> » **Diferença de cubos:** Essas expressões fatoram quase como uma soma de cubos, exceto que alguns sinais são diferentes nos fatores: $a^3 - b^3 = (a-b)(a^2 + ab + b^2)$.

LEMBRE-SE

Não importa o tipo de problema, você sempre deve verificar primeiro o MDC; contudo, nenhum exemplo a seguir tem um MDC, portanto, ignore essa etapa nas orientações. Em outra seção, você descobrirá como fatorar mais de uma vez quando puder.

Vendo em dobro com quadrados perfeitos

Como um trinômio quadrado perfeito ainda é um trinômio, sempre é possível usar o método PEIU ou da caixa, mas é muito mais rápido e bonito se você reconhece que tem um trinômio quadrado perfeito, porque economiza tempo.

Por exemplo, para fatorar o polinômio $4x^2 - 12x + 9$, primeiro suponha que é um quadrado perfeito:

1. **Veja se o primeiro e o último termos são quadrados perfeitos.**

   O termo $4x^2$ é $2x \cdot 2x$ e a constante 9 é $3 \cdot 3$, portanto, ambos são quadrados perfeitos.

2. **O termo do meio precisa ser duas vezes o produto das raízes quadradas do primeiro e do último termos.**

   Como a raiz de $4x^2$ é $2x$ e a raiz de 9 é 3, então duas vezes seu produto é $2 \cdot 2x \cdot 3 = 12x$. Temos um vencedor!

3. **Escreva o produto dos dois binômios idênticos, inserindo o sinal correto.**

   Começando com $(2x \quad 3)(2x \quad 3)$, vemos que o termo do meio do trinômio sendo fatorado é $-12x$, portanto, os dois sinais nos binômios devem ser menos.

   $(2x - 3)(2x - 3) = 4x^2 - 12x + 9$

Trabalhando com diferenças de quadrados

É possível reconhecer uma *diferença de quadrados* porque é sempre um binômio em que ambos os termos são quadrados perfeitos e um sinal de subtração aparece entre eles. *Sempre* aparece como $a^2 - b^2$ ou $(\text{termo})^2 - (\text{outro termo})^2$. Quando temos uma diferença de quadrados, depois de verificar o MDC nos dois termos, seguimos um procedimento simples: $a^2 - b^2 = (a - b)(a + b)$.

Por exemplo, você pode fatorar $25y^4 - 9$ com estas etapas:

1. **Reescreva cada termo como (termo)².**

   Este exemplo se torna $(5y^2)^2 - (3)^2$, que mostra claramente a diferença de quadrados ("diferença de" significa subtração).

2. **Fatore a diferença de quadrados $(a)^2 - (b)^2$ como $(a - b)(a + b)$.**

   Cada diferença de quadrados $(a)^2 - (b)^2$ sempre fatora como $(a - b)(a + b)$. O exemplo fatora como $(5y^2 - 3)(5y^2 + 3)$.

Dividindo uma diferença ou soma de cubos

Após verificar se existe um MDC no polinômio dado e descobrir que um binômio não é uma diferença de quadrados, considere que possa ser uma soma ou diferença de cubos.

Uma *soma de cubos* é sempre um binômio com um sinal de mais no meio, o único onde isso acontece: $(\text{termo})^3 + (\text{outro termo})^3$. Quando reconhecemos uma soma de cubos $a^3 + b^3$, ela fatora como $(a+b)(a^2 - ab + b^2)$.

Por exemplo, para fatorar $8x^3 + 27$, primeiro procuramos o MDC. Não encontramos nenhum, portanto, agora usamos as seguintes etapas:

1. **Determine que você tem uma soma de cubos.**

   O sinal de mais informa que pode ser uma soma de cubos, mas essa dica não é infalível. É hora de experimentar: tente reescrever a expressão como a soma de cubos; se você selecionar $(2x)^3 + (3)^3$, encontrou um vencedor.

2. **Use o formato de fatoração, substituindo *a* e *b* pelas duas raízes cúbicas.**

   Substitua *a* por 2x e *b* por 3. Com a fórmula $a^3 + b^3 = (a+b)(a^2 - ab + b^2)$, temos $(2x+3)[(2x)^2 - (2x)(3) + 3^2]$.

3. **Simplifique a expressão.**

   Esse exemplo é simplificado como $(2x+3)(4x^2 - 6x + 9)$.

4. **Verifique o polinômio fatorado para saber se irá fatorar de novo.**

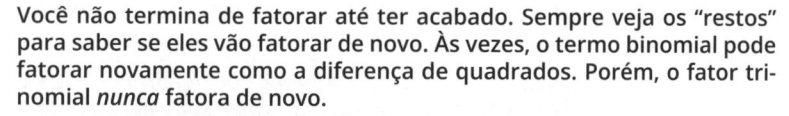

   Você não termina de fatorar até ter acabado. Sempre veja os "restos" para saber se eles vão fatorar de novo. Às vezes, o termo binomial pode fatorar novamente como a diferença de quadrados. Porém, o fator trinomial *nunca* fatora de novo.

   No exemplo anterior, o termo binomial $2x + 3$ é um binômio de primeiro grau (o expoente na variável é 1) sem um MDC, portanto, não vai fatorar de novo. Por isso, $(2x+3)(4x^2 - 6x + 9)$ é a resposta final.

LEMBRE-SE

Uma *diferença de cubos* parece muito com a diferença de quadrados (veja a última seção), mas fatora bem diferente: como a soma de cubos. Uma diferença de cubos sempre inicia como um binômio com um sinal de subtração no meio, mas é escrito como $(\text{termo})^3 + (\text{outro termo})^3$. Para fatorar qualquer diferença de cubos, use a fórmula $a^3 - b^3 = (a-b)(a^2 + ab + b^2)$. Use as mesmas etapas para fatorar a soma de cubos; basta mudar os dois sinais na fórmula.

Agrupando para fatorar quatro ou mais termos

Quando um polinômio tem quatro ou mais termos, o modo mais fácil de fatorá-lo (se possível nesse caso) é *agrupando*. Nesse método, vemos apenas dois termos por vez para saber se alguma técnica de fatoração anterior ficou aparente (podemos ver um MDC em dois termos ou reconhecer um trinômio como um quadrado perfeito). Aqui, vemos como agrupar quando certo polinômio *começa* com quatro (ou mais) termos.

LEMBRE-SE

Às vezes, é possível agrupar um polinômio em conjuntos com dois termos para encontrar o MDC em cada conjunto. Você deve experimentar esse método primeiro com um polinômio com quatro ou mais termos. Esse tipo de agrupamento é o método mais comum em um texto de pré-cálculo.

Por exemplo, você pode fatorar $x^3 + x^2 - x - 1$ usando agrupamento. Basta seguir as etapas:

1. Divida o polinômio em conjuntos de dois.

Você pode usar $(x^3 + x^2) + (-x - 1)$. Coloque o sinal de mais entre os conjuntos, como fez ao fatorar os trinômios.

2. Encontre o MDC de cada conjunto e fatore.

O quadrado x^2 é o MDC do primeiro conjunto, e -1 é o MDC do segundo. Fatorando ambos, você tem $x^2(x+1) - 1(x+1)$.

3. Fatore de novo quantas vezes puder.

Os dois termos criados têm um MDC $(x+1)$. Quando fatorado, você tem $(x+1)(x^2-1)$.

Contudo, $x^2 - 1$ é uma diferença de quadrados e fatora de novo. No final, você obtém os seguintes fatores após agrupar: $(x+1)(x+1)(x-1)$ ou $(x+1)^2(x-1)$.

Se o método anterior não funcionar, você pode precisar agrupar o polinômio de outro modo. Naturalmente, depois de tanto esforço, o polinômio pode acabar sendo primo, o que é bom.

Por exemplo, veja o polinômio $x^2 - 4xy + 4y^2 - 16$. Você pode agrupá-lo em conjuntos de dois para se tornar $x(x - 4y) + 4(y^2 - 4)$. Mas essa expressão não fatora de novo. Sinos devem tocar dentro de sua cabeça nesse ponto, avisando para ver de novo a expressão original. Você pode tentar agrupá-la de outro modo. Nesse caso, se observar os primeiros três termos, descobrirá um trinômio quadrado perfeito, que fatora como $(x - 2y)^2$. Reescreva a expressão como $(x - 2y)^2 - 16$. Agora você tem uma diferença de quadrados, que fatora de novo como $[(x - 2y) + 4][(x - 2y) - 4]$.

Encontrando as Raízes de uma Equação Fatorada

Muitas vezes, depois de fatorar, os dois fatores podem ser fatorados de novo, e você deve continuar fatorando. Em outros casos, pode ter um fator trinomial que não pode ser fatorado. Então, pode resolver a equação apenas usando a fórmula quadrática. Por exemplo, $6x^4 - 12x^3 + 4x^2 = 0$ fatora como $2x^2(3x^2 - 6x + 2) = 0$. O primeiro termo, $2x^2 = 0$, é resolvido usando a álgebra, mas o segundo fator, $3x^2 - 6x + 2 = 0$, não é fatorado e requer a fórmula quadrática (veja a próxima seção).

LEMBRE-SE

Após fatorar um polinômio em suas diferentes partes, você pode definir cada parte para ser igual a zero e resolver as raízes com a *propriedade de produto zero*. Essa propriedade diz que, se vários fatores se multiplicam e dão zero, pelo menos um deles precisa ser zero. Seu trabalho é encontrar todos os valores de x que tornam o polinômio igual a zero. Essa tarefa é muito mais fácil se o polinômio é fatorado, porque é possível definir cada fator para zero e determinar x.

Fatorando $x^2 + 3x - 10 = 0$ você encontra $(x+5)(x-2) = 0$. Seguir em frente é fácil porque cada fator é linear (primeiro grau). O termo $x + 5 = 0$ tem uma solução, $x = -5$, e $x - 2 = 0$ fornece outra solução, $x = 2$.

Cada uma dessas soluções se tornam um intercepto-x no gráfico do polinômio (veja a seção "Desenhando Polinômios").

Decifrando uma Equação Quadrática Quando Ela Não Fatorar

Quando for pedido para determinar uma equação quadrática que você não consegue fatorar (ou que não fatora), é preciso usar outros métodos. A incapacidade de fatorar significa que a equação tem soluções que você não consegue encontrar usando técnicas normais. Talvez as soluções envolvam raízes quadradas de quadrados não perfeitos; pode até ser números complexos envolvendo números imaginários (veja o Capítulo 12).

Um método é usar a *fórmula quadrática* (ou *fórmula de Bháskara*), que é usada para resolver a variável em uma equação quadrática de forma padrão. Outro método é *completar o quadrado*, que significa manipular uma expressão para criar um trinômio quadrado perfeito que pode, então, ser fatorado. As seções a seguir mostram esses métodos em detalhes.

Usando a fórmula quadrática

PAPO DE ESPECIALISTA

Quando uma equação quadrática não fatora, lembre-se da velha amiga na álgebra, a fórmula quadrática, para resolver a equação. Dada uma equação quadrática na forma padrão $ax^2 + bx + c = 0$,

$$x = \frac{-b \pm \sqrt{b^2 - 4ac}}{2a}$$

DICA

Antes de aplicar a fórmula, reescreva a equação na forma padrão (se já não estiver) e descubra os valores de a, b e c.

Por exemplo, para resolver $x^2 - 3x + 1 = 0$, primeiro dizemos que $a = 1$, $b = -3$ e $c = 1$. Os termos a, b e c entram na fórmula apenas para fornecer os valores de x:

$$x = \frac{-(-3) \pm \sqrt{(-3)^2 - 4(1)(1)}}{2(1)}$$

Simplifique para obter $x = \frac{3 \pm \sqrt{9 - 4}}{2} = \frac{3 \pm \sqrt{5}}{2}$

Se estiver desenhando o gráfico do polinômio de segundo grau $y = x^2 - 3x + 1$, isso lhe dará dois interceptos-x, $\left(\frac{3 + \sqrt{5}}{2}, 0\right)$ e $\left(\frac{3 - \sqrt{5}}{2}, 0\right)$.

Completando o quadrado

Completar o quadrado é útil quando é preciso determinar uma equação quadrática sem auxílio ou quando você precisa de certo formato de equação para desenhar uma seção cônica (círculo, elipse, parábola e hipérbole), que é explicada no Capítulo 13. No momento, recomenda-se que você encontre as raízes de uma equação quadrática completando o quadrado apenas quando for pedido especificamente, porque fatorar um polinômio quadrático e usar a fórmula quadrática funciona também (se não melhor). Esses métodos são menos complicados que completar o quadrado (dói, e você sabe onde!).

A situação pede que você complete o quadrado. Siga estas etapas para resolver a equação $2x^2 - 4x - 5 = 0$ completando o quadrado:

1. **Divida cada termo pelo coeficiente principal para que a seja igual a 1. Se a equação já tiver um termo x^2 simples, pule para a Etapa 2.**

    Prepare-se para lidar com frações nessa etapa. Dividindo cada termo por 2, agora a equação é $x^2 - 2x - \frac{5}{2} = 0$.

2. **Adicione o termo constante aos dois lados da equação para obter apenas termos com a variável no lado esquerdo dela.**

    Você pode adicionar $\frac{5}{2}$ aos dois lados para obter $x^2 - 2x = \frac{5}{2}$.

3. **Agora, para completar o quadrado: pegue o coeficiente linear e o escreva fora do problema, salve em um rascunho, e divida por 2 e eleve o resultado ao quadrado. Agora, adicione este valor aos dois lados da equação.**

   Divida –2 por 2 para obter –1. Eleve a resposta ao quadrado para obter 1 e adicione-o aos dois lados:

   $$x^2 - 2x + 1 = \frac{5}{2} + 1$$

4. **Simplifique a equação.**

   Ela se torna

   $$x^2 - 2x + 1 = \frac{7}{2}$$

5. **Fatore a equação quadrática recém-criada. Use o número salvo na Etapa 3, se precisar de ajuda na fatoração.**

   A nova equação deve ser um trinômio quadrado perfeito.

   $$(x-1)(x-1) = \frac{7}{2} \quad \text{ou} \quad (x-1)^2 = \frac{7}{2}$$

6. **Elimine o expoente quadrado calculando a raiz quadrada nos dois lados. Lembre-se de que as raízes positivas e negativas podem ser elevadas ao quadrado para obter a resposta!**

   Essa etapa fornece

   $$x - 1 = \pm\sqrt{\frac{7}{2}}$$

7. **Simplifique qualquer raiz quadrada, se possível.**

   A equação de exemplo não simplifica, mas o denominador precisa ser racionalizado (veja o Capítulo 2). Faça a racionalização para obter

   $$x - 1 = \pm\sqrt{\frac{7}{2}} = \pm\frac{\sqrt{7}}{\sqrt{2}} \cdot \frac{\sqrt{2}}{\sqrt{2}} = \pm\frac{\sqrt{14}}{2}$$

8. **Determine a variável isolando-a.**

   Adicione 1 aos dois lados para obter

   $$x = 1 \pm \frac{\sqrt{14}}{2}$$

   Nota: Pode ser necessário expressar sua resposta como uma fração; nesse caso, encontre o denominador comum e adicione para obter

   $$x = \frac{2 \pm \sqrt{14}}{2}$$

Resolvendo Polinômios Não Fatoráveis com um Grau Maior que Dois

Agora você é profissional ao resolver equações polinomiais de segundo grau (equações quadráticas) e tem várias ferramentas à disposição para resolver esses problemas. Pode ter notado, enquanto resolvia equações quadráticas, que quando ela tem soluções reais, ela sempre tem duas soluções. Observe que, às vezes, as duas são iguais (como nos trinômios quadrado perfeito). Mesmo que você obtenha a mesma solução duas vezes, elas ainda contam como duas (o número de vezes em que uma solução é uma raiz da equação, denomina-se multiplicidade da solução).

Quando o grau do polinômio é maior que dois e o polinômio não fatora usando uma das técnicas explicadas antes neste capítulo, encontrar as raízes fica cada vez mais difícil. Por exemplo, você pode precisa resolver um polinômio cúbico que *não* é uma soma ou uma diferença de cubos ou qualquer polinômio de quarto grau ou maior, e não pode ser fatorado agrupando. Quanto mais alto o grau, mais raízes existem e mais difícil é encontrá-las. Para encontrar as raízes, muitas situações diferentes podem dar a direção certa. Você pode fazer adivinhações muito fundamentadas sobre quantas raízes um polinômio tem, assim como quantas são positivas ou negativas, reais ou imaginárias.

Contando as raízes totais de um polinômio

LEMBRE-SE

Em geral, a primeira etapa antes de resolver uma equação polinomial é encontrar seu *grau*, que ajuda a determinar o número de soluções que serão encontradas mais adiante. O grau informa o número máximo de possíveis raízes.

Quando é pedido que se resolva uma equação polinomial, encontrar seu grau é bem fácil, pois apenas uma variável existe em determinado termo. Assim, o expoente mais alto indica o grau. Por exemplo, $f(x) = 2x^4 - 9x^3 - 21x^2 + 88x + 48$ é um polinômio de quarto grau com até, porém não mais de, quatro soluções possíveis no total. Nas duas seções a seguir, veremos como descobrir quantas dessas raízes podem ser reais e imaginárias.

Contando raízes reais: Regra dos sinais de Descartes

Os termos *soluções/zeros/raízes* são sinônimos porque representam onde o gráfico do polinômio corta o eixo *x*. As raízes encontradas quando o gráfico encontra o eixo *x* são chamadas de *raízes reais*; você pode vê-las e lidar com elas como números reais no mundo real. E mais: como cruzam ou tocam o eixo *x*, algumas podem ser *raízes negativas* (significando que cortam o semieixo negativo de *x*) e outras podem ser *positivas* (cortando o semieixo positivo de *x*).

Se você sabe quantas raízes totais existem (veja a última seção), pode usar um teorema muito legal chamado *regra dos sinais de Descartes* para contar quantas raízes são possivelmente números reais (positivos *e* negativos) e quantas são imaginárias (veja o Capítulo 12). Veja bem, o mesmo homem que inventou o gráfico, Descartes, também propôs um meio de descobrir quantas vezes um polinômio corta o eixo *x*; em outras palavras, quantas raízes reais ele tem. Tudo que precisamos fazer é contar!

Veja como a regra dos sinais de Descartes pode fornecer a quantidade de possíveis raízes reais, positivas e negativas:

PAPO DE ESPECIALISTA

> » **Raízes reais positivas:** Para o número de raízes reais positivas, veja o polinômio, escrito na ordem decrescente de potências, e conte quantas vezes o sinal muda entre os termos. Esse valor representa o número máximo de raízes positivas no polinômio. Por exemplo, no polinômio $f(x) = 2x^4 - 9x^3 - 21x^2 + 88x + 48$, vemos duas mudanças no sinal (não se esqueça de incluir o sinal do primeiro termo!) — do primeiro termo para o segundo e do terceiro termo para o quarto. Isso significa que a equação pode ter até duas soluções positivas.
>
> A regra dos sinais de Descartes informa que o número de raízes positivas é igual às mudanças no sinal de *f(x)* ou é menor que isso em um número par (portanto, continue subtraindo 2 até obter 1 ou 0). Assim, o *f(x)* anterior pode ter 2 ou 0 raízes positivas.

> » **Raízes reais negativas:** Para o número de raízes reais negativas, encontre $f(-x)$ e conte de novo. Como os números negativos elevados a potências pares são positivos e os números negativos elevados a potências negativas são negativos, essa mudança afeta apenas os termos com potências ímpares. Essa etapa é como mudar cada termo com um grau ímpar para seu sinal oposto e contar as mudanças de sinal de novo, resultando no número máximo de raízes negativas. Substituindo cada x por $-x$, a equação de exemplo se torna $f(-x) = 2x^4 + 9x^3 - 21x^2 - 88x + 48$, em que os termos mudam os sinais duas vezes. Pode haver no máximo duas raízes negativas. Porém, parecido com a regra para raízes positivas, o número de raízes negativas é igual às mudanças no sinal para $f(-x)$ ou deve ser menor que isso em um número par. Portanto, o exemplo pode ter duas ou zero raízes negativas. Está imaginando quantas são reais e imaginárias? Continue lendo.

Contando raízes imaginárias: Teorema fundamental da álgebra

As *raízes imaginárias* aparecem em uma equação quadrática quando o discriminante dessa equação, a parte sob o sinal de raiz quadrada ($b^2 - 4ac$), é negativo. Se o valor é negativo, não é possível ter raiz quadrada, e as respostas não são reais, isto é, não há solução; portanto, o gráfico não cruzará o eixo x.

Usar a fórmula quadrática sempre fornece duas soluções, porque o sinal ± significa que você está adicionando e subtraindo, obtendo duas respostas completamente diferentes. Quando o número sob o sinal de raiz quadrada na fórmula quadrática é negativo, as respostas são chamadas de *raízes complexas conjugadas*. Uma é $a + bi$, e o outro é $a - bi$. Esses números têm partes reais (a e b) e imaginárias (i).

LEMBRE-SE

O *teorema fundamental da álgebra* estabelece que cada função polinomial não constante tem, pelo menos, uma raiz no sistema de números complexos. Lembre-se, como visto no Capítulo 1, que um número complexo pode ser real ou ter uma parte imaginária. E esse conceito pode ser lembrado na Álgebra II (para uma referência, vá para o Capítulo 12 para ler primeiro as partes sobre números imaginários e complexos).

O grau mais alto de um polinômio fornece o maior número possível de raízes *complexas* do polinômio. Entre esse fato e a regra dos sinais de Descartes, podemos descobrir quantas raízes complexas têm um polinômio. Forme pares de cada possível número de raízes positivas reais e raízes negativas reais (veja a seção anterior); o número restante de raízes para cada situação representa o número de raízes que não são reais.

Continuando com o exemplo $f(x) = 2x^4 - 9x^3 - 21x^2 + 88x + 48$ da seção anterior, o polinômio tem grau 4, com duas ou zero raiz positiva real e duas ou zero raiz negativa real. Forme pares nas possíveis situações:

- Duas raízes positivas e negativas reais, com zero raiz não real.
- Duas raízes positivas e negativas reais, com duas raízes complexas imaginárias.
- Zero raiz positiva e duas raízes negativas reais, com duas raízes complexas imaginárias.
- Zero raiz positiva e zero raiz negativa real, com quatro raízes complexas imaginárias.

Os números complexos são mais detalhados no Capítulo 12. Agora, ao lidar com raízes dos polinômios, você tenta principalmente ter certeza de que encontrou todos os possíveis lugares onde a curva cruza ou toca o eixo x. Se puder representar todas as possíveis raízes (quantas são reais e imaginárias), então saberá que não faltou nada.

Por exemplo, se tiver um polinômio de grau 7, em que $x = 5$, $x = 1$ e $x = -2$ são raízes reais, então esses três são considerados reais e complexos, porque podem ser reescritos como $x = 5 + 0i$, $x = 1 + 0i$ e $x = -2 + 0i$ (a parte imaginária é 0). As outras quatro raízes não reais devem ficar em pares, na forma $x = a + bi$, em que b é diferente de zero.

O teorema fundamental da álgebra fornece o número total de raízes complexas (no exemplo anterior, há sete); a regra dos sinais de Descartes informa quantas possíveis raízes reais existem e quantas são positivas e negativas.

Adivinhando e verificando as raízes reais

Usando a regra de Descartes apresentada na seção anterior, podemos determinar exatamente quantas raízes (e o tipo) existem. Agora, o teorema da raiz racional é outro método que pode ser usado para estreitar a pesquisa das raízes dos polinômios. A regra dos sinais de Descartes apenas limita as raízes reais em positivas e negativas. O teorema da raiz racional estabelece que algumas raízes reais são racionais (elas podem ser expressas como fração). Também ajuda a criar uma lista das *possíveis* raízes racionais de qualquer polinômio.

O problema? Nem toda raiz real é racional; algumas podem ser irracionais. Um polinômio pode até ter *apenas* raízes irracionais. Mas esse teorema é sempre o próximo lugar a iniciar sua pesquisa de raízes; pelo menos dará um ponto de entrada. E mais: os problemas vistos em pré-cálculo têm maior possibilidade de ter pelo menos uma raiz racional, portanto, as informações nesta seção melhoram muito suas chances de encontrar mais!

Siga estas etapas gerais para assegurar que encontrará cada raiz (isso é detalhado mais adiante nesta seção):

1. **Use o teorema da raiz racional para listar todas as possíveis raízes racionais.**

   O teorema precisa que você crie uma lista das possíveis raízes racionais usando o principal coeficiente e a constante na equação polinomial. Veremos como usar esse teorema em seguida.

2. **Escolha uma raiz na lista da Etapa 1 e use a divisão longa ou sintética para descobrir se é, de fato, uma raiz.**

   - Se a raiz não funcionar, experimente outra.
   - Se der certo, continue na Etapa 3.

3. **Usando o polinômio deprimido (o que você obtém depois de fazer a divisão na Etapa 2), teste a raiz que funcionou para saber se funciona de novo.**

   - Se funcionar, repita a Etapa 3 *novamente*.
   - Se não, volte à Etapa 2 e tente uma raiz diferente na lista da Etapa 1.

4. **Liste todas as raízes que funcionam; você deve ter a mesma quantidade de raízes informada no grau do polinômio.**

   Não pare até encontrar todas. E lembre-se de que algumas serão reais, e outras, imaginárias.

Listando as possibilidades com o teorema da raiz racional

LEMBRE-SE

O teorema da raiz racional determina que, se você pegar todos os fatores do termo constante em um polinômio e dividi-los por todos os fatores do coeficiente principal, produzirá uma lista de todas as possíveis raízes racionais do polinômio. Mas lembre-se de que estamos encontrando apenas as *racionais*, e, às vezes, as raízes de um polinômio são irracionais. Algumas raízes também podem não ser reais, mas guarde-as até o final da pesquisa.

Por exemplo, considere a equação $f(x) = 2x^4 - 9x^3 - 21x^2 + 88x + 48$. O termo constante é 48, e esses são os fatores: $\pm 1, \pm 2, \pm 3, \pm 4, \pm 6, \pm 8, \pm 12, \pm 16, \pm 24, \pm 48$.

O coeficiente principal é 2, e os fatores são: $\pm 1, \pm 2$.

Assim, a lista das possíveis raízes reais incluem todos os valores de 48 divididos por todos os fatores de 2. Há muitas repetições depois de realizar as divisões, portanto, a lista final é:

$\pm\frac{1}{2}, \pm 1, \pm\frac{3}{2}, \pm 2, \pm 3, \pm 4, \pm 6, \pm 8, \pm 12, \pm 16, \pm 24, \pm 48$

Testando raízes dividindo polinômios

Dividir polinômios segue o mesmo algoritmo da divisão longa com números reais. O polinômio pelo qual você divide é chamado de *divisor*. O polinômio sendo dividido é chamado de *dividendo*. A resposta é o *quociente*, e o polinômio que sobra é o *resto*.

Um modo, diferente da divisão sintética, de testar as possíveis raízes com o teorema da raiz racional é usar a divisão longa dos polinômios e esperar que, quando dividir, obterá um resto 0. Por exemplo, quando tiver sua lista das possíveis raízes racionais (como na última seção), escolha uma e pressuponha que seja uma raiz. Se $x = c$ for uma raiz, então $x - c$ será um fator. Portanto, se escolher $x = 2$ como sua aposta para a raiz, $x - 2$ deverá ser um fator. Vemos nesta seção como usar a divisão longa para testar se $x - 2$ é realmente um fator e, assim, $x = 2$ é uma raiz.

Dividir polinômios para ter uma resposta específica não é algo que se faz todos os dias, mas a ideia de uma função ou uma expressão escrita como o quociente de dois polinômios é importante para o pré-cálculo. Se você divide um polinômio por outro e obtém um resto 0, o divisor é um fator que, por sua vez, fornece uma raiz. As próximas seções revisam dois métodos de verificação das raízes reais: divisões longa e sintética.

LEMBRE-SE No jargão da Matemática, o algoritmo da divisão estabelece o seguinte: se $f(x)$ e $d(x)$ são polinômios, de modo que $d(x)$ é diferente de 0 e o grau de $d(x)$ não é maior que o grau de $f(x)$, existem polinômios únicos $q(x)$ e $r(x)$, de modo que $f(x) = d(x) \cdot q(x) + r(x)$. Falando em português claro, o dividendo é igual ao divisor vezes o quociente mais o resto. Sempre é possível verificar os resultados lembrando-se dessa informação.

DIVISÃO LONGA

Você pode usar a divisão longa para descobrir se suas possíveis raízes racionais são reais ou não. Não é recomendado usar a divisão longa, mas é possível. Ao contrário, sugerimos que use a divisão sintética, explicada depois. Porém, no caso de precisar fazer a divisão longa para o processo ou alguma outra aplicação, veja essa divisão explicada nas próximas etapas, tentando descobrir uma raiz ao mesmo tempo.

DICA

Lembre-se do mnemônico Dois Macacos São Bonitos ao fazer a divisão longa para verificar as raízes. Verifique se todos os termos no polinômio são listados na ordem decrescente e se cada grau é representado; ou seja, se x^2 não existir, coloque um substituo $0x^2$ e faça a divisão (essa etapa é apenas para facilitar o processo alinhando os termos afins).

Para dividir dois polinômios, siga estas etapas:

1. **Divida.**

   Divida o termo principal do dividendo pelo termo principal do divisor. Escreva esse quociente sob a chave diretamente abaixo do termo que usou para dividir.

2. **Multiplique.**

   Multiplique o quociente da Etapa 1 pelo divisor inteiro. Escreva esse polinômio sob o dividendo para que os termos afins fiquem alinhados.

3. **Subtraia.**

   Subtraia a linha inteira que acabou de escrever a partir do dividendo.

   Você pode mudar todos os sinais e somar, se isso o deixa mais confortável. Assim, não esquecerá os sinais.

DICA

4. **Baixe o próximo termo.**

   Faça exatamente isso; baixe o próximo termo no dividendo.

5. **Repita as Etapas de 1 a 4 várias vezes até o polinômio restante ter um grau menor que o do dividendo.**

Veja como é feita a divisão longa de $2x^4 - 9x^3 - 21x^2 + 88x + 48$ por $x - 2$:

$$\begin{array}{r|l} 2x^4 - 9x^3 - 21x^2 + 88x + 48 & \ x - 2 \\ \underline{2x^4 - 4x^3} & \overline{2x^3 - 5x^2 - 31x + 26} \\ -5x^3 - 21x^2 & \\ \underline{-5x^3 + 10x^2} & \\ -31x^2 + 88x & \\ \underline{-31x^2 + 62x} & \\ 26x + 48 & \\ \underline{26x - 52} & \\ 100 & \end{array}$$

Depois de todo esse trabalho, descobrimos que há um resto, portanto, $x - 2$ não é um fator do polinômio. Antes de entrar em pânico e imaginar quantas vezes terá de fazer isso, leia sobre a divisão sintética.

DIVISÃO SINTÉTICA

A boa notícia: existe um atalho para a divisão longa dos polinômios, que é a divisão sintética. É um caso especial de divisão que pode ser usado quando o divisor é um fator linear na forma $x + c$, em que c é uma constante.

Mas a má notícia é que o atalho funciona apenas se o divisor $(x + c)$ for um binômio de primeiro grau com um coeficiente principal 1 (você sempre pode torná-lo 1 dividindo tudo pelo coeficiente principal primeiro). A *ótima* notícia (sim, mais notícias) é que sempre é possível usar a divisão sintética para descobrir se uma possível raiz é realmente uma raiz.

Veja as etapas gerais da divisão sintética:

1. **Verifique se o polinômio está escrito na ordem decrescente das potências.**

   O termo com o expoente mais alto vem primeiro.

2. **Escreva os coeficientes e a constante do polinômio da esquerda para a direita, preenchendo com zero se faltar algum termo do grau; coloque a raiz que está testando fora do sinal da divisão sintética.**

   O sinal da divisão se parece com os lados direito e inferior de um retângulo. Deixe espaço abaixo dos coeficientes para escrever outra linha de números.

3. **Reescreva o primeiro coeficiente logo abaixo do sinal de divisão.**

4. **Multiplique a raiz que está testando pelo número que acabou de descer e escreva a resposta embaixo do próximo coeficiente.**

5. **Some o coeficiente e o produto da Etapa 4, e coloque a resposta embaixo da linha.**

6. **Multiplique a raiz que está testando pela resposta da Etapa 5 e coloque o produto embaixo do próximo coeficiente.**

7. **Continue multiplicando e somando até usar o último número dentro do sinal da divisão sintética.**

   Se o último número obtido não for 0, o número testado não é uma raiz.

   Se a resposta for 0, parabéns! Você encontrou uma raiz. Os números embaixo do sinal da divisão sintética são os coeficientes do quociente. O grau desse polinômio é um grau menor que o original (o dividendo), portanto, o expoente no primeiro termo x deve ser o expoente com o qual começou menos um.

No exemplo anterior, você eliminou $x = 2$ usando a divisão longa, portanto, sabe que não deve começar por aí. O certo é fazer a divisão sintética para $x = 4$ e mostrar como funciona.

O 4 à esquerda é a raiz sendo testada. Os números no interior são os coeficientes do polinômio. Veja o processo sintético, passo a passo, para essa raiz:

```
4|2  -9   -21   88   48
      8   -4  -100  -48
  ─────────────────────
   2  -1  -25  -12    0
```

1. O 2 embaixo da linha desceu na linha superior.
2. Multiplique 4 por 2 para obter 8 e escreva isso embaixo do próximo termo, –9.
3. Some –9 + 8 para obter –1.
4. Multiplique 4 por –1 para obter –4 e escreva isso embaixo de –21.
5. Some –21 + (–4) para obter –25.
6. Multiplique 4 por –25 para obter –100 e escreva embaixo de 88.
7. Some 88 e –100 para obter –12.
8. Multiplique 4 por –12 para obter –48 e escreva embaixo de 48.
9. Some 48 e –48 para obter 0.

É só multiplicar e somar, sendo por isso que a divisão sintética é um atalho. O último número, 0, é o resto. Como o resto é 0, $x = 4$ é uma raiz.

LEMBRE-SE

Se você dividir por c e o resto for 0, então a expressão linear $(x - c)$ será um fator e c será uma raiz. Um resto diferente de 0 implica que $(x - c)$ não é um fator e que c não é uma raiz.

LEMBRE-SE

Os outros números são coeficientes do quociente, do maior grau para o menor; contudo, sua resposta é sempre um grau menor que o original. Assim, o quociente no exemplo anterior é $2x^3 - x^2 - 25x - 12$.

PAPO DE ESPECIALISTA

Quando uma raiz funciona, você sempre deve testá-la automaticamente de novo no quociente da resposta para saber se é uma raiz dupla, usando o mesmo processo. Uma *raiz dupla* ocorre quando um fator tem multiplicidade dois. Ela é um exemplo de multiplicidade (como descrito antes na seção "Contando raízes imaginárias: Teorema fundamental da álgebra"). Mas uma raiz pode ocorrer mais de duas vezes; é preciso continuar verificando.

Teste $x = 4$ de novo com a próxima divisão sintética.

```
4|2  -1  -25  -12
      8   28   12
  ────────────────
   2   7    3    0
```

Quem diria? Você obtém um resto 0 novamente, portanto, $x = 4$ é uma raiz dupla (em termos matemáticos, dizemos que $x = 4$ é uma raiz com multiplicidade dois). Mas é preciso verificar de novo para saber se tem uma multiplicidade maior. Quando você divide sinteticamente $x = 4$ mais uma vez, não funciona.

LEMBRE-SE

Sempre trabalhe no quociente mais recente ao usar a divisão sintética. Assim o grau fica cada vez menor, até acabar com uma expressão quadrática. Nesse ponto, podemos resolver o polinômio quadrático usando qualquer uma das técnicas explicadas anteriormente neste capítulo: fatorando, completando o quadrado ou com a fórmula quadrática.

Antes de testar $x = 4$ pela última vez, o polinômio (chamado *polinômio deprimido*) foi reduzido a um quadrático: $2x^2 + 7x + 3$. Se você fatorar essa expressão, obterá $(2x+1)(x+3)$. Isso fornece mais duas raízes, $-\frac{1}{2}$ e -3. Para somar, você encontrou $x = 4$ (multiplicidade dois), $x = -\frac{1}{2}$ e $x = -3$. Foram encontradas quatro raízes complexas: duas são números reais negativos e duas são números reais positivos.

PAPO DE ESPECIALISTA

O *teorema do resto* determina que o resto obtido quando você divide um polinômio por um binômio é igual ao resultado obtido ao colocar o número no polinômio. Por exemplo, quando usou a divisão longa para dividir por $x - 2$, estava tentando para saber se $x = 2$ é uma raiz. Poderia ter usado a divisão sintética, porque ainda obtém um resto 100. E se colocar 2 em $f(x) = 2x^4 - 9x^3 - 21x^2 + 88x + 48$, também obterá 100.

DICA

Para os polinômios muito difíceis, fazer a divisão sintética para determinar as raízes é muito mais fácil que substituir o número. Por exemplo, se você tentar colocar 8 no polinômio anterior, terá de descobrir primeiro o que é $2(8)^4 - 9(8)^3 - 21(8)^2 + 88(8) + 48$. Esse processo apenas leva a números maiores (e mais feios), ao passo que, na divisão sintética, basta multiplicar e adicionar; chega de expoentes!

Inverta: Usando Soluções para Encontrar Fatores

O *teorema do fator* determina que você pode ir e voltar entre as raízes e os fatores de um polinômio; ou seja, se sabe um, sabe o outro. Às vezes, pode ser preciso fatorar um polinômio com um grau acima de dois. Se conseguir encontrar as raízes, poderá encontrar os fatores. Veremos como nesta seção.

PAPO DE ESPECIALISTA

Com símbolos, o teorema do fator determina que se $x - c$ é um fator do polinômio $f(x)$, então $f(c) = 0$. A variável c é zero, uma raiz ou uma solução — como quiser chamar (os termos significam a mesma coisa).

Nas seções anteriores deste capítulo, utilizamos muitas técnicas diferentes para encontrar as raízes do polinômio $f(x) = 2x^4 - 9x^3 - 21x^2 + 88x + 48$. Você encontrou $x = -\frac{1}{2}$, $x = -3$ e $x = 4$ (multiplicidade dois). Como usar essas raízes para encontrar os fatores do polinômio?

O teorema determina que se $x = c$ é uma raiz, $(x - c)$ é um fator. Por exemplo, veja as seguintes raízes:

» Se $x = -\frac{1}{2}$ é uma raiz, então $\left(x - \left(-\frac{1}{2}\right)\right)$ é seu fator, isso é o mesmo que $\left(x + \frac{1}{2}\right)$.

» Se $x = -3$ é uma raiz, então $(x - (-3))$ é um fator, que também é $(x + 3)$.

» Se $x = 4$ é uma raiz com multiplicidade dois, então $(x - 4)$ é um fator com multiplicidade dois.

Agora pode fatorar $f(x) = 2x^4 - 9x^3 - 21x^2 + 88x + 48$ para obter $f(x) = 2\left(x + \frac{1}{2}\right)(x + 3)(x - 4)$.

Desenhando Polinômios

O trabalho difícil de desenhar gráficos fica no passado depois que você encontra os zeros de uma função polinomial (usando as técnicas vistas anteriormente neste capítulo). Encontrar os zeros é muito importante para desenhar o polinômio, porque fornece um modelo geral de como deve ficar o gráfico. Lembre-se de que os zeros são interceptos-x, e saber onde o gráfico cruza ou toca o eixo x é metade da batalha. A outra é saber o que o gráfico faz entre os pontos. Esta seção mostra como descobrir.

DICA

Se você tiver a sorte de ter uma calculadora gráfica e tiver permissão para usá-la, pode digitar qualquer equação polinomial no utilitário de gráficos dela e desenhá-la. A calculadora não só identificará os zeros, como também mostrará os valores máximo e mínimo para que você possa desenhar a melhor representação possível.

Quando todas as raízes são números reais

Há muitas técnicas diferentes usadas neste capítulo para encontrar os zeros do polinômio de exemplo $f(x) = 2x^4 - 9x^3 - 21x^2 + 88x + 48$. Chegou a hora de usá-las para desenhar o gráfico do polinômio. Siga estas etapas para começar a desenhar como um profissional:

1. **Plote os zeros (interceptos-*x*) no plano cartesiano.**

Marque os zeros que encontrou antes: $x = -3$, $x = -\frac{1}{2}$ e $x = 4$.

Agora plote o intercepto-*y* do polinômio. O intercepto-*y sempre* é o termo constante do polinômio, nesse caso, $y = 48$. Se nenhum termo constante for escrito, o intercepto-*y* é zero.

2. **Determine para onde apontam as extremidades do gráfico.**

Você pode usar um teste prático chamado *teste do coeficiente principal*, que ajuda a descobrir como o polinômio começa e termina. O grau e o coeficiente principal de um polinômio sempre explicam o comportamento final do gráfico (veja a seção "Entendendo Graus e Raízes" para saber mais sobre como encontrar o grau).

- Se o grau do polinômio é par e o coeficiente principal é positivo, as duas extremidades apontam para cima.

- Se o grau é par e o coeficiente principal é negativo, as duas extremidades apontam para baixo.

- Se o grau é ímpar e o coeficiente principal é positivo, o lado esquerdo do gráfico aponta para baixo, e o direito, para cima.

- Se o grau é ímpar e o coeficiente principal é negativo, o lado esquerdo do gráfico aponta para cima, e o direito, para baixo.

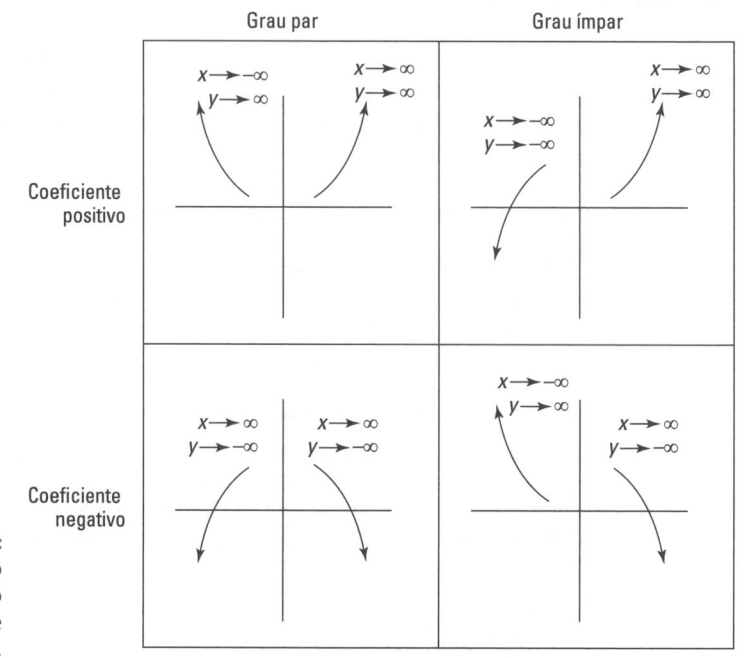

A Figura 5-1 mostra esse conceito em termos matemáticos corretos.

FIGURA 5-1: Mostrando o teste do coeficiente principal.

A função $f(x) = 2x^4 - 9x^3 - 21x^2 + 88x + 48$ é par no grau e tem um coeficiente principal positivo, portanto, as duas extremidades do gráfico apontam para cima (eles vão para o infinito positivo).

3. **Descubra o que acontece entre os zeros pegando qualquer valor à esquerda e à direita de cada interceptação e colocando na função.**

   Basta escolher valores convenientes e ver se os resultados são positivos ou negativos, e quão grandes ou pequenos os valores estão se tornando no intervalo.

   DICA

   Uma calculadora gráfica faz uma imagem muito precisa do gráfico. O cálculo permite encontrar com exatidão os pontos altos, baixos e as intercepções, usando um processo algébrico, mas você pode usar a calculadora para encontrá-los. Pode usar uma calculadora para verificar seu trabalho e ter certeza de que o gráfico criado se parece com o gerado por ela.

   DICA

   Usando zeros para a função, configure uma tabela para ajudar a descobrir se o gráfico está acima ou abaixo do eixo x entre os zeros. Veja a Tabela 5-1 para o exemplo de $f(x) = 2x^4 - 9x^3 - 21x^2 + 88x + 48$.

   O primeiro intervalo, $(-\infty, 3)$, e o último, $(4, \infty)$, confirmam o teste do coeficiente principal na Etapa 2; esse gráfico aponta para cima (para o infinito positivo) em ambas as direções.

4. **Plote o gráfico.**

   Agora que você sabe onde o gráfico cruza o eixo x, como começa e termina, e se ele é positivo (acima do eixo x) ou negativo (abaixo do eixo x), pode traçar o gráfico da função. Em geral, em pré-cálculo, essa informação é tudo o que você quer ou de que precisa para desenhar o gráfico. O cálculo mostra como obter vários outros pontos críticos que criam um gráfico ainda melhor. Se quiser, sempre pode escolher mais pontos nos intervalos e desenhá-los para ter uma ideia melhor da aparência do gráfico. A Figura 5-2 mostra o gráfico completo.

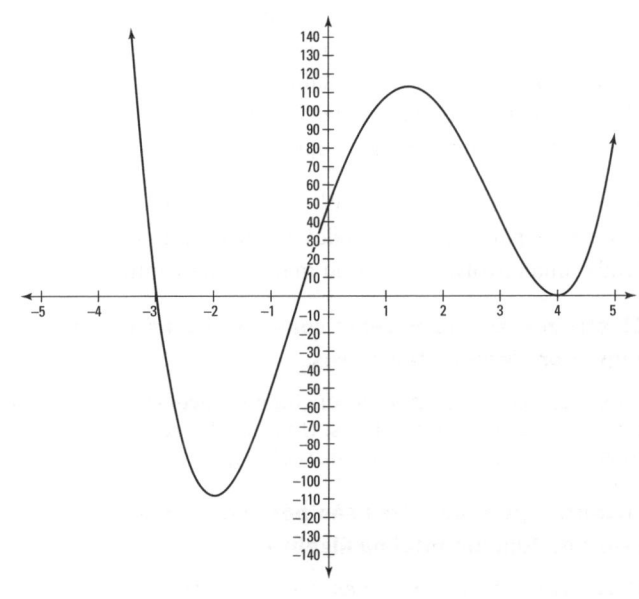

FIGURA 5-2: Desenhando o polinômio $f(x) = 2x^4 - 9x^3 - 21x^2 + 88x + 48$.

PAPO DE ESPECIALISTA

Notou que a raiz dupla (com multiplicidade dois) faz o gráfico "pular" no eixo x, em vez de cruzá-lo? Isso acontece com qualquer raiz com multiplicidade par. Para qualquer polinômio, se a raiz tiver uma multiplicidade ímpar na raiz c, o gráfico da função cruzará o eixo x em $x = c$. Se tiver uma multiplicidade par na raiz c, o gráfico encontrará, mas não cruzará o eixo x em $x = c$.

TABELA 5-1 Usando Raízes para Construir o Gráfico

Intervalo	Valor de Teste (x)	Resultado [f(x)]
$(-\infty, 3)$	−4	Positivo (acima do eixo x)
$\left(-3, -\frac{1}{2}\right)$	−2	Negativo (abaixo do eixo x)
$\left(-\frac{1}{2}, 4\right)$	0	Positivo (acima do eixo x)
$(4, \infty)$	5	Positivo (acima do eixo x)

Quando as raízes são números imaginários: Combinando todas as técnicas

Em pré-cálculo e cálculo, certas funções polinomiais têm raízes não reais, além das reais (e algumas funções mais complicadas têm *todas* as raízes imaginárias). Quando precisar encontrar ambas, comece descobrindo as raízes reais usando todas as técnicas descritas antes no capítulo (como a divisão sintética). Depois, resta o polinômio quadrático deprimido para resolver o que não tem solução usando respostas com números reais. Não tenha medo! Basta usar a fórmula quadrática, com a qual acabará com um número negativo sob o sinal de raiz quadrada. Portanto, você expressa a resposta como um número complexo (para saber mais, veja o Capítulo 12).

Por exemplo, o polinômio $g(x) = x^4 + x^3 - 3x^2 + 7x - 6$ tem raízes não reais. Siga estas etapas para encontrar *todas* as raízes para este (ou qualquer) polinômio; cada uma envolve uma seção maior deste capítulo:

1. **Classifique as raízes reais como positivas e negativas usando a regra dos sinais de Descartes.**

   Três alterações de sinal na função $g(x)$ revelam que você pode ter três ou uma raízes reais positivas. Uma mudança no sinal na função $g(-x)$ mostra que você tem uma raiz real negativa.

2. **Encontre quantas raízes são possivelmente imaginárias usando o teorema fundamental da álgebra.**

   O teorema mostra que, nesse caso, existem até quatro raízes complexas. Combinar isso com a regra dos sinais de Descartes resulta em várias possibilidades:

   - Uma raiz positiva real e uma negativa real significam que duas raízes não são reais.
   - Três raízes positivas reais e uma negativa real significam que todas as raízes são reais.

3. **Liste as possíveis raízes racionais usando o teorema da raiz racional.**

   As possíveis raízes incluem ±1, ±2, ±3 e ±6.

4. **Determine as raízes racionais (se houver) usando a divisão sintética.**

   Utilizando as regras da divisão sintética, você descobre que $x = 1$ é uma raiz e $x = -3$ é outra raiz. Essas raízes são os números reais.

5. Use a fórmula quadrática para determinar o polinômio deprimido.

Tendo encontrado todas as raízes reais do polinômio, você ficou com o polinômio deprimido $x^2 - x + 2$. Como essa expressão é quadrática, você pode usar a fórmula quadrática para determinar as duas últimas raízes. Nesse caso, obtém

$$x = \frac{1 \pm i\sqrt{7}}{2}$$

6. Desenhe o gráfico usando os resultados.

O teste do coeficiente principal (veja a seção anterior) mostra que o gráfico aponta para cima em ambas as direções. Os intervalos incluem o seguinte:

- $(-\infty, -3)$ é positivo.
- $(-3, 1)$ é negativo.
- $(1, \infty)$ é positivo.

A Figura 5-3 mostra o gráfico dessa função.

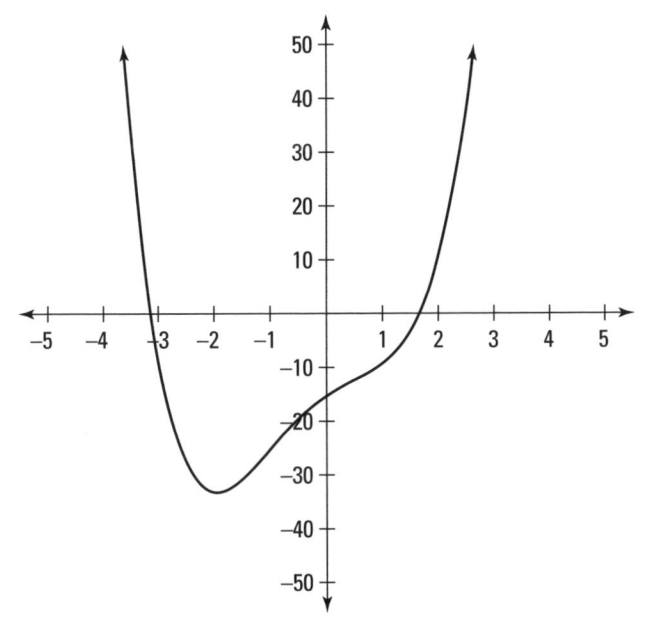

FIGURA 5-3: Gráfico do polinômio $g(x) = x^4 + x^3 - 3x^2 + 7x - 6$.

É possível que você tenha notado que existe um leve ressalto ou patamar no gráfico sob o eixo x. É uma indicação de que existem raízes imaginárias. Esses valores aparecem no cálculo com algumas de suas técnicas.

> **NESTE CAPÍTULO**
>
> » Simplificando, resolvendo e desenhando funções exponenciais
>
> » Verificando todos os prós e os contras dos logaritmos
>
> » Lidando com equações com expoentes e logaritmos
>
> » Superando um problema de exemplo com crescimento e decaimento

Capítulo **6**

Funções Exponenciais e Logarítmicas

Se alguém lhe desse a opção de ter R$1 milhão agora ou um centavo, com a condição de que o centavo dobraria todo dia por 30 dias, qual você escolheria? A maioria das pessoas ficaria com o milhão sem nem pestanejar e teria uma surpresa ao saber que o outro plano é melhor. Veja: no primeiro dia, você tem apenas um centavo e sente que foi enganado. Mas no último, terá R$5.368.709,12! Como pode ver, dobrar algo (nesse caso, seu dinheiro) aumenta a quantia muito rápido. A ideia é o conceito básico por trás da função exponencial. Parece interessante?

Neste capítulo, você verá dois tipos únicos de funções no pré-cálculo: exponencial e logarítmica. Elas podem ser desenhadas, resolvidas ou simplificadas como qualquer outra função vista neste livro. Você também verá todas as novas regras necessárias para trabalhar com essas funções; pode ser preciso se acostumar, mas as verá divididas em termos mais simples.

É ótimo, você pode estar dizendo, mas quando usarei essa coisa complexa? (Ninguém em sã consciência lhe ofereceria dinheiro.) Bem, as informações deste capítulo sobre funções exponenciais e logarítmicas serão úteis ao trabalhar com números que aumentam ou diminuem (normalmente em relação ao tempo). Em geral, as populações crescem (ficam maiores), ao passo que o valor monetário dos objetos costuma diminuir (ficam menores). Você pode descrever essas ideias com funções exponenciais. No mundo real, também pode descobrir os juros compostos, datação por carbono, inflação e muito mais!

Explorando as Funções Exponenciais

LEMBRE-SE

Uma *função exponencial* tem uma variável no expoente. Em termos matemáticos, escrevemos $f(x) = b^x$, em que b é a base e é um número positivo. Como $1^x = 1$ para todo x, para este capítulo, pressupomos que b não é 1. Se você leu o Capítulo 2, sabe tudo sobre expoentes e seu lugar na Matemática. Portanto, qual é a diferença entre expoentes e funções exponenciais? Até agora, a variável sempre foi a base, como em $g(x) = x^2$, por exemplo. O expoente sempre ficava igual. Em uma função exponencial, a variável é o expoente, e a base fica igual, como na função $f(x) = b^x$.

Os conceitos de crescimento e decaimento exponenciais têm um papel importante em Biologia. Bactérias e vírus amam crescer exponencialmente. Se uma célula de um vírus da gripe entra em seu corpo e depois dobra a cada hora, no final de um dia você terá $2^{24} = 16.777.216$ de pequenos vírus se movendo dentro de seu corpo. Assim, da próxima vez em que ficar resfriado, lembre-se de agradecer (ou maldizer) sua velha amiga, a função exponencial.

Nesta seção, você se aprofunda para descobrir o que é realmente uma função exponencial e como pode usá-la para descrever o crescimento ou o decaimento de qualquer coisa que fica maior ou menor.

Pesquisando os prós e os contras das funções exponenciais

As funções exponenciais seguem todas as regras das funções analisadas no Capítulo 3. Mas como têm sua própria família, também têm seu próprio subconjunto de regras. A lista a seguir descreve as regras básicas que se aplicam às funções exponenciais:

» **A função modelo exponencial $f(x) = b^x$ sempre tem uma assíntota horizontal em $y = 0$ (exceto quando $b = 1$).** Não se pode elevar um número positivo a qualquer potência e obter 0 (também nunca ficará negativo). Para saber mais sobre as assíntotas, consulte o Capítulo 3.

» **O domínio de qualquer função exponencial é** $(-\infty, \infty)$. Essa regra é verdadeira porque é possível elevar um número positivo a qualquer potência. Mas o intervalo de funções exponenciais reflete que todas as funções exponenciais têm assíntotas horizontais. Todas as funções exponenciais modelo (exceto quando $b = 1$) têm intervalos que consistem em todos os números reais maiores que 0 ou $(0, \infty)$.

» **A ordem das operações dirá como você atua na função.** Quando a ideia de uma transformação vertical (veja o Capítulo 4) se aplica a uma função exponencial, a maioria das pessoas pega a ordem das operações e a joga pela janela. Evite esse erro. Por exemplo, $y = 2 \cdot 3^x$ não se torna $y = 6^x$. Você não pode multiplicar antes de lidar com o expoente.

» **Não é possível ter uma base negativa.** Pode ser pedido que desenhe $y = -2^x$, o que é bom. Lemos como "o oposto de 2 para x", significando que (lembre-se da ordem das operações) você eleva 2 à potência primeiro, depois multiplica por –1. Mas não desenhará $y = (-2)^x$, porque a base aqui é negativa. O gráfico de $y = -2^x$ é um simples reflexo que coloca o gráfico de cabeça para baixo e muda seu intervalo para $(-\infty, 0)$.

» **Os expoentes negativos elevam a recíproca do número à potência positiva.** Por exemplo, $y = 2^{-3}$ não é igual a $(-2)^3$ nem a -2^3. Elevar qualquer número a uma potência negativa eleva a recíproca do número à potência positiva:

$$2^{-3} = \frac{1}{2^3} \quad \text{ou} \quad \frac{1}{8}$$

» **Ao multiplicar monômios com expoentes, some os expoentes.**
Por exemplo, $2^{x+1} \cdot 2^{2x+5} = 2^{(x+1)+(2x+5)} = 2^{3x+6}$.

» **Quando houver vários fatores entre parênteses elevados a uma potência, eleve cada termo a essa potência.**
Por exemplo, $\left(2^x \cdot 3^{4y}\right)^7 = 2^{x(7)} \cdot 3^{4y(7)} = 2^{7x} 3^{28y}$.

» **Ao desenhar o gráfico de uma função exponencial, lembre-se de que os números da base maiores que 1 sempre ficam maiores (ou *aumentam*) conforme se movem para a direita; quando vão para a esquerda, eles sempre se aproximam, mas nunca chegam a zero. Se a base fica entre 0 e 1, então o gráfico decresce conforme se desloca para a direita.**
Por exemplo, $f(x) = 2^x$ é uma função exponencial, como $g(x) = \left(\frac{1}{3}\right)^x$

A Tabela 6-1 mostra os valores de x e y das duas funções exponenciais. Essas funções modelo mostram que, quando uma base é maior que 1, temos um crescimento exponencial, e quando fica entre 0 e 1, temos um decaimento exponencial.

» **As funções exponenciais, cujas bases são frações entre 0 e 1, são sempre decrescentes, se aproximando de zero quando se deslocam para a direita.** Essa regra é válida até começar a transformar os gráficos modelo, o que veremos na próxima seção.

TABELA 6-1 Valores de *x* em Duas Funções Exponenciais

x	$f(x) = 2^x$	$g(x) = \left(\frac{1}{3}\right)^x$
−3	$\frac{1}{8}$	27
−2	$\frac{1}{4}$	9
−1	$\frac{1}{2}$	3
0	1	1
1	2	$\frac{1}{3}$
2	4	$\frac{1}{9}$
3	8	$\frac{1}{27}$

Desenhando e transformando funções exponenciais

Desenhar o gráfico de uma função exponencial é útil quando queremos analisar visualmente a função. Fazer isso permite ver o crescimento ou o decaimento do que temos em mãos. O gráfico modelo básico de qualquer função exponencial é $f(x) = b^x$, em que b é a base. A Figura 6-1a, por exemplo, mostra o gráfico de $f(x) = 2^x$, e a Figura 6-1b mostra $g(x) = \left(\frac{1}{3}\right)^x$. Usando os valores de x e y da Tabela 6-1, basta plotar as coordenadas para obter os gráficos.

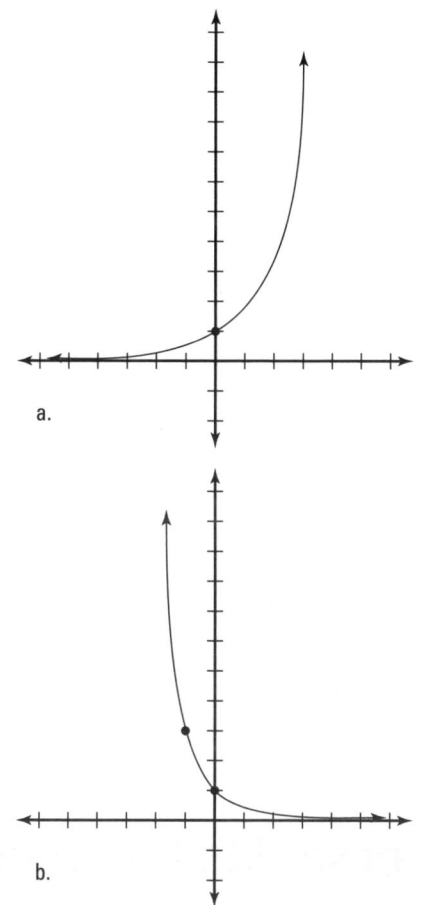

FIGURA 6-1:
Gráficos das funções exponenciais $f(x) = 2^x$ e $g(x) = \left(\dfrac{1}{3}\right)^x$.

a.

b.

LEMBRE-SE O gráfico modelo de qualquer função exponencial cruza o eixo y em (0, 1), porque qualquer coisa elevada à potência 0 é sempre 1. Esse intercepto-y é referido como *ponto-chave*, porque é compartilhado entre todas as funções modelo exponenciais.

LEMBRE-SE Como uma função exponencial é simplesmente uma função, podemos transformar seu gráfico modelo do mesmo modo como qualquer outra (veja o Capítulo 4 para conhecer as regras): $y = a \cdot b^{x-h} + k$, em que a muda a inclinação, h é o deslocamento horizontal e k é o deslocamento vertical.

Por exemplo, podemos desenhar o gráfico de $y = 2^{x+3} + 1$ transformando o gráfico modelo de $f(x) = 2^x$. Com base na equação geral, $y = a \cdot b^{x-h} + k$, y foi deslocado três unidades à esquerda e subiu uma ($k = 1$). A Figura 6-2 mostra cada uma dessas etapas: a função modelo $y = 2^x$ como uma linha sólida forte, a linha sólida mais clara mostra o deslocamento horizontal, e a linha pontilhada é o deslocamento vertical seguindo o deslocamento horizontal.

FIGURA 6-2: Deslocamento horizontal (a) mais deslocamento vertical (b).

(gráfico: $y = 2^{x+3} + 1$ (b); $y = 2^{x+3}$; $y = 2^x$ (a))

LEMBRE-SE

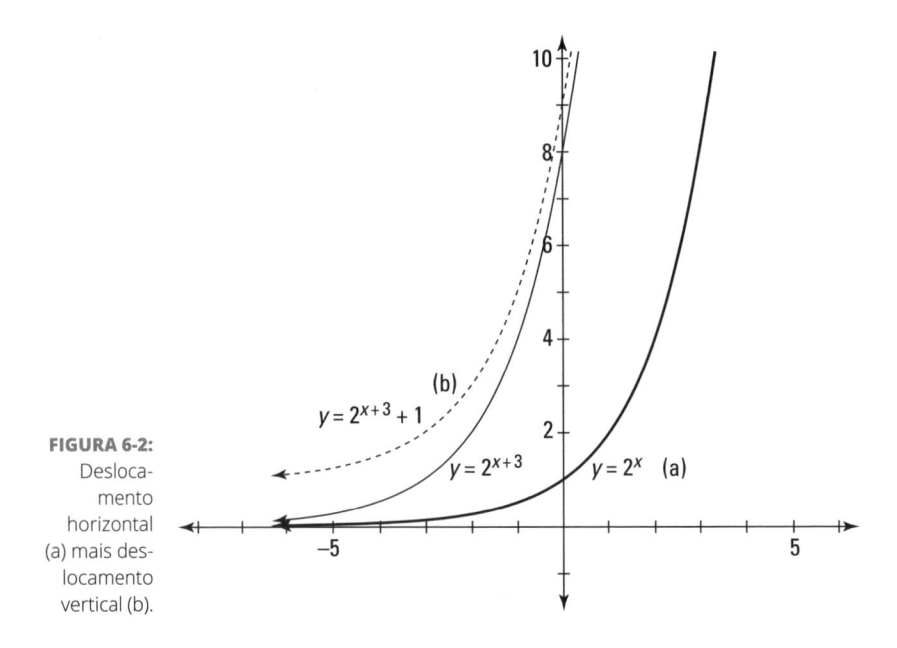

Subir ou descer uma função exponencial move a assíntota horizontal. A função $y = 2^{x+3} + 1$ tem uma assíntota horizontal em $y = 1$ (para ter mais informações sobre as assíntotas horizontais, veja o Capítulo 3). Essa mudança também sobe em 1 o intervalo para $(1, \infty)$.

Logaritmos: A Inversa das Funções Exponenciais

Quase toda função tem uma inversa (o Capítulo 4 explica o que é uma função inversa e como encontrar uma). Mas essa pergunta já desconcertou os matemáticos: o que poderia ser a inversa de uma função exponencial? Eles não conseguiram encontrar nenhuma, portanto, inventaram! Definiram a inversa de uma função exponencial como sendo a função *logarítmica*.

Um logaritmo *é* um expoente, simples assim. Lembre-se, por exemplo, de que $4^2 = 16$; 4 é chamado de *base* e 2 é chamado de *expoente*. O logaritmo correspondente é $\log_4 16 = 2$, em que 2 é chamado de logaritmo de 16 com base 4. Em Matemática, um logaritmo é escrito como $\log_b y = x$. A letra b é a base do logaritmo, y é o logaritmando e x é o logaritmo. Por isso, as formas logarítmica e exponencial fazem a mesma coisa de modos diferentes. A base, b, sempre deve ser um número positivo diferente de 1.

Entendendo melhor os logaritmos

Se uma função exponencial mostra $b^x = y$, sua inversa, ou *logaritmo*, é $\log_b y = x$. Note que o logaritmo é o expoente. A Figura 6-3 apresenta um diagrama que pode ajudá-lo a lembrar como mudar uma função exponencial para um logaritmo, e vice-versa.

FIGURA 6-3: A regra do caracol ajuda a lembrar como mudar os exponenciais e os logaritmos.

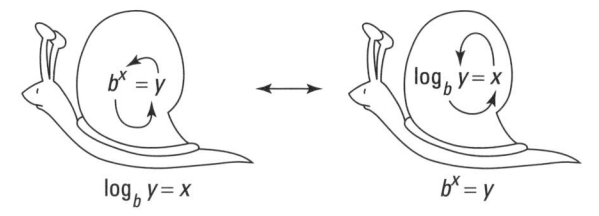

Dois tipos de logaritmos são especiais, porque você não precisa escrever a base (diferente de qualquer outro logaritmo), basta entender:

LEMBRE-SE

» **Logaritmos comuns:** Como nosso sistema numérico está em base 10, log y (sem uma base escrita) sempre significa logaritmo de base 10. Por exemplo, $10^3 = 1.000$, assim $\log 1.000 = 3$. Essa expressão é chamada de logaritmo comum, porque acontece com muita frequência.

» **Logaritmos naturais:** Um logaritmo com base *e* (uma constante importante em Matemática, aproximadamente igual a 2,718) é chamado de *logaritmo natural*. O símbolo para o logaritmo natural é *ln*. Por exemplo: $\ln e^2 = 2$ porque é, na verdade, $\log_e e^2$.

Gerenciando propriedades e identidades dos logaritmos

Você precisa conhecer várias propriedades dos logaritmos para resolver as equações com eles. Cada uma dessas propriedades se aplica a qualquer base, inclusive os logaritmos comuns e naturais (veja a seção anterior):

» $\log_b 1 = 0$

Se você transformar em uma função exponencial, $b^0 = 1$, não importa a base. Portanto, faz sentido que $\log_b 1 = 0$. Mas lembre-se de que *b* deve ser um número positivo.

» $\log_b b = 1$

Como uma função exponencial, $b^1 = b$.

» $\log_b x$ **existe apenas quando** $x > 0$

O domínio $(-\infty, \infty)$ e o intervalo $(0, \infty)$ da função modelo exponencial original trocam de lugar na função inversa. Assim, qualquer função logarítmica tem o domínio $(0, \infty)$ e o intervalo $(-\infty, \infty)$.

» $\log_b b^x = x$

É possível mudar essa propriedade logarítmica para uma propriedade exponencial usando a regra do caracol: $b^x = b^x$ (consulte a Figura 6-3 para uma ilustração). Não importa o valor colocado em b, essa equação sempre funciona, pois $\log_b b = 1$ não importando qual é a base (porque é, na verdade, apenas $\log_b b^1$).

LEMBRE-SE

O fato de que você pode usar qualquer base desejada nessa equação mostra como a propriedade funciona para os logaritmos comuns e naturais: $\log 10^x = x$ e $\ln e^x = x$.

» $b^{\log_b x} = x$

Quando a base é elevada a um logaritmo de mesma base, o número calculado para o log é a resposta. É possível transformar essa equação em um logaritmo e confirmar se funciona: $\log_b x = \log_b x$.

» $\log_b x + \log_b y = \log_b(x \cdot y)$

Segundo essa regra, chamada de *regra do produto*, $\log_4 10 + \log_4 2 = \log_4 20$.

» $\log_b x - \log_b y = \log_b\left(\dfrac{x}{y}\right)$

Segundo essa regra, chamada de *regra do quociente*,
$\log 4 - \log(x - 3) = \log\left(\dfrac{4}{x - 3}\right)$.

» $\log_b x^y = y \cdot \log_b x$

Segundo essa regra, chamada de *regra da potência*, $\log_3 x^4 = 4 \cdot \log_3 x$.

CUIDADO

Conheça bem as propriedades dos logaritmos para não se confundir e cometer um erro grave. A lista a seguir destaca muitos erros que as pessoas cometem quando trabalham com logaritmos:

» **Uso incorreto da regra do produto:** $\log_b x + \log_b y \neq \log_b(x + y)$; $\log_b x + \log_b y = \log_b(x \cdot y)$. Você não pode somar dois logaritmos dentro de um. Do mesmo modo, $\log_b x \cdot \log_b y \neq \log_b(x \cdot y)$.

» **Uso incorreto da regra do quociente:** $\log_b x - \log_b y \neq \log_b(x - y)$; $\log_b x - \log_b y = \log_b\left(\dfrac{x}{y}\right)$. Também, $\dfrac{\log_b x}{\log_b y} \neq \log_b\left(\dfrac{x}{y}\right)$.

Esse erro atrapalha a mudança da fórmula da base (veja a próxima seção).

» **Uso incorreto da regra da potência:** $\log_b(xy^p) \neq p\log_b(xy)$; a potência está na segunda variável apenas. Se a fórmula fosse escrita como $\log_b(xy)^p$, seria igual a $p\log_b(xy)$.

Nota: Preste atenção ao que os expoentes fazem. Você deve dividir a multiplicação de $\log_b(xy^p)$ primeiro usando a regra do produto: $\log_b x + \log_b y^p$. Só depois pode aplicar a regra da potência para obter $\log_b(xy^p) = \log_b x + p\log_b y$.

Mudando a base de um log

Em geral, as calculadoras vêm equipadas com apenas um botão para logaritmo comum ou natural, portanto, você deve saber o que fazer quando o logaritmo tem uma base que a calculadora não reconhece, como log5 2; a base é 5, nesse caso. Em tais situações, deve usar a *fórmula de mudança da base* para alterar a base para que seja 10 ou *e* (a decisão é uma questão de preferência pessoal) para usar os botões que a calculadora tem.

A seguir está a fórmula de mudança da base:

PAPO DE ESPECIALISTA

$\log_m n = \dfrac{\log_b n}{\log_b m}$, em que *m* e *n* são números reais

Você pode transformar a nova base em qualquer coisa que quiser (5, 30 ou até 3.000) usando a fórmula de mudança, mas lembre-se de que sua meta é conseguir usar a calculadora utilizando a base 10 ou a base *e* para simplificar o processo. Por exemplo, se você decidir usar o logaritmo comum na fórmula da mudança de base, encontrará $\log_3 5 = \dfrac{\log 5}{\log 3} \approx 1{,}465$. Porém, se você é fã de logaritmos naturais, pode seguir este caminho: $\log_3 5 = \dfrac{\ln 5}{\ln 3}$, que ainda é 1,465.

Calculando um número quando conhece seu logaritmo: Logaritmos inversos

Se você conhece o logaritmo de um número, mas precisa descobrir qual era o número original, deve usar o *logaritmo inverso*, que também é conhecido como *antilogaritmo*. Se $\log_b y = x$, então *y* é o antilogaritmo. Um logaritmo inverso desfaz um logaritmo (faz com que desapareça a equação com 10 como a base) para que você possa resolver certas equações logarítmicas. Por exemplo, se sabe que $\log x = 0{,}699$, tem de mudá-lo de volta para um exponencial (pegar o logaritmo inverso) para resolver. Primeiro escreva uma equação usando 10 como base e os dois lados como expoentes: $10^{\log x} = 10^{0{,}699}$. O lado esquerdo é igual a *x*, portanto, $x = 10^{0{,}699}$. Usando a calculadora, você obtém $x = 5{,}00034535$ ou *x* é aproximadamente 5.

Você pode fazer esse processo com logaritmos naturais também. Se $\ln x = 1{,}099$, por exemplo, então $e^{\ln x} = e^{1{,}099}$ e tem $x = 3{,}00116336$ ou x é aproximadamente 3.

LEMBRE-SE

A base usada em um antilogaritmo depende da base do logaritmo dado. Por exemplo, se foi pedido para resolver a equação $\log_5 x = 3$, você deve usar a base 5 nos dois lados para obter $5^{\log_5 x} = 5^3$, que simplifica como $x = 5^3$ ou $x = 125$.

Desenhando logaritmos

Quer uma boa notícia, de graça? Desenhar gráficos de logaritmos é moleza! Você pode mudar qualquer logaritmo para uma expressão exponencial, portanto, essa etapa ocorre primeiro. Depois, desenhe o exponencial (ou sua inversa), lembrando das regras para transformar (veja o Capítulo 4), então use o fato de que exponenciais e logaritmos são inversos para obter o gráfico do logaritmo. As próximas seções explicam essas etapas para as funções modelo e os logaritmos transformados.

Função modelo

As funções exponenciais têm uma função modelo que depende da base; as funções logarítmicas também têm funções modelo para cada base diferente. A função modelo de qualquer logaritmo é escrita como $(-\infty, \infty)$. Por exemplo, $g(x) = \log_4 x$ é uma família diferente de $h(x) = \log_8 x$ (embora estejam relacionadas). Aqui vemos o gráfico do logaritmo comum: $f(x) = \log x$.

1. Mude o logaritmo para um exponencial.

Como *f(x)* e *y* representam a mesma coisa matematicamente e como lidar com *y* é mais fácil nesse caso, você pode reescrever a equação como $y = \log x$. A equação exponencial desse logaritmo é $10^y = x$.

2. Encontre a função inversa trocando *x* e *y*.

Como descobriu no Capítulo 4, a função inversa é escrita como $y = 10^x$.

3. Desenhe a função inversa.

Como agora estamos desenhando uma função exponencial, você pode usar o método "plug and chug" em alguns valores de *x* para encontrar os valores de *y* e obter os pontos. O gráfico de $y = 10^x$ fica muito grande, bem rápido. Você pode vê-lo na Figura 6-4.

4. **Reflita cada ponto no gráfico da função inversa na reta** $y = x$.

A Figura 6-5 mostra a última etapa, que produz o gráfico do logaritmo modelo.

FIGURA 6-4:
Gráfico da função inversa $y = 10^x$.

$y = 10^x$

FIGURA 6-5:
Gráfico do logaritmo $f(x) = \log x$.

$f(x) = \log x$

Logaritmo transformado

Todos os logaritmos transformados podem ser escritos como $f(x) = a \cdot \log_b(x - h) + k$, em que a é uma dilatação ou uma contração vertical, h é o deslocamento horizontal, e k é o deslocamento vertical.

Portanto, se você pode encontrar o gráfico da função modelo $y = \log_b x$, pode transformá-lo. Mas descobrirá que muitas pessoas ainda preferem mudar a função logarítmica para uma exponencial, e depois desenhar. As próximas etapas mostram como fazer exatamente isso ao desenhar $f(x) = \log_3(x-1) + 2$:

1. **Obtenha o logaritmo sozinho.**

   Primeiro, reescreva a equação como $y = \log_3(x-1) + 2$. Então subtraia 2 dos dois lados para obter $y - 2 = \log_3(x-1)$.

2. **Mude o logaritmo para uma expressão exponencial e encontre a função inversa.**

   Se $y - 2 = \log_3(x-1)$ é a função logarítmica, então $3^{y-2} = x - 1$ é a exponencial correspondente; a função inversa é $3^{x-2} = y - 1$, porque x e y trocam de lugar na inversa.

3. **Resolva a variável *não* exponencial da inversa.**

   Para determinar y, nesse caso, adicione 1 aos dois lados para obter $3^{x-2} + 1 = y$.

4. **Desenhe a função exponencial.**

   O gráfico modelo de $y = 3^x$ desloca 2 unidades para a direita $(x-2)$ e 1 unidade para cima $(+1)$, como mostrado na Figura 6-6. Sua assíntota horizontal está em $y = 1$ (para saber mais sobre como desenhar exponenciais, consulte o Capítulo 3).

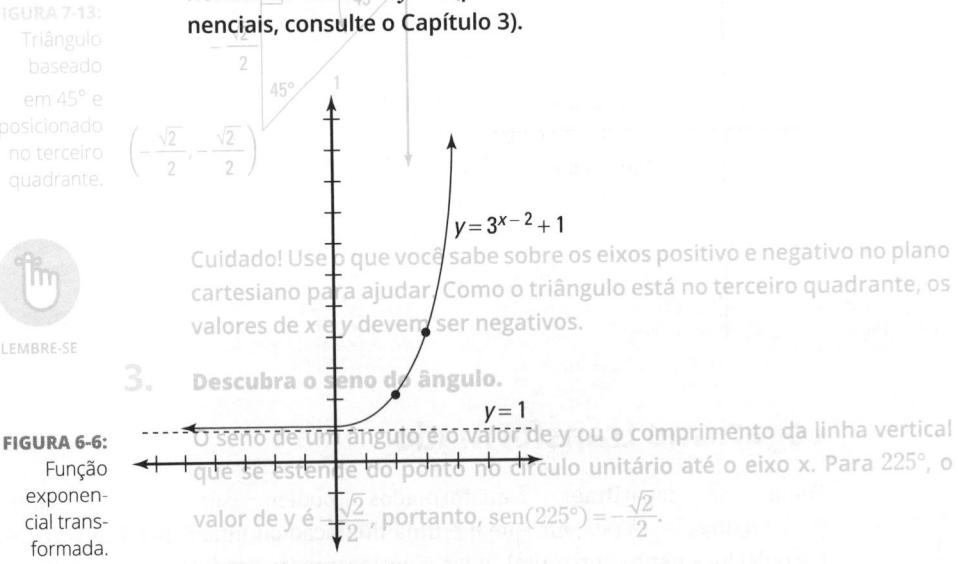

FIGURA 6-6: Função exponencial transformada.

5. **Troque os valores do domínio e do intervalo para obter a função inversa.**

   Troque todo valor de *x* e *y* em cada ponto para obter o gráfico da função inversa. A Figura 6-7 mostra o gráfico do logaritmo.

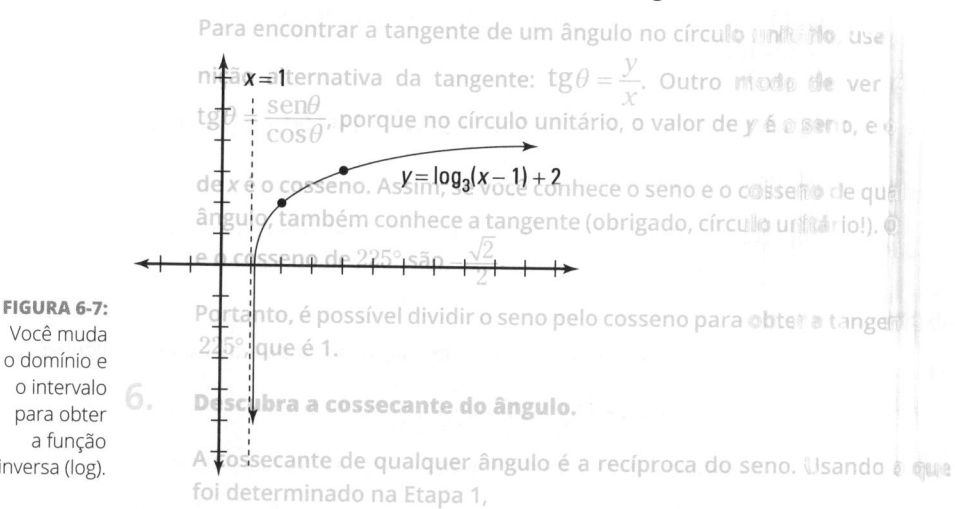

   FIGURA 6-7: Você muda o domínio e o intervalo para obter a função inversa (log).

   x = 1

   $y = \log_3(x-1) + 2$

   LEMBRE-SE

   Notou que a assíntota do logaritmo mudou também? Agora temos uma assíntota vertical em $x = 1$. A função modelo para qualquer logaritmo tem uma assíntota vertical em $x = 0$. A função $f(x) = \log_3(x-1) + 2$ é deslocada para a direita em uma unidade e para cima em duas a partir de sua função modelo $p(x) = \log_3 x$ (usando as regras de transformação; veja o Capítulo 4), portanto, a assíntota vertical agora é $x = 1$.

Salto Básico para Simplificar e Resolver Equações

Em algum ponto, você precisará resolver uma equação com um expoente ou um logaritmo. Não tenha medo, o livro *Pré-cálculo Para Leigos* está aqui! Você deve lembrar-se de uma regra simples, e é sobre a base: se puder tornar a base em um lado igual à base do outro, poderá usar as propriedades dos expoentes ou dos logaritmos (veja as seções correspondentes anteriormente neste capítulo) para simplificar a equação. Agora é sombra e água fresca, porque essa simplificação facilita muito resolver o problema!

Nas próximas seções, você descobrirá como resolver as equações exponenciais com a mesma base. Também verá como lidar com essas equações com bases diferentes. E para terminar, veja o processo de resolução de equações logarítmicas.

Vendo o processo de resolução de equações exponenciais

O tipo de equação exponencial que você deve resolver determina as etapas da solução. As próximas seções dividem os tipos de equações vistas, juntamente com as etapas sobre como resolvê-las.

Fundamentos: Resolvendo uma equação com variável em um lado

O tipo básico da equação exponencial tem uma variável em apenas um lado e pode ser escrita com a mesma base para cada lado. Por exemplo, se for pedido para resolver $4^{x-2} = 64$, siga estas etapas:

1. **Reescreva os dois lados da equação para que as bases combinem.**

   Você sabe que $64 = 4^3$, portanto, pode dizer que $4^{x-2} = 4^3$.

2. **Cancele a base nos dois lados e veja só os expoentes.**

   Quando as bases são iguais, os expoentes devem ser iguais. Essa etapa resulta na equação $x - 2 = 3$.

3. **Resolva a equação.**

   A equação $4^{x-2} = 64$ tem a solução $x = 5$.

Com elegância: Resolvendo quando aparecem variáveis nos dois lados

Se você precisar resolver uma equação com variáveis nos dois lados, precisará trabalhar um pouco mais (sinto muito!). Por exemplo, para resolver $2^{x-5} = 8^{x-3}$, siga estas etapas:

1. **Reescreva todas as equações exponenciais para que elas tenham a mesma base.**

   Essa etapa fornece $2^{x-5} = (2^3)^{x-3}$.

2. **Use as propriedades dos expoentes para simplificar.**

   Uma potência elevada a uma potência significa que você multiplica os expoentes. Distribuindo o expoente à direita entre parênteses, você obtém $3(x-3) = 3x - 9$, portanto $2^{x-5} = 2^{3x-9}$.

3. **Cancele a base nos dois lados.**

   O resultado é $x - 5 = 3x - 9$.

4. **Resolva a equação.**

   Subtraia x nos dois lados e adicione 9 a cada lado para obter $4 = 2x$. Por fim, divida os dois lados por 2 para obter $2 = x$. A equação $2^{x-5} = 8^{x-3}$ tem a solução $x = 2$.

Resolvendo quando não é possível simplificar: Calculando o logaritmo nos dois lados

Às vezes você não pode expressar os dois lados como potências de mesma base. Nesse caso, você pode fazer o expoente desaparecer calculando o logaritmo de ambos os lados da equação. Por exemplo, suponha que precise resolver $4^{3x-1} = 11$. Nenhum inteiro com potência 4 resulta em 11, portanto, é preciso usar a seguinte técnica:

1. **Calcule o logaritmo nos dois lados.**

   Você pode calcular qualquer logaritmo que quiser, mas lembre-se de que só precisa resolver a equação com esse logaritmo, portanto, sugerimos que fique apenas com os logaritmos naturais ou comuns (veja "Entendendo melhor os logaritmos" anteriormente neste capítulo para ter mais informações).

   Usando um logaritmo comum nos dois lados, $\log 4^{3x-1} = \log 11$.

2. **Use a regra da potência para cancelar o expoente.**

   Essa etapa resulta em $(3x - 1)\log 4 = \log 11$.

3. **Divida o logaritmo para isolar a variável.**

   Você obtém $3x - 1 = \dfrac{\log 11}{\log 4}$.

4. **Determine a variável.**

   Primeiro, encontre os valores dos logaritmos para obter $3x - 1 \approx \dfrac{1,04139}{0,60206} \approx 1,72972$. Adicionando 1 aos dois lados da equação e dividindo por 3, você obtém $x \approx 0,90991$ ou aproximadamente 0,91.

No problema anterior, você teve de usar a regra da potência apenas em um lado da equação, porque a variável apareceu só de um lado. Quando tem de usar essa regra nos dois lados, as equações ficam um pouco confusas. Mas com persistência, consegue descobrir. Por exemplo, para resolver $5^{2-x} = 3^{3x+2}$, siga estas etapas:

1. Determine o logaritmo nos dois lados.

Como no problema anterior, sugerimos que use um logaritmo comum ou natural. Dessa vez, usando um logaritmo natural, você obtém $\ln 5^{2-x} = \ln 3^{3x+2}$.

2. Use a regra da potência para cancelar os expoentes.

Não se esqueça de incluir parênteses! O resultado é $(2-x)\ln 5 = (3x+1)\ln 3$.

3. Distribua os logaritmos dentro dos parênteses.

Essa etapa fornece $2\ln 5 - x\ln 5 = 3x\ln 3 + \ln 3$.

4. Isole as variáveis em um lado e mova o resto para o outro lado, adicionando ou subtraindo.

Agora você tem $2\ln 5 - \ln 3 = 3x\ln 3 + x\ln 5$.

5. Fatore a variável x dos dois termos do lado direito.

Isso resulta em $2\ln 5 - \ln 3 = x(3\ln 3 + \ln 5)$.

6. Divida os dois lados pela quantidade entre parênteses e determine x.

$x = \dfrac{2\ln 5 - \ln 3}{3\ln 3 + \ln 5}$

Antes de digitar na calculadora, use as regras dos logaritmos para simplificar os dois termos.

$x = \dfrac{2\ln 5 - \ln 3}{3\ln 3 + \ln 5} = \dfrac{\ln 5^2 - \ln 3}{\ln 3^3 + \ln 5} = \dfrac{\ln 25 - \ln 3}{\ln 27 + \ln 5} \approx 0{,}4322$

Resolvendo equações logarítmicas

Antes de resolver equações com logaritmos, você precisa conhecer os quatro tipos de equações logarítmicas a seguir:

» **Tipo 1:** A variável que você precisa determinar está dentro da operação logarítmica, com um logaritmo de um lado da equação e uma constante no outro.

Por exemplo: $\log_3 x = -4$

Reescreva como uma equação exponencial e determine x.

$3^{-4} = x$ ou $x = \dfrac{1}{3^4} = \dfrac{1}{81}$

» **Tipo 2:** A variável que você precisa determinar é a base.

Por exemplo: $\log_x 16 = 2$

De novo, reescreva como uma equação exponencial e determine x.

$x^2 = 16$ ou $x = \pm 4$

Como os logaritmos não têm bases negativas, descarte o número negativo e fique apenas com $x = 4$.

» **Tipo 3:** A variável que você precisa determinar está dentro do logaritmo, mas a equação tem mais de um logaritmo e uma constante.

Por exemplo: $\log_2(x-1) + \log_2 3 = 5$

Usando as regras na seção "Gerenciando propriedades e identidades dos logaritmos", você pode resolver equações com mais de um logaritmo. Para determinar $\log_2(x-1) + \log_2 3 = 5$, primeiro combine os dois logaritmos em um usando a regra dos produtos: $\log_2[(x-1) \cdot 3] = 5$.

Agora reescreva como uma equação exponencial e determine x.

$2^5 = 3(x-1) = 3x - 3$
$32 = 3x - 3$

E por fim, $3x = 35$ ou $x = \dfrac{35}{3}$.

» **Tipo 4:** A variável que você precisa determinar está dentro do logaritmo, e todos os termos na equação envolvem logaritmos.

Por exemplo: $\log_3(x-1) - \log_3(x+4) = \log_3 5$

Se todos os termos em um problema são logaritmos, eles precisam ter a mesma base para você resolver a equação com a álgebra. É possível combinar todos os logaritmos para ter um logaritmo à esquerda e outro à direita. Então, você pode cancelar o logaritmo nos dois lados:

$\log_3(x-1) - \log_3(x+4) = \log_3 5$

$\log_3 \dfrac{x-1}{x+4} = \log_3 5$

Você pode cancelar o logaritmo de base 3 dos dois lados para obter

$\dfrac{x-1}{x+4} = 5$

que pode ser resolvido com relativa facilidade.

$x - 1 = 5(x+4)$
$x - 1 = 5x + 20$
$-4x = 21$
$x = -\dfrac{21}{4}$

CUIDADO

O número dentro de um logaritmo nunca pode ser negativo. Colocar essa resposta na parte da equação original resulta em $\log_3\left(-\dfrac{21}{4}-1\right) - \log_3\left(-\dfrac{21}{4}+4\right) = \log_3 5$.

Contudo, a solução para essa equação é realmente o conjunto vazio: sem solução.

DICA

Sempre coloque sua resposta para uma equação logarítmica na equação para ter certeza de que tem um número positivo dentro do logaritmo (não o ou um número negativo). Às vezes, mesmo que x seja negativo, ainda é uma solução. Basta verificar.

Crescimento Exponencial: Enunciado na Cozinha

Você pode usar as equações exponenciais em muitas aplicações reais: para prever populações de pessoas ou bactérias, estimar valores financeiros e até resolver enigmas! E veja o exemplo de uma situação que envolve um enunciado exponencial.

PAPO DE ESPECIALISTA

Há muitos tipos diferentes de enunciados exponenciais, mas todos seguem uma fórmula simples: $B(t) = Pe^{rt}$, em que

P significa o valor inicial da função, geralmente referido como o número de objetos sempre que $t = 0$.

t é o tempo (medido em muitas unidades diferentes, portanto, tenha cuidado!).

B(t) é o valor de quantas pessoas, bactérias, dinheiro etc. que você tem após o tempo *t*.

r é uma constante que descreve a taxa na qual a população muda. Se *r* é positivo, é chamado de constante do crescimento. Se *r* é negativo, é a constante do decaimento.

e é a base do logaritmo natural, usada para um crescimento ou um decaimento contínuo.

LEMBRE-SE

Ao resolver os enunciados, lembre-se de que, se o objeto cresce continuamente, a base da função exponencial pode ser *e*.

Veja um exemplo de enunciado a seguir, que a fórmula permite resolver:

> Existe um crescimento exponencial diário em sua cozinha na forma de bactérias. Suponha que você deixe as sobras do café da manhã na bancada da cozinha ao sair para o trabalho. Suponha que existem cinco bactérias no café da manhã, às 8h, e cinquenta bactérias às 10h. Use $B(t) = Pe^{rt}$ para descobrir quanto tempo levará para a população de bactérias chegar a um milhão se o crescimento for contínuo.

É preciso resolver duas partes do problema: primeiro, você precisa conhecer a taxa com a qual a bactéria cresce, depois pode usar essa taxa para encontrar o momento em que a população de bactérias chegará a um milhão. Veja as etapas para resolver o enunciado:

1. **Calcule o tempo transcorrido entre a leitura inicial e a leitura no tempo *t*.**

   Transcorreram duas horas entre 8h e 10h.

2. **Identifique a população no tempo *t*, a população inicial, e o tempo, colocando esses valores na fórmula.**

   $50 = 5 \cdot e^{r \cdot 2}$

3. **Divida os dois lados pela população inicial para isolar o exponencial.**

   $10 = e^{2r}$

4. **Calcule o devido logaritmo nos dois lados, dependendo da base.**

   No caso do crescimento contínuo, a base é sempre *e*: $\ln 10 = \ln e^{2r}$

CAPÍTULO 6 **Funções Exponenciais e Logarítmicas**

PAPO DE ESPECIALISTA

5. **Usando a regra da potência (veja a seção "Gerenciando propriedades e identidades dos logaritmos"), simplifique a equação.**

   $\ln 10 = \ln e^{2r}$

   $\ln 10 = 2r$

6. **Divida pelo tempo para encontrar a taxa; use a calculadora para encontrar a aproximação decimal.**

   $r = \dfrac{\ln 10}{2} \approx 1{,}1513$. Essa taxa significa que a população está crescendo em mais de 115% por hora.

7. **Coloque r de volta na equação original e deixe t como a variável.**

   $B(t) = 5e^{1,1513t}$

FIGURA 7-17: As variáveis envolvidas ao calcular o comprimento do arco.

8. **Coloque a quantidade final em B(t) e determine t, deixando a população inicial igual.**

   $1.000.000 = 5e^{1,1513t}$

9. **Divida pela população inicial para isolar o exponencial.**

   $200.000 = e^{1,1513t}$

10. **Calcule o logaritmo (ou ln) nos dois lados.**

    $\ln 200.000 = \ln e^{1,1513t}$, resultando em $\ln 200.000 = 1{,}1513t$

11. **Determinando t e usando a calculadora para fazer os cálculos.**

    $t = \dfrac{\ln 200.000}{1{,}1513} \approx 10{,}602$ horas

Ufa, foi um bom treino! Um milhão de bactérias em menos de dez horas é um bom motivo para usar a geladeira com urgência.

2 Fundamentos da Trigonometria

NESTA PARTE...

Revise ângulos, seus tipos e suas propriedades.

Determine os valores da função trigonométrica usando graus e radianos.

Desenhe funções trigonométricas.

Resolva as identidades trigonométricas básicas e não tão básicas.

> **NESTE CAPÍTULO**
>
> » Descobrindo definições alternativas da função trigonométrica
>
> » Colocando as medidas do ângulo em um círculo unitário
>
> » Calculando as funções trigonométricas no círculo unitário

Capítulo 7
Circulando pelos Ângulos

Neste capítulo, vemos triângulos retângulos desenhados no plano cartesiano (eixos x e y). Mover esses triângulos no plano introduz conceitos muito mais interessantes, como avaliar funções trigonométricas e resolver equações trigonométricas. E mais: você se familiariza com uma ferramenta muito útil conhecida como círculo unitário.

Esse círculo é muitíssimo importante no mundo real e na Matemática; por exemplo, você fica à mercê dele sempre que voa em um avião. Os pilotos usam o círculo unitário, junto de vetores, para pilotar na direção e na distância corretas. Imagine o desastre que seria se um piloto tentasse pousar um pouco à esquerda da pista!

Neste capítulo, você trabalha na criação do círculo unitário conforme revisa os fundamentos dos ângulos em radianos e graus, como se encontram nos triângulos. Com essa informação, pode colocar os triângulos no círculo unitário (que também está localizado no plano cartesiano) para resolver os problemas no final deste capítulo (há mais sobre isso ao desenhar funções trigonométricas no Capítulo 8).

Apresentando os Radianos: Os Círculos nem Sempre Foram Medidos em Graus

No Capítulo 7, você usou dois modos de medir os ângulos: graus e radianos. Quando se estuda Geometria pela primeira vez, cada ângulo é medido em graus com base em uma parte do círculo de 360° em torno de um ponto. Como resultado, o número 360 foi escolhido para representar os graus em um círculo apenas por conveniência.

PAPO DE ESPECIALISTA

O que é conveniente no número 360, você pergunta? Bem, podemos dividir um círculo em muitas partes iguais e diferentes usando o número 360, porque ele é divisível por 2, 3, 4, 5, 6, 8, 9, 10, 12, 15, 18, 20, 24, 30, 36, 40, 45... e são apenas os números abaixo de 50! Basicamente, 360 é bem flexível para que se realizem cálculos.

O radiano foi apresentado como uma medida do ângulo para tornar alguns cálculos mais fáceis e bonitos. A palavra *radiano* é baseada no mesmo radical de raio, que é o bloco de construção de um círculo. Uma medida de 360° do ângulo ou um círculo completo, é igual a 2π radianos, que se divide como os graus.

No pré-cálculo, você desenha cada ângulo com seu vértice na origem do plano cartesiano (0,0) e coloca um lado no eixo x positivo (é chamado de *lado inicial* do ângulo e está sempre nesse local). O outro lado do ângulo se estende da origem até qualquer lugar no plano cartesiano (é o *lado terminal*). Um ângulo cujo lado inicial fica no eixo x positivo é tido como sendo a *posição padrão*.

LEMBRE-SE

Se você vai do lado inicial para o terminal à esquerda, o ângulo tem uma *medida positiva*. Se vai do lado inicial para o terminal à direita, diz que o ângulo tem uma *medida negativa*.

Uma análise positiva/negativa dos ângulos leva a outro ponto relacionado e importante: *ângulos côngruos*. Eles têm medidas diferentes, mas seus lados terminais ficam no mesmo ponto. Esses ângulos podem ser encontrados adicionando-se ou subtraindo-se 360° (ou 2π radianos) de um ângulo quantas vezes quiser. Existem infinitos ângulos côngruos, o que será muito útil nos futuros capítulos!

Razões Trigonométricas: Aprofundando-se Mais nos Triângulos Retângulos

Por um segundo, procure bem no fundo de sua cabeça e lembre-se de que *razão* é a comparação de duas coisas. Se uma sala de aula de pré-cálculo tem vinte meninos e quatorze meninas, a razão entre eles é de $\frac{20}{14}$, e como é uma fração, é possível simplificar como $\frac{10}{7}$. As razões são importantes em muitas áreas da vida. Por exemplo, se você tem vinte pessoas em um piquenique com apenas dez hambúrgueres, a razão mostra que você tem um problema!

Como as funções trigonométricas são muito importantes no pré-cálculo, é preciso entender as razões. Nesta seção, veremos três razões muito importantes nos triângulos retângulos (seno, cosseno e tangente), assim como três não tão essenciais, mas ainda importantes (cossecante, secante e cotangente). Todas essas razões são *funções*, em que um ângulo é a entrada e um número real é a saída. Cada função vê um ângulo do triângulo retângulo, conhecido ou não, depois usa a definição de sua razão específica para ajudar a encontrar a informação que falta no triângulo de modo rápido e fácil. Para completar esta seção, mostro como usar as funções trigonométricas inversas para determinar os ângulos desconhecidos em um triângulo retângulo.

Você pode se lembrar das funções trigonométricas e de suas definições usando o mnemônico SOHCAHTOA, que significa

» **S**eno = **O**posto sobre **h**ipotenusa

» **C**osseno = **A**djacente sobre **h**ipotenusa

» **T**angente = **O**posta sobre **a**djacente

Representando um seno

O *seno* de um ângulo teta é definido como a razão do comprimento do cateto oposto e da hipotenusa. Com símbolos, escrevemos sen θ. Veja como fica a razão:

$$\text{sen}\,\theta = \frac{\text{oposto}}{\text{hipotenusa}}$$

Para encontrar o seno de um ângulo, você precisa conhecer os comprimentos do lado oposto e da hipotenusa. Sempre serão dados os comprimentos dos dois lados, mas se não forem aqueles de que você precisa para encontrar certa razão, poderá usar o Teorema de Pitágoras para encontrar o que falta. Por exemplo, para encontrar o seno do ângulo F (sen F) na Figura 7-1, siga estas etapas:

FIGURA 7-1: Como encontrar o seno com dois lados dados.

1. **Identifique a hipotenusa.**

   Onde está o ângulo reto? É ∠R, portanto, o lado r, oposto a ele, é a hipotenusa. Pode identificá-lo como "Hip".

2. **Localize o lado oposto.**

   Veja o ângulo em questão, que é ∠F aqui. Qual lado é oposto a ele? O lado f é o cateto oposto. Identifique-o como "Op".

3. **Identifique o lado adjacente.**

   O único lado que resta, o lado k, tem de ser o cateto adjacente. Pode identificá-lo como "Adj".

4. **Localize os dois lados usados na razão trigonométrica.**

   Como você está encontrando o seno de ∠F, precisa do lado oposto e da hipotenusa. Para esse triângulo, $(\text{cat})^2 + (\text{cat})^2 = (\text{hipotenusa})^2$ se torna $f^2 + k^2 = r^2$. Insira o que você sabe para obter $f^2 + 7^2 = 14^2$. Quando determinar isso para f, obterá $f = 7\sqrt{3}$.

5. **Encontre o seno.**

   Com as informações da Etapa 4, pode descobrir que

   $$\text{sen}\, F = \frac{\text{oposto}}{\text{hipotenusa}} = \frac{7\sqrt{3}}{14} = \frac{\sqrt{3}}{2}$$

Procurando um cosseno

O *cosseno* de um ângulo teta, ou $\cos\theta$, é definido como a razão do comprimento do cateto adjacente e da hipotenusa ou

$$\cos\theta = \frac{\text{adjacente}}{\text{hipotenusa}}$$

Considere este exemplo: uma escada está encostada em um prédio, criando um ângulo de 75° com o solo. A base da escada está 3m distante do prédio. Qual a altura da escada? Seu coração doeu só de perceber que é um... *problema*? Tudo bem! Basta seguir as etapas para resolvê-lo; aqui, estamos procurando o comprimento da escada:

1. **Desenhe para ver uma forma familiar.**

    A Figura 7-2 representa a escada inclinada contra o prédio.

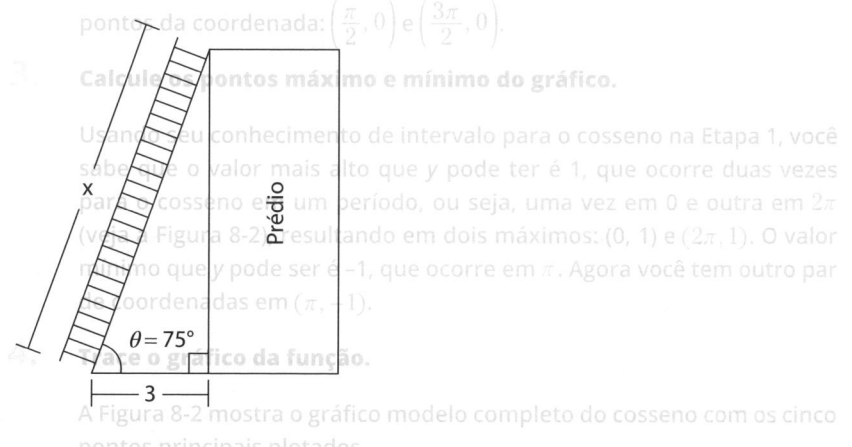

    FIGURA 7-2: Uma escada mais um prédio são iguais a um problema de cosseno.

    Um ângulo reto é formado entre o prédio e o solo, porque, do contrário, o prédio seria torto e cairia. Como você sabe onde está o ângulo reto, sabe que a hipotenusa é a própria escada. O ângulo dado está no solo, significando que o cateto oposto é a distância no prédio desde onde a escada toca até o solo. O terceiro lado, o cateto adjacente, é a distância que a escada está em relação ao prédio.

2. **Monte a equação trigonométrica usando as informações da imagem.**

    Você sabe que o lado adjacente tem 3m e está procurando o comprimento da escada ou a hipotenusa. Assim, precisa usar a razão do cosseno, pois é a razão do cateto adjacente e da hipotenusa. Você tem $\cos 75° = \frac{\text{adjacente}}{\text{hipotenusa}} = \frac{3}{x}$. O prédio não tem nenhuma relação com o problema no momento, exceto que está segurando a escada.

LEMBRE-SE

Por que se usa 75° na função cosseno? Porque você sabe o tamanho do ângulo; não precisa usar θ para representar um ângulo desconhecido.

3. **Determine a variável desconhecida.**

Multiplique o x desconhecido nos dois lados da equação para obter $x\cos 75° = 3$. O $\cos 75°$ é só um número. Quando você o digita na calculadora, obtém uma resposta decimal (defina a calculadora para o modo grau antes de tentar fazer o problema). Agora divida os dois lados por $\cos 75°$ para isolar x; você obtém $x = \dfrac{3}{\cos 75°}$. Usando o valor de $\cos 75°$ na calculadora, obtém $x = \dfrac{3}{\cos 75°} \approx \dfrac{3}{0{,}25882} \approx 11{,}5911$, significando que a escada tem cerca de 11,6m.

Saindo pela tangente

A *tangente* de um ângulo teta, ou $\text{tg}\,\theta$, é a razão do cateto oposto e do cateto adjacente. Veja como fica em forma de equação:

$$\text{tg}\,\theta = \dfrac{\text{oposto}}{\text{adjacente}}$$

Imagine por um momento que você seja engenheiro. Está trabalhando em uma torre de 39m com um fio preso no topo dela. Esse fio precisa se prender no solo e ter um ângulo de 80° para impedir que a torre se mova. Sua tarefa é descobrir a que distância da base da torre o fio deve se prender ao solo. Siga estas etapas:

1. **Desenhe um diagrama que representa as informações dadas.**

A Figura 7-3 mostra o fio, a torre e as informações conhecidas.

FIGURA 7-3:
Usando a tangente para resolver o enunciado.

126 PARTE 2 **Fundamentos da Trigonometria**

2. **Monte a equação trigonométrica usando as informações da imagem.**

Para o problema, você deve montar uma equação trigonométrica que mostre a tangente, porque o lado oposto é o comprimento da torre, a hipotenusa é o fio, e o lado adjacente é o que precisa ser encontrado.

Você obtém $\text{tg}\,80° = \dfrac{\text{oposto}}{\text{adjacente}} = \dfrac{39}{x}$.

3. **Determine o termo desconhecido.**

Multiplique os dois lados pelo x desconhecido para obter $x\,\text{tg}\,80° = 39$.

Divida os dois lados por $\text{tg}\,80°$ para obter $x = \dfrac{39}{\text{tg}\,80°}$. Use a calculadora e simplifique para obter $x \approx \dfrac{39}{5{,}6713} \approx 6{,}8768$. O fio se prende ao solo em cerca de 6,88m a partir da base da torre para formar o ângulo de $80°$.

Descobrindo o lado oposto: Funções trigonométricas recíprocas

Três outras razões trigonométricas (cossecante, secante e cotangente) são chamadas de *funções recíprocas*, porque são as recíprocas do seno, do cosseno e da tangente. Essas três funções abrem três outros modos de resolver equações em pré-cálculo. A lista a seguir divide essas funções e mostra como são usadas:

» **Cossecante,** ou $\text{cossec}\,\theta$, **é a recíproca do seno.** A recíproca de a é $\dfrac{1}{a}$, portanto, $\text{cossec}\,\theta = \dfrac{1}{\text{sen}\,\theta}$. E como $\text{sen}\,\theta = \dfrac{\text{oposto}}{\text{hipotenusa}}$, então
$\text{cossec}\,\theta = \dfrac{\text{hipotenusa}}{\text{oposto}}$

» **Secante,** ou $\sec\theta$, **é a recíproca do cosseno.** Tem uma fórmula parecida com a da cossecante:

$\sec\theta = \dfrac{1}{\cos\theta} = \dfrac{\text{hipotenusa}}{\text{adjacente}}$

Um erro comum é pensar que a secante é a recíproca do seno e a cossecante é a recíproca do cosseno, mas os itens anteriores mostram a verdade.

» **Cotangente,** ou $\text{cotg}\,\theta$, **é a recíproca da tangente.** (Não é óbvio?) Você entende isso se viu os itens anteriores:

$\text{cotg}\,\theta = \dfrac{1}{\text{tg}\,\theta} = \dfrac{\text{adjacente}}{\text{oposto}}$

Duas outras razões importantes que envolvem a tangente e a cotangente são:

$$\operatorname{tg}\theta = \frac{\operatorname{sen}\theta}{\cos\theta} \text{ e } \operatorname{cotg}\theta = \frac{\cos\theta}{\operatorname{sen}\theta}$$

LEMBRE-SE

Secante, cossecante e cotangente são todas recíprocas, mas você não encontrará um botão para elas na calculadora. Deve usar suas recíprocas (seno, cosseno e tangente). Outra coisa, não acabe usando os botões sen⁻¹, cos⁻¹ e tg⁻¹ também. Eles são para as funções trigonométricas inversas, que descrevo na próxima seção.

Trabalhando ao inverso: Funções trigonométricas inversas

LEMBRE-SE

Muitas funções têm uma *função inversa*. Basicamente, ela desfaz uma função. As funções trigonométricas seno, cosseno e tangente têm inversas, e muitas vezes são chamadas de *arco seno, arco cosseno* e *arco tangente*.

Nas funções trigonométricas, o ângulo θ é a entrada, e a saída é o número que representa a razão dos lados de um triângulo. Se você tem a razão dos lados e precisa encontrar um ângulo, use a função trigonométrica inversa:

» **Seno inverso (arcsen):** $\theta = \operatorname{sen}^{-1}\left(\dfrac{\text{oposto}}{\text{hipotenusa}}\right)$

» **Cosseno inverso (arccos):** $\theta = \cos^{-1}\left(\dfrac{\text{adjacente}}{\text{hipotenusa}}\right)$

» **Tangente inversa (arctan):** $\theta = \operatorname{tg}^{-1}\left(\dfrac{\text{oposto}}{\text{adjacente}}\right)$

Veja como fica a função trigonométrica inversa em ação. Para encontrar o ângulo θ em graus em um triângulo retângulo quando se sabe que $\operatorname{tg}\theta = 1{,}7$, siga essas etapas:

1. **Isole a função trigonométrica em um lado e mova todo o resto para o outro.**

    Essa etapa já está pronta. A tangente está à esquerda, e o decimal 1,7 está à direita: $\operatorname{tg}\theta = 1{,}7$.

2. **Isole a variável.**

    Você tem a razão da função trigonométrica e precisa encontrar o ângulo. Para trabalhar ao inverso e descobrir o ângulo, use a álgebra. É preciso desfazer a função tangente, que significa usar a função tangente inversa nos dois lados: tg⁻¹ (tgθ) = tg⁻¹ (1,7). Essa equação simplifica como θ = tg⁻¹ (1,7), ou seja, ela informa que teta é o ângulo cuja tangente é 1,7.

3. Resolva a equação simplificada.

$\theta = \text{tg}^{-1}(1,7)$ é resolvida com uma calculadora. Quando fizer isso, obterá $\theta = 59,53445508$ ou cerca de $59,53°$.

Leia o problema com cuidado para saber se o ângulo procurado deve ser expresso em graus ou radianos. Coloque a calculadora no modo correto.

Entendendo como as Razões Trigonométricas Funcionam no Plano Cartesiano

O círculo unitário visto neste capítulo fica no plano cartesiano, o mesmo plano no qual você desenha desde a álgebra. O *círculo unitário* é um círculo muito pequeno com centro na origem (0, 0). O raio do círculo unitário é 1, sendo por isso que é chamado de unitário. Para realizar o trabalho no resto do capítulo, todos os ângulos especificados serão desenhados no plano cartesiano. As razões SOHCAHTOA, mostradas antes, podem ser encontradas, de novo, no círculo unitário.

Para colocar os ângulos no plano cartesiano, basicamente veja as razões trigonométricas em termos de valores x e y, em vez de oposto, adjacente e hipotenusa. Redefinir essas razões para se adequarem ao plano cartesiano (às vezes chamado de definição do *ponto no plano*) facilita visualizar as diferenças. Alguns ângulos, por exemplo, são maiores que 180°, mas usar as novas definições permite criar um triângulo retângulo usando um ponto e o eixo x. Então, use as novas razões para encontrar os lados que faltam dos triângulos retângulos e/ou os valores dos ângulos da função trigonométrica.

Quando existe um ponto (x, y) em um plano cartesiano, é possível calcular todas as funções trigonométricas para o ângulo correspondente ao ponto seguindo essas etapas:

1. Localize o ponto no plano cartesiano e conecte-o à origem, usando uma reta.

Digamos, por exemplo, que seja pedido para avaliar todas as seis funções trigonométricas que correspondem ao ponto no plano (−4,−6). O segmento traçado desse ponto até a origem é sua hipotenusa, e o comprimento é o raio *r* (veja a Figura 7-4).

2. Desenhe uma linha perpendicular conectando o ponto dado e o eixo x, criando um triângulo retângulo.

Os comprimentos dos catetos do triângulo retângulo são –4 e –6. Não deixe que os sinais negativos assustem você; os comprimentos dos lados ainda são 4 e 6. Os sinais negativos apenas mostram o local desse ponto ou as direções no plano cartesiano.

3. Encontre o comprimento da hipotenusa r usando a fórmula da distância ou o Teorema de Pitágoras.

A distância que você deseja encontrar é o comprimento de r na Etapa 1. A fórmula da distância entre um ponto (x, y) e a origem (0, 0) é

$$r = \sqrt{(x-0)^2 + (y-0)^2} = \sqrt{x^2 + y^2}.$$

LEMBRE-SE

Essa equação indica a raiz principal ou positiva apenas, assim, a hipotenusa para esses triângulos com ponto no plano é sempre positiva.

Para esse exemplo, você obtém $r = \sqrt{(-4)^2 + (-6)^2} = \sqrt{52}$, que simplifica como $2\sqrt{13}$. Verifique como fica o triângulo na Figura 7-4.

4. Determine os valores da função trigonométrica usando suas definições alternativas.

Com as identificações na Figura 7-4, você obtém as seguintes fórmulas:

- $\text{sen}\,\theta = \dfrac{y}{r}$ implica que $\text{cossec}\,\theta = \dfrac{r}{y}$.

- $\cos\theta = \dfrac{x}{r}$ implica que $\sec\theta = \dfrac{r}{x}$.

- $\text{tg}\,\theta = \dfrac{y}{x}$ implica que $\cot g\,\theta = \dfrac{x}{y}$.

Substitua os números na Figura 7-4 para localizar os valores trigonométricos:

- $\text{sen}\,\theta = \dfrac{-6}{2\sqrt{13}}$

  Simplificadas e racionalizadas:
  $$\text{sen}\,\theta = \dfrac{-6}{2\sqrt{13}} = -\dfrac{3}{\sqrt{13}} = -\dfrac{3\sqrt{13}}{13}$$

- $\cos\theta = \dfrac{-4}{2\sqrt{13}}$

  Simplificadas e racionalizadas:
  $$\cos\theta = \dfrac{-4}{2\sqrt{13}} = -\dfrac{2}{\sqrt{13}} = -\dfrac{2\sqrt{13}}{13}$$

- $\text{tg}\,\theta = \dfrac{-6}{-4} = \dfrac{3}{2}$

- $\cotg\theta = \dfrac{2}{3}$

- $\sec\theta = -\dfrac{\sqrt{13}}{2}$

- $\cossec\theta = -\dfrac{\sqrt{13}}{3}$

DICA

Note que as regras das funções trigonométricas e suas recíprocas ainda se aplicam. Por exemplo, se você sabe o $\sen\theta$, automaticamente sabe o $\cossec\theta$ porque são recíprocos.

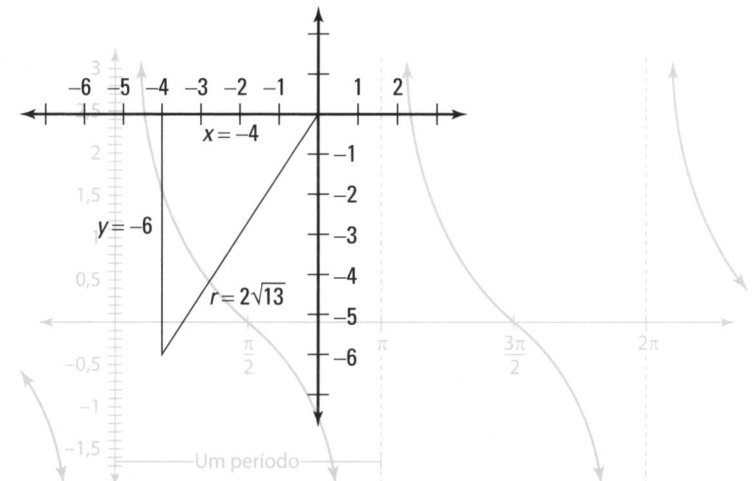

FIGURA 7-4: Encontrando a hipotenusa de um triângulo retângulo quando dado um ponto no plano.

$x = -4$
$y = -6$
$r = 2\sqrt{13}$

LEMBRE-SE

Quando o ponto dado é um ponto em um dos eixos, você ainda consegue encontrar todos os valores da função trigonométrica. Por exemplo, se o ponto está no eixo x, o cosseno e o raio têm o mesmo valor absoluto (porque o cosseno pode ser negativo, mas o raio não). Se o ponto está no eixo x positivo, o cosseno é 1, e o seno 0; se está no eixo x negativo, o cosseno é −1. Do mesmo modo, se o ponto está no eixo y, o valor do seno e o raio têm o mesmo valor absoluto; o seno será 1 ou −1, e o cosseno será sempre 0.

Círculo Unitário do Modo Certo

O círculo unitário é uma parte vital do estudo da trigonometria. Para visualizar a ferramenta, imagine um círculo desenhado no plano cartesiano, com centro na origem. As funções trigonométricas seno, cosseno e tangente contam muito com atalhos que você pode descobrir usando o círculo unitário. Pode ser uma ideia nova, mas não se intimide; o círculo é construído simplesmente a partir de conceitos da Geometria. Nas próximas seções, o círculo unitário e os triângulos retângulos especiais serão fundamentais para seus estudos em pré-cálculo.

Familiarizando-se com os ângulos mais comuns

Em pré-cálculo, costuma-se desenhar um ângulo no plano cartesiano para fazer certos cálculos. Mas você não precisa memorizar onde estão todos os lados terminais dos ângulos no círculo unitário, porque é uma perda de tempo. É claro que, como os ângulos de 30°, 45° e 60° são muito comuns nos problemas de pré-cálculo, gravar exatamente onde ficam seus lados terminais não é uma má ideia. Essas informações dão uma boa base para descobrir onde fica o resto dos ângulos no círculo. Esses três ângulos ajudam a encontrar os valores da função trigonométrica para os ângulos especiais (ou mais comuns) no círculo. E no Capítulo 8, esses valores especiais ajudam a desenhar as funções trigonométricas.

A Figura 7-5 mostra os ângulos de 30°, 45° e 60° e seus triângulos retângulos correspondentes.

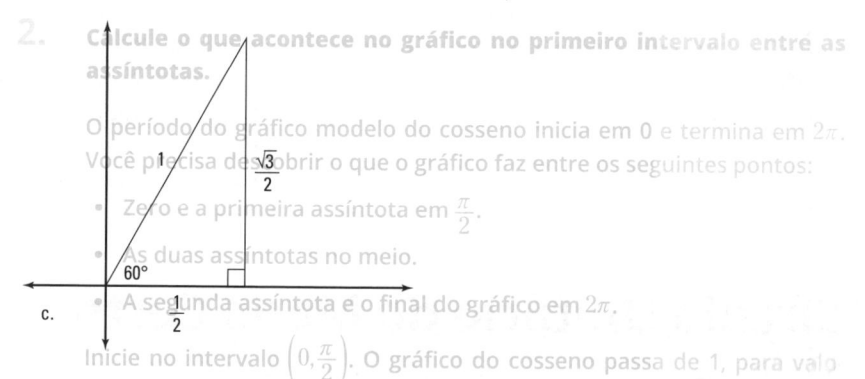

FIGURA 7-5: Ângulos de 30°, 45°, e 60° no círculo unitário.

a. (triângulo 30°, cateto $\frac{\sqrt{3}}{2}$, cateto $\frac{1}{2}$)

b. (triângulo 45°, catetos $\frac{\sqrt{2}}{2}$)

c. (triângulo 60°, cateto $\frac{1}{2}$, cateto $\frac{\sqrt{3}}{2}$)

DICA

Em vez de memorizar o local de todos os ângulos maiores no círculo unitário, use os quadrantes como seu guia. Lembre-se de que cada quadrante contém 90° (ou $\frac{\pi}{2}$ radianos) e que as medidas dos ângulos aumentam conforme seguem à esquerda em torno do vértice. Com essa informação e um pouco de matemática, é possível descobrir o local do ângulo necessário.

Desenhando ângulos incomuns

Muitas vezes em sua jornada pela trigonometria — na verdade, o tempo todo —, desenhar uma imagem ajudará a resolver o problema dado (consulte qualquer exemplo neste capítulo para ver como usar uma imagem para ajudar). A trigonometria sempre começa com o básico do desenho dos ângulos, para que, quando chegar o momento de ver os problemas, o desenho em si seja um hábito.

DICA

Sempre desenhe uma imagem de qualquer problema de trigonometria. O desenho torna a informação dada mais concreta e permite visualizar o que está acontecendo.

Para desenhar ângulos no plano cartesiano, comece traçando seus lados terminais nos lugares certos. Depois, desenhando uma linha vertical acima ou abaixo do eixo x, pode fazer triângulos retângulos dentro do círculo unitário, com os ângulos menores com os quais está mais acostumado.

O que você faz se é pedido para desenhar um ângulo que tenha uma medida maior que 360°? Ou uma medida negativa? E que tal ambas? Sua cabeça deve estar girando! Não se preocupe, esta seção mostra as etapas.

Por exemplo, suponha que precise desenhar um ângulo de –570°. Veja o que fazer:

1. **Encontre um ângulo côngruo adicionando 360°.**

   Adicionar 360° a –570° resulta em –210°.

2. **Se o ângulo ainda for negativo, continue somando 360° até obter um ângulo positivo na posição padrão.**

   Somar 360° a –210° resulta em 150°. Esse é o ângulo côngruo.

3. **Encontre um ângulo de referência (entre 0 e 90 graus).**

   O ângulo de referência para 150° é 30°. Isso informa o tipo de triângulo que você precisa referenciar (veja a Figura 7-5). O ângulo 30° é 150° menor que 180° e está acima do eixo x negativo.

4. **Desenhe o ângulo criado na Etapa 2.**

   Você precisa desenhar o lado terminal de um ângulo de –570°, portanto, tenha cuidado com o lado para onde a seta aponta e quantas vezes você percorre o círculo unitário antes de parar no lado terminal.

   Esse ângulo inicia em 0 no eixo x e move-se para a direita, porque você está encontrando um ângulo negativo. A Figura 7-6 mostra como fica o ângulo final.

FIGURA 7-6:
Ângulo de –570° no plano cartesiano.

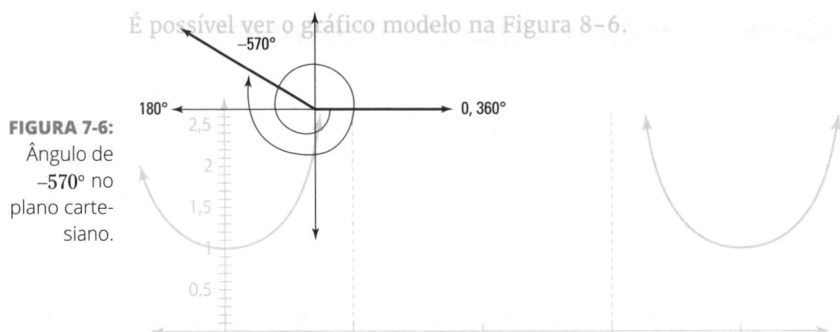

Considerando as Razões Especiais do Triângulo

Vemos dois triângulos em particular repetidamente em trigonometria: são os *baseados em* 45 e o velho conhecido 30 e 60. Na verdade, eles são vistos com tanta frequência, que se recomenda que suas razões sejam memorizadas. Relaxe! Veremos como calcular as razões nesta seção (e, sim, é provável que você tenha visto antes esses triângulos em geometria).

Baseado em 45: Triângulo de 45°, 45° e 90°

Todos os triângulos de 45°, 45° e 90° têm lados com uma única razão. Os dois catetos têm o mesmo comprimento exato, e a hipotenusa é esse comprimento vezes $\sqrt{2}$. A Figura 7-7 mostra a razão. (Se você vir o triângulo de 45°, 45° e 90° em radianos, terá $\frac{\pi}{4}, \frac{\pi}{4}$ e $\frac{\pi}{2}$. De qualquer modo, ainda tem a mesma razão.)

FIGURA 7-7:
Triângulo retângulo de 45°, 45° e 90°.

Por que ele é importante? Sempre que você tem um lado de um triângulo baseado em 45, pode descobrir rapidamente os outros dois. Quando concluir os cálculos com esse tipo de triângulo, ele se enquadrará em uma destas duas categorias:

» **Tipo 1: Terá um cateto.**

Como sabe que os dois catetos são iguais, sabe o comprimento deles. Pode encontrar a hipotenusa multiplicando esse comprimento por $\sqrt{2}$.

» **Tipo 2: Terá a hipotenusa.**

Divida a hipotenusa por $\sqrt{2}$ para encontrar os catetos (que são iguais).

Veja um exemplo de cálculo: A diagonal em um quadrado tem 16cm. Quanto mede cada lado do quadrado? Primeiro desenhe. A Figura 7-8 mostra o quadrado.

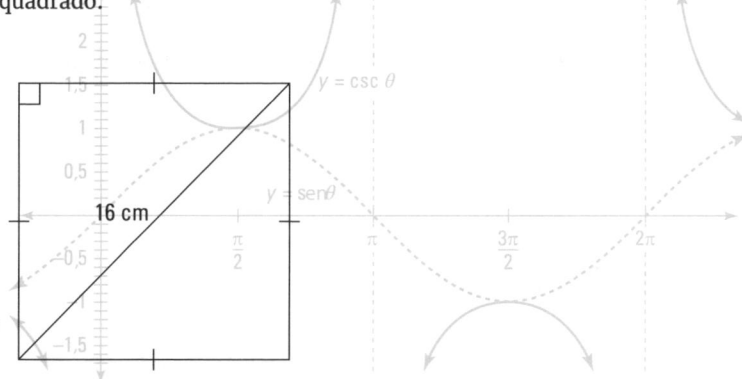

FIGURA 7-8: Quadrado com uma diagonal.

A diagonal divide os ângulos em partes de 45°, portanto, você tem a hipotenusa de um triângulo baseado em 45. Para encontrar os catetos, divida a hipotenusa por $\sqrt{2}$. Quando fizer isso, terá $\frac{16}{\sqrt{2}}$.

Racionalizando o denominador

$$\frac{16}{\sqrt{2}} \cdot \frac{\sqrt{2}}{\sqrt{2}} = \frac{16\sqrt{2}}{2} = 8\sqrt{2}$$

que é a medida de cada lado do quadrado.

CAPÍTULO 7 **Circulando pelos Ângulos** 135

O velho conhecido 30 e 60: Triângulo de 30°, 60° e 90°

Todos os triângulos de 30°, 60° e 90° têm lados com a mesma razão básica. Se você vir o triângulo de 30°, 60° e 90° em radianos, terá $\frac{\pi}{6}, \frac{\pi}{3}$ e $\frac{\pi}{2}$.

» O cateto menor é oposto ao ângulo de 30°.
» O comprimento da hipotenusa é sempre duas vezes o comprimento do menor cateto.
» Você pode descobrir o comprimento do cateto maior multiplicando o menor por $\sqrt{3}$.

Nota: A hipotenusa é o lado maior em um triângulo retângulo, que é diferente do cateto maior. O cateto maior é o oposto ao ângulo de 60°.

A Figura 7-9 mostra a razão dos lados para o triângulo de 30°, 60° e 90°.

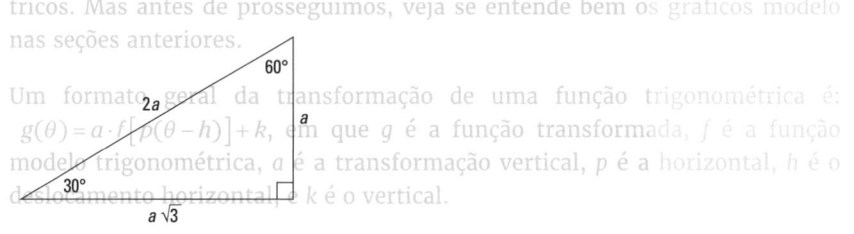

FIGURA 7-9: Triângulo retângulo de 30°, 60° e 90°.

Se você conhece o lado de um triângulo de 30°, 60° e 90°, pode encontrar os outros dois usando atalhos. Veja três situações ao fazer os cálculos:

» **Tipo 1: Você conhece o cateto menor (o lado oposto ao ângulo de 30°):** Dobre seu comprimento para encontrar a hipotenusa. Você pode multiplicar o lado menor por $\sqrt{3}$ para encontrar o cateto maior.
» **Tipo 2: Você conhece a hipotenusa:** Divida a hipotenusa por 2 para encontrar o lado menor. Multiplique essa resposta por $\sqrt{3}$ para encontrar o cateto maior.
» **Tipo 3: Você conhece o cateto maior (o lado oposto ao ângulo de 60°):** Divida esse lado por $\sqrt{3}$ para encontrar o lado menor. Dobre esse valor para encontrar a hipotenusa.

Mudando a amplitude

No triângulo TRI na Figura 7-10, a hipotenusa mede 14cm; qual o tamanho dos outros dois lados?

FIGURA 7-10: Encontrando os dois lados de um triângulo de 30°, 60° e 90° quando a hipotenusa é conhecida.

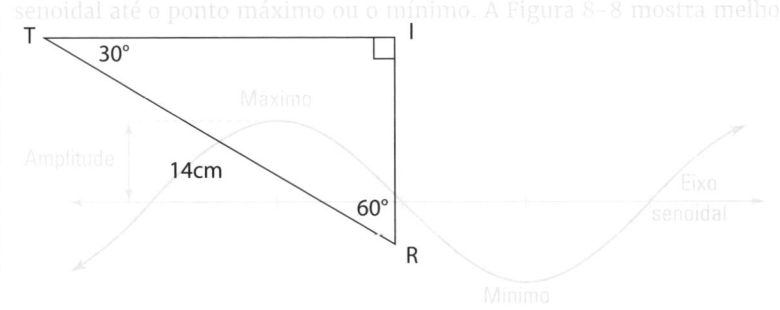

Como temos a hipotenusa TR = 14, é possível dividir por 2 e obter o lado menor: RI = 7. Agora, multiplique por $\sqrt{3}$ para obter o lado maior: IT = $7\sqrt{3}$.

Triângulos e Círculo Unitário: Juntos para o Bem Comum

Alegre-se com a fusão dos triângulos retângulos, ângulos comuns (veja a seção anterior) e o círculo unitário, pois eles se uniram pelo bem maior do pré-cálculo. Os triângulos retângulos especiais têm um papel importante na localização de valores específicos da função trigonométrica que você encontra no círculo unitário. Especificamente, se você sabe a medida de um dos ângulos relacionados, pode criar um triângulo retângulo especial que caberá no círculo unitário. Usando esse triângulo, é possível avaliar todas as funções trigonométricas sem calculadora!

LEMBRE-SE

Todos os ângulos congruentes (ângulos com a mesma medida) têm os mesmos valores para diferentes funções trigonométricas. Alguns ângulos não congruentes também têm valores idênticos para certas funções trigonométricas; você pode usar um ângulo de referência para descobrir as medidas desses ângulos.

Reveja os triângulos retângulos especiais antes de tentar avaliar as funções nesta seção. Embora muitos valores pareçam idênticos, as aparências enganam. Os números podem ser iguais, mas os sinais e os locais mudam conforme percorremos o círculo unitário.

CAPÍTULO 7 **Circulando pelos Ângulos** 137

Colocando os ângulos principais corretamente, sem transferidor

Nesta seção, vemos os ângulos do círculo unitário e os triângulos retângulos especiais juntos para criar um belo pacote: o círculo unitário completo. Os triângulos especiais no círculo criam pontos no plano cartesiano.

Independentemente do tamanho dos lados que compõem certo ângulo em um triângulo, os valores da função trigonométrica para esse ângulo específico são sempre iguais. Portanto, os matemáticos diminuíram todos os lados dos triângulos retângulos para que eles coubessem no círculo unitário.

LEMBRE-SE

A hipotenusa de cada triângulo em um círculo unitário é sempre 1, e os cálculos que envolvem os triângulos são muito mais fáceis de calcular. Por causa do círculo, é possível desenhar *qualquer* ângulo com *qualquer* medida, e todos os triângulos retângulos com o mesmo ângulo de referência têm o mesmo tamanho.

Começando no quadrante I: Calcule os pontos para plotar

Veja um ângulo marcado com 30° no círculo unitário (veja a Figura 7-11) e siga estas etapas para criar um triângulo a partir dele; é parecido com as etapas da seção "Entendendo como as Razões Trigonométricas Funcionam no Plano Cartesiano":

1. **Desenhe o lado terminal do ângulo da origem até o círculo.**

   O lado terminal de um ângulo de 30° deve estar no primeiro quadrante, e o lado do ângulo deve ser bem pequeno. Na verdade, deve ser um terço do espaço entre 0° e 90°.

2. **Desenhe uma linha perpendicular conectando o ponto em que o lado terminal corta o círculo e o eixo *x*, criando um triângulo retângulo.**

   A hipotenusa do triângulo é o raio do círculo unitário; um dos catetos está no eixo *x*, e o outro cateto fica paralelo ao eixo *y*. Podemos ver como é o triângulo de 30°, 60° e 90° na Figura 7-11.

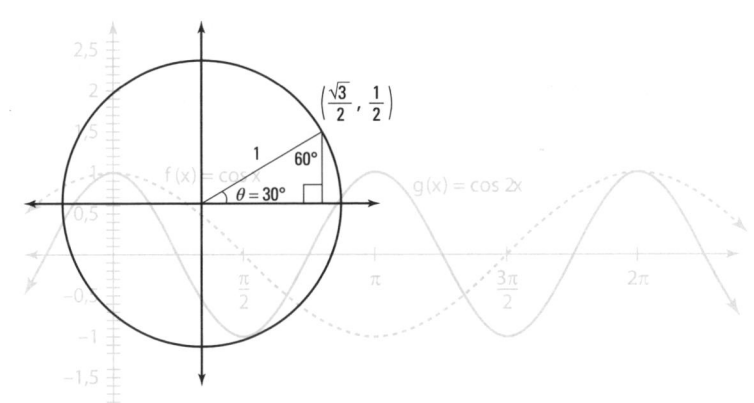

FIGURA 7-11:
Triângulo de 30°, 60° e 90° desenhado no círculo unitário.

3. **Descubra o comprimento da hipotenusa.**

   O raio do círculo unitário é sempre 1, o que significa que a hipotenusa do triângulo também é 1.

4. **Descubra os comprimentos dos outros lados.**

   Para encontrar os outros dois lados, use as técnicas explicadas na seção sobre o triângulo de 30°, 60° e 90°. Descubra o cateto menor primeiro dividindo o comprimento da hipotenusa por 2, que resulta em $\frac{1}{2}$. Para descobrir o cateto maior, multiplique $\frac{1}{2}$ por $\sqrt{3}$ para obter $\frac{\sqrt{3}}{2}$.

5. **Identifique o ponto no círculo unitário.**

   Esse círculo está no plano cartesiano, com centro na origem. Assim, cada ponto no círculo tem coordenadas únicas. Agora nomeie o ponto correspondente a um ângulo como 30° no círculo: $\left(\frac{\sqrt{3}}{2}, \frac{1}{2}\right)$.

LEMBRE-SE

Após realizar as etapas anteriores, você pode encontrar com facilidade também os pontos dos outros ângulos no círculo. Por exemplo:

» Veja o ponto no círculo marcado com 45°. Você pode desenhar um triângulo a partir dele, usando as Etapas 1 e 2. Sua hipotenusa ainda é 1, o raio do círculo unitário. Para descobrir o comprimento dos catetos de um triângulo de 45°, 45° e 90°, divida a hipotenusa por $\sqrt{2}$. Depois racionalize o denominador para obter $\frac{\sqrt{2}}{2}$. Agora pode nomear esse ponto no círculo como $\left(\frac{\sqrt{2}}{2}, \frac{\sqrt{2}}{2}\right)$.

> » Movendo-se no sentido anti-horário até o ângulo de 60°, pode criar um triângulo com as Etapas 1 e 2. Se olhar com atenção, perceberá que o ângulo de 30° está no topo, portanto, o lado menor é o que está no eixo x. Isso cria um ponto em 60° $\left(\frac{1}{2}, \frac{\sqrt{3}}{2}\right)$ devido ao raio 1 (divida 1 por 2 e multiplique $\frac{1}{2}$ por $\sqrt{3}$).

Vendo os outros quadrantes

Os quadrantes II–IV no plano cartesiano são apenas imagens de espelho do primeiro quadrante (veja a seção anterior). Mas os sinais das coordenadas são diferentes porque os pontos no círculo unitário estão em locais diferentes do plano:

> » No quadrante I, os valores de *x* e *y* são positivos.
> » No quadrante II, *x* é negativo e *y* é positivo.
> » No quadrante III, *x* e *y* são negativos.
> » No quadrante IV, *x* é positivo e *y* é negativo.

A boa notícia é que não é preciso memorizar o círculo unitário inteiro. Você pode apenas aplicar o básico do que sabe nos triângulos retângulos e no círculo unitário! A Figura 7-12 mostra a pizza completa do círculo unitário.

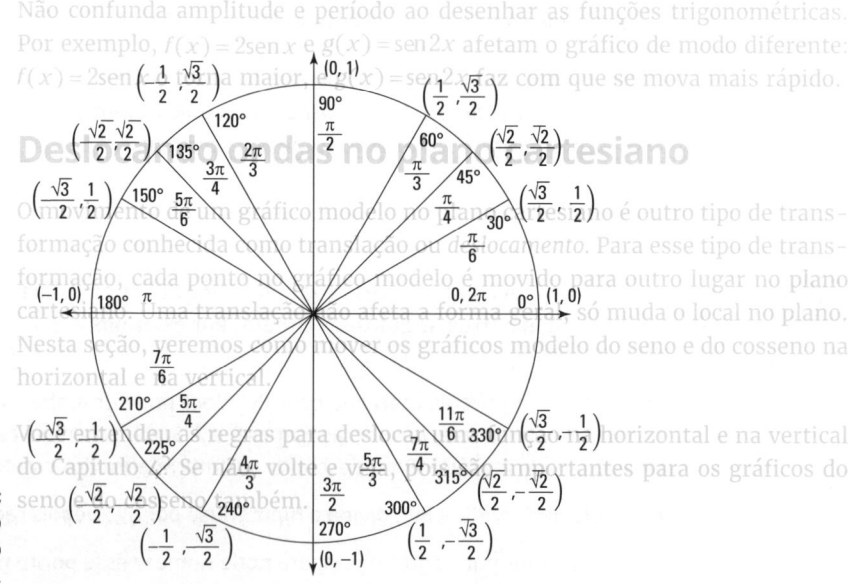

FIGURA 7-12: Círculo unitário completo.

Recuperando os valores da função trigonométrica no círculo unitário

As seções anteriores sobre os ângulos e o círculo unitário são uma introdução. Você precisa se sentir à vontade com o círculo e os triângulos especiais dele para que possa avaliar as funções trigonométricas com rapidez e facilidade, que é o que faremos agora. Você não quer perder um tempo precioso criando o círculo unitário inteiro só para examinar alguns ângulos. E quanto mais confortável se sentir com as razões trigonométricas e o círculo unitário inteiro, é menos provável que cometa um erro com um sinal negativo ou misturando os valores trigonométricos.

Encontrando valores para seis funções trigonométricas

Às vezes é preciso examinar as seis funções trigonométricas (seno, cosseno, tangente, cossecante, secante e cotangente) para obter um valor no círculo unitário. Para cada ângulo no círculo, três outros ângulos relacionados têm valores da função trigonométrica parecidos. A única diferença é que os sinais mudam, dependendo do quadrante onde está o ângulo. Quando o ângulo não está relacionado a um dos ângulos especiais no círculo unitário, é provável que você tenha de usar a calculadora. Basta aproveitar as relações do triângulo especial como mostrado neste capítulo.

LEMBRE-SE

A definição de cosseno do ponto no plano em um triângulo retângulo é $\cos\theta = \frac{x}{r}$. Como a hipotenusa r é sempre 1 no círculo unitário, o valor de x é o valor do cosseno. E se você lembra da definição alternativa de seno, $\sen\theta = \frac{y}{r}$, perceberá que o valor de y é o valor do seno. Assim, qualquer ponto em qualquer lugar no círculo é sempre $(\cos\theta, \sen\theta)$. Vamos reunir todas as peças!

Determinar os valores da tangente, cotangente, secante e cossecante requer um pouco mais de trabalho do que em relação ao seno e ao cosseno. Para muitos ângulos no círculo unitário, examinar essas funções requer um trabalho cuidadoso com frações e raízes quadradas. Lembre-se de sempre racionalizar o denominador de qualquer fração na resposta final. E mais: lembre-se de que qualquer número dividido por 0 é indefinido. Por exemplo, as funções tangentes e secantes são indefinidas quando o valor do cosseno é 0. Do mesmo modo, os valores da cotangente e da cossecante são indefinidos quando o valor do seno é 0.

É hora de ver um exemplo. Para avaliar as seis funções trigonométricas de $\theta = 225°$ no círculo unitário, siga estas etapas.

1. Desenhe a imagem.

Quando for pedido para encontrar a função trigonométrica de um ângulo, não é preciso desenhar um círculo unitário sempre. Pelo contrário, use sua inteligência para descobrir a imagem. Para esse exemplo, 225° é 45° maior que 180°. Desenhe um triângulo de 45°, 45° e 90° apenas no terceiro quadrante (veja a seção anterior "Colocando os ângulos principais corretamente, sem transferidor").

2. Complete os comprimentos dos catetos e da hipotenusa.

Use as regras do triângulo baseado em 45. A coordenada do ponto em 225° é $\left(-\dfrac{\sqrt{2}}{2}, -\dfrac{\sqrt{2}}{2}\right)$.

A Figura 7-13 mostra o triângulo, assim como todas as informações para analisar as seis funções trigonométricas.

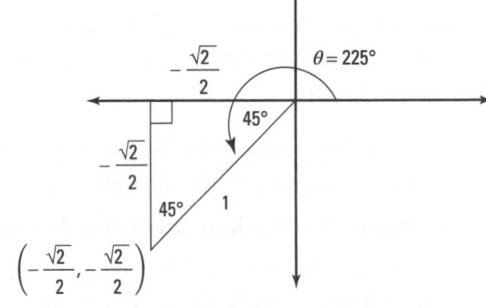

FIGURA 7-13: Triângulo baseado em 45° e posicionado no terceiro quadrante.

LEMBRE-SE

Cuidado! Use o que você sabe sobre os eixos positivo e negativo no plano cartesiano para ajudar. Como o triângulo está no terceiro quadrante, os valores de *x* e *y* devem ser negativos.

3. Descubra o seno do ângulo.

O seno de um ângulo é o valor de y ou o comprimento da linha vertical que se estende do ponto no círculo unitário até o eixo x. Para 225°, o valor de y é $-\dfrac{\sqrt{2}}{2}$, portanto, $\text{sen}(225°) = -\dfrac{\sqrt{2}}{2}$.

4. **Descubra o cosseno do ângulo.**

   O valor do cosseno é o valor de *x*, portanto, deve ser $-\frac{\sqrt{2}}{2}$.

5. **Descubra a tangente do ângulo.**

   Para encontrar a tangente de um ângulo no círculo unitário, use a definição alternativa da tangente: $\operatorname{tg}\theta = \frac{y}{x}$. Outro modo de ver é que $\operatorname{tg}\theta = \frac{\operatorname{sen}\theta}{\cos\theta}$, porque no círculo unitário, o valor de *y* é o seno, e o valor de *x* é o cosseno. Assim, se você conhece o seno e o cosseno de qualquer ângulo, também conhece a tangente (obrigado, círculo unitário!). O seno e o cosseno de 225° são $-\frac{\sqrt{2}}{2}$.

   Portanto, é possível dividir o seno pelo cosseno para obter a tangente de 225°, que é 1.

6. **Descubra a cossecante do ângulo.**

   A cossecante de qualquer ângulo é a recíproca do seno. Usando o que foi determinado na Etapa 1,

   $\operatorname{sen} 225° = -\frac{\sqrt{2}}{2}$

   a recíproca é $-\frac{2}{\sqrt{2}}$, que racionaliza como $-\sqrt{2}$.

   Consequentemente, $\operatorname{cossec} 225° = -\sqrt{2}$.

7. **Descubra a secante do ângulo.**

   A secante de qualquer ângulo é a recíproca do cosseno. Como o $\cos 225°$ também é $-\frac{\sqrt{2}}{2}$, encontrado na Etapa 4, a $\sec 225° = -\sqrt{2}$.

8. **Descubra a cotangente do ângulo.**

   A cotangente de um ângulo é a recíproca da tangente. Na Etapa 5, $\operatorname{tg} 225° = 1$. Assim, $\operatorname{cotg} 225° = \frac{1}{1} = 1$. Moleza!

DICA

A tangente é sempre a inclinação do raio *r*. Esse cálculo fácil permite uma ótima verificação do trabalho. Como o raio do círculo unitário (a hipotenusa do triângulo) no problema anterior se inclina para cima, ela tem uma inclinação positiva, assim como o valor da tangente.

Atalho: Descobrindo os valores trigonométricos das famílias de 30°, 45° e 60°

Novidade! Existe um atalho que pode ajudar a evitar certo trabalho na seção anterior. Você terá de memorizar menos quando perceber que certos ângulos especiais (portanto, seus triângulos especiais) no círculo unitário sempre seguem a mesma razão dos lados. Tudo que precisa fazer é usar os quadrantes do plano cartesiano para descobrir os sinais. Resolver os problemas da função trigonométrica no círculo será muito mais fácil depois desta seção!

Talvez você já tenha descoberto o atalho vendo a Figura 7-12. Se não, veja as famílias no círculo unitário (para *qualquer* família, a hipotenusa r é sempre 1):

» **A primeira família é $\frac{\pi}{6}$ (múltiplos de** 30°**).** Qualquer ângulo com o denominador 6 tem essas qualidades:

- O cateto maior é x: $\frac{\sqrt{3}}{2}$.
- O cateto menor é y: $\frac{1}{2}$.

» **A segunda família é $\frac{\pi}{3}$ (múltiplos de** 60°**).** Qualquer ângulo com o denominador 3 tem essas qualidades:

- O cateto menor é x: $\frac{1}{2}$.
- O cateto maior é y: $\frac{\sqrt{3}}{2}$.

» **A última família é $\frac{\pi}{4}$ (múltiplos de** 45°**).** Qualquer ângulo com o denominador 4 tem a qualidade de ter os dois catetos com comprimento igual: $\frac{\sqrt{2}}{2}$.

Descobrindo o ângulo de referência para determinar os ângulos no círculo unitário

Uma equação trigonométrica simples tem uma função trigonométrica em um lado e um valor do outro. As equações trigonométricas mais fáceis de trabalhar são as que têm um valor no círculo unitário, pois as soluções vêm de dois triângulos retângulos especiais. Mas nesta seção você encontrará soluções para essas equações expressas em radianos, não em graus, só para manter a consistência (não se preocupe, embora as unidades usadas para medir os ângulos sejam diferentes, os comprimentos dos lados ainda são iguais). Os radianos mostram relações claras entre cada uma das famílias no círculo unitário (veja a seção anterior) e são úteis ao encontrar um ângulo de referência para determinar as soluções (os radianos também são as unidades usadas ao desenhar funções trigonométricas, tratadas no Capítulo 8).

LEMBRE-SE

Em algum momento no passado, pode ter sido pedido que você resolvesse uma equação algébrica como $3x^2 - 1 = 26$. Você aprendeu a isolar a variável usando as operações inversas. Agora é pedido que faça o mesmo com as equações trigonométricas em uma tentativa de encontrar o valor da variável (que agora é o ângulo) que torna a equação verdadeira. Depois de encontrar tal ângulo, use-o como o *ângulo de referência* para encontrar os outros ângulos no círculo unitário que também funcionarão na equação. Em geral, é possível encontrar dois, mas pode haver um, mais de dois ou nenhum.

DICA

Você pode usar seu conhecimento sobre funções trigonométricas para fazer uma boa adivinhação sobre quantas soluções uma equação pode ter. Se ela tem valores de seno ou cosseno que são maiores que 1 ou menores que –1, por exemplo, a equação não tem solução.

Usando um ângulo de referência para encontrar o(s) ângulo(s) da solução

PAPO DE ESPECIALISTA

Ao usar ângulos de referência, θ' (teta linha) é o nome dado ao ângulo de referência, e θ é a solução real da equação, portanto, você pode encontrar soluções usando as seguintes regras do quadrante, como na Figura 7-14:

» **QI:** $\theta = \theta'$ porque os ângulos de referência e da solução são iguais.

» **QII:** $\theta = \pi - \theta'$ porque θ é menor que π por qualquer que seja o ângulo de referência.

» **QIII:** $\theta = \pi + \theta'$ porque o ângulo é maior que π.

» **QIV:** $\theta = 2\pi - \theta'$ porque θ é menor que um círculo completo por qualquer que seja o ângulo de referência.

FIGURA 7-14: Encontrando o ângulo de solução, dado um ângulo de referência.

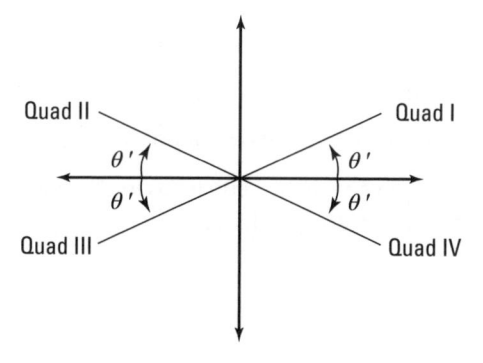

Quando vemos uma equação trigonométrica que pede para determinar uma variável desconhecida, seguimos de trás para a frente a partir do que é dado para chegarmos a uma solução que faça sentido. Essa solução deve estar na forma de uma medição do ângulo, e o local do ângulo deve estar no quadrante correto. É útil conhecer o círculo unitário aqui porque pensaremos nos ângulos que atendem aos requisitos da equação dada.

Suponha que seja pedido para resolver $2\cos x = 1$. Para tanto, você precisa pensar sobre quais ângulos no círculo unitário têm valores de cosseno iguais a 1 quando multiplicados por 2. Siga estas etapas:

1. **Isole a função trigonométrica em um lado.**

   Você determina o cos x dividindo os dois lados por 2: $\cos x = \frac{1}{2}$.

2. **Determine em quais quadrantes estão suas soluções.**

   Lembrando que cosseno é o valor de x das coordenadas no círculo unitário (veja a seção anterior "Encontrando valores para seis funções trigonométricas"), desenhe quatro triângulos, em um cada quadrante, com os catetos do eixo x identificados com $\frac{1}{2}$. A Figura 7-15 mostra os quatro triângulos.

   Os dois triângulos à esquerda têm um valor $-\frac{1}{2}$ para o cateto horizontal, não $\frac{1}{2}$. Portanto, você pode eliminá-los. Suas soluções estão nos quadrantes I e IV.

3. **Preencha os valores restantes dos catetos para cada triângulo.**

   Você já marcou os catetos do eixo x. Com base no seu conhecimento sobre o círculo unitário e os triângulos especiais, sabe que o lado paralelo ao eixo y tem de ser $\frac{\sqrt{3}}{2}$ e que a hipotenusa é 1. A Figura 7-16 mostra os dois triângulos identificados.

4. **Determine o ângulo de referência.**

   Nos triângulos retângulos especiais, um comprimento do lado $\frac{1}{2}$ é o cateto menor de um triângulo retângulo de $30°$, $60°$ e $90°$. Assim, o cosseno (ou a parte no eixo x) é o cateto menor, e o cateto vertical é o maior. Então, o vértice do ângulo no centro do círculo unitário mede $60°$, resultando no ângulo de referência de $\frac{\pi}{3}$.

5. Expresse as soluções na forma padrão.

O ângulo de referência é $\theta' = \dfrac{\pi}{3}$. A solução do primeiro quadrante é igual ao ângulo de referência $\theta = \dfrac{\pi}{3}$, e a do quarto é $\theta = 2\pi - \theta' = 2\pi - \dfrac{\pi}{3} = \dfrac{5\pi}{3}$. Pare aqui, pois você só encontra soluções entre 0 e 2π.

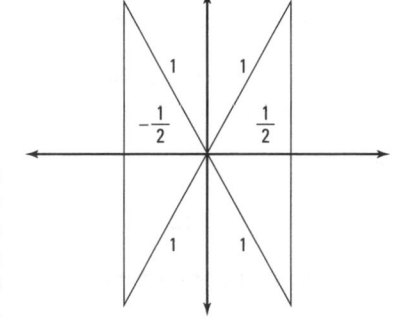

FIGURA 7-15: Os quatro triângulos ajudam a localizar as soluções.

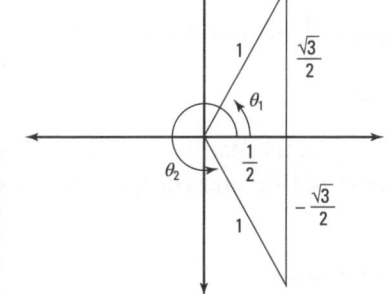

FIGURA 7-16: Dois triângulos da solução no círculo unitário.

Combinando ângulos de referência com outras técnicas de solução

Você pode incorporar os ângulos de referência (veja a seção anterior) em outras técnicas do pré-cálculo para resolver equações trigonométricas. Uma dessas técnicas é a fatoração. Você fatora desde a álgebra (e o Capítulo 5), portanto, o processo não deve ser novo. Quando vir uma equação igual a 0 e uma função trigonométrica ao quadrado, ou quando tiver duas funções trigonométricas diferentes sendo multiplicadas juntas, deverá usar a fatoração para obter primeiro a solução. Depois de fatorar, use a propriedade do produto zero (veja o Capítulo 1) para definir cada fator para ser igual a 0, depois resolva separadamente.

Tente resolver um exemplo que envolve a fatoração de um trinômio, $2\operatorname{sen}^2 x + \operatorname{sen} x - 1 = 0$, usando as seguintes etapas:

1. Deixe uma variável igual à razão trigonométrica e reescreva a equação para simplificar.

Deixe $u = \operatorname{sen} x$ e reescreva a equação como $2u^2 + u - 1 = 0$.

2. Verifique para ter certeza de que a equação fatora.

Lembre-se sempre de verificar primeiro o maior fator comum. Consulte as informações de fatoração no Capítulo 5.

3. Fatore o polinômio quadrático.

A equação $2u^2 + u - 1 = 0$ fatora como $(u+1)(2u-1) = 0$.

4. Volte as variáveis para as funções trigonométricas.

Reescrever a equação trigonométrica fatorada resulta em $(\operatorname{sen} x + 1)(2\operatorname{sen} x - 1) = 0$.

5. Use a propriedade do produto zero para determinar.

Se $\operatorname{sen} x = -1$, $x = \frac{3\pi}{2}$; se $\operatorname{sen} x = \frac{1}{2}$, então $x = \frac{\pi}{6}$ e $x = \frac{5\pi}{6}$.

São as únicas soluções entre 0 e 2π.

Às vezes, é preciso calcular a raiz quadrada dos dois lados para resolver uma função trigonométrica. Por exemplo, se tiver uma equação como $4\operatorname{sen}^2 x - 3 = 0$, siga estas etapas:

1. Isole a expressão trigonométrica.

Para $4\operatorname{sen}^2 x - 3 = 0$, adicione 3 a cada lado e divida por 4 nos dois lados para obter $\operatorname{sen}^2 x = \frac{3}{4}$.

2. Calcule a raiz quadrada dos dois lados.

Não se esqueça de calcular as raízes quadradas positivas e negativas, que resultam em $\operatorname{sen} x = \pm \frac{\sqrt{3}}{2}$.

3. **Resolva para encontrar o ângulo de referência.**

   O seno de *x* é positivo e negativo para este exemplo, significando que as soluções, ou os ângulos, estão nos quatro quadrantes. As soluções positivas estão nos quadrantes I e II, e as negativas estão nos quadrantes III e IV. Use o ângulo de referência no quadrante I para orientar todas as quatro soluções.

   Se $\text{sen} x = \frac{\sqrt{3}}{2}$, o valor de *y* no primeiro quadrante é o cateto maior do triângulo de $30°$, $60°$ e $90°$. Portanto, o ângulo de referência é $\frac{\pi}{3}$.

4. **Determine as soluções.**

   Use o ângulo de referência para encontrar as quatro soluções entre 0 e 2π: $x = \frac{\pi}{3}$, $x = \frac{2\pi}{3}$, $x = \frac{4\pi}{3}$, $x = \frac{5\pi}{3}$.

   Note que duas dessas soluções vieram do valor com sinal positivo, e duas, do negativo.

Medindo Arcos: Quando o Círculo Entra em Movimento

É importante saber como calcular a circunferência de um círculo e, por sua vez, o comprimento de um *arco* (uma parte da circunferência), porque é possível usar essa informação para analisar o movimento de um objeto no círculo.

Um arco pode vir de um *ângulo central*, que é um ângulo cujo vértice está no centro do círculo. Podemos medir um arco de dois modos diferentes:

» **Como um ângulo:** A medida de um arco em graus ou radianos é igual à medida do ângulo central que o corta.

» **Como um comprimento:** O comprimento de um arco é diretamente proporcional à circunferência do círculo e depende do ângulo central e do raio do círculo.

Se você se lembra da geometria, sabe que a fórmula para a circunferência de um círculo é $C = 2\pi r$, com *r* representando o raio. Também se lembra de que um círculo tem $360°$ ou 2π radianos. Portanto, se precisar encontrar o comprimento de um arco, será necessário descobrir qual parte da circunferência completa (ou qual fração) está vendo.

PAPO DE ESPECIALISTA — Use a seguinte fórmula para calcular o comprimento do arco; θ representa a medida do ângulo em graus, e s representa o comprimento do arco, como mostrado na Figura 7-17:

$$s = \frac{\theta}{360} \cdot 2\pi r$$

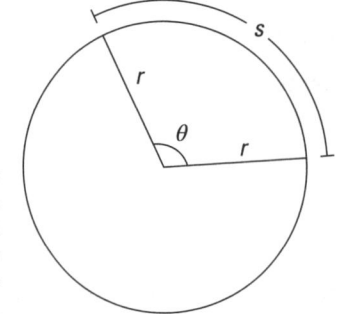

FIGURA 7-17: As variáveis envolvidas ao calcular o comprimento do arco.

Se o ângulo dado está em radianos, 2π cancela, e o comprimento do arco é

$$s = \frac{\theta}{2\pi} \cdot 2\pi r = \theta r$$

É hora de um exemplo. Para encontrar o comprimento de um arco com ângulo medindo 40°, caso o círculo tenha um raio 10, use as seguintes etapas:

1. **Atribua os nomes da variável aos valores no problema.**

    Aqui o ângulo mede 40°, que é θ. O raio é 10, que é r.

2. **Coloque os valores conhecidos na fórmula.**

    Essa etapa resulta em

    $$s = \frac{40}{360} \cdot 2\pi(10)$$

3. **Simplifique para resolver a fórmula.**

    Primeiro você obtém $s = \frac{1}{9} \cdot 20\pi$ ou $s = \frac{20\pi}{9}$

A Figura 7-18 mostra como fica o arco.

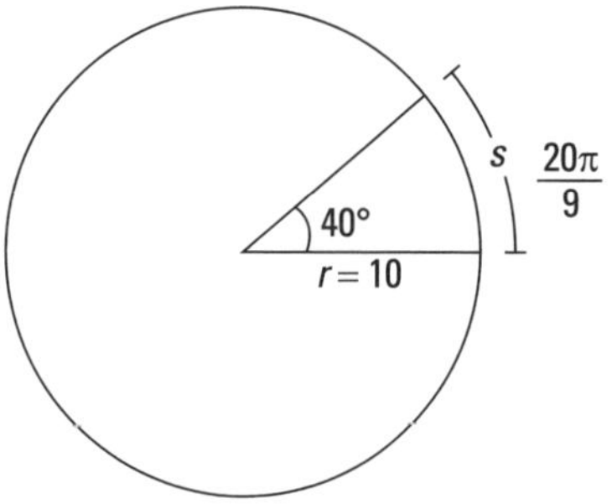

FIGURA 7-18: O comprimento do arco para um ângulo medindo 40°.

Agora experimente um problema diferente. Encontre a medida do ângulo central de um círculo, em radianos, com um comprimento de arco 28π e raio 16. Dessa vez, você deve determinar θ (a fórmula é $s = \theta r$ ao lidar com radianos):

1. **Coloque o que você sabe na fórmula do radiano.**

   Isso resulta em $28\pi = \theta \cdot 16$.

2. **Divida os dois lados por 16.**

   Sua fórmula fica assim:

   $$\frac{28\pi}{16} = \frac{\theta \cdot 16}{16}$$

3. **Simplifique a fração.**

   $$\frac{^7\cancel{28}\pi}{_4\cancel{16}} = \frac{\theta \cdot \cancel{16}}{\cancel{16}}$$

   A solução é:

   $$\theta = \frac{7\pi}{4}$$

NESTE CAPÍTULO

» Plotando e transformando gráficos modelo do seno e do cosseno

» Representando e mudando tangente e cotangente

» Desenhando e alterando secante e cossecante

Capítulo **8**

Simplificando o Gráfico e a Transformação das Funções Trigonométricas

"Desenhe a função trigonométrica..." Esse comando dá calafrios na espinha de muitos alunos corajosos de Matemática. Mas não há nada a temer, pois desenhar funções pode ser fácil. É só uma questão de inserir o valor x (do domínio) no lugar da variável da função e resolver a equação para obter o valor y (no intervalo). Você continua com o cálculo até ter pontos suficientes para plotar. Quando é o suficiente? Quando o gráfico tem uma linha clara, raio, curva ou o que você tiver.

Você lidou com funções antes em Matemática, mas até o momento, a entrada de uma função geralmente era x. Mas nas funções trigonométricas, a entrada da função normalmente é θ, que é apenas outra variável usada, mas indica uma medida do ângulo. Este capítulo mostra como desenhar as funções trigonométricas usando diversos valores para θ. Começo com os *gráficos modelo*, a base sobre a qual todos os outros gráficos são construídos. Desse ponto, é possível dilatar um gráfico da função trigonométrica, movê-lo no plano cartesiano ou virá-lo e contraí-lo. Tudo isso é tratado neste capítulo.

LEMBRE-SE

No Capítulo 7, você usou dois modos de medir os ângulos: graus e radianos. Para sua sorte, agora focará apenas os radianos ao desenhar as funções trigonométricas. Os matemáticos, na maioria das vezes, desenhavam em radianos ao trabalhar com as funções trigonométricas, e essa apresentação continuará a tradição, até que alguém proponha um modo melhor, claro.

Traçando os Gráficos Modelo do Seno e do Cosseno

As funções trigonométricas, sobretudo o seno e o cosseno, mostraram sua utilidade no último capítulo. Após colocá-las no microscópio, agora você está pronto para começar a desenhá-las. Como nas funções modelo nos Capítulos 3 e 4, depois de descobrir a forma básica dos gráficos do seno e do cosseno, é possível começar a desenhar versões mais complicadas, usando as mesmas transformações descobertas no Capítulo 4:

» Transformações vertical e horizontal

» Translações vertical e horizontal

» Reflexões vertical e horizontal

Saber como desenhar funções trigonométricas permite medir o movimento dos objetos que vão para a frente e para trás, ou para cima e para baixo, em um intervalo regular, como os pêndulos. Seno e cosseno como funções são modos perfeitos de expressar esse tipo de movimento, pois seus gráficos são repetitivos e oscilam (como uma onda). As próximas seções mostram isso.

Traçando o seno

Os gráficos do seno se movem em ondas. Essas ondas sobem e descem infinitamente, porque você pode continuar colocando valores para θ para sempre. Nesta seção, veremos como construir um gráfico modelo para a função seno, $f(\theta) = \text{sen}\,\theta$ (para saber mais sobre os gráficos modelo, consulte os Capítulos 3 e 4).

DICA

Como todos os valores da função seno vêm do círculo unitário, você deve estar bem à vontade e habituado com ele antes de prosseguir com esse trabalho. Se não, consulte o Capítulo 7 para lembrar.

Você pode desenhar qualquer função trigonométrica em quatro ou cinco etapas. Veja como construir o gráfico da função modelo $f(\theta) = \operatorname{sen}\theta$:

1. **Encontre os valores do domínio e do intervalo.**

   LEMBRE-SE

   Não importa o que você coloca na função seno, obterá um número como a saída, porque as medidas do ângulo de θ podem girar no círculo unitário em qualquer direção um número infinito de vezes. Portanto, o domínio do seno são todos os números reais ou $(-\infty, \infty)$.

   No círculo unitário, os valores de *y* são os valores do seno, o que você obtém depois de colocar o valor de θ na função seno. Como o raio do círculo é 1, os valores de *y* não podem ser maiores que 1 ou menores que 1 negativo, isto é, o intervalo da função seno. Portanto, na direção *x*, a onda (ou *senoide* em linguagem matemática) continua para sempre e na direção de *y*, a senoide oscila entre –1 e 1, incluindo esses valores. Na notação de intervalo, é escrito como [–1, 1].

2. **Calcule os interceptos-*x* do gráfico.**

   Quando você desenhou retas em Álgebra, os interceptos-*x* ocorreram quando $y = 0$. Nesse caso, a função seno fornece o valor de *y*. Descubra onde o gráfico cruza o eixo *x* encontrando os valores do círculo unitário onde o seno é 0. Em um giro completo, o gráfico cruza o eixo *x* três vezes: uma vez em 0, outra vez em π, e uma terceira em 2π. Agora você sabe que três dos pontos da coordenada são $(0, 0)$, $(\pi, 0)$ e $(2\pi, 0)$. Essas são os interceptos-*x*.

3. **Calcule os pontos máximo e mínimo do gráfico.**

   Para concluir a etapa, use seu conhecimento de intervalo da Etapa 1. Você sabe que o valor mais alto de *y* é 1. Onde isso acontece? Em $\frac{\pi}{2}$. Agora, há outro ponto da coordenada em $\left(\frac{\pi}{2}, 1\right)$. Também é possível ver que o valor mais baixo de *y* é –1, quando *x* é $\frac{3\pi}{2}$. Daí, você tem outro ponto da coordenada: $\left(\frac{3\pi}{2}, -1\right)$.

4. **Trace o gráfico da função.**

   Usando os cinco pontos principais como guia, conecte-os com uma curva suave e arredondada. A Figura 8-1 mostra aproximadamente o gráfico modelo do seno.

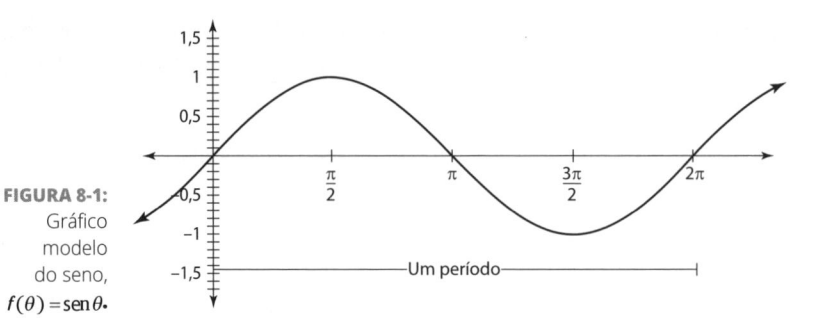

FIGURA 8-1:
Gráfico modelo do seno, $f(\theta) = \operatorname{sen}\theta$.

LEMBRE-SE

O gráfico modelo da função seno tem algumas caraterísticas importantes que vale a pena vermos:

» **Ele se repete a cada 2π radianos.** Essa repetição ocorre porque 2π radianos correspondem a uma volta no círculo unitário, chamado de *período* do gráfico do seno, e depois, você inicia outra volta. Em geral, é pedido para desenhar o gráfico para mostrar um período da função, pois nesse período você captura todos os possíveis valores do seno antes de ele começar a se repetir mais uma vez. O gráfico do seno é chamado de *periódico*, por causa desse padrão de repetição.

» **É simétrico na origem (assim, no jargão da Matemática, é uma *função ímpar*).** A função seno tem simetria do ponto $180°$ na origem. Se você virar de cabeça para baixo, o gráfico será exatamente igual. A definição oficial da Matemática de uma *função ímpar* é $f(-x) = -f(x)$ para cada valor de *x* no domínio, ou seja, se você colocar uma entrada oposta, terá uma saída oposta. Por exemplo, $\operatorname{sen}\frac{\pi}{6} = \frac{1}{2}$, mas se vir $\operatorname{sen}\left(-\frac{\pi}{6}\right)$, obterá $-\frac{1}{2}$.

Vendo o cosseno

O gráfico modelo do cosseno é muito parecido com o gráfico da função seno, mas tem seu próprio brilho (como gêmeos fraternos?). Os gráficos do cosseno seguem o mesmo padrão básico e têm a mesma forma básica dos gráficos do seno; a diferença está nos pontos de máximo, mínimo e no intercepto-*x*. Os extremos ocorrem em pontos diferentes nos domínios do seno e do cosseno, ou valores de *x*, $\frac{1}{4}$ de um período distante um do outro. Assim, os dois gráficos das duas funções são deslocamentos de $\frac{1}{4}$ entre os períodos.

Assim como no gráfico do seno, use os cinco pontos principais das funções trigonométricas para obter o gráfico modelo da função cosseno. Se necessário, você pode consultar o círculo unitário para obter os valores do cosseno para iniciar (veja o Capítulo 7). Conforme trabalhar mais com essas funções, sua dependência do círculo unitário deverá diminuir até finalmente não precisar mais dele. Veja as etapas:

1. **Encontre os valores do domínio e do intervalo.**

    Como nos gráficos do seno (veja a seção anterior), o domínio do cosseno são todos os números reais, e seu intervalo é $-1 < y < 1$ ou $[-1, 1]$.

2. **Calcule os interceptos-x no gráfico.**

    Consultando o círculo unitário, encontre onde o gráfico cruza o eixo x encontrando os valores 0 do círculo unitário. Ele cruza o eixo x duas vezes: uma vez em $\frac{\pi}{2}$, e depois em $\frac{3\pi}{2}$. Esses cruzamentos dão os dois pontos da coordenada: $\left(\frac{\pi}{2}, 0\right)$ e $\left(\frac{3\pi}{2}, 0\right)$.

3. **Calcule os pontos máximo e mínimo do gráfico.**

    Usando seu conhecimento de intervalo para o cosseno na Etapa 1, você sabe que o valor mais alto que y pode ter é 1, que ocorre duas vezes para o cosseno em um período, ou seja, uma vez em 0 e outra em 2π (veja a Figura 8-2), resultando em dois máximos: (0, 1) e $(2\pi, 1)$. O valor mínimo que y pode ser é -1, que ocorre em π. Agora você tem outro par de coordenadas em $(\pi, -1)$.

4. **Trace o gráfico da função.**

    A Figura 8-2 mostra o gráfico modelo completo do cosseno com os cinco pontos principais plotados.

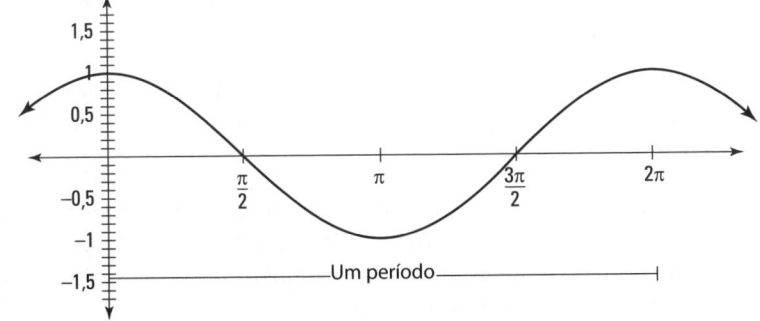

FIGURA 8-2: Gráfico modelo do cosseno, $f(\theta) = \cos\theta$.

LEMBRE-SE

O gráfico modelo do cosseno tem algumas características que vale a pena vermos:

» **Ele se repete a cada 2π radianos.** Essa repetição significa que é uma função periódica, portanto, suas ondas sobem e descem no gráfico (veja a seção anterior para ter uma explicação completa).

» **É simétrico no eixo y (no jargão da Matemática, é uma *função par*).**
Diferente da função seno, que tem uma simetria de $180°$, o cosseno tem uma simetria do eixo y, ou seja, é possível dobrar o gráfico na metade no eixo y, e ele coincidirá exatamente. A definição formal de uma função par é $f(x) = f(-x)$; se você colocar a entrada oposta, obterá a mesma saída. Por exemplo,

$$\cos\left(\frac{\pi}{6}\right) = \frac{\sqrt{3}}{2} \quad \text{e} \quad \cos\left(-\frac{\pi}{6}\right) = \frac{\sqrt{3}}{2}$$

Mesmo que o sinal de entrada tenha mudado, o sinal de saída ficou igual. Isso sempre acontece com o cosseno de qualquer valor θ e seu oposto.

Desenhando Tangente e Cotangente

Os gráficos das funções tangente e cotangente são um pouco parecidos, mas bem diferentes dos gráficos do seno e do cosseno. Como você descobriu na seção anterior, os gráficos do seno e do cosseno são muito parecidos entre si em forma e tamanho. Mas ao dividir uma dessas funções pela outra, o gráfico criado não se parece nada com os gráficos de origem (a tangente é definida como $\frac{\text{sen}\theta}{\cos\theta}$, e a cotangente é $\frac{\cos\theta}{\text{sen}\theta}$).

Os gráficos da tangente e da cotangente podem ser um pouco desafiadores, mas você consegue dominá-los com prática. A parte mais difícil é devido ao fato de que ambos têm assíntotas, o que acontece sempre com as funções racionais (veja o Capítulo 3).

LEMBRE-SE

O gráfico da tangente tem uma assíntota em que o cosseno é 0, e o gráfico da cotangente tem uma em que o seno é 0. Manter essas assíntotas separadas ajuda a desenhar os gráficos.

As funções da tangente e da cotangente têm gráficos modelos como qualquer outra. Usando seus gráficos, você pode fazer as mesmas transformações que se aplicam aos gráficos modelo de qualquer função. As seções a seguir plotam os gráficos da tangente e da cotangente.

Resolvendo a tangente

DICA

O modo mais fácil de saber como desenhar a função tangente é lembrar que $tg\theta = \dfrac{sen\theta}{cos\theta}$ (veja o Capítulo 7 para revisar).

Como $cos\theta = 0$ para diversos valores de θ, acontecem algumas coisas interessantes no gráfico da tangente. Quando o denominador de uma fração é 0, a fração é *indefinida*. Portanto, o gráfico da tangente pula uma assíntota, que é onde a função é indefinida, em cada um desses lugares.

A Tabela 8-1 apresenta θ, $sen\theta$, $cos\theta$ e $tg\theta$. Ela mostra as raízes (ou zeros), as assíntotas (onde a função é indefinida) e o comportamento do gráfico entre certos pontos principais no círculo unitário.

TABELA 8-1 Descobrindo Onde a Tg θ É Indefinida

θ	0	$0 < \theta < \dfrac{\pi}{2}$	$\dfrac{\pi}{2}$	$\dfrac{\pi}{2} < \theta < \pi$	π	$\pi < \theta < \dfrac{3\pi}{2}$	$\dfrac{3\pi}{2}$	$\dfrac{3\pi}{2} < \theta < 2\pi$	2π
$sen\theta$	0	positivo	1	positivo	0	negativo	–1	negativo	0
$cos\theta$	1	positivo	0	negativo	–1	negativo	0	positivo	1
$tg\theta$	0	positiva	indefinida	negativa	0	positiva	indefinida	negativa	0

Para plotar o gráfico modelo de uma função tangente, comece encontrando as assíntotas verticais. Essas assíntotas fornecem uma estrutura a partir da qual você pode preencher os pontos ausentes.

1. Encontre as assíntotas verticais para poder encontrar o domínio.

Para encontrar o domínio da função tangente, é preciso localizar as assíntotas verticais. A primeira assíntota ocorre quando $\theta = \dfrac{\pi}{2}$, e se repete a cada π radiano (veja o círculo unitário no Capítulo 7). (Nota: O período do gráfico da tangente é π radiano, que é diferente do seno e do cosseno.) Entre 0 e 2π, a função tangente tem assíntotas quando $\theta = \dfrac{\pi}{2}$ e $\theta = \dfrac{3\pi}{2}$.

DICA

O modo mais fácil de escrever com que frequência as assíntotas ocorrem de novo é descrevendo quando a tangente é indefinida:

$\theta \neq \dfrac{\pi}{2} + n\pi$

onde *n* é um inteiro. Você escreve "+*nπ*" porque o período da tangente é π radiano, portanto, se uma assíntota está em $\frac{\pi}{2}$ e você adiciona ou subtrai π, encontrará automaticamente a próxima assíntota.

2. **Determine os valores do intervalo.**

   Lembre-se de que a função tangente é definida como $\frac{\text{sen}\theta}{\cos\theta}$.

   Ambos os valores podem ser decimais. Quanto mais próximo você chega dos valores em que $\cos\theta = 0$, menor fica o número na parte inferior da fração e maior o valor da fração em geral, na direção positiva ou negativa.

   O intervalo da tangente não tem limites; você não fica preso entre 1 e –1, como no seno e no cosseno. Na verdade, as razões são todo e qualquer número. O intervalo é $(-\infty, \infty)$.

3. **Calcule os interceptos-*x* no gráfico.**

   O gráfico modelo da tangente tem raízes (ele cruza o eixo x) em 0, π e 2π.

   Você pode encontrar esses valores definindo $\frac{\text{sen}\theta}{\cos\theta}$ igual a 0 e resolvendo. Os interceptos-x para o gráfico modelo da tangente estão localizadas onde o valor do seno é 0.

4. **Descubra o que acontece no gráfico entre os interceptos e as assíntotas.**

   O gráfico no primeiro quadrante da tangente é positivo e avança em direção à assíntota em $\frac{\pi}{2}$, porque todos os valores do seno e do cosseno são positivos nesse local. O gráfico no quadrante II é negativo, porque o seno é positivo e o cosseno é negativo. No quadrante III, é positivo, porque seno e cosseno são negativos, e no quadrante IV, é negativo, porque o seno é negativo e o cosseno é positivo.

   Nota: Um gráfico da tangente não tem pontos máximos nem mínimos.

A Figura 8-3 mostra como fica o gráfico modelo da tangente quando você junta tudo.

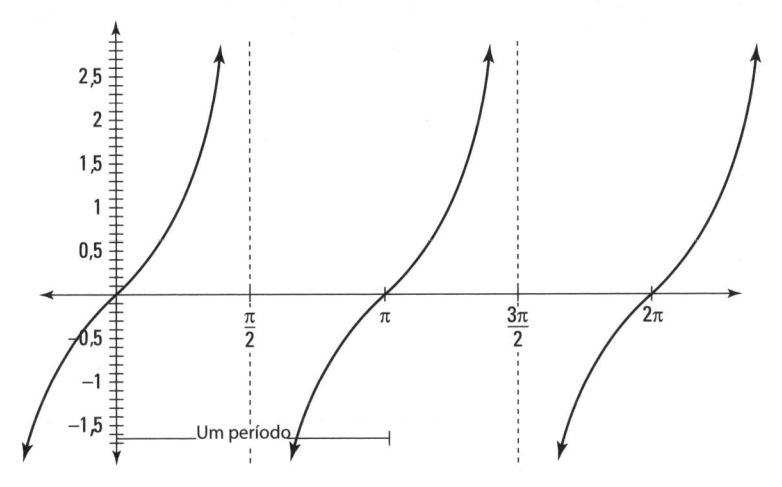

FIGURA 8-3: Gráfico modelo da tangente, $f(\theta)=\text{tg}\theta$.

Explicando a cotangente

Os gráficos modelo do seno e do cosseno são muito parecidos porque os valores são exatamente iguais; eles só ocorrem para valores diferentes de θ. Do mesmo modo, os gráficos modelo da tangente e da cotangente se comparam porque ambos têm assíntotas e interceptos-x. As únicas diferenças que podem ser vistas entre a tangente e a cotangente são os valores de θ, onde ocorrem as assíntotas e os interceptos-x. Você pode encontrar o gráfico modelo da função cotangente,

$$\text{cotg}\,\theta = \frac{\cos\theta}{\text{sen}\,\theta}$$

usando as mesmas técnicas utilizadas para encontrar o gráfico modelo da tangente (veja a seção anterior).

DICA

A Tabela 8-2 mostra θ, $\cos\theta$, $\text{sen}\,\theta$ e $\text{cotg}\,\theta$, para que você possa ver os interceptos-x e as assíntotas comparando-as. Esses pontos ajudam a encontrar a forma geral do gráfico para ter um belo começo.

TABELA 8-2 **Identificando Onde a Cotg θ É Indefinida**

θ	0	$0 < \theta < \frac{\pi}{2}$	$\frac{\pi}{2}$	$\frac{\pi}{2} < \theta < \pi$	π
$\cos\theta$	1	positivo	0	negativo	−1
senθ	0	positivo	1	positivo	0
cotgθ	indefinido	positivo	0	negativo	indefinido
θ		$\pi < \theta < \frac{\sqrt{3}\pi}{2}$	$\frac{\sqrt{3}\pi}{2}$	$\frac{\sqrt{3}\pi}{2} < \theta < 2\pi$	2π
$\cos\theta$		negativo	0	positivo	1
senθ		negativo	−1	negativo	0
cotgθ		positivo	0	negativo	indefinido

Para traçar o gráfico modelo completo da cotangente, siga estas etapas:

1. **Encontre as assíntotas verticais para poder encontrar o domínio.**

Como a cotangente é o quociente do cosseno dividido pelo seno e senθ às vezes é 0, o gráfico da função cotangente tem assíntotas, como a tangente, mas elas ocorrem sempre que sen$\theta = 0$. As assíntotas da cotgθ estão em 0, π e 2π.

O gráfico modelo da cotangente se repete a cada π unidades. Seu domínio está baseado nas assíntotas verticais: a primeira ocorre em 0, depois se repete a cada π radiano. O domínio é tudo, menos $\theta \neq n\pi$, em que n é um inteiro.

2. **Encontre os valores do intervalo.**

Parecida com a função tangente, você pode definir a cotangente como

$\frac{\cos\theta}{\text{sen}\theta}$

Os dois valores podem ser decimais. O intervalo da cotangente também não tem restrições; as razões são todo e qualquer número — $(-\infty, \infty)$. Quanto mais próximo você chegar dos valores em que sen$\theta = 0$, menor o número na parte inferior da fração e maior o valor da fração em geral, na direção positiva ou negativa.

3. **Determine os interceptos-x.**

   As raízes (ou zeros) da cotangente entre 0 e 2π ocorrem onde o valor do cosseno é 0: em $\frac{\pi}{2}$ e $\frac{3\pi}{2}$.

4. **Avalie o que acontece no gráfico entre os interceptos-x e as assíntotas.**

   Os valores positivo e negativo nos quatro quadrantes ficam iguais como na tangente, mas as assíntotas mudam o gráfico. Você pode ver o gráfico modelo completo para a cotangente na Figura 8-4.

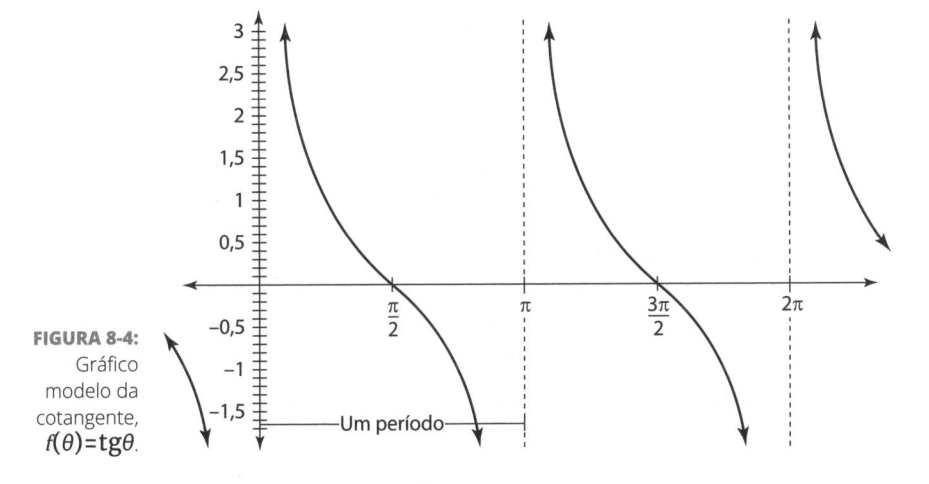

FIGURA 8-4: Gráfico modelo da cotangente, $f(\theta)=\text{tg}\theta$.

Desenhando Secante e Cossecante

Como na tangente e na cotangente, os gráficos da secante e cossecante têm assíntotas porque

$$\sec\theta = \frac{1}{\cos\theta} \quad \text{e} \quad \text{cossec}\,\theta = \frac{1}{\text{sen}\,\theta}$$

Seno e cosseno têm valores 0, fazendo com que os denominadores sejam 0 e as funções tenham assíntotas. Essas considerações são importantes ao plotar os gráficos modelo, que veremos nas próximas seções.

Desenhando a secante

A secante é definida como

$$\sec\theta = \frac{1}{\cos\theta}$$

Você pode desenhá-la usando as etapas parecidas com as seções da tangente e da cotangente.

LEMBRE-SE

O gráfico do cosseno cruza o eixo x no intervalo $[0,2\pi]$ em dois lugares, portanto, o gráfico da secante tem duas assíntotas, que dividem o intervalo do período em três seções menores. O gráfico modelo da secante não tem nenhum intercepto-x (é difícil encontrar uma em qualquer gráfico transformado, portanto, em geral, não é pedido).

Siga estas etapas para desenhar o gráfico modelo da secante:

1. **Encontre as assíntotas do gráfico da secante.**

   Como a secante é a recíproca do cosseno (veja o Capítulo 7), qualquer lugar no gráfico do cosseno onde o valor é 0 cria uma assíntota no gráfico da secante (e qualquer ponto com 0 no denominador é indefinido). Encontrar esses pontos primeiro ajuda a definir o resto do gráfico. O gráfico do cosseno tem valores 0 em $\frac{\pi}{2}$ e $\frac{3\pi}{2}$. Portanto, o gráfico da secante tem assíntotas nesses mesmos lugares. A Figura 8-5 mostra o gráfico do $\cos\theta$ e as assíntotas.

2. **Calcule o que acontece no gráfico no primeiro intervalo entre as assíntotas.**

   O período do gráfico modelo do cosseno inicia em 0 e termina em 2π. Você precisa descobrir o que o gráfico faz entre os seguintes pontos:

   - Zero e a primeira assíntota em $\frac{\pi}{2}$.
   - As duas assíntotas no meio.
   - A segunda assíntota e o final do gráfico em 2π.

   Inicie no intervalo $\left(0, \frac{\pi}{2}\right)$. O gráfico do cosseno passa de 1, para valores fracionários até chegar em 0. A secante tem a recíproca de todos esses valores e termina no primeiro intervalo na assíntota. O gráfico fica cada vez mais alto, não o contrário, porque, conforme as frações na função cosseno ficam menores, suas recíprocas na função secante ficam maiores.

3. **Repita a Etapa 2 para o segundo intervalo $\left(\frac{\pi}{2}, \frac{3\pi}{2}\right)$.**

   Se você se referir ao gráfico do cosseno, verá que na metade entre $\frac{\pi}{2}$ e $\frac{3\pi}{2}$ existe um ponto baixo igual a -1. Seu recíproco será o ponto alto do gráfico da secante nesse intervalo. Portanto, o gráfico da secante cai conforme o cosseno se aproxima de 0.

4. **Repita a Etapa 2 para o último intervalo $\left(\frac{3\pi}{2}, 2\pi\right)$.**

   Esse intervalo é uma imagem de espelho do que a acontece no primeiro intervalo.

5. **Encontre o domínio e o intervalo do gráfico.**

   Suas assíntotas são $\frac{\pi}{2}$ e se repetem a cada π, portanto, o domínio da secante, em que n é um inteiro, é θ, exceto que $\theta \neq \frac{\pi}{2} + n\pi$.

   O gráfico existe apenas para os números $y \geq 1$ ou $y \leq -1$. Assim, seu intervalo é $(-\infty, -1] \cup [1, \infty)$.

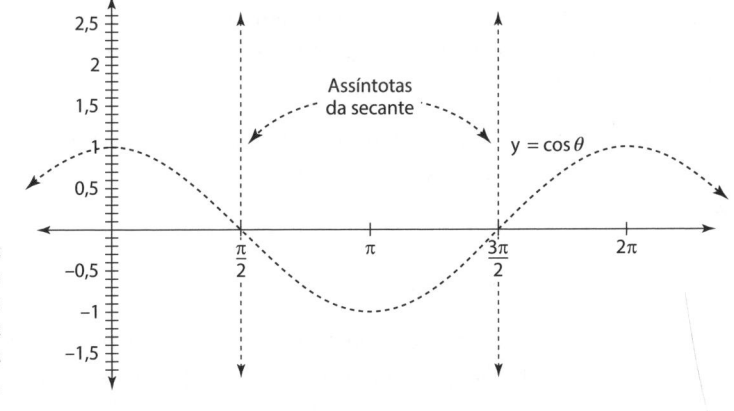

FIGURA 8-5: O gráfico do cosseno mostra as assíntotas da secante.

É possível ver o gráfico modelo na Figura 8-6.

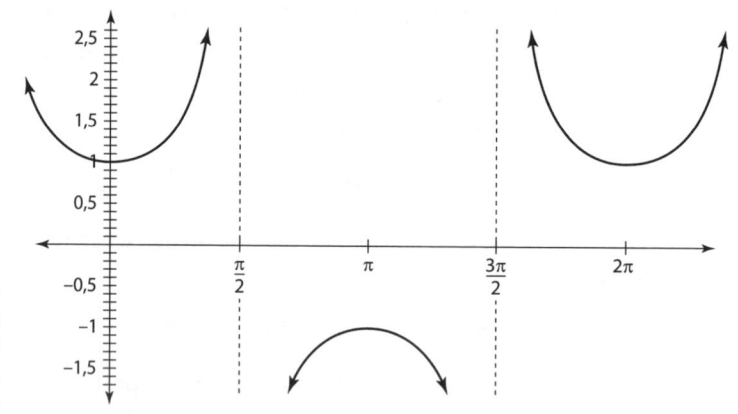

FIGURA 8-6:
Gráfico modelo da secante, $f(\theta) = \sec\theta$.

Examinando a cossecante

A cossecante é quase exatamente igual à secante porque é a recíproca do seno (em oposição ao cosseno). Onde o seno tem um valor 0, vemos uma assíntota no gráfico da cossecante. Como o gráfico do seno cruza o eixo x três vezes no intervalo $[0, 2\pi]$, você tem três assíntotas e dois subintervalos para desenhar.

LEMBRE-SE

O gráfico modelo da função cossecante não tem nenhum intercepto-x, então não precisa procurar por ele.

A lista a seguir explica como desenhar a cossecante:

1. **Encontre as assíntotas do gráfico.**

   Como a cossecante é a recíproca do seno, qualquer lugar no gráfico do seno onde o valor é 0 cria uma assíntota no gráfico da cossecante. O gráfico modelo do seno tem valores 0 em 0, π e 2π. Portanto, a cossecante tem três assíntotas.

2. **Calcule o que acontece no gráfico no primeiro intervalo entre 0 e π.**

   O período do gráfico modelo do seno inicia em 0 e termina em 2π. Você pode descobrir o que o gráfico faz entre a primeira assíntota em 0 e a segunda assíntota em π.

   O gráfico do seno vai de 0 a 1 e volta a descer de novo. A cossecante tem a recíproca desses valores, fazendo o gráfico ficar maior onde os valores do seno são menores.

3. **Repita para o segundo intervalo** $(\pi, 2\pi)$.

   Se você consultar o gráfico do seno, verá que ele vai de 0 a –1, depois volta a subir de novo. Como a cossecante é a recíproca, seu gráfico fica maior na direção negativa conforme se aproxima das assíntotas.

4. **Encontre o domínio e o intervalo do gráfico.**

   As assíntotas da cossecante iniciam em 0 e se repetem a cada π. Seu domínio é $\theta \neq n\pi$, em que n é um inteiro. O gráfico também existe para os números $y \geq 1$ ou $y \leq -1$. Portanto, seu intervalo é $(-\infty, -1] \cup [1, \infty)$.

Veja o gráfico completo de $f(\theta) = \text{cossec}\,\theta$ com sua recíproca senθ na Figura 8-7.

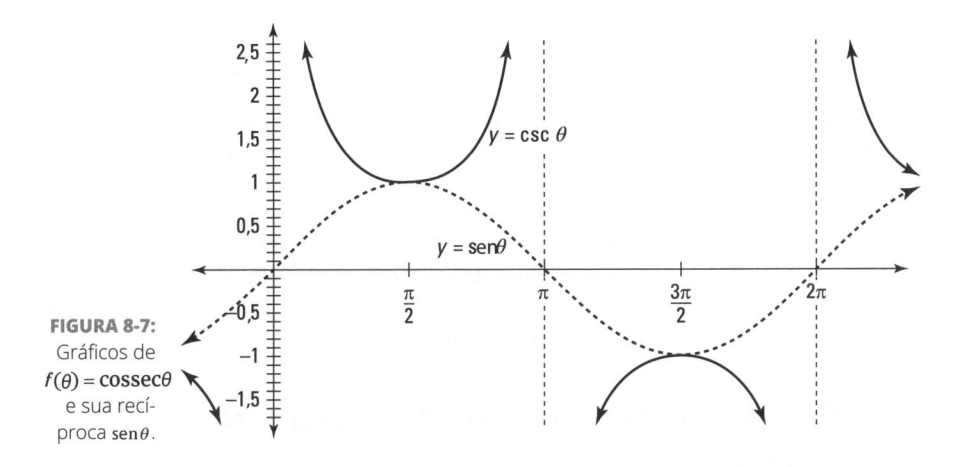

FIGURA 8-7: Gráficos de $f(\theta) = \text{cossec}\,\theta$ e sua recíproca senθ.

Transformando Gráficos Trigonométricos

Os gráficos modelo básicos abrem a porta para gráficos muito mais avançados e interessantes, que basicamente têm mais aplicações reais. Em geral, os gráficos das funções que modelam situações reais são dilatados, contraídos ou até deslocados para um local totalmente diferente no plano cartesiano. A boa notícia é que a *transformação* das funções trigonométricas segue as mesmas diretrizes gerais das transformações vistas no Capítulo 4.

LEMBRE-SE As regras para desenhar funções trigonométricas transformadas são muito simples. Quando for pedido para desenhar uma função trigonométrica mais complicada, pegue o gráfico modelo (que você conhece das seções anteriores) e altere-o de modo a encontrar o gráfico mais complexo. Basicamente, você pode mudar cada gráfico modelo de uma função trigonométrica de quatro modos:

» **Dilatar na vertical** (Ao lidar com o gráfico para as funções do seno e do cosseno, uma transformação vertical muda a altura do gráfico, também conhecida como *amplitude*.)

» **Achatar na horizontal** (Essa transformação faz com que ele se mova mais rápido ou lento, afetando o comprimento horizontal.)

» **Deslocar (fazer translação) para cima, baixo, esquerda ou direita**

» **Refletir no eixo *x* ou *y*, ou alguma outra linha**

As próximas seções cobrem a transformação dos gráficos modelo trigonométricos. Mas antes de prosseguimos, veja se entende bem os gráficos modelo nas seções anteriores.

LEMBRE-SE Um formato geral da transformação de uma função trigonométrica é: $g(\theta) = a \cdot f[p(\theta - h)] + k$, em que g é a função transformada, f é a função modelo trigonométrica, a é a transformação vertical, p é a horizontal, h é o deslocamento horizontal, e k é o vertical.

Lidando com gráficos do seno e do cosseno

Os gráficos do seno e do cosseno lembram uma mola. Se você puxar as extremidades, todos os pontos se distanciam, ou seja, a mola é dilatada. Se empurrar, todos os pontos se aproximam, ou a mola contrai. Portanto, esses gráficos parecem e agem como uma mola, mas essas molas podem ser alteradas na horizontal *e* na vertical; além de puxar ou empurrar as extremidades, você pode tornar a mola maior ou menor. As molas são assim!

Nesta seção, veja como alterar os gráficos modelo do seno e do cosseno usando dilatações e contrações verticais e horizontais. Você também vê como mover o gráfico no plano cartesiano com as translações (que podem ser verticais e horizontais).

Mudando a amplitude

LEMBRE-SE Multiplicar um seno ou um cosseno por uma constante muda o gráfico da função modelo; especificamente, você muda a amplitude do gráfico. Ao medir a altura de um gráfico do seno ou do cosseno, você mede a distância entre o cume máximo e a onda mínima. Bem no meio da medição está uma linha horizontal chamada *eixo senoidal*. *Amplitude* é a medida da distância do eixo senoidal até o ponto máximo ou o mínimo. A Figura 8-8 mostra melhor isso.

FIGURA 8-8: Eixo senoidal e a amplitude de um gráfico da função trigonométrica.

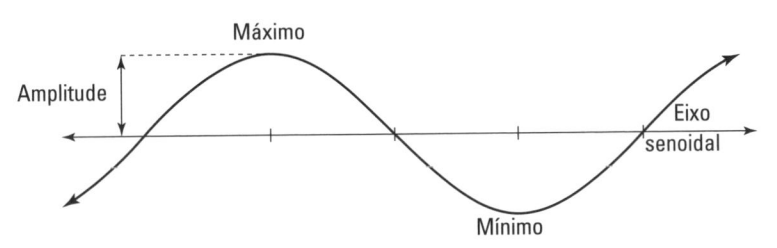

Multiplicando uma função trigonométrica por certos valores, é possível tornar o gráfico maior ou menor:

» **Os valores positivos do multiplicador *a* que são maiores que 1 tornam o gráfico maior.** Basicamente, $2\,\text{sen}\,\theta$ torna o gráfico maior que $\text{sen}\,\theta$; $5\,\text{sen}\,\theta$ o torna ainda maior etc. Por exemplo, se $g(\theta) = 2\,\text{sen}\,\theta$, multiplique a altura do gráfico do seno original por 2 em cada ponto. Assim, cada local no gráfico terá duas vezes o tamanho do original (exceto quando $\text{sen}\,\theta = 0$).

» **Os valores fracionários entre 0 e 1 tornam o gráfico menor.** É possível dizer que $\frac{1}{2}\text{sen}\,\theta$ é menor que $\text{sen}\,\theta$, e $\frac{1}{5}\text{sen}\,\theta$ é ainda menor. Por exemplo, se $h(\theta) = \frac{1}{5}\text{sen}\,\theta$, multiplique a altura do gráfico modelo por $\frac{1}{5}$ em cada ponto, tornando-o muito menor.

A mudança de amplitude afeta o intervalo da função também, pois os valores máximo e mínimo do gráfico mudam. Antes de multiplicar uma função seno ou cosseno por 2, por exemplo, o gráfico oscilava entre −1 e 1; agora ele se move entre −2 e 2.

CUIDADO

Às vezes, você multiplica uma função trigonométrica por um número negativo. Mas tal número não torna a amplitude negativa! Amplitude é uma medida de distância, que não pode ser negativa. Você não caminha −5 metros, não importa o quanto tente. Mesmo que ande para trás, ainda terá se deslocado em 5 metros. Do mesmo modo, se $k(\theta) = -5\,\text{sen}\,\theta$, sua amplitude ainda é 5. O sinal negativo apenas vira o gráfico de cabeça para baixo.

A Figura 8-9 mostra como fica o gráfico do seno depois das transformações. A Figura 8-9a é o gráfico de $f(\theta) = \text{sen}\,\theta$ e $g(\theta) = 2\,\text{sen}\,\theta$; a Figura 8-9b compara $f(\theta) = \text{sen}\,\theta$ com $k(\theta) = -\frac{1}{5}\text{sen}\,\theta$.

FIGURA 8-9: Gráficos das transformações do seno.

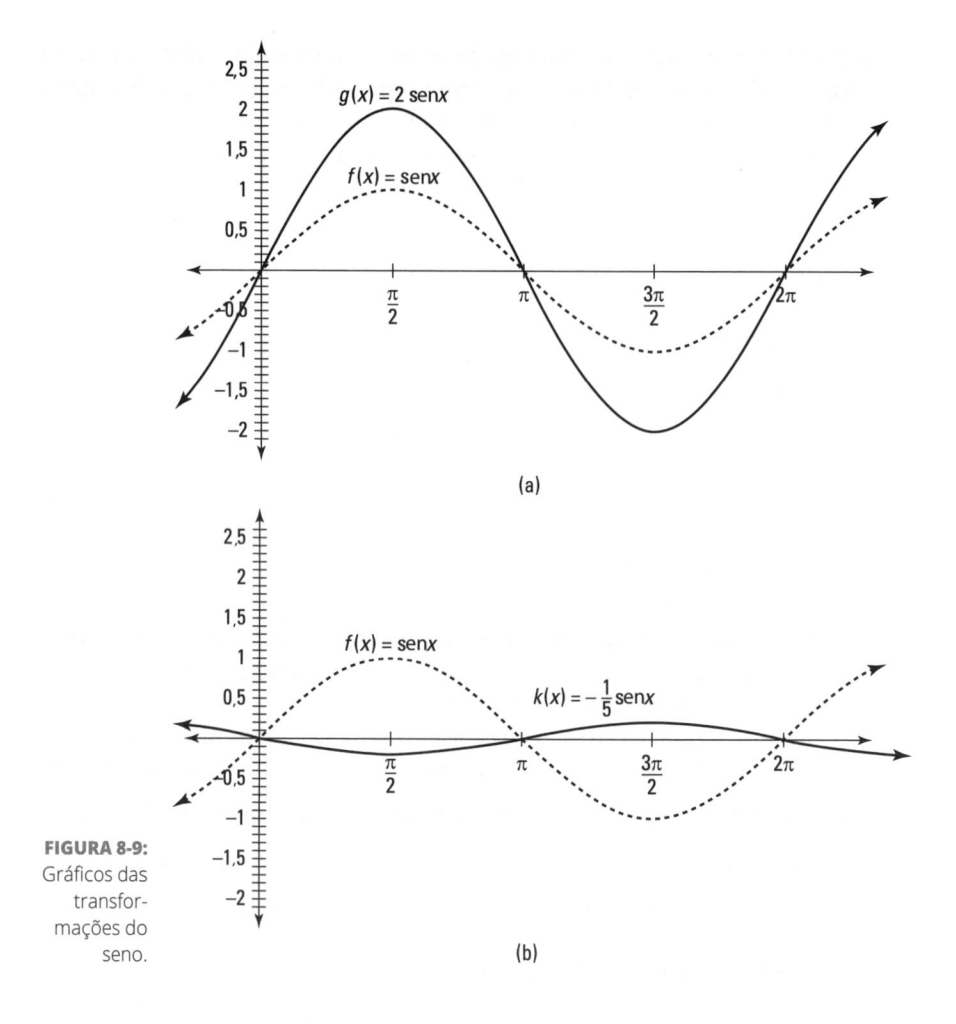

Alterando o período

O *período* dos gráficos modelo do seno e do cosseno é 2π, representando uma volta no círculo unitário (veja a seção anterior "Traçando o seno"). Às vezes, em trigonometria, a variável θ (não a função) é multiplicada por uma constante. Essa ação afeta o período do gráfico da função trigonométrica. Por exemplo, $g(x) = \cos 2x$ faz o gráfico se repetir duas vezes na mesma quantidade de tempo, ou seja, o gráfico se move duas vezes mais rápido. Considere isso como avançar uma música no player. As Figuras 8-10a e 8-10b mostram a função cosseno com várias mudanças de período.

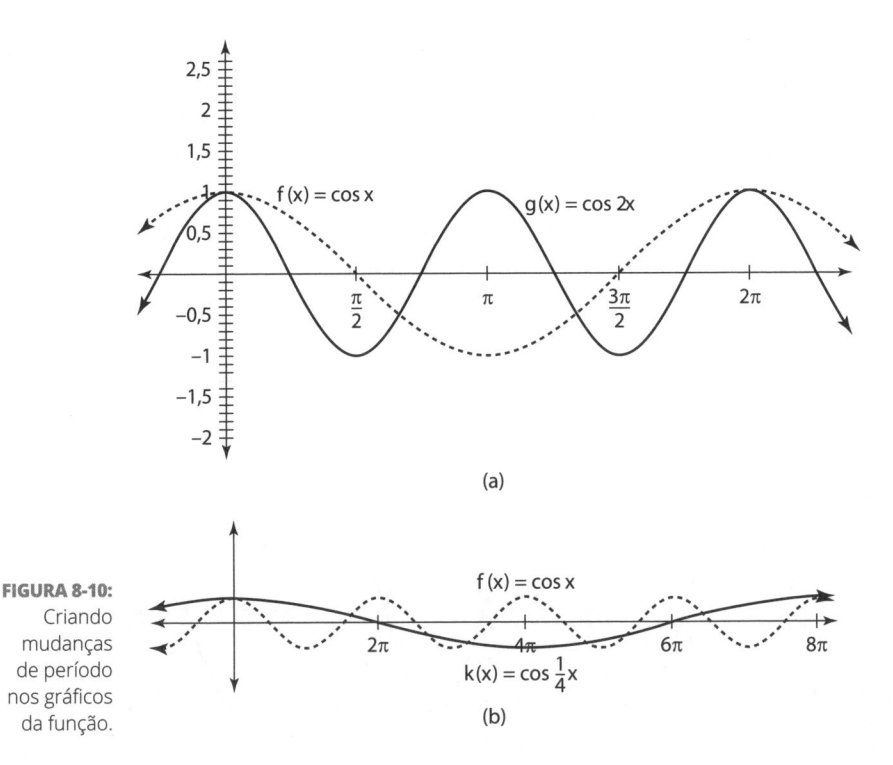

FIGURA 8-10:
Criando mudanças de período nos gráficos da função.

(a)

(b)

Para encontrar o período de $g(x) = \cos 2x$, pense na equação geral para a transformação de uma função, $g(x) = a \cdot f[p(x-h)] + k$. O 2, que substitui p nesse caso, é o que produz a transformação horizontal. Divida o período da função em questão por p. Nesse caso, divida 2π por 2 e terá um período igual a π, assim, o gráfico termina sua viagem em π. Cada ponto ao longo do eixo x também se move com o dobro da velocidade.

O gráfico de uma função trigonométrica pode se mover mais rápido ou mais lentamente com constantes diferentes:

» **Os valores positivos maiores que 1 fazem o gráfico se repetir com cada vez mais frequência.** Essa regra é vista no exemplo de $f(x)$.

» **Os valores da fração entre 0 e 1 fazem o gráfico se repetir com menos frequência.** Por exemplo, se $k(x) = \cos\frac{1}{4}x$, você pode encontrar seu período dividindo 2π por $\frac{1}{4}$. Resolver o período resulta em 8π. Antes, o gráfico terminava em 2π; agora ele espera para terminar em 8π, reduzindo a velocidade em $\frac{1}{4}$. A Figura 8-10b mostra como a função original, e a nova, $k(x) = \cos\frac{1}{4}x$, se comparam.

CAPÍTULO 8 Simplificando o Gráfico e a Transformação das Funções...

LEMBRE-SE

Você pode ter uma constante negativa multiplicando o período. Tal constante afeta a rapidez com a qual o gráfico se move, mas na direção oposta da constante positiva. Por exemplo, digamos que, $p(x) = \text{sen}\, 3x$ e $q(x) = \text{sen}(-3x)$. O período de $p(x)$ é $\frac{2\pi}{3}$. O sinal negativo em $q(x) = \text{sen}(-3x)$ age como um reflexo no eixo vertical. Você encontra mais detalhes sobre as reflexões no Capítulo 4. O gráfico de $p(x)$ tem um período $\frac{2\pi}{3}$ e é refletido no eixo y. A Figura 8-11 mostra essa transformação com clareza.

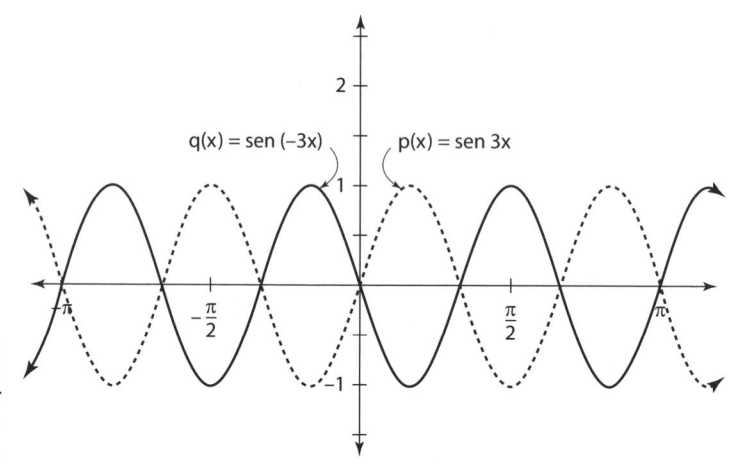

FIGURA 8-11: Gráficos de $p(x) = \text{sen}\, 3x$ e seu reflexo.

CUIDADO

Não confunda amplitude e período ao desenhar as funções trigonométricas. Por exemplo, $f(x) = 2\text{sen}\, x$ e $g(x) = \text{sen}\, 2x$ afetam o gráfico de modo diferente: $f(x) = 2\text{sen}\, x$ o torna maior, e $g(x) = \text{sen}\, 2x$ faz com que se mova mais rápido.

Deslocando ondas no plano cartesiano

O movimento de um gráfico modelo no plano cartesiano é outro tipo de transformação conhecida como translação ou *deslocamento*. Para esse tipo de transformação, cada ponto no gráfico modelo é movido para outro lugar no plano cartesiano. Uma translação não afeta a forma geral, só muda o local no plano. Nesta seção, veremos como mover os gráficos modelo do seno e do cosseno na horizontal e na vertical.

LEMBRE-SE

Você entendeu as regras para deslocar uma função na horizontal e na vertical do Capítulo 4? Se não, volte e veja, pois são importantes para os gráficos do seno e do cosseno também.

Veja os deslocamentos horizontal e vertical indicados com sen$(x-h)+k$ ou cos$(x-h)+k$. A variável h representa o deslocamento horizontal do gráfico, e k, o deslocamento vertical. O sinal faz diferença na direção do movimento. Por exemplo:

» $f(x) = sen(x-3)$ move o gráfico modelo do seno para a direita em 3 unidades.

» $g(x) = \cos(x+2)$ move o gráfico modelo do cosseno para a esquerda em 2 unidades.

» $k(x) = senx + 4$ move o gráfico modelo do seno para cima em 4 unidades.

» $p(x) = \cos x - 4$ move o gráfico modelo do cosseno para baixo em 4 unidades.

Se quiser desenhar $y = sen\left(\theta - \frac{\pi}{4}\right) + 3$, siga estas etapas:

1. **Identifique o gráfico modelo.**

    Você está vendo o seno, portanto, desenhe seu gráfico modelo (veja a seção anterior "Traçando o seno"). O valor inicial do gráfico modelo do senθ está em $x = 0$.

2. **Desloque o gráfico na horizontal.**

    Para descobrir o novo lugar inicial, faça o que está entre parênteses para ser igual ao valor inicial do gráfico modelo: $\theta - \frac{\pi}{4} = 0$, portanto, $\theta = \frac{\pi}{4}$ é onde o gráfico inicia seu período. Você move cada ponto no gráfico modelo para a direita em $\frac{\pi}{4}$. A Figura 8-12 mostra o que tem até agora.

3. **Mova o gráfico na vertical.**

    O eixo senoidal do gráfico sobe três unidades nessa função, portanto, desloque todos os pontos do gráfico modelo nessa direção agora. É possível ver o deslocamento na Figura 8-13. Você está vendo os dois deslocamentos: um para a direita e mais um para cima.

4. **Determine o domínio e o intervalo do gráfico transformado, se pedido.**

    O domínio e o intervalo de uma função podem ser afetados por uma transformação. Quando isso acontece, pode ser pedido que sejam determinados o novo domínio e intervalo. Em geral, você pode visualizar fácil o intervalo da função vendo o gráfico. Os dois fatores que mudam o intervalo são uma transformação vertical (dilatação ou contração) e uma translação vertical.

Lembre-se de que o intervalo do gráfico modelo do seno é [−1,1]. Deslocar tal gráfico para cima em três unidades faz o intervalo de $y = \text{sen}\left(\theta - \frac{\pi}{4}\right) + 3$ deslocar para cima em três unidades também. Assim, o novo intervalo é [2,4]. O domínio dessa função não é afetado, continua sendo $(-\infty, \infty)$.

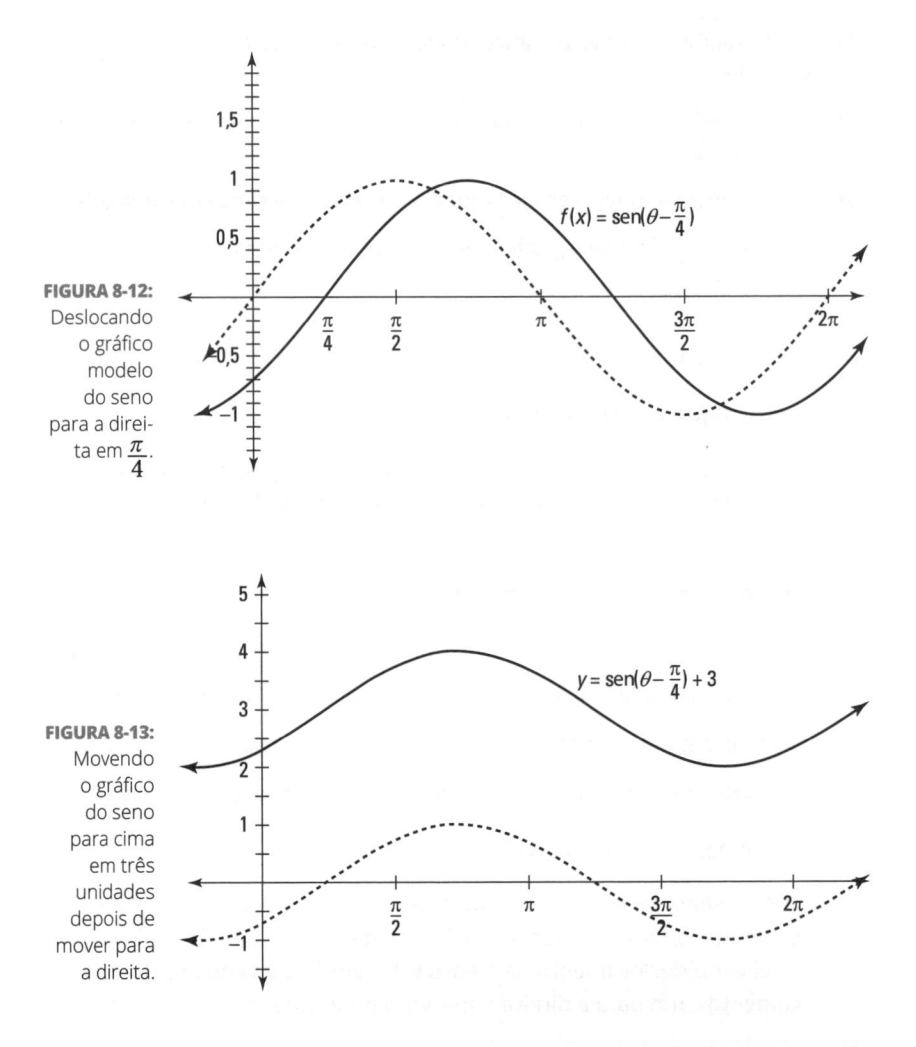

FIGURA 8-12: Deslocando o gráfico modelo do seno para a direita em $\frac{\pi}{4}$.

FIGURA 8-13: Movendo o gráfico do seno para cima em três unidades depois de mover para a direita.

Combinando as transformações de uma só vez

Quando for pedido para desenhar uma função trigonométrica com diversas transformações, sugiro fazer nesta ordem:

1. **Mude a amplitude.**
2. **Mude o período.**
3. **Desloque o gráfico na horizontal.**
4. **Desloque-o na vertical.**

As equações que combinam todas as transformações em uma são as seguintes:

$$g(x) = a \cdot f[p(x-h)] + k$$

E especificamente para o seno e o cosseno:

$$g(x) = a \cdot \text{sen}[p(x-h)] + k$$

$$g(x) = a \cdot \cos[p(x-h)] + k$$

O valor absoluto da variável a é a amplitude. Para encontrar o novo período para o seno ou o cosseno, pegue 2π e divida por p para encontrar o período. A variável h é o deslocamento horizontal, e k, o vertical.

Tenha cuidado ao identificar o período e o deslocamento horizontal. Por exemplo, $f(x) = \text{sen}(2x - \pi)$ faz parecer que o deslocamento horizontal é π, mas não está correto. Todos os deslocamentos do período *devem* ser fatorados na expressão para serem, de fato, deslocamentos, revelando os verdadeiros deslocamentos horizontais. Você precisa reescrever $f(x)$, nesse caso, como $f(x) = \text{sen}\left[2\left(x - \frac{\pi}{2}\right)\right]$. Agora, sim, isso informa que o período é duas vezes mais rápido, mas que o deslocamento horizontal está, na verdade, $\frac{\pi}{2}$ à direita.

Como esse conceito é muito importante, veja outro exemplo para ficar bem claro. Com as seguintes etapas, desenhe $y = -3\cos\left[\frac{1}{2}x + \frac{\pi}{4}\right] - 2$:

1. **Escreva a equação em sua devida forma fatorando a constante do período.**

    Essa etapa resulta em $y = -3\cos\left[\frac{1}{2}\left(x + \frac{\pi}{2}\right)\right] - 2$.

2. **Desenhe o gráfico modelo.**

    Desenhe a função cosseno original como a conhece (veja a seção anterior "Vendo o cosseno").

3. **Mude a amplitude.**

   Esse gráfico tem uma amplitude 3, e o sinal negativo o vira de cabeça para baixo. A mudança da amplitude afeta o intervalo do gráfico. Agora ele é [−3,3]. Você pode ver essa mudança e a inversão no eixo *x* na Figura 8-14.

4. **Altere o período.**

   A constante $\frac{1}{2}$ afeta o período. Dividir 2π por $\frac{1}{2}$ resulta no período 4π.

   O gráfico se move com metade da velocidade e termina em 4π. A Figura 8-15 mostra os resultados da mudança de amplitude, inversão e mudança de período.

5. **Desloque o gráfico na horizontal.**

   Quando você fatorou a constante do período na Etapa 1, descobriu que o deslocamento horizontal é para a esquerda em $\frac{\pi}{2}$.

6. **Desloque o gráfico na vertical.**

   Por causa do −2 visto na Etapa 1, esse gráfico se move para baixo em duas posições.

7. **Determine o novo domínio e intervalo.**

   As funções do seno e do cosseno são definidas para todos os valores de θ. O domínio da função cosseno são todos os números reais ou $(-\infty, \infty)$. O intervalo do gráfico de $y = -3\cos\left[\frac{1}{2}\left(x + \frac{\pi}{2}\right)\right] - 2$ foi dilatado por causa da mudança de amplitude e deslocado para baixo. Para encontrar o intervalo de uma função deslocada na vertical, adicione ou subtraia a mudança vertical (−2) do intervalo alterado com base na amplitude. Para esse problema, a interface da função cosseno transformada é [−3−2, 3−2] ou [−5,1].

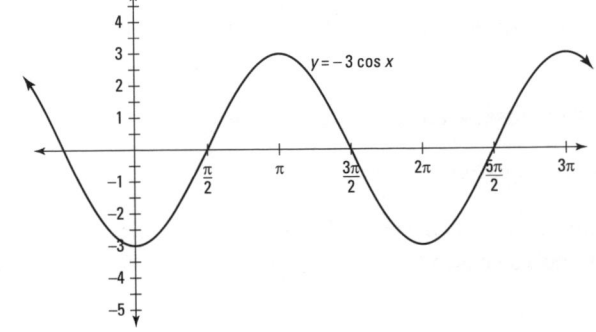

FIGURA 8-14: Mudando a amplitude e invertendo o cosseno.

Agora, para completar o gráfico inteiro e suas transformações, pegue o gráfico do cosseno alterado na Figura 8-15 e mova seu "ponto inicial" para a esquerda em $\frac{\pi}{2}$ e para baixo em duas unidades. O gráfico totalmente transformado passa pelo ponto $\left(\frac{\pi}{2},-2\right)$, que está à esquerda e desce a partir de $(\pi,0)$, passando por $\left(\frac{5\pi}{2},-2\right)$, que está à esquerda e desce a partir de $(3\pi,0)$. São necessários alguns pontos âncora para fazer esse percurso. O gráfico final é mostrado na Figura 8-16.

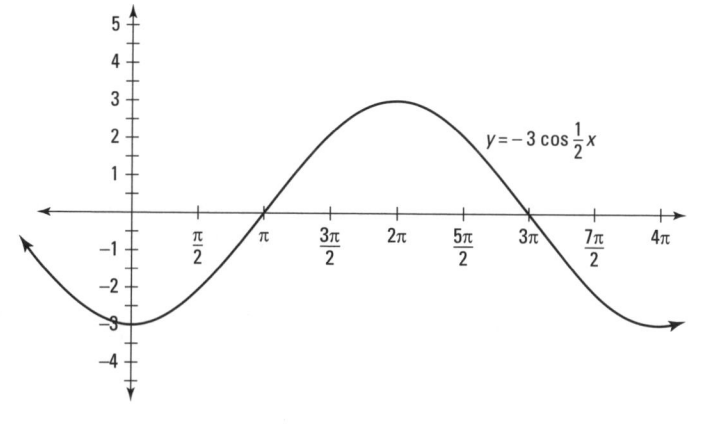

FIGURA 8-15: Mudando a amplitude, invertendo e mudando o período.

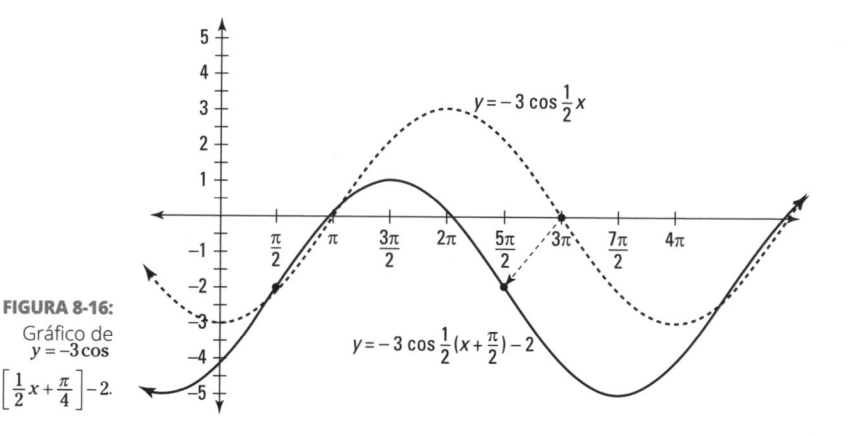

FIGURA 8-16: Gráfico de $y = -3\cos\left[\frac{1}{2}x + \frac{\pi}{4}\right] - 2$.

Ajustando os gráficos da tangente da cotangente

As mesmas transformações usadas no seno e no cosseno funcionam também para a tangente e a cotangente (veja a seção de transformações anteriormente neste capítulo para ter mais informações). Especificamente, é possível transformar o gráfico na vertical, mudar o período, deslocar o gráfico na horizontal ou na vertical. Como sempre, você deve fazer uma etapa da transformação por vez.

Por exemplo, para desenhar $f(\theta) = \frac{1}{2} \operatorname{tg}\theta - 1$, siga estas etapas:

1. **Trace o gráfico modelo da tangente (veja a seção "Desenhando Tangente e Cotangente").**

2. **Contraia ou dilate o gráfico modelo.**

   A contração vertical é de $\frac{1}{2}$ para cada ponto na função, portanto, cada ponto no gráfico modelo da tangente tem a metade do tamanho (exceto quando y é 0).

   É mais difícil ver mudanças verticais nos gráficos da tangente e da cotangente, mas existem. Concentre-se no fato de que o gráfico modelo tem pontos $\left(\frac{\pi}{4}, 1\right)$ e $\left(-\frac{\pi}{4}, -1\right)$, que na função transformada se tornam $\left(\frac{\pi}{4}, \frac{1}{2}\right)$ e $\left(-\frac{\pi}{4}, -\frac{1}{2}\right)$. Como se pode ver na Figura 8-17, o gráfico tem realmente metade do tamanho!

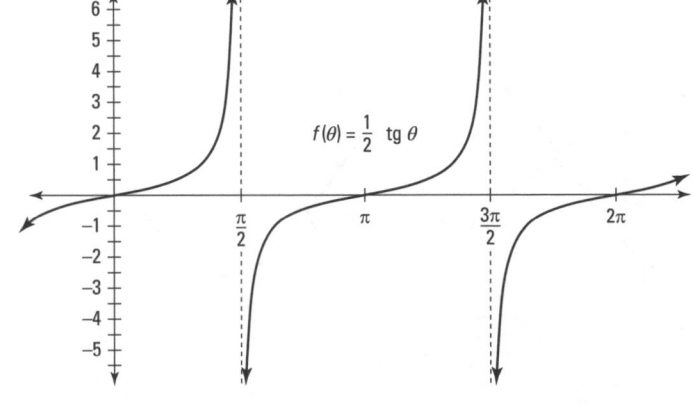

FIGURA 8-17: A amplitude tem a metade do tamanho no gráfico alterado.

3. **Mude o período.**

   A constante $\frac{1}{2}$ não afeta o período. Por quê? Ela fica na frente da função tangente, que só afeta o movimento vertical, não horizontal.

4. **Desloque o gráfico na horizontal e na vertical.**

   Esse gráfico não se desloca na horizontal, pois nenhuma constante é adicionada entre os símbolos de agrupamento (parênteses) da função. Portanto, não é preciso fazer nada na horizontal. O −1 no final da função é um deslocamento vertical que move o gráfico para baixo em uma unidade. A Figura 8-18 mostra isso.

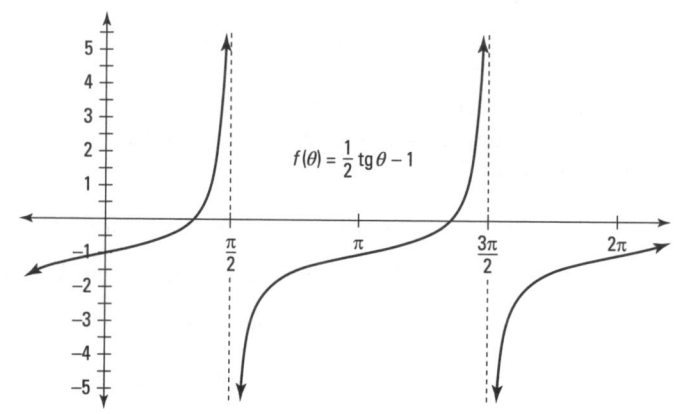

FIGURA 8-18: Gráfico transformado de $f(\theta) = \frac{1}{2} \operatorname{tg} \theta - 1$.

5. **Determine o domínio e o intervalo da função transformada, se pedido.**

   Como o intervalo da função tangente são todos os números reais, transformar o gráfico não o afeta, apenas o domínio. O domínio da função tangente não são todos os números reais por causa das assíntotas. Mas o domínio da função de exemplo não foi afetado pelas transformações. Ele consiste em θ, exceto $\theta \neq \frac{\pi}{2} + n\pi$, em que n é um inteiro.

Agora que você desenhou o básico, pode desenhar uma função que tem uma mudança de período, como na função $y = \operatorname{cotg}\left(2\pi x + \frac{\pi}{2}\right)$. Há muito π nela. Relaxe! Você sabe que esse gráfico tem uma mudança de período porque vê um número entre parênteses que é multiplicado pela variável. Essa constante muda o período da função, que por sua vez muda a distância entre as assíntotas. Para o gráfico mostrar corretamente a mudança, você deve fatorar a constante entre parênteses. Faça a transformação uma etapa por vez:

1. **Trace o gráfico modelo da cotangente.**

   Veja as informações na seção "Explicando a cotangente" para determinar como obter o gráfico modelo da cotangente.

2. **Contraia ou dilate o gráfico modelo.**

   Nenhuma constante está multiplicando fora da função, portanto, você não aplicará nenhuma mudança de amplitude.

3. **Encontre a mudança do período.**

   Você fatora 2π, que afeta o período. Agora a função informa $y = \cotg\left(2\pi\left(x + \frac{1}{4}\right)\right)$.

   O período da função modelo da cotangente é π. Assim, em vez de dividir 2π pela constante do período para encontrar a mudança (como fez para os gráficos do seno e do cosseno), deve dividir π pela constante do período. Essa etapa resulta no período da função cotangente transformada.

   Dividir π por 2π resulta em um período de $\frac{1}{2}$ para a função transformada. O gráfico dessa função começa a se repetir em $\frac{1}{2}$, que é diferente de $\frac{\pi}{2}$, portanto, tenha cuidado quando identificar no gráfico.

   LEMBRE-SE

   Até o momento, toda função trigonométrica desenhada teve identificações no eixo *x* que são múltiplos ou frações de π (como $\frac{\pi}{2}$), mas esse período não é uma fração de π, é só um número racional. Quando tiver um número racional, você deve desenhá-lo como tal. A Figura 8-19 mostra a etapa em que você começa desenhando $y = \cotg 2\pi x$.

4. **Determine os deslocamentos horizontal e vertical.**

   Como já fatorou a constante do período, você pode ver que o deslocamento horizontal está à esquerda em $\frac{1}{4}$. A Figura 8-20 mostra essa transformação no gráfico, onde as assíntotas verticais se moveram em $\frac{1}{4}$ de unidade.

   Nenhuma constante está sendo adicionada nem subtraída dessa função no lado de fora, portanto, o gráfico não tem um deslocamento vertical.

5. **Determine o domínio e o intervalo da função transformada, se pedido.**

O deslocamento horizontal afeta o domínio desse gráfico. Para encontrar a primeira assíntota, defina $2\pi x + \frac{\pi}{2} = 0$ (definindo o deslocamento do período para ser igual à primeira assíntota original). Você descobre que $x = -\frac{1}{4}$ é sua nova assíntota. O gráfico se repete a cada $\frac{1}{2}$ radiano por causa de seu período. Portanto, o domínio é x, exceto $x \neq \frac{n}{2} - \frac{1}{4}$, em que n é um inteiro. O intervalo do gráfico não é afetado: $(-\infty, \infty)$.

FIGURA 8-19: O gráfico de $y = \cotg 2\pi x$ mostra um período de $\frac{1}{2}$.

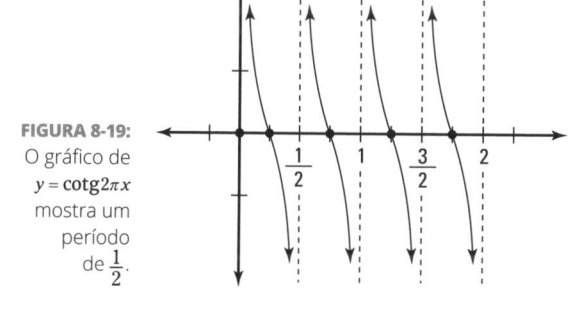

FIGURA 8-20: Gráfico transformado de $y = \cotg\left(2\pi\left(x + \frac{1}{4}\right)\right)$.

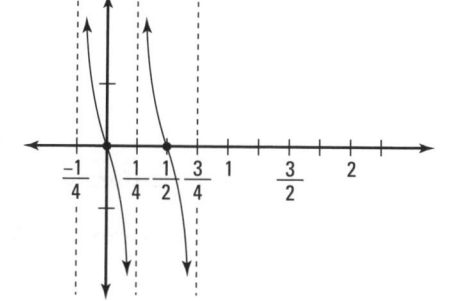

CAPÍTULO 8 Simplificando o Gráfico e a Transformação das Funções...

Transformando os gráficos da secante e da cossecante

LEMBRE-SE

Para desenhar os gráficos transformados da secante e da cossecante, o melhor a fazer é desenhar suas funções recíprocas e transformá-las primeiro. As funções recíprocas, seno e cosseno, são mais fáceis de desenhar porque não têm tantas partes complexas (basicamente nenhuma assíntota). Se puder desenhar primeiro as recíprocas, poderá lidar com as partes mais complicadas dos gráficos da secante/cossecante por último.

Por exemplo, veja o gráfico $f(\theta) = \frac{1}{4}\sec\theta - 1$.

1. **Desenhe a função recíproca transformada.**

   Veja a função recíproca da secante, que é o cosseno. Imagine por um instante que você está desenhando $f(\theta) = \frac{1}{4}\cos\theta - 1$. Siga todas as regras do desenho do gráfico do cosseno para terminar com algo parecido com a Figura 8-21.

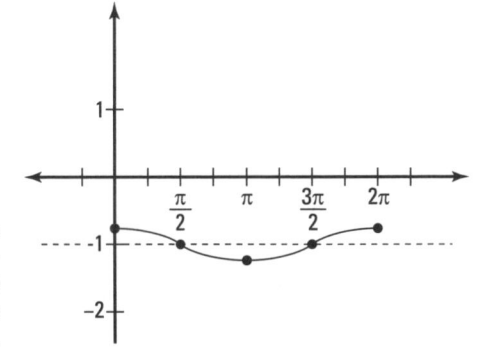

FIGURA 8-21: Desenhando primeiro a função cosseno.

2. **Trace as assíntotas da função recíproca transformada.**

   Onde o gráfico transformado do $\cos\theta$ cruza seu eixo senoidal, você tem uma assíntota na $\sec\theta$. Veja que $\cos\theta = 0$ quando $\theta = \frac{\pi}{2}$ e $\theta = \frac{3\pi}{2}$.

3. **Descubra como fica o gráfico entre cada assíntota.**

   Agora que identificou as assíntotas, basta descobrir o que acontece nos intervalos entre elas, como fez nas Etapas 2 a 4 na seção anterior "Desenhando a secante". O gráfico final fica parecido com a Figura 8-22.

FIGURA 8-22: Gráfico da secante transformada $f(\theta) = \frac{1}{4}\sec\theta - 1$

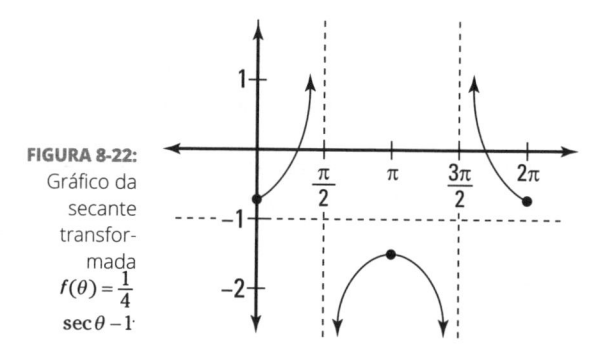

4. **Determine o domínio e o intervalo da função transformada.**

   Como a nova função transformada pode ter assíntotas diferentes da função modelo para a secante e pode estar deslocada para cima ou para baixo, pode ser necessário determinar o novo domínio e intervalo.

   Esse exemplo, $f(\theta) = \frac{1}{4}\sec\theta - 1$, tem assíntotas em $\theta = \frac{\pi}{2}$ e $\theta = \frac{3\pi}{2}$ etc., repetindo-se a cada π radiano. Portanto, o domínio está limitado a não incluir esses valores e é escrito como $\theta \neq \frac{\pi}{2} + n\pi$, em que n é um inteiro. E mais: o intervalo dessa função muda porque a função transformada é menor que a função modelo e foi deslocada para baixo em duas unidades. Há dois intervalos separados, $\left(-\infty, -\frac{5}{4}\right]$ e $\left[-\frac{3}{4}, \infty\right)$.

Você pode desenhar uma transformação do gráfico cossecante usando as mesmas etapas ao desenhar a função secante, só que dessa vez usará a função seno para orientá-lo.

LEMBRE-SE

A forma do gráfico da cossecante transformada deve parecer muito com o gráfico da secante, exceto as assíntotas que ficam em locais diferentes. Por isso, veja se está desenhando com a ajuda do gráfico do seno (para transformar o gráfico da cossecante) e da função cosseno (para orientá-lo no gráfico da secante).

Para o último exemplo do capítulo, desenho a cossecante transformada $g(\theta) = \text{cossec}(2\theta - \pi) + 1$:

1. **Desenhe a função recíproca transformada.**

Veja primeiro a função recíproca $g(\theta) = \text{sen}(2\theta - \pi) + 1$. As regras para transformar uma função seno pedem para fatorar primeiro o 2 e obter $g(\theta) = \text{sen}\left(2\left(\theta - \frac{\pi}{2}\right)\right) + 1$. Ela tem uma contração 2, um deslocamento horizontal de $\frac{\pi}{2}$ para a direita e um deslocamento vertical para cima em 1. A Figura 8-23 mostra o gráfico do seno transformado.

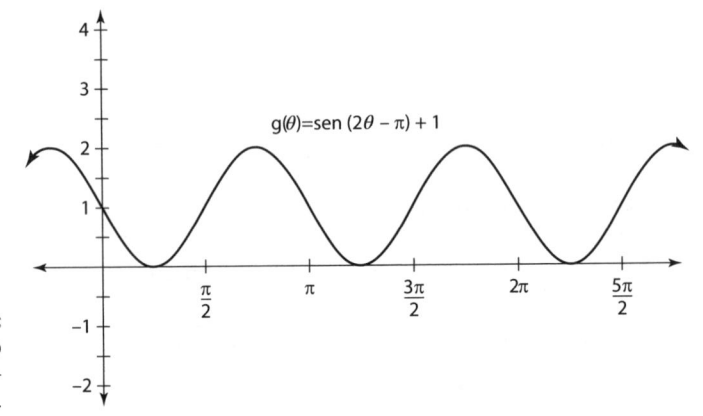

FIGURA 8-23: Gráfico do seno transformado.

2. **Trace as assíntotas da função recíproca.**

   O eixo senoidal que passa pelo meio da função seno é a reta $y = 1$. Portanto, existe uma assíntota do gráfico cossecante em que a função seno transformada cruza a linha. As assíntotas do gráfico cossecante estão em $\frac{\pi}{2}$ e π, repetindo-se a cada $\frac{\pi}{2}$ radiano.

3. **Descubra o que acontece no gráfico entre cada assíntota.**

   Você pode usar o gráfico transformado da função seno para determinar onde o gráfico da cossecante é positivo e negativo. Como o gráfico da função seno transformada é positivo entre $\frac{\pi}{2}$ e π, o gráfico da cossecante é positivo também e se estende para cima quando se aproxima das assíntotas. Do mesmo modo, como o gráfico da função seno transformada é negativo entre π e $\frac{3\pi}{2}$, a cossecante também é negativa no intervalo. O gráfico alterna entre positivo e negativo em intervalos iguais enquanto você o dilata.

A Figura 8-24 mostra o gráfico da cossecante transformada.

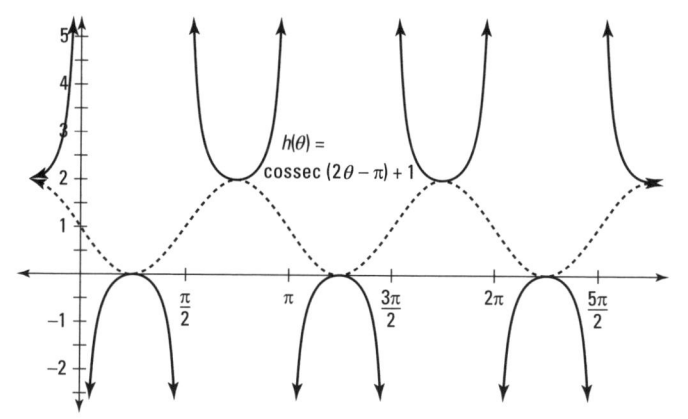

FIGURA 8-24: Gráfico da cossecante transformada, com base no gráfico do seno.

$h(\theta) = \text{cossec}(2\theta - \pi) + 1$

4. **Determine o novo domínio e intervalo.**

   Assim como no gráfico transformado da função secante (veja a lista anterior), pode ser pedido que você determine o novo domínio e intervalo da função cossecante. O domínio da função cossecante transformada são todos os valores de θ, exceto os que são assíntotas. No gráfico, é possível ver que o domínio são todos os valores de θ, em que $\theta \neq \frac{\pi}{2} + \frac{n\pi}{2}$, com n sendo um inteiro. O intervalo da função cossecante transformada também é dividido em dois: $(-\infty, 0] \cup [2, \infty)$.

> **NESTE CAPÍTULO**
>
> » Examinando o básico da solução de equações trigonométricas
>
> » Simplificando e demonstrando expressões com identidades trigonométricas fundamentais
>
> » Lidando com provas mais complicadas

Capítulo **9**

Determinando com Identidades Trigonométricas: Fundamentos

Neste capítulo e no próximo, veremos como simplificar expressões usando identidades trigonométricas básicas para simplificar expressões e demonstrar identidades mais complicadas. Para assegurar que nenhuma ficará esquecida, este capítulo começa devagar e fácil, com muitas etapas. Ele cobre as identidades básicas, que são sentenças sempre verdadeiras que você usa em uma equação inteira para ajudar a simplificar o problema, uma expressão por vez, antes de resolver. E sorte sua, porque a trigonometria tem muitas identidades básicas entre as quais escolher.

Mas a dificuldade na simplificação das expressões trigonométricas usando identidades trigonométricas é saber quando parar. Insira *provas*, que dão uma meta final para que saiba quando chegou no ponto de parar. Use as provas quando precisar mostrar que duas expressões são iguais mesmo quando parecem totalmente diferentes. (Se você acha que acabou com as provas quando terminou com a geometria, pense bem!)

DICA Se quer um pequeno conselho, preste atenção: conheça as identidades básicas de cor, de trás para a frente e até de cabeça para baixo, porque as usará com frequência na Matemática avançada. Elas facilitarão sua vida quando as coisas se complicarem. Se você memorizou as identidades básicas, mas não consegue se lembrar das mais complexas (provavelmente muito complexas), que falaremos no Capítulo 10, simplesmente use uma combinação de identidades básicas para derivar uma nova identidade que se adéque à situação. Este capítulo mostra como.

Ele foca duas ideias principais que são centrais em seus estudos: simplificar expressões e demonstrar identidades. Esses conceitos compartilham um tema em comum: ambos envolvem as funções trigonométricas apresentadas no Capítulo 7.

Não Perca o Fim de Vista: Um Manual Rápido sobre Identidades

O caminho para chegar ao fim de qualquer problema neste capítulo é muito parecido. Porém, os resultados finais de duas ideias principais, ou seja, simplificar expressões e demonstrar as identidades complicadas, são diferentes, e é o que veremos nesta seção:

» **Simplificando:** Simplificar expressões algébricas com números reais e variáveis não é novidade; baseie seus processos de simplificação nas propriedades da álgebra e nos números reais que *sabe* ser sempre verdadeiros. Neste capítulo, você encontra novas regras para usar, podendo trabalhar com diferentes tipos de problemas de trigonometria. Considere o básico das identidades trigonométricas como ferramentas em sua caixa para ajudar a construir matematicamente uma casa exclusiva. Uma ferramenta isolada não tem serventia. Mas quando você reúne as identidades, tudo que pode fazer com elas pode surpreendê-lo! (Por exemplo, você pode mudar uma expressão trigonométrica com muitas funções diferentes para ter uma função simples ou mesmo mudar para ter um número simples, como 0 ou 1.)

» **Demonstrando:** As demonstrações trigonométricas têm equações, e seu trabalho é fazer um lado parecer exatamente igual ao outro. Em geral, você torna o lado mais complicado parecido com o menos complicado. Mas às vezes, se não consegue fazer isso, pode "colar" e trabalhar um pouco no outro lado (ou em ambos ao mesmo tempo). No final, precisa mostrar que um lado se transforma no outro.

Alinhando Meios e Extremidades: Identidades Trigonométricas Básicas

Se você está lendo este livro na sequência, provavelmente reconhecerá algumas identidades neste capítulo, porque elas já foram explicadas nos capítulos anteriores. Você viu as funções trigonométricas no Capítulo 7 como razões entre os lados dos triângulos retângulos. Por definição, as funções trigonométricas recíprocas formam identidades, pois são verdadeiras para todos os valores dos ângulos. A análise completa das identidades encontra-se neste capítulo porque elas não foram realmente necessárias para fazer os cálculos matemáticos nos capítulos anteriores. Mas agora você está pronto para expandir seus horizontes e trabalhar com identidades mais complicadas (e ainda básicas).

Nas próximas seções, você verá as identidades mais básicas (e mais úteis). Com essas informações, é possível manipular expressões trigonométricas complicadas em expressões muito mais simples e amistosas. Esse processo de simplificação requer um pouco de prática. Mas depois de dominá-lo, será moleza demonstrar identidades complexas e resolver equações complicadas.

LEMBRE-SE

Se cada etapa realizada para simplificar, demonstrar ou resolver um problema com trigonometria for baseada em uma identidade (e executada corretamente), com certeza você conseguirá a resposta certa; o caminho em particular seguido para chegar lá não importa. Porém, ainda são necessárias habilidades matemáticas fundamentais; você não pode simplesmente jogar fora as regras matemáticas. A seguir vemos algumas regras fundamentais das quais as pessoas normalmente se esquecem ao trabalhar com identidades:

» Dividir uma fração por outra é igual a multiplicar por sua recíproca.

» Para adicionar ou subtrair duas frações, encontre o denominador comum.

» Em geral, você fatora o maior fator comum e escreve os trinômios em um formato fatorado (veja o Capítulo 4).

Identidades recíprocas e da razão

Quando for pedido para simplificar uma expressão envolvendo a cossecante, a secante ou a cotangente, em geral você muda a expressão para as funções que envolvem seno, cosseno ou tangente, respectivamente. Essa etapa serve para poder cancelar os fatores e simplificar o problema. Quando você muda as funções assim, está usando *identidades recíprocas* ou *identidades da razão* (tecnicamente, identidades são declarações sobre funções trigonométricas que são consideradas identidades também porque ajudam a simplificar as expressões).

PAPO DE ESPECIALISTA

Identidades recíprocas:

$$\operatorname{cossec}\theta = \frac{1}{\operatorname{sen}\theta} \qquad \sec\theta = \frac{1}{\cos\theta} \qquad \cot g\theta = \frac{1}{\operatorname{tg}\theta}$$

Identidades da razão:

$$\operatorname{tg}\theta = \frac{\operatorname{sen}\theta}{\cos\theta} \qquad \cot g\theta = \frac{\cos\theta}{\operatorname{sen}\theta}$$

LEMBRE-SE

Toda razão trigonométrica pode ser escrita como uma combinação de senos e/ou cossenos, portanto, mudar todas as funções em uma equação para senos e cossenos é a estratégia de simplificação que mais funciona. Além disso, lidar com senos e cossenos normalmente é mais fácil quando procuramos um denominador comum para as frações. Nesse ponto, é possível usar o que você sabe sobre frações para simplificar o máximo que puder. Primeiro, é comum combinar os termos afins, talvez dois termos cossecantes ou cotangentes que podem ser adicionados. E existem outros tipos de identidades que se destacarão para serem usados antes da grande troca. Mas lembre-se de que mudar tudo para três funções básicas torna as coisas bem claras.

Simplificando uma expressão com identidades recíprocas

Procure oportunidades para usar identidades recíprocas sempre que o problema dado tiver secante, cossecante ou cotangente. Todas essas funções podem ser escritas em termos de seno e cosseno, sempre sendo o melhor lugar para começar. Por exemplo, é possível usar identidades recíprocas para simplificar esta expressão:

$$\frac{\cos\theta\,\operatorname{cossec}\theta}{\cot g\theta}$$

Siga as etapas:

1. **Mude todas as funções para versões de funções de seno e cosseno usando identidades recíprocas e da razão.**

   Como o problema envolve uma cossecante e uma cotangente, use a identidade recíproca $\operatorname{cossec}\theta = \frac{1}{\operatorname{sen}\theta}$ e a identidade da razão $\cot g\theta = \frac{\cos\theta}{\operatorname{sen}\theta}$.

   A substituição resulta em $\dfrac{\cos\theta\left(\frac{1}{\operatorname{sen}\theta}\right)}{\frac{\cos\theta}{\operatorname{sen}\theta}}$

2. **Mude a divisão das frações para multiplicação escrevendo como numerador multiplicando a recíproca do denominador.**

$$\frac{\cos\theta\left(\frac{1}{\text{sen}\theta}\right)}{\frac{\cos\theta}{\text{sen}\theta}} = \cos\theta\left(\frac{1}{\text{sen}\theta}\right) \cdot \frac{\text{sen}\theta}{\cos\theta}$$

3. **Multiplique.**

$$\cos\theta\left(\frac{1}{\text{sen}\theta}\right) \cdot \frac{\text{sen}\theta}{\cos\theta} = \frac{\cos\theta}{\text{sen}\theta} \cdot \frac{\text{sen}\theta}{\cos\theta} = \frac{\cancel{\cos\theta}}{\text{sen}\theta} \cdot \frac{\text{sen}\theta}{\cancel{\cos\theta}} =$$
$$= \frac{1}{\cancel{\text{sen}\theta}} \cdot \frac{\cancel{\text{sen}\theta}}{1} = 1$$

Senos e cossenos se cancelam, e você acaba ficando com 1 como resposta. Não é possível simplificar mais que isso!

Trabalhando de trás para a frente: Usando identidades recíprocas para demonstrar igualdades

Às vezes é pedido para demonstrar identidades complicadas, porque o processo ajuda seu cérebro a entender o lado conceitual da Matemática. Muitas vezes, será solicitado que se demonstrem identidades que envolvem as funções secante, cossecante ou cotangente. Sempre que você vir essas funções em uma prova, as identidades recíproca e da razão serão os melhores lugares para começar. Sem as identidades recíprocas, você gira em círculos o dia todo, sem nunca chegar a lugar algum.

Por exemplo, para demonstrar $\text{tg}\theta\cos\sec\theta = \sec\theta$, você pode trabalhar com o lado esquerdo da igualdade apenas (em geral, comece com o lado mais "complicado"). Siga estas etapas simples:

1. **Converta ambas a funções à esquerda em senos e cossenos.**

   Agora a equação fica assim: $\frac{\text{sen}\theta}{\cos\theta} \cdot \frac{1}{\text{sen}\theta} = \sec\theta$

2. **Simplifique.**

   $\frac{\cancel{\text{sen}\theta}}{\cos\theta} \cdot \frac{1}{\cancel{\text{sen}\theta}} = \sec\theta$ ou $\frac{1}{\cos\theta} \cdot \frac{1}{1} = \frac{1}{\cos\theta} = \sec\theta$

   Resultando em $\frac{1}{\cos\theta} = \sec\theta$

3. **Use a identidade recíproca para mudar o termo à esquerda.**

   Como $\sec\theta = \frac{1}{\cos\theta}$, essa equação se torna $\sec\theta = \sec\theta$. Bingo!

Identidades pitagóricas

As *identidades pitagóricas* estão entre as mais úteis, porque simplificam muito bem as expressões de segundo grau. Quando você vir uma função trigonométrica ao quadrado (sen^2, cos^2 etc.), lembre-se dessas identidades. Elas são criadas a partir do conhecimento anterior dos triângulos retângulos e dos valores alternativos da função trigonométrica (explicados no Capítulo 7). Lembre-se de que quando um triângulo retângulo fica no círculo unitário, o cateto x é cosθ, o cateto y é senθ, e a hipotenusa é 1. Como você sabe que cat^2 + cat^2 = hipotenusa^2, graças ao Teorema de Pitágoras, também sabe que sen$^2 \theta$ + cos$^2 \theta$ = 1. Nesta seção, vemos de onde vêm essas importantes identidades e como usá-las.

PAPO DE ESPECIALISTA

As três identidades pitagóricas são:

$$\text{sen}^2\theta + \cos^2\theta = 1$$
$$1 + \cotg\theta = \cossec^2\theta$$
$$\tg^2\theta + 1 = \sec^2$$

DICA

Para limitar o quanto você precisa memorizar, é possível usar a primeira identidade pitagórica para derivar as outras duas:

Se você dividir cada termo de sen$^2\theta$ + cos$^2\theta$ = 1 por sen$^2\theta$, obterá $\frac{\text{sen}^2\theta}{\text{sen}^2\theta}$ + $\frac{\cos^2\theta}{\text{sen}^2\theta} = \frac{1}{\text{sen}^2\theta}$, que se simplifica em outra identidade pitagórica:

$1 + \cotg^2\theta = \cossec^2\theta$, **porque**

$\frac{\text{sen}^2\theta}{\text{sen}^2\theta} = 1$ **e** $\frac{\cos^2\theta}{\text{sen}^2\theta} = \cotg^2\theta$ **(por causa da identidade da razão)**

$\frac{1}{\text{sen}^2\theta} = \cossec^2\theta$ **(por causa da identidade recíproca)**

Quando você divide cada termo de sen$^2\theta$ + cos$^2\theta$ = 1 por cos$^2\theta$, obtém $\frac{\text{sen}^2\theta}{\cos^2\theta}$ + $\frac{\cos^2\theta}{\cos^2\theta} = \frac{1}{\cos^2\theta}$, que se simplifica na terceira identidade pitagórica:

$\tg^2\theta + 1 = \sec^2\theta$, **porque**

$\frac{\text{sen}^2\theta}{\cos^2\theta} = \tg^2\theta$, $\frac{\cos^2\theta}{\cos^2\theta} = 1$ **e** $\frac{1}{\cos^2\theta} = \sec^2\theta$

Colocando em ação identidades pitagóricas

É normal usar as identidades pitagóricas se você conhece uma função e procura outra. Por exemplo, se sabe a razão do seno, pode usar a primeira identidade pitagórica da seção anterior para encontrar a razão do cosseno. Na verdade, pode encontrar o que for pedido se tudo o que tem é o valor de uma função trigonométrica e sabe em qual quadrante está o ângulo θ.

Por exemplo, se sabe que $\text{sen}\,\theta = \frac{24}{25}$ e $\frac{\pi}{2} < \theta < \pi$, pode encontrar $\cos\theta$ seguindo estas etapas:

1. **Coloque o que sabe na devida identidade pitagórica.**

Como está usando seno e cosseno, use a primeira identidade: $\text{sen}^2\theta + \cos^2\theta = 1$. Coloque os valores conhecidos para obter $\left(\frac{24}{25}\right)^2 + \cos^2\theta = 1$.

2. **Isole a função trigonométrica com a variável em um lado.**

Calcule primeiro o quadrado do valor do seno para obter $\frac{576}{625}$, resultando em $\frac{576}{625} + \cos^2\theta = 1$. Subtraia $\frac{576}{625}$ nos dois lados (sugestão: é preciso encontrar o denominador comum): $\cos^2\theta = 1 - \frac{576}{625} = \frac{49}{625}$.

3. **Encontre a raiz quadrada dos lados para resolver.**

Agora você tem $\cos\theta = \pm\frac{7}{25}$. Mas por causa do limite de $\frac{\pi}{2} < \theta < \pi$ dado no problema, existe apenas uma solução.

4. **Desenhe uma imagem do círculo unitário para visualizar o ângulo.**

Como $\frac{\pi}{2} < \theta < \pi$, o ângulo está no quadrante II, portanto, o cosseno de θ deve ser negativo. Resposta: $\cos\theta = -\frac{7}{25}$.

Usando identidades pitagóricas para demonstrar uma igualdade

As identidades pitagóricas surgem com frequência nas provas trigonométricas. Preste atenção e procure funções trigonométricas ao quadrado. Tente mudá-las para uma identidade pitagórica e veja se acontece algo interessante. Esta seção mostra como uma prova pode envolver uma identidade pitagórica. E depois de mudar senos e cossenos, a prova se simplifica e facilita muito mais seu trabalho.

Por exemplo, siga estas etapas para demonstrar $\frac{\text{sen}\,x}{\text{cossec}\,x} + \frac{\cos x}{\sec x} = 1$:

1. **Converta todas as funções na igualdade em senos e cossenos.**

$$\frac{\text{sen}\,x}{\frac{1}{\text{sen}\,x}} + \frac{\cos x}{\frac{1}{\cos x}} = 1$$

2. **Use as propriedades das frações para simplificar.**

   Dividir por uma fração é igual a multiplicar por sua recíproca, portanto,

   $\operatorname{sen} x \cdot \frac{\operatorname{sen} x}{1} + \cos x \cdot \frac{\cos x}{1} = 1$

   $\operatorname{sen}^2 x + \cos^2 x = 1$

3. **Localize a identidade pitagórica à esquerda da igualdade.**

   Como $\operatorname{sen}^2 \theta + \cos^2 \theta = 1$, pode-se dizer que $1 = 1$.

Identidades pares/ímpares

PAPO DE ESPECIALISTA

Como seno, cosseno e tangente são a base das funções trigonométricas, suas funções podem ser definidas como pares ou ímpares também (veja o Capítulo 3). Seno e tangente são funções ímpares, e cosseno é uma função par, ou seja,

» $\operatorname{sen}(-\theta) = -\operatorname{sen}\theta$

» $\cos(-\theta) = \cos\theta$

» $\operatorname{tg}(-\theta) = -\operatorname{tg}\theta$

Essas identidades aparecerão em problemas que pedem para simplificar uma expressão, demonstrar uma identidade ou resolver uma equação (veja o Capítulo 7). O grande alerta desta vez? Você deseja variáveis que representem ângulos positivos, portanto, são todas iguais. Por exemplo, quando $\operatorname{tg}(-x)$ aparece em algum lugar em uma expressão, em geral deve ser alterada para $-\operatorname{tg} x$.

Simplificando expressões com identidades pares/ímpares

Na maioria das vezes, você usa identidades pares/ímpares para desenhar, mas pode vê-las ao simplificar problemas também (é possível encontrar gráficos de equações trigonométricas no Capítulo 8 se precisar lembrar). Use tal identidade para simplificar qualquer expressão em que $-x$ (ou qualquer variável vista) está dentro da função trigonométrica.

Na lista a seguir, veja como simplificar $[1+\operatorname{sen}(-x)][1-\operatorname{sen}(-x)]$:

1. **Livre-se dos valores de $-x$ dentro das funções trigonométricas.**

   Você vê duas funções $\operatorname{sen}(-x)$, portanto, substitua-as por $-\operatorname{sen} x$ para obter $[1+(-\operatorname{sen} x)][1-(-\operatorname{sen} x)]$.

2. **Simplifique a nova expressão.**

   Primeiro, reescreva os dois sinais negativos entre colchetes para obter $[1-\operatorname{sen}x][1+\operatorname{sen}x]$, então use o método PEIU nesses dois binômios, resultando em $1-\operatorname{sen}^2 x$.

3. **Procure qualquer combinação de termos que poderiam fornecer uma identidade pitagórica.**

   Sempre que vir uma função ao quadrado, deve pensar em identidades pitagóricas. Lembrando-se da seção "Identidades pitagóricas", veja se $1-\operatorname{sen}^2 x$ é igual a $\cos^2 x$. Agora a expressão é totalmente simplificada como $\cos^2 x$.

   $$[1+(-\operatorname{sen}x)][1-(-\operatorname{sen}x)] = \cos^2 x$$

Demonstrando uma igualdade com identidades pares/ímpares

Quando for pedido para demonstrar uma identidade, se você vir uma variável negativa dentro de uma função trigonométrica, usará automaticamente uma identidade par/ímpar. Primeiro, substitua todas as funções trigonométricas com ângulos negativos. Depois, simplifique a função trigonométrica para tornar um lado parecido com o outro. Veja um exemplo de como funciona.

Com as seguintes etapas, demonstre a identidade:

$$\frac{\cos(-x)-\operatorname{sen}(-x)}{\operatorname{sen}x} - \frac{\cos(-x)+\operatorname{sen}(-x)}{\cos x} = \sec x \operatorname{cossec} x$$

1. **Substitua todos os ângulos negativos e suas funções trigonométricas usando a identidade par/ímpar que se aplica.**

   $$\frac{\cos x-(-\operatorname{sen}x)}{\operatorname{sen}x} - \frac{\cos x-\operatorname{sen}x}{\cos x} = \sec x \operatorname{cossec} x$$

   $$\frac{\cos x+\operatorname{sen}x}{\operatorname{sen}x} - \frac{\cos x-\operatorname{sen}x}{\cos x} = \sec x \operatorname{cossec} x$$

2. **Simplifique a nova expressão.**

   O lado esquerdo é considerado mais complicado, então é onde você começa a trabalhar. Para subtrair as frações, primeiro encontre um denominador comum. Mas antes disso, veja as duas frações. Elas podem ser divididas na soma de duas frações. Fazendo primeiro essa etapa, certos termos se simplificam e facilitam muito seu trabalho quando chegar a hora de trabalhar com as frações.

Dividindo as frações, você obtém

$$\frac{\cos x}{\sen x} + \frac{\sen x}{\sen x} - \left(\frac{\cos x}{\cos x} - \frac{\sen x}{\cos x}\right) = \sec x \cossec x$$

que se simplifica rápido em

$$\frac{\cos x}{\sen x} + 1 - 1 + \frac{\sen x}{\cos x} = \sec x \cossec x$$

$$\frac{\cos x}{\sen x} + \frac{\sen x}{\cos x} = \sec x \cossec x.$$

Agora é preciso um denominador comum. Para esse exemplo: senxcosx.

Multiplicando o primeiro termo por $\frac{\cos x}{\cos x}$ e o segundo por $\frac{\sen x}{\sen x}$, você tem

$$\frac{\cos x}{\sen x} \cdot \frac{\cos x}{\cos x} + \frac{\sen x}{\cos x} \cdot \frac{\sen x}{\sen x} = \sec x \cossec x$$

$$\frac{\cos^2 x}{\sen x \cos x} + \frac{\sen^2 x}{\sen x \cos x} = \sec x \cossec x$$

Agora pode somar as frações e obter

$$\frac{\cos^2 x + \sen^2 x}{\sen x \cos x} = \sec x \cossec x$$

Veja uma identidade pitagórica em sua melhor forma! $\sen^2 \theta + \cos^2 \theta = 1$ é a mais usada. Então a equação se simplifica como

$$\frac{1}{\sen x \cos x} = \sec x \cossec x$$

Usando identidades recíprocas, você tem

$$\frac{1}{\sen x} \cdot \frac{1}{\cos x} = \sec x \cossec x$$

secx cossecx = secx cossecx

A multiplicação é comutativa, portanto, a identidade cossecx · secx = secx · cossecx é demonstrada.

Identidades de cofunção

Se você pega o gráfico do seno e o desloca para a esquerda ou para a direita, ele fica exatamente igual ao gráfico do cosseno (veja o Capítulo 8). O mesmo ocorre para a secante e a cossecante. A tangente e a cotangente requerem um deslocamento e uma virada para ficarem iguais. E essa é a premissa básica das *identidades de cofunção*; elas estabelecem que as funções seno e cosseno têm os mesmos valores, mas são um pouco deslocadas no plano cartesiano quando vemos uma função comparada com outra. Você tem experiência com todas as seis funções trigonométricas, assim como com as relações entre elas. A única diferença é que, nesta seção, elas são apresentadas formalmente como *identidades*.

PAPO DE ESPECIALISTA

A lista a seguir das identidades de cofunção mostra isso:

$$\sen\theta = \cos\left(\frac{\pi}{2}-\theta\right) \qquad \cos\theta = \sen\left(\frac{\pi}{2}-\theta\right)$$

$$\tg\theta = \cotg\left(\frac{\pi}{2}-\theta\right) \qquad \cotg\theta = \tg\left(\frac{\pi}{2}-\theta\right)$$

$$\sec\theta = \cossec\left(\frac{\pi}{2}-\theta\right) \qquad \cossec\theta = \sec\left(\frac{\pi}{2}-\theta\right)$$

Testando as identidades de cofunção

As identidades de cofunção são ótimas para usar sempre que se vê $\frac{\pi}{2}$ entre parênteses de agrupamento. Você pode ver funções nas expressões trigonométricas, como $\sen\left(\frac{\pi}{2}-x\right)$. Se a quantidade dentro da função trigonométrica se parecer com $\left(\frac{\pi}{2}-x\right)$ ou $(90°-\theta)$, você saberá usar as identidades de cofunção.

Por exemplo, para simplificar $\dfrac{\cos x}{\cos\left(\frac{\pi}{2}-x\right)}$, siga estas etapas:

1. **Procure as identidades de cofunção e substitua.**

   Primeiro perceba que $\cos\left(\frac{\pi}{2}-x\right) = \sen x$, por causa da identidade de cofunção. Isso significa que você pode substituir $\cos\left(\frac{\pi}{2}-x\right)$ por $\sen x$ e obter $\dfrac{\cos x}{\sen x}$.

2. **Procure outras substituições que podem ser feitas.**

   Por causa da identidade da razão para a cotangente, $\dfrac{\cos x}{\sen x} = \cotg x$.

   Portanto $\dfrac{\cos x}{\cos\left(\frac{\pi}{2}-x\right)}$, se simplifica como cotg x.

Demonstrando uma igualdade com identidades de cofunção

As identidades de cofunção também aparecem nas provas trigonométricas. A seguinte identidade usa identidades de cofunção e par/ímpar. Siga as etapas para demonstrar esta igualdade:

$$\frac{\cossec\left(\frac{\pi}{2}-x\right)}{\tg(-x)} = -\cossec x$$

1. **Substitua qualquer função trigonométrica por $\frac{\pi}{2}$ nela pela devida identidade de cofunção.**

   Substituir $\operatorname{cossec}\left(\frac{\pi}{2} - x\right)$ por sec x resulta em $\dfrac{\sec x}{\operatorname{tg}(-x)} = -\operatorname{cossec} x$

2. **Simplifique a nova expressão.**

   Você tem muitas identidades trigonométricas à disposição e pode usar qualquer uma quando quiser. Agora é o momento perfeito para usar uma identidade par/ímpar para a tangente: $\dfrac{\sec x}{-\operatorname{tg} x} = -\operatorname{cossec} x$

   Então use a identidade recíproca para a secante e a identidade da razão para a tangente, obtendo $\dfrac{\frac{1}{\cos x}}{-\frac{\operatorname{sen} x}{\cos x}} = -\operatorname{cossec} x$

   Agora multiplique o numerador pela recíproca do denominador:

   $$\frac{1}{\cos x}\left(-\frac{\cos x}{\operatorname{sen} x}\right) = -\operatorname{cossec} x$$

   $$\frac{1}{\cancel{\cos x}}\left(-\frac{\cancel{\cos x}}{\operatorname{sen} x}\right) = -\operatorname{cossec} x$$

   $$-\frac{1}{\operatorname{sen} x} = -\operatorname{cossec} x$$

   Use a identidade recíproca para cossec x à esquerda para obter:

   $-\operatorname{cossec} x = -\operatorname{cossec} x$

Identidades de periodicidade

As *identidades de periodicidade* mostram que deslocar o gráfico de uma função trigonométrica em um período para a esquerda ou para a direita resulta na mesma função (você vê períodos e identidades de periodicidade ao desenhar funções trigonométricas no Capítulo 8). As funções seno, cosseno, secante e cossecante se repetem a cada 2π radianos; por outro lado, a tangente e a cotangente se repetem a cada π radiano.

PAPO DE ESPECIALISTA

As identidades a seguir mostram como se repetem as diferentes funções trigonométricas:

$\operatorname{sen}(\theta + 2\pi) = \operatorname{sen}\theta \qquad \cos(\theta + 2\pi) = \cos\theta$

$\operatorname{tg}(\theta + \pi) = \operatorname{tg}\theta \qquad \operatorname{cotg}(\theta + \pi) = \operatorname{cotg}\theta$

$\sec(\theta + 2\pi) = \sec\theta \qquad \operatorname{cossec}(\theta + 2\pi) = \operatorname{cossec}\theta$

Vendo como as identidades de periodicidade trabalham para simplificar as equações

Parecidas com as identidades de cofunção, use as identidades de periodicidade quando aparecer $(x+2\pi)$ ou $(x-2\pi)$ dentro de uma função trigonométrica. Como adicionar (ou subtrair) 2π radianos de um ângulo resulta em um novo ângulo na mesma posição, você pode usar essa ideia para formar uma identidade. Para a tangente e a cotangente apenas, adicionar ou subtrair π radiano do ângulo fornece o mesmo resultado, pois o período das funções tangente e cotangente é π.

Por exemplo, para simplificar $\operatorname{sen}(2\pi+x)+\cos(2\pi+x)\operatorname{cotg}(\pi+x)$, siga estas etapas:

1. **Substitua todas as funções trigonométricas pela devida identidade de periodicidade.**

   Você obterá $\operatorname{sen} x + \cos x \operatorname{cotg} x$.

2. **Simplifique a nova expressão usando a identidade da razão para cotg x.**

   $$\operatorname{sen} x + \cos x \cdot \frac{\operatorname{cossec} x}{\operatorname{sen} x} = \operatorname{sen} x + \frac{\cos^2 x}{\operatorname{sen} x}$$

   Para encontrar um denominador comum antes de somar as frações, multiplique o primeiro termo por $\frac{\operatorname{sen} x}{\operatorname{sen} x}$. Resultará em:

   $$\operatorname{sen} x \cdot \frac{\operatorname{sen} x}{\operatorname{sen} x} + \frac{\cos^2 x}{\operatorname{sen} x} = \frac{\operatorname{sen}^2 x}{\operatorname{sen} x} + \frac{\cos^2 x}{\operatorname{sen} x}$$

   Some e simplifique, usando a identidade pitagórica:

   $$\frac{\operatorname{sen}^2 x}{\operatorname{sen} x} + \frac{\cos^2 x}{\operatorname{sen} x} = \frac{\operatorname{sen}^2 x + \cos^2 x}{\operatorname{sen} x} = \frac{1}{\operatorname{sen} x}$$

   Por fim, use a identidade recíproca, $\frac{1}{\operatorname{sen} x} = \operatorname{cossec} x$.

Demonstrando uma igualdade com identidades de periodicidade

Usar identidades de periodicidade também é útil quando é preciso demonstrar uma igualdade que inclui a expressão $(x+2\pi)$ ou a adição (ou subtração) do período. Por exemplo, para demonstrar $[\sec(2\pi + x) - \operatorname{tg}(\pi + x)][\operatorname{cossec}(2\pi + x)+1] = \operatorname{cotg} x$, siga estas etapas:

1. **Substitua todas as funções trigonométricas pela devida identidade de periodicidade.**

   Restou [sec x – tg x][cossec x + 1] = cotg x.

2. **Simplifique a nova expressão.**

   Para esse exemplo, o melhor lugar para começar é usar o método PEIU (veja o Capítulo 5); multiplique os dois fatores para obter quatro termos separados:

   sec$x$ cossec$x$ + sec$x$ – tg$x$ cossec$x$ – tg$x$ = cotg$x$

   Agora converta todos os termos à esquerda em senos e cossenos, resultando em:

   $$\frac{1}{\cos x} \cdot \frac{1}{\operatorname{sen} x} + \frac{1}{\cos x} - \frac{\operatorname{sen} x}{\cos x} \cdot \frac{1}{\operatorname{sen} x} - \frac{\operatorname{sen} x}{\cos x} = \cot x$$

   Simplifique o terceiro termo, depois encontre um denominador comum e some as frações:

   $$\frac{1}{\cos x} \cdot \frac{1}{\operatorname{sen} x} + \frac{1}{\cos x} - \frac{\cancel{\operatorname{sen} x}}{\cos x} \cdot \frac{1}{\cancel{\operatorname{sen} x}} - \frac{\operatorname{sen} x}{\cos x} = \cot g x$$

   $$\frac{1}{\operatorname{sen} x \cos x} + \frac{\cancel{1}}{\cancel{\cos} x} - \frac{\cancel{1}}{\cancel{\cos} x} - \frac{\operatorname{sen} x}{\cos x} = \cot g x$$

   $$\frac{1}{\operatorname{sen} x \cos x} - \frac{\operatorname{sen}^2 x}{\operatorname{sen} x \cos x} = \cot g x$$

   $$\frac{1 - \operatorname{sen}^2 x}{\operatorname{sen} x \cos x} = \cot g x$$

3. **Utilize qualquer outra identidade aplicável.**

   A identidade pitagórica $\operatorname{sen}^2 \theta + \cos^2 \theta$ também pode ser escrita como $\cos^2 \theta = 1 - \operatorname{sen}^2 \theta$, portanto, substitua $1 - \operatorname{sen}^2 x$ por $\cos^2 x$. Cancele um dos cossenos no numerador (porque está ao quadrado) com o cosseno no denominador para obter $\dfrac{\cos^2 x}{\operatorname{sen} x \cancel{\cos x}} = \cot g x$

   $$\frac{\cos x}{\operatorname{sen} x} = \cot g x$$

   Por fim, usando a identidade da razão para cotg x, essa equação se simplifica como cotg x = cotg x.

Resolvendo as Dificuldades das Provas Trigonométricas: Técnicas a Saber

Historicamente falando, as provas em geometria e trigonometria não são a parte favorita de alguém que estuda os temas. Mas com um pouco de ajuda, elas não parecem muito difíceis, e ficam até divertidas! Até este momento no capítulo, você viu provas que requerem apenas algumas etapas básicas para serem concluídas. Agora verá como resolver as mais complicadas. As técnicas aqui se baseiam nas ideias lidadas anteriormente em sua jornada matemática. Tudo bem, poucas funções trigonométricas entraram em discussão, mas por que ter medo?

DICA Uma dica que sempre ajuda ao enfrentar provas trigonométricas complicadas que requerem diversas identidades: *sempre* verifique seu trabalho e revise todas as identidades que conhece para ter certeza de que não esqueceu de simplificar algo.

LEMBRE-SE O objetivo das provas é tornar um lado da equação dada parecido com o outro em uma série de etapas, todas baseadas em identidades, propriedades e definições. Todas as decisões tomadas devem se basear em regras. Eis uma visão geral das técnicas abordadas nesta seção:

» **Frações nas provas:** Essas provas permitem usar cada regra aprendida em relação a frações e suas operações. E mais, você tem muitas identidades envolvendo frações que podem ajudar.

» **Fatoração:** Os graus maiores que 1 em uma função trigonométrica muitas vezes são ótimos indicadores de que você precisa fazer alguma fatoração. E se vir diversos parênteses, poderá ter de fazer alguma multiplicação. Sempre verifique se a potência não envolve uma expressão conectada a uma identidade pitagórica.

» **Raízes quadradas:** Quando aparecem raízes em uma prova, cedo ou tarde você pode ter de elevar ambos os lados ao quadrado para continuar.

» **Trabalhar com ambos os lados de uma só vez:** Às vezes, você fica parado ao trabalhar em um lado da prova. Nesse ponto, tudo bem trabalhar no outro para ver como fazer os dois lados combinarem.

Lidando com denominadores exigentes

As frações são um modo de vida. Elas vieram para ficar e são especialmente predominantes na trigonometria. Ao lidar com as provas trigonométricas, é inevitável que apareçam frações. Portanto, respire fundo. Mesmo que não se importe com as frações, ainda deve ler esta seção, porque mostra especificamente como trabalhar com elas nas provas trigonométricas. Você trabalhará com três tipos principais de provas que têm frações:

> Provas em que você acaba criando frações.

> Provas que começam com frações.

> Provas que requerem multiplicar por um conjugado para lidar com uma fração.

Cada tipo nesta seção tem uma prova de exemplo para que você possa ver o que deve ser feito.

Criando frações ao trabalhar com identidades recíprocas

Converter todas as funções em senos e cossenos facilita a prova trigonométrica. Quando os termos são multiplicados, essa conversão geralmente permite cancelar e simplificar o quanto quiser para que um lado da equação acabe se parecendo com o outro, que é o objetivo. Mas quando os termos são somados ou subtraídos, você pode criar frações onde não havia antes. Isso ocorre sobretudo ao lidar com secante e cossecante, porque frações são criadas quando convertidas (respectivamente) em $\frac{1}{\cos x}$ e $\frac{1}{\sen x}$. O mesmo acontece para a tangente quando você a muda para $\frac{\sen x}{\cos x}$ e a cotangente se torna $\frac{\cos x}{\sen x}$.

Veja um exemplo que mostra a situação. Siga estas etapas a seguir para demonstrar que $\sec^2 t + \cossec^2 t = \sec^2 t \, \cossec^2 t$:

DICA: Ao escolher em qual lado da identidade trabalhar, em geral você escolhe o lado com mais termos. É mais fácil somar dois termos para criar um do que tentar descobrir como dividir um termo em dois.

1. **Converta as funções trigonométricas à esquerda em senos e cossenos.**

   À esquerda, agora você tem $\frac{1}{\cos^2 t} + \frac{1}{\sen^2 t} = \sec^2 t \, \cossec^2 t$

2. **Encontre o denominador comum das duas frações e reescreva.**

   Essa multiplicação resulta em $\frac{\sen^2 t}{\sen^2 t \cos^2 t} + \frac{\cos^2 t}{\sen^2 t \cos^2 t} = \sec^2 t \, \cossec^2 t$

3. **Some as frações.**

   $\frac{\sen^2 t + \cos^2 t}{\sen^2 t \cos^2 t} = \sec^2 t \, \cossec^2 t$

4. **Simplifique a expressão com uma identidade pitagórica no numerador.**

$$\frac{1}{\operatorname{sen}^2 t \cos^2 t} = \sec^2 t \operatorname{cossec}^2 t$$

5. **Use as identidades recíprocas para reescrever sem uma fração.**

$$\frac{1}{\operatorname{sen}^2 t} \cdot \frac{1}{\cos^2 t} = \sec^2 t \operatorname{cossec}^2 t$$

$$\operatorname{cossec}^2 t \cdot \sec^2 t = \sec^2 t \operatorname{cossec}^2 t$$

A multiplicação é comutativa, portanto, você tem:

$$\sec^2 t \operatorname{cossec}^2 t = \sec^2 t \operatorname{cossec}^2 t$$

Iniciando com frações

Quando a expressão dada começa com frações, na maioria das vezes você precisa somar (ou subtrair) para simplificar. Veja um exemplo de uma prova em que fazer exatamente isso permite prosseguir. Por exemplo, você precisa encontrar o menor denominador comum para somar duas frações e simplificar a expressão:

$$\frac{\cos t}{1+\operatorname{sen} t} + \frac{\operatorname{sen} t}{\cos t}$$

Você precisa simplificar a expressão, e um termo normalmente é mais simples que dois:

1. **Encontre o denominador comum e adicione.**

   O menor denominador comum é $(1+\operatorname{sen} t)\cos t$, o produto dos dois denominadores:

   $$\frac{\cos t}{1+\operatorname{sen} t} \cdot \frac{\cos t}{\cos t} + \frac{\operatorname{sen} t}{\cos t} \cdot \frac{1+\operatorname{sen} t}{1+\operatorname{sen} t} = \frac{\cos^2 t}{(1+\operatorname{sen} t)\cos t} + \frac{\operatorname{sen} t + \operatorname{sen}^2 t}{(1+\operatorname{sen} t)\cos t}$$

   Somando as duas frações, $\dfrac{\cos^2 t + \operatorname{sen} t + \operatorname{sen}^2 t}{(1+\operatorname{sen} t)\cos t}$

2. **Procure qualquer identidade trigonométrica e substitua.**

   Você pode reescrever o numerador $\dfrac{\operatorname{sen} t + \operatorname{sen}^2 t + \cos^2 t}{(1+\operatorname{sen} t)\cos t}$

   Aplicando a identidade pitagórica, $\operatorname{sen}^2 \theta + \cos^2 \theta = 1$, nos dois termos a seguir no numerador: $\dfrac{\operatorname{sen} t + 1}{(1+\operatorname{sen} t)\cos t}$

3. **Cancele ou reduza a fração.**

    Depois das partes de cima e de baixo estarem totalmente fatoradas (veja o Capítulo 5), você pode cancelar os termos: $\dfrac{1+\text{sen}t}{(1+\text{sen}t)\cos t} = \dfrac{1}{\cos t}$

4. **Aplique a identidade recíproca:**

    $$\dfrac{1}{\cos t} = \sec t$$

Portanto, a expressão original $\dfrac{\cos t}{1+\text{sen}t} + \dfrac{\text{sen}t}{\cos t}$ se simplifica como $\sec t$.

Multiplicando por um conjugado

Quando um lado da prova é uma fração com um binômio no denominador, sempre considere multiplicar pelo conjugado antes de qualquer outra coisa. Na maioria das vezes, essa técnica permite simplificar, pois cria a diferença de dois quadrados no denominador.

Por exemplo, siga as etapas para reescrever esta expressão sem uma fração:

$$\dfrac{\text{sen}\,x}{\sec x - 1}$$

1. **Multiplique pelo conjugado do denominador.**

    O conjugado de $a + b$ é $a - b$, e vice-versa. Portanto, multiplique o numerador e o denominador por $\sec x + 1$. Essa etapa resulta em:
    $$\dfrac{\text{sen}\,x}{\sec x - 1} \cdot \dfrac{\sec x + 1}{\sec x + 1}$$

2. **Aplique o método PEIU nos conjugados.**

    $$\dfrac{\text{sen}\,x(\sec x + 1)}{\sec^2 x - 1}$$

    Se você acompanhou ao longo do capítulo, a parte inferior deve ser bem familiar. Uma daquelas identidades pitagóricas? Sim!

3. **Mude qualquer identidade para sua forma mais simples.**

    Usando a identidade pitagórica $\text{tg}^2 \theta + 1 = \sec^2 \theta$ e substituindo na parte inferior, você obtém $\dfrac{\text{sen}\,x(\sec x + 1)}{\text{tg}^2 x + 1 - 1} = \dfrac{\text{sen}\,x(\sec x + 1)}{\text{tg}^2 x}$

4. **Mude cada função trigonométrica para senos e cossenos.**

    Aqui fica mais complexo: $\dfrac{\text{sen}\,x\left(\dfrac{1}{\cos x} + 1\right)}{\dfrac{\text{sen}^2 x}{\cos^2 x}}$

5. Multiplique o numerador pela recíproca do denominador.

$$\text{sen}x\left(\frac{1}{\cos x}+1\right)\cdot\frac{\cos^2 x}{\text{sen}^2 x}=\frac{\text{sen}x}{1}\left(\frac{1}{\cos x}+1\right)\cdot\frac{\cos^2 x}{\text{sen}^2 x}$$

6. Cancele o que puder na expressão.

O seno na parte superior se cancela com um dos senos na parte inferior, deixando a seguinte equação:

$$\frac{\cancel{\text{sen}x}}{1}\left(\frac{1}{\cos x}+1\right)\cdot\frac{\cos^2 x}{\text{sen}^2 x}=\left(\frac{1}{\cos x}+1\right)\cdot\frac{\cos^2 x}{\text{sen}x}$$

7. Distribua e veja o que acontece!

Nos cancelamentos, você vai de

$$\frac{1}{\cancel{\cos x}}\cdot\frac{\cos^2 x}{\text{sen}x}+1\cdot\frac{\cos^2 x}{\text{sen}x}=\frac{\cos x}{\text{sen}x}+\frac{\cos^2 x}{\text{sen}x} \text{ para } \frac{\cos x}{\text{sen}x}+\frac{\cos x}{\text{sen}x}\cdot\cos x$$

Usando uma identidade da razão, a expressão finalmente se simplifica como cotg$x$ + cotg$x$ cos$x$. E se for pedido para ir além, pode fatorar e obter cotg$x$(1 + cos$x$).

Sozinho em cada lado

Às vezes, trabalhar nos dois lados de uma prova, um de cada vez, leva a uma solução mais rápida, porque, para demonstrar uma identidade muito complicada, você pode precisar complicar a expressão ainda mais antes de começar a simplificar. Mas deve tomar essa ação apenas em circunstâncias desesperadoras, após outras técnicas terem falhado.

A principal ideia aqui é a de que você pode trabalhar primeiro no lado mais complicado, parar quando não avançar mais, depois trocar, trabalhando no outro lado. Indo e vindo, seu objetivo é fazer os dois lados da prova se encontrarem no meio. Eles devem terminar com a mesma expressão em cada lado.

Por exemplo, veja um modo de demonstrar esta identidade:

$$\frac{1+\text{cotg}x}{\text{cotg}x}=\text{tg}x+\text{cossec}^2 x-\text{cotg}^2 x$$

É difícil dizer qual lado é mais complicado, mas para o exemplo, considere a fração como sendo sua primeira linha de ataque.

1. **Divida a fração escrevendo cada termo no numerador acima do termo no denominador separadamente.**

   Agora você tem $\dfrac{1}{\cotg x} + \dfrac{\cotg x}{\cotg x} = \tg x + \cossec^2 x - \cotg^2 x$

2. **Use uma identidade recíproca e reduza a fração para simplificar.**

   Agora $\tg x + 1 = \tg x + \cossec^2 x - \cotg^2 x$

   Chegou o fim da estrada à esquerda. Agora a expressão está tão simplificada, que seria difícil expandi-la de novo para parecer com o lado direito, portanto, deve ir para a direita e simplificá-la.

   ⚠ **CUIDADO**

   Você pode ficar tentado a subtrair tg*x* de cada lado, mas não faça isso. Pode trabalhar em um lado ou no outro, mas não nos dois ao mesmo tempo.

3. **Procure qualquer identidade trigonométrica aplicável à direita.**

   Use a identidade pitagórica $\cossec^2 \theta = 1 + \cotg^2 \theta$, substituindo o termo $\cossec^2 x$.

   Então você tem tg*x* + 1 = tg*x* + (1 + cotg²*x*) − cotg²*x*. Isso se simplifica como tg*x* + 1 = tg*x* + 1.

4. **Reescreva a prova começando em um lado e terminando como no outro.**

   Dessa vez, trabalhando à direita, as etapas são usadas acima para mudar o lado direito para o que está à esquerda.

   $$\dfrac{1+\cotg x}{\cotg x} = \tg x + \cossec^2 x - \cotg^2 x$$
   $$= \tg x + \left(1 + \cotg^2 x\right) - \cotg^2 x$$
   $$= \tg x + 1$$
   $$= \dfrac{1}{\cotg x} + \dfrac{\cotg x}{\cotg x}$$
   $$= \dfrac{1+\cotg x}{\cotg x}$$

> **NESTE CAPÍTULO**
>
> » Aplicando fórmulas de soma e diferença das funções trigonométricas
>
> » Utilizando fórmulas de arco duplo
>
> » Cortando ângulos em dois com fórmulas de arco metade
>
> » Mudando de produtos para soma, e vice-versa
>
> » Colocando expoentes de lado com fórmulas de redução de potência

Capítulo **10**

Identidades Avançadas: A Chave do Sucesso

Antes da invenção das calculadoras (não faz tanto tempo quanto você imagina), as pessoas tinham apenas um meio de calcular os valores trigonométricos exatos mostrados no círculo unitário: usando identidades avançadas. Até hoje, a maioria das calculadoras mostra apenas uma aproximação do valor trigonométrico, sem exatidão. Os valores exatos são importantes para os cálculos trigonométricos e suas aplicações. Engenheiros que projetam pontes, por exemplo, não querem um valor quase correto, e nem você quer isso.

Este capítulo é a parte fundamental das identidades de pré-cálculo: ele contém muitas fórmulas que você precisa conhecer para o cálculo e se baseia nas identidades essenciais vistas no Capítulo 9. As identidades avançadas fornecem oportunidades para determinar valores que não podiam ser calculados antes, como encontrar o valor exato do seno de 15° ou descobrir o seno ou o cosseno da soma dos ângulos sem realmente saber o valor dos ângulos. Essas informações são muito úteis ao calcular, levando esses cálculos a outro patamar (no qual você integra e diferencia usando identidades).

Descobrindo as Funções Trigonométricas das Somas e das Diferenças

Tempos atrás, alguns matemáticos incríveis descobriram identidades que são válidas ao adicionar e subtrair medidas de ângulos a partir de triângulos especiais (triângulos retângulos de 30°, 60°, 90° e 45°, 45°, 90°; veja o Capítulo 7). O foco é encontrar um modo de reescrever um ângulo como uma soma ou uma diferença de dois ângulos "convenientes". Esses matemáticos eram curiosos; eles conseguiram encontrar valores trigonométricos para os triângulos especiais, mas queriam saber como lidar com outros ângulos que não fazem parte dos triângulos especiais no círculo unitário. Eles conseguiam resolver problemas com múltiplos de 30° e 45°, mas não sabiam nada sobre os outros ângulos que não eram formados assim!

Construir tais ângulos era simples, mas avaliar as funções trigonométricas para eles se mostrava um pouco mais difícil. Portanto, eles reuniram esforços e descobriram as identidades de soma e diferença analisadas nesta seção. O único problema era que eles ainda não conseguiam encontrar os valores trigonométricos de muitos outros ângulos usando as fórmulas da $(a+b)$ e da diferença $(a-b)$.

Esta seção dá um passo adiante com as informações tratadas nos capítulos anteriores, como calcular os valores trigonométricos de ângulos especiais. Você avançou com identidades que permitem encontrar valores trigonométricos de ângulos que são múltiplos de 15°.

Nota: Nunca será pedido para encontrar o seno de 87°, por exemplo, usando identidades trigonométricas. Se o ângulo não pode ser escrito como a soma ou a diferença de ângulos especiais, então a pessoa recorre a uma calculadora. Se você puder dividir o ângulo dado na soma ou na diferença de dois ângulos cujas funções são conhecidas, será moleza (se não puder expressar o ângulo como a soma ou a diferença de ângulos especiais, terá de encontrar outro modo de resolver o problema, e algumas dessas possibilidades são explicadas mais adiante neste capítulo).

LEMBRE-SE

Quando forem apresentados problemas de identidade avançados, em geral será pedido para que se trabalhe com ângulos em radianos, não em graus. Esta seção começa com cálculos em graus porque são mais fáceis de manipular (números inteiros, em vez de frações). Então, trocamos para radianos e vemos como fazer as fórmulas funcionarem também.

Procurando o seno de $(a \pm b)$

Usando triângulos retângulos especiais (veja o Capítulo 7), que têm pontos no círculo unitário fáceis de identificar, é possível encontrar os senos dos ângulos de 30° e 45° (entre outros). Porém, nenhum ponto no círculo permite encontrar os valores trigonométricos nas medidas de ângulo que não são especiais ou o múltiplo de um ângulo especial (como o seno de 15°) diretamente. O seno de tal ângulo não é dado como um ponto no círculo; não é um dos pontos com uma identificação bonita. Não se desespere, porque é onde as identidades avançadas ajudam você.

PAPO DE ESPECIALISTA

Observe que $45° - 30° = 15°$ e $45° + 30° = 75°$. Para os ângulos que você pode reescrever como a soma ou a diferença dos ângulos especiais, veja as fórmulas da soma e da diferença para o seno:

» $\text{sen}(a+b) = \text{sen}\,a\cos b + \cos a\,\text{sen}\,b$
» $\text{sen}(a-b) = \text{sen}\,a\cos b - \cos a\,\text{sen}\,b$

CUIDADO

Você não pode reescrever $\text{sen}(a+b)$ como $\text{sen}\,a + \text{sen}\,b$. Não pode distribuir o seno nos valores entre parênteses, pois o seno não é uma operação de multiplicação; portanto, a propriedade distributiva não se aplica (como nos números reais). Seno é uma função, não um número nem uma variável.

CUIDADO

Existe mais de um modo de combinar os ângulos do círculo unitário para obter o ângulo solicitado. Você também pode escrever sen75° como $\text{sen}(135° - 60°)$ ou $\text{sen}(225° - 150°)$. Depois de encontrar um modo de reescrever um ângulo como uma soma ou uma diferença, prossiga. Use um que funcione no seu caso!

Calculando em graus

Medir os ângulos em graus para as fórmulas da soma e da diferença é mais fácil do que medir em radianos, uma vez que somar ou subtrair graus é muito mais fácil do que em radianos. A soma e a subtração de ângulos em radianos requerem encontrar um denominador comum. E mais, avaliar as funções trigonométricas requer trabalhar de trás para a frente a partir de um denominador comum para dividir o ângulo em duas frações com denominadores diferentes. Você verá os cálculos em graus e radianos, portanto, ficará pronto para o que surgir no caminho.

Por exemplo, siga estas etapas para encontrar o seno de 75°:

1. **Reescreva o ângulo, usando os ângulos especiais dos triângulos retângulos (veja o Capítulo 7).**

   Um modo de reescrever 75° é 30° + 45°.

2. **Escolha a devida fórmula da soma ou da diferença.**

   O cálculo na Etapa 1 usa a adição, portanto, você deve usar a fórmula da soma para o seno:

   $\text{sen}(a+b) = \text{sen}\,a\cos b + \cos a\,\text{sen}\,b$

3. **Coloque as informações conhecidas na fórmula.**

   Você sabe que $\text{sen}\,75° = \text{sen}(30°+45°)$. Portanto, $a = 30°$ e $b = 45°$. A fórmula resulta em $\text{sen}(30°+45°) = \text{sen}\,30°\cos 45° + \cos 30°\,\text{sen}\,45°$.

4. **Use o círculo unitário (veja o Capítulo 7) para pesquisar os valores do seno e do cosseno necessários.**

   Agora você tem $\text{sen}\,30°\cos 45° + \cos 30°\,\text{sen}\,45° = \dfrac{1}{2} \cdot \dfrac{\sqrt{2}}{2} + \dfrac{\sqrt{3}}{2} \cdot \dfrac{\sqrt{2}}{2}$.

5. **Multiplique e simplifique para encontrar a resposta final.**

   Você acaba com $\dfrac{1}{2} \cdot \dfrac{\sqrt{2}}{2} + \dfrac{\sqrt{3}}{2} \cdot \dfrac{\sqrt{2}}{2} = \dfrac{\sqrt{2}}{4} + \dfrac{\sqrt{6}}{4} = \dfrac{\sqrt{2}+\sqrt{6}}{4}$. Isso representa um número exato, não uma aproximação decimal.

Calculando em radianos

Você pode trabalhar com o conceito das fórmulas da soma e da diferença usando radianos. Aqui foi pedido para encontrar o valor trigonométrico de um ângulo específico que não está marcado no círculo unitário (mas ainda é um múltiplo de 15° ou $\dfrac{\pi}{12}$ radiano). Antes de escolher a fórmula correta (Etapa 2 da seção anterior), basta dividir o ângulo na soma ou na diferença de dois ângulos no círculo unitário. Consulte o círculo e observe os ângulos em radianos na Figura 10-1. Veja que todos os denominadores são diferentes, tornando um desafio a soma e a subtração. Você deve encontrar um denominador comum para realizar as operações. Para os ângulos mostrados no círculo unitário, o denominador comum é 12, como pode ser visto na Figura 10-1.

LEMBRE-SE

Essa figura é útil apenas para as fórmulas da soma e da diferença, porque encontrar um denominador comum é algo que se faz apenas quando você soma ou subtrai frações.

Por exemplo, siga estas etapas para encontrar o valor exato de sen$\frac{\pi}{12}$:

1. **Reescreva o ângulo em questão, usando os ângulos especiais em radianos com denominadores comuns.**

   Na Figura 10-1, busque um modo de somar ou subtrair dois ângulos para que, no final, obtenha $\frac{\pi}{12}$. Nesse caso, pode reescrever $\frac{\pi}{12}$ como $\frac{\pi}{4} - \frac{\pi}{6} = \frac{3\pi}{12} - \frac{2\pi}{12}$.

2. **Escolha a devida fórmula da soma/diferença.**

   Como a operação é uma subtração, é preciso usar a fórmula da diferença.

3. **Coloque as informações conhecidas na fórmula escolhida.**

   Você conhece a seguinte igualdade: sen$\frac{\pi}{12}$ =sen$\left(\frac{3\pi}{12} - \frac{2\pi}{12}\right)$ =sen$\left(\frac{\pi}{4} - \frac{\pi}{6}\right)$

   Substitua os valores na fórmula da diferença:

   sen$\left(\frac{\pi}{4} - \frac{\pi}{6}\right)$ =sen$\frac{\pi}{4}$cos$\frac{\pi}{6}$ − cos$\frac{\pi}{4}$sen$\frac{\pi}{6}$

4. **Use o círculo unitário para pesquisar os valores do seno e do cosseno necessários.**

   Agora você tem sen$\left(\frac{\pi}{4} - \frac{\pi}{6}\right)$ = $\frac{\sqrt{2}}{2} \cdot \frac{\sqrt{3}}{2} - \frac{\sqrt{2}}{2} \cdot \frac{1}{2}$

5. **Multiplique e simplifique para obter a resposta final.**

   Você acaba com a seguinte resposta: sen$\frac{\pi}{12} = \frac{\sqrt{6}}{4} - \frac{\sqrt{2}}{4} = \frac{\sqrt{6} - \sqrt{4}}{4}$

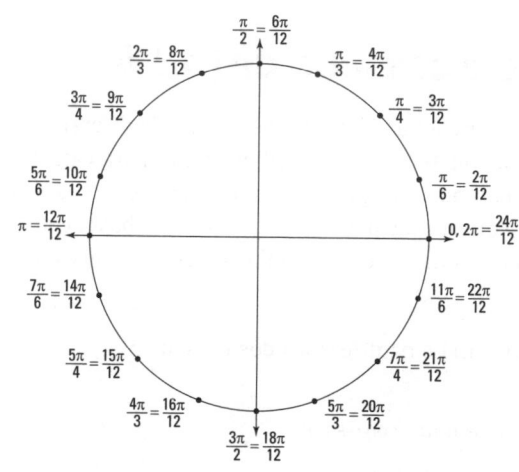

FIGURA 10-1: Círculo unitário mostrando os ângulos em radianos com denominadores comuns.

CAPÍTULO 10 Identidades Avançadas: A Chave do Sucesso

Aplicando as fórmulas da soma e da diferença nas provas

O objetivo ao lidar com provas trigonométricas neste capítulo é o mesmo daquele ao lidar com elas no Capítulo 9: é preciso tornar um lado de certa equação igual ao outro. Esta seção tem informações sobre como lidar com as fórmulas da soma e da diferença em uma prova.

Quando for pedido para demonstrar $\text{sen}(x+y)+\text{sen}(x-y)=2\text{sen}\,x\cos y$, por exemplo, siga estas etapas:

1. **Procure identidades na equação.**

    Nesse exemplo, você pode ver os termos de abertura das identidades da soma e da diferença, $\text{sen}(a+b)=\text{sen}\,a\cos b+\cos a\,\text{sen}\,b$ e $\text{sen}(a-b)=\text{sen}\,a\cos b-\cos a\,\text{sen}\,b$.

2. **Substitua as identidades.**

    $\text{sen}\,x\cos y+\cos x\,\text{sen}\,y+(\text{sen}\,x\cos y-\cos x\,\text{sen}\,y)=2\text{sen}\,x\cos y$

3. **Simplifique para obter a prova.**

    Dois termos se cancelam:

    $\text{sen}\,x\cos y+\cancel{\cos x\,\text{sen}\,y}+\text{sen}\,x\cos y-\cancel{\cos x\,\text{sen}\,y}=2\text{sen}\,x\cos y$

    $\text{sen}\,x\cos y+\text{sen}\,x\cos y=2\text{sen}\,x\cos y$

    Combine os termos afins para terminar a prova:

    $2\text{sen}\,x\cos y=2\text{sen}\,x\cos y$

Calculando o cosseno de $(a \pm b)$

Depois de se acostumar com as fórmulas da soma e da diferença do seno, você pode aplicar com facilidade seu novo conhecimento para calcular as somas e as diferenças dos cossenos, porque as fórmulas são muito parecidas. Ao trabalhar com somas e diferenças para senos e cossenos, basta colocar os valores dados nas variáveis. Apenas use a fórmula correta baseada nas informações dadas na questão.

PAPO DE ESPECIALISTA

Veja as fórmulas da soma e da diferença dos cossenos:

» $\cos(a+b)=\cos a\cos b-\text{sen}\,a\,\text{sen}\,b$
» $\cos(a-b)=\cos a\cos b+\text{sen}\,a\,\text{sen}\,b$

Aplicando fórmulas para encontrar o cosseno da soma ou da diferença de dois ângulos

As fórmulas da soma e da diferença do cosseno (e do seno) podem fazer mais do que calcular um valor trigonométrico para um ângulo não marcado no círculo unitário (pelo menos para os ângulos que são múltiplos de 15°). Elas também podem ser usadas para encontrar o cosseno da soma ou da diferença com base nas informações dadas sobre dois ângulos. Para tais problemas, haverá dois ângulos (chame-os de A e B), o seno ou o cosseno de A e B, e o(s) quadrante(s) onde estão localizados os dois ângulos. Você não terá a medida do ângulo, apenas informações sobre ele.

Use as seguintes etapas para encontrar o valor exato do $\cos(A+B)$, dado que $\cos(A) = -\frac{3}{5}$, com A no quadrante II do plano cartesiano, e $\text{sen}(B) = -\frac{7}{25}$, com B no quadrante III:

1. **Escolha a devida fórmula e substitua as informações conhecidas para determinar o que falta.**

   Se $\cos(A+B) = \cos A \cos B - \text{sen} A \text{sen} B$, então as substituições resultam nesta equação:

   $$\cos(A+B) = \left(-\frac{3}{5}\right)\cos B - \text{sen} A\left(-\frac{7}{25}\right)$$

   Para avançar mais, é preciso encontrar o cosseno de B e o seno de A.

2. **Desenhe imagens representando os triângulos retângulos no(s) quadrante(s).**

   É preciso desenhar um triângulo para o ângulo A no quadrante II e outro para o ângulo B no quadrante III. Usando a definição de seno como $\frac{\text{op}}{\text{hip}}$ e cosseno como $\frac{\text{adj}}{\text{hip}}$, a Figura 10-2 mostra esses triângulos com os valores dados do cosseno e do seno. Observe que está faltando o valor de um cateto em cada triângulo.

3. **Para encontrar os valores que faltam, use o Teorema de Pitágoras (uma vez para cada triângulo; veja o Capítulo 7).**

   O cateto ausente na Figura 10-2a é 4, e o cateto que falta na Figura 10-2b é –24.

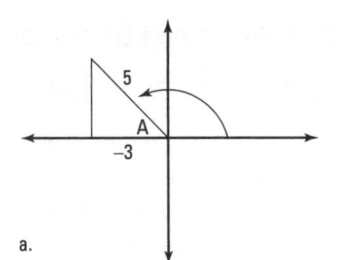

FIGURA 10-2:
Desenhar imagens ajuda a visualizar as partes que faltam.

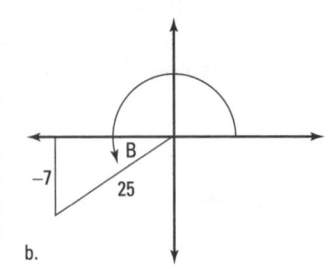

a.

b.

4. **Determine as razões trigonométricas que faltam para usar na fórmula da soma/diferença.**

   Use a definição de cosseno e o fato de que o ângulo está no quadrante III para descobrir que $\cos(B) = -\frac{24}{25}$, a definição do seno, e que o ângulo está no quadrante II para descobrir que $\operatorname{sen}(A) = \frac{4}{5}$.

5. **Substitua as razões trigonométricas que faltam na fórmula da soma/diferença e simplifique.**

   Agora você pode escrever a equação:

   $$\cos(A+B) = \left(-\frac{3}{5}\right)\left(-\frac{24}{25}\right) - \left(\frac{4}{5}\right)\left(-\frac{7}{25}\right)$$

   Siga a ordem das operações:

   $$\cos(A+B) = \frac{72}{125} + \frac{28}{125} = \frac{100}{125} = \frac{4}{5}$$

   A equação se simplifica como $\cos(A+B) = \frac{4}{5}$.

Aplicando fórmulas da soma e da diferença do cosseno nas provas

Você pode demonstrar as identidades da cofunção no Capítulo 9 usando as fórmulas da soma e da diferença do cosseno. Por exemplo, para demonstrar $\cos\left(\frac{\pi}{2} - x\right) = \operatorname{sen} x$, siga estas etapas:

1. **Trace as informações dadas.**

   Inicie com $\cos\left(\dfrac{\pi}{2} - x\right) = \operatorname{sen} x$.

2. **Procure as identidades da soma e/ou diferença para o cosseno.**

   Nesse caso, o lado esquerdo da equação é o começo da fórmula da diferença para o cosseno. Portanto, você pode reescrever o termo esquerdo usando a fórmula para os cossenos:

   $\cos\dfrac{\pi}{2}\cos x + \operatorname{sen}\dfrac{\pi}{2}\operatorname{sen} x = \operatorname{sen} x$

3. **Consulte o círculo unitário e substitua todas as informações conhecidas.**

   $0 \cdot \cos x + 1 \cdot \operatorname{sen} x = \operatorname{sen} x$
   $0 + \operatorname{sen} x = \operatorname{sen} x$

   A equação agora informa sen$x$ = sen$x$. Surpresa!

Domando a tangente de $(a \pm b)$

Como no seno e no cosseno (veja as seções anteriores deste capítulo), você pode contar com fórmulas para encontrar a tangente de uma soma ou uma diferença dos ângulos. A principal diferença é que você não pode ler as tangentes diretamente a partir das coordenadas dos pontos no círculo unitário, como pode no seno e no cosseno, porque cada ponto representa $(\cos\theta, \operatorname{sen}\theta)$, como explicado no Capítulo 7.

Mas não perca as esperanças, pois a tangente é definida como $\dfrac{\operatorname{sen}\theta}{\cos\theta}$; o seno do ângulo é a coordenada y, e o cosseno é a coordenada x. Você pode expressar a tangente em ternos de x e y no círculo como $\dfrac{y}{x}$.

PAPO DE ESPECIALISTA

Vejas as fórmulas necessárias para encontrar a tangente de uma soma ou uma diferença dos ângulos:

» $\operatorname{tg}(a + b) = \dfrac{(\operatorname{tg}a + \operatorname{tg}b)}{(1 - \operatorname{tg}a\,\operatorname{tg}b)}$

» $\operatorname{tg}(a - b) = \dfrac{(\operatorname{tg}a - \operatorname{tg}b)}{(1 + \operatorname{tg}a\,\operatorname{tg}b)}$

Duas formas alternativas, usando seno e cosseno, são:

» $\operatorname{tg}(a + b) = \dfrac{\operatorname{sen}(a + b)}{\cos(a + b)}$

» $\operatorname{tg}(a - b) = \dfrac{\operatorname{sen}(a - b)}{\cos(a - b)}$

Aplicando fórmulas para resolver um problema comum

As fórmulas da soma e da diferença para a tangente funcionam de modos parecidos com as do seno e do cosseno. Você pode usá-las para resolver vários problemas. Nesta seção, veja como encontrar a tangente de um ângulo não marcado no círculo unitário. Você pode fazer isso contanto que o ângulo possa ser escrito como a soma ou a diferença de ângulos especiais.

Por exemplo, para encontrar o valor exato da tg $105°$, siga estas etapas:

1. **Reescreva o ângulo dado, usando as informações dos ângulos especiais do triângulo retângulo (veja o Capítulo 7).**

   Consulte o círculo unitário no Capítulo 7, observando que ele é criado a partir de triângulos retângulos especiais, para encontrar uma combinação de ângulos que somam ou subtraem para obter tg $105°$. Você pode escolher entre $240° - 135°$, $330° - 225°$ etc. Nesse exemplo, uma ótima escolha é $60° + 45°$. Portanto, tg$(105°)$ = tg$(60°+45°)$.

   Como o ângulo é reescrito com a soma, é preciso usar a fórmula da soma para a tangente.

2. **Coloque as informações conhecidas na devida fórmula.**

   $$\text{tg}(60° + 45°) = \frac{\text{tg}60° + \text{tg}45°}{1 - \text{tg}60° \, \text{tg}45°}$$

3. **Use o círculo unitário para pesquisar os valores do seno e do cosseno necessários.**

   Para encontrar a tg$60°$, localize $60°$ no círculo unitário e use os valores do seno e do cosseno de suas coordenadas correspondentes para calcular a tangente:

   $$\text{tg}60° = \frac{\text{sen}60°}{\cos 60°} = \frac{\frac{\sqrt{3}}{2}}{\frac{1}{2}} = \frac{\sqrt{3}}{\cancel{2}} \cdot \frac{\cancel{2}}{1} = \sqrt{3}$$

   Siga o mesmo processo para tg$45°$:

   $$\text{tg}45° = \frac{\text{sen}45°}{\cos 45°} = \frac{\frac{\sqrt{2}}{2}}{\frac{\sqrt{2}}{2}} = \frac{\cancel{\sqrt{2}}}{\cancel{2}} \cdot \frac{\cancel{2}}{\cancel{\sqrt{2}}} = 1$$

4. **Substitua os valores trigonométricos da Etapa 3 na fórmula.**

   Essa etapa resulta em: $\text{tg}(60° + 45°) = \dfrac{(\text{tg}60° + \text{tg}45°)}{(1 - \text{tg}60° \; \text{tg}45°)} = \dfrac{\sqrt{3}+1}{1-\sqrt{3}\cdot 1} = \dfrac{\sqrt{3}+1}{1-\sqrt{3}}$

5. **Racionalize o denominador.**

   Você não deve deixar a raiz quadrada na parte inferior da fração. Como o denominador é um binômio (a soma ou a diferença de dois termos), pode multiplicar por seu conjugado. O conjugado de $a + b$ é $a - b$, e vice-versa. Então o conjugado de $1 - \sqrt{3}$ é $1 + \sqrt{3}$. Racionalizando:

   $$\dfrac{\sqrt{3}+1}{1-\sqrt{3}} \cdot \dfrac{1+\sqrt{3}}{1+\sqrt{3}} = \dfrac{1+\sqrt{3}}{1-\sqrt{3}} \cdot \dfrac{1+\sqrt{3}}{1+\sqrt{3}}$$

   $$= \dfrac{1+2\sqrt{3}+3}{1-3} = \dfrac{4+2\sqrt{3}}{-2}$$

6. **Simplifique a fração racionalizada reduzindo.**

   $\dfrac{4+2\sqrt{3}}{-2} = -\left(2+\sqrt{3}\right)$ ou $-2-\sqrt{3}$

Aplicando fórmulas da soma e da diferença nas provas

As fórmulas da soma e da diferença para a tangente são muito úteis se você quer demonstrar algumas identidades básicas do Capítulo 9. Por exemplo, é possível demonstrar as identidades de cofunção e periodicidade usando fórmulas da diferença e da soma. Se você vir uma soma ou uma diferença dentro de uma função tangente, poderá experimentar a devida fórmula para simplificar.

Por exemplo, pode demonstrar essa identidade com as seguintes etapas:

$$\text{tg}\left(\dfrac{\pi}{4}+x\right) = \dfrac{1+\text{tg}x}{1-\text{tg}x}$$

1. **Procure identidades que possam ser substituídas.**

   No lado esquerdo da prova, você pode usar a identidade da soma para a tangente:

   $$\text{tg}(a+b) = \dfrac{\text{tg}a + \text{tg}b}{1 - \text{tg}a \; \text{tg}b}$$

   Trabalhar à esquerda e substituir os valores resulta na seguinte equação:

   $$\dfrac{\text{tg}\dfrac{\pi}{4} + \text{tg}x}{1 - \text{tg}\dfrac{\pi}{4}\text{tg}x} = \dfrac{1+\text{tg}x}{1-\text{tg}x}$$

2. **Use qualquer valor aplicável do círculo unitário para simplificar a prova.**

No círculo unitário (veja o Capítulo 7), observe que $\operatorname{tg}\frac{\pi}{4}=1$, portanto, você pode colocar esse valor e obter:

$$\frac{1 + \operatorname{tg}x}{1 - 1 \cdot \operatorname{tg}x} = \frac{1 + \operatorname{tg}x}{1 - \operatorname{tg}x}$$

A identidade é demonstrada:

$$\frac{1 + \operatorname{tg}x}{1 - \operatorname{tg}x} = \frac{1 + \operatorname{tg}x}{1 - \operatorname{tg}x}$$

Dobrando um Ângulo e Encontrado Seu Valor Trigonométrico

Use uma *fórmula do arco duplo* para encontrar o valor trigonométrico de duas vezes um ângulo. Às vezes, você sabe o ângulo original, outras não. Trabalhar com fórmulas de arco duplo é útil quando é necessário resolver equações trigonométricas ou quando é dado o seno, o cosseno, a tangente ou outra função trigonométrica de um ângulo e é preciso encontrar o valor trigonométrico exato dobrado desse ângulo sem saber a medida do ângulo original. Não é seu dia de sorte?

Nota: Se você conhece o ângulo original em questão, é fácil encontrar o seno, o cosseno ou a tangente dobrada desse ângulo; pode pesquisar no círculo unitário ou usar sua calculadora para encontrar a resposta. Mas se você não tem a medida do ângulo original e precisa encontrar o valor exato dobrado desse ângulo, o processo não é tão simples. Continue lendo!

Encontrando o seno de um arco duplo

Para entender bem e conseguir guardar a fórmula do arco duplo para o seno, primeiro deve entender de onde ela vem (as fórmulas do arco duplo para o seno, o cosseno e a tangente são muito diferentes entre si, embora possam ser derivadas usando a fórmula da soma).

1. **Reescreva $\operatorname{sen}2\theta$ como a soma de dois ângulos.**

   $\operatorname{sen}2\theta = \operatorname{sen}(\theta+\theta)$

2. **Use a fórmula da soma (veja a seção "Procurando o seno de $(a \pm b)$") para expandir o seno da soma.**

   $\operatorname{sen}(\theta + \theta) = \operatorname{sen}\theta \cos\theta + \cos\theta \operatorname{sen}\theta$

3. **Simplifique os dois lados.**

   sen2θ = 2senθ cosθ

   PAPO DE ESPECIALISTA

   Essa identidade é chamada de *fórmula do arco duplo* para o seno. Se você tiver uma equação com mais de uma função trigonométrica e for pedido para determinar o ângulo, o melhor a fazer é expressar a equação em termos de uma função trigonométrica apenas. Muitas vezes é possível conseguir isso usando a fórmula do arco duplo.

Para resolver 4sen2x cos2x =1 para o valor de x, note que a equação não está definida para ser igual a 0, portanto, não pode ser fatorada. Mesmo que você subtraia 1 dos dois lados para obter 0 à direita, não pode ser fatorada. Assim, não há solução, certo? Não exatamente. Você precisa verificar primeiro as identidades. Por exemplo, a fórmula do arco duplo estabelece que sen2x = 2senx cosx. Você pode reescrever algumas coisas:

1. **Expresse o problema.**

   Determine x em 4sen2x cos2x = 1.

2. **Reescreva a equação para corresponder a um fator com uma possível identidade.**

   Fatore 2 à esquerda e terá 2(2sen2x cos2x) = 1.

   Entre parênteses, você tem o resultado da aplicação da fórmula para o ângulo duplo, que é sen4x. Observe que as duas funções têm ângulo de 2x, que é a metade de 4x.

3. **Aplique a fórmula correta.**

   A fórmula do arco duplo para o seno permite substituir o que está entre parênteses, resultando em $2(\text{sen}4x) = 1$.

4. **Simplifique a equação e isole a função trigonométrica.**

   Reescreva como $2\text{sen}4x = 1$, depois divida cada lado por 2 para obter $\text{sen}4x = \frac{1}{2}$.

5. **Encontre todas as soluções da equação trigonométrica.**

   Quando o seno de um ângulo é igual a $\frac{1}{2}$? Consultando o círculo unitário, você descobre dois pontos onde o seno é $\frac{1}{2}$: quando o ângulo mede $\frac{\pi}{6}$ e quando é $\frac{5\pi}{6}$. Portanto, sen$4x = \frac{1}{2}$ quando 4x é $\frac{\pi}{6}$ ou $\frac{5\pi}{6}$. Por causa do multiplicador 4 na variável, você precisa de quatro ângulos correspondentes (o original e três rotações) para cada ângulo. Adicione 2π a cada ângulo três vezes.

Para $4x = \frac{\pi}{6}$, você também tem $4x = \frac{\pi}{6} + 2\pi = \frac{13\pi}{6}$, $4x = \frac{\pi}{6} + 4\pi = \frac{25\pi}{6}$ e $4x = \frac{\pi}{6} + 6\pi = \frac{37\pi}{6}$.

Para $4x = \frac{5\pi}{6}$, também tem $4x = \frac{5\pi}{6} + 2\pi = \frac{17\pi}{6}$, $4x = \frac{5\pi}{6} + 4\pi = \frac{29\pi}{6}$ e $4x = \frac{5\pi}{6} + 6\pi = \frac{41\pi}{6}$.

Resolva cada equação dividindo por 4 e terá:

$x = \frac{\pi}{24}, x = \frac{13\pi}{24}, x = \frac{25\pi}{24}$ e $x = \frac{37\pi}{24}$

$x = \frac{5\pi}{24}, x = \frac{17\pi}{24}, x = \frac{29\pi}{24}$ e $x = \frac{41\pi}{24}$

E essas oito soluções são apenas uma volta no círculo unitário. Você pode adicionar 2π a qualquer solução para obter ainda mais.

Calculando cossenos para dois

Você pode usar três fórmulas diferentes para encontrar o valor do cos 2x (o arco duplo do cosseno), portanto, seu trabalho é escolher a mais adequada a seu problema específico. A fórmula do arco duplo para o cosseno vem da fórmula da soma, assim como a fórmula para o seno. Se você não conseguir se lembrar da fórmula do arco duplo, mas se lembrar da fórmula da soma, basta simplificar $\cos(2x)$, que é igual a $\cos(x + x)$. Usar a fórmula da soma para criar a fórmula do arco duplo para o cosseno resulta em $\cos 2x = \cos^2 x - \text{sen}^2 x$. E você tem outros modos de expressar isso usando identidades pitagóricas (veja o Capítulo 9):

» Pode substituir $\text{sen}^2 x$ por $(1 - \cos^2 x)$ e simplificar.

» Pode substituir $\cos^2 x$ por $(1 - \text{sen}^2 x)$ e simplificar.

PAPO DE ESPECIALISTA

A seguir estão as fórmulas para o arco duplo do cosseno:

» $\cos 2\theta = \cos^2 \theta - \text{sen}^2 \theta$
» $\cos 2\theta = 2\cos^2 \theta - 1$
» $\cos 2\theta = 1 - 2\text{sen}^2 \theta$

Ver o que é dado e o que foi pedido para encontrar normalmente levará à melhor fórmula para a situação. Mas veja bem, se você não escolher a certa de início, terá mais duas tentativas!

Veja um problema de exemplo: se $\sec x = -\frac{15}{8}$, encontre o valor exato de $\cos 2x$, dado que x está no quadrante II do plano cartesiano. Siga estas etapas para resolver:

1. **Use a identidade recíproca (veja o Capítulo 9) para mudar a secante para o cosseno.**

   Como a secante não aparece em nenhuma identidade que envolve um arco duplo, é preciso completar primeiro essa etapa. Portanto,

   Se $\sec x = -\dfrac{15}{8}$, então a recíproca da secante é igual ao cosseno: $\cos x = -\dfrac{8}{15}$

2. **Escolha a fórmula do arco duplo correta.**

   Agora que sabe o valor do cosseno, escolha a fórmula com cosseno apenas: $\cos 2\theta = 2\cos^2 \theta - 1$

3. **Substitua as informações conhecidas na fórmula.**

   Você pode colocar o cosseno na equação: $\cos 2x = 2\left(-\dfrac{8}{15}\right)^2 - 1$

4. **Simplifique a fórmula para determinar.**

   $\cos 2x = 2\left(-\dfrac{8}{15}\right)^2 - 1 = 2\left(\dfrac{64}{225}\right) - 1 = \dfrac{128}{225} - 1 = \dfrac{128}{225} - \dfrac{225}{225} = -\dfrac{97}{225}$

Afastando suas preocupações

Por mais que você ame os radicais (do tipo raiz quadrada, claro), quando uma raiz aparece dentro de uma prova trigonométrica, normalmente é preciso elevar ao quadrado os dois lados da equação em algum ponto para chegar aonde precisa ir. Por exemplo, digamos que seja preciso demonstrar que $2\operatorname{sen}^2 x - 1 = \sqrt{1 - \operatorname{sen}^2 2x}$.

Mesmo que você geralmente queira trabalhar em apenas um lado ou outro para demonstrar uma identidade, o radical à direita dificulta criar a mesma expressão nos dois lados. Para tanto, é preciso experimentar os quadrados em ambos os lados:

1. **Eleve ao quadrado os dois lados.**

   Cuidado ao usar esse processo de elevar ao quadrado os dois lados da equação. Nesse caso, é bom, uma vez que o quadrado do seno sempre será 1 ou menor, e você não terá um número negativo sob o radical.

   LEMBRE-SE

   Você tem $\left(2\operatorname{sen}^2 x - 1\right)^2 = \left(\sqrt{1 - \operatorname{sen}^2 2x}\right)^2$

   À esquerda, você tem um trinômio quadrado perfeito, e à direita, o quadrado e a raiz se cancelam. O resultado de elevar ao quadrado a equação é:

   $4\operatorname{sen}^4 x - 4\operatorname{sen}^2 x + 1 = 1 - \operatorname{sen}^2 2x$

2. **Procure as identidades.**

   Você pode ver um arco duplo à direita. A notação significa elevar ao quadrado o seno de 2x: $\text{sen}^2 2x = (\text{sen} 2x)^2$

   Portanto, você reescreve a identidade como
   $$4\text{sen}^4 x - 4\text{sen}^2 x + 1 = 1 - (\text{sen} 2x)^2$$

   Então substitui na identidade do arco duplo e eleva ao quadrado:
   $$4\text{sen}^4 x - 4\text{sen}^2 x + 1 = 1 - (2\text{sen} x \cos x)^2$$
   $$4\text{sen}^4 x - 4\text{sen}^2 x + 1 = 1 - 4\text{sen}^2 x \cos^2 x$$

3. **Mude o termo cosseno para um seno.**

   Mude $\cos^2 x$ para $1 - \text{sen}^2 x$ usando a identidade pitagórica. Você obterá
   $$4\text{sen}^4 x - 4\text{sen}^2 x + 1 = 1 - 4\text{sen}^2 x(1 - \text{sen}^2 x)$$

4. **Distribua e simplifique.**

   O resultado será $4\text{sen}^4 x - 4\text{sen} x + 1 = 1 - 4\text{sen}^2 x + 4\text{sen}^4 x$

   Usando as propriedades comutativa e associativa da igualdade (Capítulo 1), $4\text{sen}^4 x - 4\text{sen} x + 1 = 4\text{sen}^4 x - 4\text{sen} x + 1$, e a identidade é demonstrada.

Diversão dobrada com as tangentes

Diferente das fórmulas para o cosseno (veja a seção "Calculando cossenos para dois"), a tangente tem apenas uma fórmula do arco duplo. É um alívio, depois de lidar com o cosseno. A fórmula da tangente é usada com menos frequência do que as fórmulas do arco duplo para o seno ou o cosseno, mas você não deve ignorá-la só porque não é tão popular quanto suas colegas mais legais!

A fórmula do arco duplo da tangente é derivada simplificando $\text{tg}(x + x)$ com a fórmula da soma. Porém, o processo de simplificação é muito mais complicado aqui, porque envolve frações.

PAPO DE ESPECIALISTA

A identidade do arco duplo da tangente é $\text{tg} 2\theta = \dfrac{2\text{tg}\theta}{1 - \text{tg}^2\theta}$.

LEMBRE-SE

Ao resolver equações para a tangente, lembre-se de que o período da função tangente é π. Esse detalhe é importante, sobretudo quando é necessário lidar com mais de um ângulo em uma equação, porque em geral você precisa encontrar todas as soluções no intervalo $[0, 2\pi)$. As equações do arco duplo têm o dobro de soluções nesse intervalo em relação às equações de arco simples.

Siga estas etapas para encontrar soluções para 2tg 2x + 2 = 0 no intervalo [0, 2π):

1. **Isole a função trigonométrica.**

    Subtraia 2 dos dois lados para obter 2tg 2x = -2. Divida os dois lados da equação por 2 em seguida: tg2x = -1.

2. **Determine o arco duplo, 2x; quando** tg2x = -1?

    No círculo unitário, a tangente é negativa no segundo e quarto quadrantes. E mais, a tangente é -1 em $\frac{3\pi}{4}$ e $\frac{7\pi}{4}$.

3. **Liste as duas rotações somando** 2π **a cada ângulo.**

    (O número de rotação é ditado pelo coeficiente de x.)

    Somando 2π, você obtém quatro possibilidades: $2x = \frac{3\pi}{4}$, $2x = \frac{11\pi}{4}$, $2x = \frac{7\pi}{4}$ e $2x = \frac{15\pi}{4}$

4. **Encontre todas as soluções no intervalo requerido.**

    Divida cada medida do ângulo por 2 para determinar x.

    $x = \frac{3\pi}{8}$, $x = \frac{11\pi}{8}$, $x = \frac{7\pi}{8}$ e $x = \frac{15\pi}{8}$

    Agora você encontrou todas as soluções.

Obtendo Funções Trigonométricas de Ângulos Comuns Divididos em Dois

Há algum tempo, matemáticos especializados em trigonometria descobriram meios de calcular metade de um ângulo com uma identidade. Como foi visto ao usar as identidades da soma e da diferença anteriormente neste capítulo, agora você tem a opção de usar *identidades do arco metade* para avaliar uma função trigonométrica de um ângulo que não está no círculo unitário usando um que está. Por exemplo, 15°, que não está no círculo, é metade de 30°, que está no círculo. Cortar pela metade os ângulos especiais no círculo unitário fornece vários ângulos novos que não podem ser conseguidos usando-se as fórmulas da soma e da diferença ou as fórmulas do arco duplo. Embora as fórmulas do ângulo metade não forneçam todos os ângulos do círculo unitário, com certeza elas mostrarão uma aproximação melhor.

LEMBRE-SE

O segredo é saber qual tipo de identidade usar que atende melhor sua finalidade. As fórmulas do ângulo metade são a melhor escolha quando você precisa encontrar valores trigonométricos para qualquer ângulo que pode ser expresso como a metade de outro ângulo no círculo unitário. Por exemplo, para avaliar uma função trigonométrica de $\frac{\pi}{8}$, é possível usar a fórmula do arco metade de $\frac{\pi}{4}$. Como nenhuma combinação de somas ou diferenças dos ângulos especiais resulta em $\frac{\pi}{8}$, use uma fórmula do ângulo metade.

Você também pode encontrar os valores das funções trigonométricas para ângulos como $\frac{\pi}{16}$ ou $\frac{\pi}{12}$, cada um exatamente a metade dos ângulos no círculo. Naturalmente, esses ângulos não são os únicos que funcionam com as identidades. Você pode continuar dividindo o valor da função trigonométrica pela metade de qualquer ângulo no círculo pelo resto da vida (se não tiver nada melhor para fazer). Por exemplo, 15° é metade de 30°, e 7,5° é metade de 15°.

LEMBRE-SE

As fórmulas do arco metade para o seno, o cosseno e a tangente são:

» $\operatorname{sen}\frac{\theta}{2} = \pm\sqrt{\frac{1-\cos\theta}{2}}$

» $\cos\frac{\theta}{2} = \pm\sqrt{\frac{1+\cos\theta}{2}}$

» $\operatorname{tg}\frac{\theta}{2} = \frac{1-\cos\theta}{\operatorname{sen}\theta} = \frac{\operatorname{sen}\theta}{1+\cos\theta}$

PAPO DE ESPECIALISTA

Na fórmula para o seno e o cosseno, note que ± aparece na frente de cada radical (raiz quadrada). Se sua resposta é positiva ou negativa, depende de qual quadrante o novo ângulo (arco metade) está. A fórmula para a tangente não tem um sinal ±, portanto, a explicação acima não se aplica.

Por exemplo, para encontrar sen165°, siga estas etapas:

1. **Reescreva a função trigonométrica e o ângulo como metade do valor do círculo unitário.**

   Primeiro perceba que 165° é metade de 330°, portanto, você pode reescrever a função seno como $\operatorname{sen}\left(\frac{330°}{2}\right)$.

2. **Determine o sinal da função trigonométrica.**

   Como 165° está no quadrante II do plano cartesiano, o valor do seno deve ser positivo.

3. **Substitua o valor do ângulo na identidade.**

   O valor do ângulo 330° substitui *x* na fórmula do arco metade positivo para o seno, resultando em $\operatorname{sen}\frac{330°}{2} = \sqrt{\frac{1-\cos 330°}{2}}$

4. Substitua cos x por seu valor real.

Use o círculo unitário para encontrar $\cos 330°$. Substituir esse valor na equação fornece $\operatorname{sen} \dfrac{330°}{2} = \sqrt{\dfrac{1 - \dfrac{\sqrt{3}}{2}}{2}}$

5. Simplifique a fórmula do ângulo metade para resolver.

É uma abordagem com três etapas:

a. Reescreva o numerador sob o radical como um termo subtraindo:

$$\operatorname{sen}\dfrac{330°}{2} = \sqrt{\dfrac{\dfrac{2}{2} - \dfrac{\sqrt{3}}{2}}{2}} = \sqrt{\dfrac{\dfrac{2-\sqrt{3}}{2}}{2}}$$

b. Multiplique o numerador pela recíproca do denominador:

$$= \sqrt{\dfrac{2-\sqrt{3}}{2} \cdot \dfrac{1}{2}} = \sqrt{\dfrac{2-\sqrt{3}}{4}}$$

c. Por fim, simplifique:

$$= \dfrac{\sqrt{2-\sqrt{3}}}{\sqrt{4}} = \dfrac{\sqrt{2-\sqrt{3}}}{2}$$

Uma Ideia de Cálculo: Mudando de Produtos para Somas e Vice-versa

Agora você chegou à parte "viagem no tempo" do capítulo, porque todas as informações daqui em diante entram principalmente no cálculo. Em cálculo, você terá de integrar funções, que é muito mais fácil de se fazer quando lida com as somas das funções trigonométricas, não com os produtos. As informações nesta seção ajudam a prepará-lo para a troca. Aqui, você verá como expressar produtos como somas e mudar de somas para produtos.

Expressando produtos como somas (ou diferenças)

O processo da integração de dois fatores multiplicados pode ser difícil, sobretudo quando é preciso lidar com uma combinação de funções trigonométricas. Se você puder dividir um produto na soma de dois termos diferentes, cada um com sua própria função trigonométrica, o cálculo ficará muito mais fácil. Mas não precisa se preocupar em tomar grandes decisões agora. No pré-cálculo, problemas desse tipo geralmente pedem para "expressar o produto como uma soma ou uma diferença". Por enquanto, você fará a conversão a partir de um produto, e fim do problema.

Há três fórmulas de produto para soma para entender. A lista a seguir as divide:

» Seno · Cosseno: $\text{sen}\,a\cos b = \frac{1}{2}[\text{sen}(a+b) + \text{sen}(a-b)]$

Suponha que seja pedido para encontrar $6\cos q\,\text{sen}\,2q$ como uma soma. Reescreva a expressão como $6\text{sen}\,2q\cos q$ (graças à propriedade comutativa), então coloque o que sabe na fórmula para obter

$$6\text{sen}\,2q\cos q = 6 \cdot \frac{1}{2}[\text{sen}(2q+q) + \text{sen}(2q-q)] = 3[\text{sen}(3q) + \text{sen}(q)]$$

» Cosseno . Cosseno: $\cos a\cos b = \frac{1}{2}[\cos(a+b) + \cos(a-b)]$

Por exemplo, para expressar $\cos 6\theta \cos 3\theta$ como uma soma, reescreva:

$$\cos 6\theta \cos 3\theta = \frac{1}{2}[\cos(6\theta + 3\theta) + \cos(6\theta - 3\theta)] = \frac{1}{2}[\cos(9\theta) + \cos(3\theta)]$$

» Seno · Seno: $\text{sen}\,a\cos b = \frac{1}{2}[\cos(a-b) - \cos(a+b)]$

Para expressar $\text{sen}\,5x\,\text{sen}\,4x$ como uma soma, reescreva como a seguir:

$$\text{sen}\,5x\cos 4x = \frac{1}{2}[\cos(5x - 4x) - \cos(5x + 4x)] = \frac{1}{2}[\cos(x) - \cos(9x)]$$

Passando de somas (ou diferenças) para produtos

O lado negativo da seção anterior é que você precisa se familiarizar com um conjunto de fórmulas que mudam de somas para produtos. Elas são úteis para ajudá-lo a encontrar a soma de dois valores trigonométricos que não estão no círculo unitário. Claro, elas funcionam apenas se a soma ou a diferença dos dois ângulos termina sendo um ângulo dos triângulos especiais no Capítulo 7.

Veja as identidades da soma/diferença para o produto:

» $\text{sen}\,a + \text{sen}\,b = 2\text{sen}\left(\dfrac{a+b}{2}\right)\cos\left(\dfrac{a-b}{2}\right)$

» $\text{sen}\,a - \text{sen}\,b = 2\cos\left(\dfrac{a+b}{2}\right)\text{sen}\left(\dfrac{a-b}{2}\right)$

» $\cos a + \cos b = 2\cos\left(\dfrac{a+b}{2}\right)\cos\left(\dfrac{a-b}{2}\right)$

» $\cos a - \cos b = -2\text{sen}\left(\dfrac{a+b}{2}\right)\text{sen}\left(\dfrac{a-b}{2}\right)$

Por exemplo, digamos que seja pedido para encontrar sen105°+sen15° sem uma calculadora. Sem saída, certo? Bem, não exatamente. Como é pedido para encontrar a soma de duas funções trigonométricas cujos ângulos não são especiais, você pode mudar isso para um produto usando as fórmulas de soma para produto. Isso só funciona mesmo se há ângulos convenientes cuja soma e diferença são o que você procura. Siga estas etapas:

1. **Mude a soma para um produto.**

    Como é pedido para encontrar a soma de duas funções seno, use esta equação: $\text{sen}\,a + \text{sen}\,b = 2\text{sen}\left(\dfrac{a+b}{2}\right)\cos\left(\dfrac{a-b}{2}\right)$

    Substituindo as medidas do ângulo,

    $\text{sen}105° + \text{sen}15° = 2\text{sen}\left(\dfrac{105°+15°}{2}\right)\cos\left(\dfrac{105°-15°}{2}\right)$

2. **Simplifique o resultado.**

    Combinando os termos afins e dividindo, $\text{sen}105° + \text{sen}15° = 2\text{sen}60°\cos45°$

    Esses ângulos são valores do círculo unitário, portanto, continue na próxima etapa.

3. **Use o círculo unitário para simplificar mais.**

    $2\text{sen}60°\cos 45° = 2 \cdot \dfrac{\sqrt{3}}{2} \cdot \dfrac{\sqrt{2}}{2}$

    $= \dfrac{\sqrt{6}}{2}$

Eliminando Expoentes com Fórmulas de Redução da Potência

As *fórmulas de redução da potência* permitem que você se livre dos expoentes nas funções trigonométricas para poder determinar a medida de um ângulo. Essa capacidade será útil ao se trabalhar em alguns problemas matemáticos avançados.

As fórmulas dadas aqui permitem mudar das expressões de segundo grau para as de primeiro. Em alguns casos, quando uma função é elevada à quarta potência ou mais, pode ser preciso aplicar fórmulas de redução de potência mais de uma vez para eliminar todos os expoentes. Você pode usar as três fórmulas a seguir para fazer a tarefa de eliminação:

- $\operatorname{sen}^2 \theta = \dfrac{1 - \cos 2\theta}{2}$
- $\cos^2 \theta = \dfrac{1 + \cos 2\theta}{2}$
- $\operatorname{tg}^2 \theta = \dfrac{1 - \cos 2\theta}{1 + \cos 2\theta}$

Por exemplo, siga estas etapas para expressar $\operatorname{sen}^4 x$ sem expoentes:

1. **Aplique a fórmula de redução de potência na função trigonométrica.**

   Primeiro, perceba que $\operatorname{sen}^4 x = (\operatorname{sen}^2 x)^2$. Como o problema requer a redução de sen⁴ x, você aplicará a fórmula duas vezes. Na primeira, terá o seguinte:

   $$\left(\operatorname{sen}^2 x\right)^2 = \left(\dfrac{1 - \cos 2x}{2}\right)^2 = \dfrac{1 - \cos 2x}{2} \cdot \dfrac{1 - \cos 2x}{2}$$

2. **Multiplique as duas frações.**

   $$\left(\operatorname{sen}^2 x\right)^2 = \dfrac{1 - 2\cos 2x + \cos^2 2x}{4} = \dfrac{1}{4}\left(1 - 2\cos 2x + \cos^2 2x\right)$$

3. **Aplique de novo a fórmula.**

   O termo $\cos^2 2x$ significa que você deve aplicar a fórmula para o cosseno.

   Como escrever a fórmula de redução de potência dentro de uma fórmula de redução é muito confuso, descubra primeiro o que é $\cos^2 2x$, depois coloque de volta:

   $$\cos^2 2x = \dfrac{1 + \cos 2(2x)}{2} = \dfrac{1 + \cos 4x}{2}$$
   $$\left(\operatorname{sen}^2 x\right)^2 = \dfrac{1 - 2\cos 2x + \cos^2 2x}{4} = \dfrac{1}{4}\left(1 - 2\cos 2x + \dfrac{1 + \cos 4x}{2}\right)$$

4. **Simplifique para obter o resultado.**

   Fatore $\dfrac{1}{2}$ em tudo que está entre parênteses para eliminar as frações. Essa etapa resulta em $\left(\operatorname{sen}^2 x\right)^2 = \dfrac{1}{8}\left(2 - 4\cos 2x + 1 + \cos 4x\right)$

   Combine os termos afins para obter $\left(\operatorname{sen}^2 x\right)^2 = \dfrac{1}{8}\left(3 - 4\cos 2x + \cos 4x\right)$

NESTE CAPÍTULO

» Dominando a Lei dos Senos

» Utilizando a Lei dos Cossenos

» Usando dois métodos para encontrar a área dos triângulos

Capítulo **11**

Controlando Triângulos Oblíquos com as Leis dos Senos e dos Cossenos

Para *determinar* um triângulo, você precisa encontrar as medidas de todos os três ângulos e os comprimentos dos três lados. São dadas partes dessas informações e você precisa encontrar o resto. Até aqui, neste livro, vimos principalmente os triângulos retângulos. No Capítulo 7, você encontrou os comprimentos dos lados que faltavam de tal triângulo usando o Teorema de Pitágoras, encontrou os ângulos usando a trigonometria do triângulo retângulo e avaliou as funções trigonométricas para obter ângulos específicos. Mas o que acontece se precisa determinar um triângulo que não é retângulo?

É possível conectar três pontos em um plano para formar um triângulo. Então, começa a diversão ao determinar todas as medidas desse triângulo. Encontrar os ângulos que faltam e os lados dos *triângulos oblíquos* (agudos ou obtusos) pode ser mais desafiador, porque eles não têm um ângulo reto, e sem esse ângulo, o triângulo não tem hipotenusa, significando que o Teorema de Pitágoras é inútil. Mas não se preocupe, este capítulo mostra o caminho. A Lei dos Senos e dos Cossenos são dois métodos que você pode usar para determinar as partes ausentes dos triângulos oblíquos. As provas das duas leis são longas e complicadas, e você não precisa se preocupar com elas. Pelo contrário, use-as como fórmulas nas quais pode colocar as informações dadas, depois utilize a álgebra para determinar as partes que faltam. Se você usa senos ou cossenos para resolver o triângulo, os tipos de informação (lados ou ângulos) dados e seu local no triângulo são fatores que ajudam a decidir qual método é melhor usar.

PAPO DE ESPECIALISTA

Você pode estar imaginando por que a Lei das Tangentes não é analisada neste capítulo. O motivo é simples: é possível determinar cada triângulo oblíquo com as Leis dos Senos ou dos Cossenos, que são bem menos complicadas do que a Lei das Tangentes.

As técnicas apresentadas aqui têm toneladas de aplicações reais também. Usando triângulos, você pode lidar com tudo, desde velejar até apagar um incêndio na floresta. Por exemplo, se dois corpos de bombeiros florestais recebem uma chamada de incêndio, eles podem usar a Lei dos Cossenos para descobrir qual está mais próximo do local.

DICA

Antes de tentar determinar um triângulo, desenhe uma figura com lados e ângulos com identificação clara. Essa abordagem ajuda a visualizar de quais partes de informação você ainda precisa. Você pode usar a Lei dos Senos sempre que há bastante informação no problema para ter um *par*: uma medida do ângulo e o comprimento do lado na frente dele. Portanto, se tiver tempo, tente usar primeiro a Lei dos Senos. Se essa lei não for uma opção, você saberá, porque não terá um ângulo dado nem o lado que o acompanha. Quando isso acontece, a Lei dos Cossenos existe para salvar o dia. Essa lei é especificamente necessária quando você tem apenas três lados sem ângulos ou quando tem dois lados com um ângulo entre eles.

LEMBRE-SE

Se você usa a Lei dos Senos ou dos Cossenos para determinar as partes que faltam de um triângulo, não use a calculadora até bem no final. Usá-la muito no início resulta em mais erro de arredondamento nas respostas finais. Por exemplo, em vez de avaliar os senos de todos os três ângulos e usar as aproximações decimais desde o início, determine as equações e coloque a expressão numérica final na calculadora de uma só vez, no fim.

Determinando um Triângulo com a Lei dos Senos

Você usa a *Lei dos Senos* para encontrar as partes que faltam de um triângulo quando tem algumas das três partes da informação envolvendo, pelo menos, um ângulo do lado diretamente oposto. São estas as informações:

» **ALA (ângulo lado ângulo):** Há dois ângulos e o lado entre eles.

» **AAL (ângulo ângulo lado):** Há dois ângulos e um lado não incluído.

» **LLA (lado lado ângulo):** Há dois lados e um ângulo não incluído.

PAPO DE ESPECIALISTA

A seguir está a fórmula da Lei dos Senos:

$$\frac{a}{\operatorname{sen} A} = \frac{b}{\operatorname{sen} B} = \frac{c}{\operatorname{sen} C}$$

As letras minúsculas indicam os lados opostos aos ângulos, com as letras maiúsculas correspondentes. Para determinar uma variável desconhecida na Lei dos Senos, crie uma proporção definindo duas das frações sendo iguais a uma outra, depois use a multiplicação cruzada.

Ao usar a Lei dos Senos, não se apresse e trabalhe com cuidado. Mesmo que fique tentado a resolver tudo de uma só vez, dê um pequeno passo por vez. E não ignore o óbvio para seguir cegamente a fórmula. Se você tem dois ângulos e um lado, por exemplo, encontrar o terceiro ângulo é fácil, porque todos os ângulos em um triângulo devem somar 180°. Preencha a fórmula com o que sabe, e mãos à obra!

Nas próximas seções, você verá como determinar um triângulo em diferentes situações usando a Lei dos Senos.

LEMBRE-SE

Ao determinar um ângulo com a Lei dos Senos, há situações em que um segundo conjunto de soluções (ou nenhum) pode existir. Esses momentos são explicados nesta seção também (no caso de estar muito curioso, essas considerações se aplicam apenas ao trabalhar com um problema em que você conhece duas medidas do lado e uma medida do ângulo de um triângulo).

Quando duas medidas do ângulo são conhecidas

Nesta seção, existem dois casos em que você pode usar a Lei dos Senos para determinar um triângulo: ângulo lado ângulo (ALA) e ângulo ângulo lado (AAL). Sempre que tiver dois ângulos, encontre o terceiro e trabalhe a partir desse ponto. Nos dois casos, você encontra exatamente uma solução para o triângulo em questão.

ALA: Agora Lembra Ângulo ou Ângulo Lado Ângulo?

Um triângulo ALA significa que você tem dois ângulos e um lado entre eles no problema. Por exemplo, um problema pode determinar que $\angle A = 32°$, $\angle B = 47°$ e $c = 21$, como na Figura 11-1. Você também poderia ter $\angle A$, $\angle C$ e b ou $\angle B$, $\angle C$ e a. A Figura 11-1 tem todas as partes dadas e desconhecidas identificadas.

FIGURA 11-1: Triângulo ALA identificado.

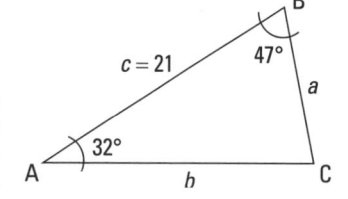

Para encontrar a informação que falta com a Lei dos Senos, siga estas etapas:

1. **Determine a medida do terceiro ângulo.**

    No triângulo ABC, $\angle A + \angle B + \angle C = 180°$. Portanto, colocando o que você sabe sobre os ângulos no problema, é possível determinar o ângulo que falta:

    $32° + 47° + \angle C = 180°$

    $\angle C = 180° - 32° - 47° = 101°$

2. **Prepare a fórmula da Lei dos Senos, preenchendo o que sabe.**

    $$\frac{a}{\text{sen}32°} = \frac{b}{\text{sen}47°} = \frac{21}{\text{sen}101°}$$

3. **Iguale duas das partes e multiplique em cruz.**

   Use a primeira e a terceira frações:

   $$\frac{a}{\text{sen}32°} = \frac{21}{\text{sen}101°}$$

   A multiplicação cruzada resulta em $a\,\text{sen}101° = 21\,\text{sen}32°$.

4. **Determine o valor do lado a.**

   $$a = \frac{21\,\text{sen}32°}{\text{sen}101°} \approx 11{,}33658963$$

   Arredonde a resposta em duas casas decimais. O resultado é $a = 11{,}34$.

5. **Repita as Etapas 3 e 4 para determinar o outro lado que falta.**

   Iguale a segunda e a terceira frações:

   $$\frac{b}{\text{sen}47°} = \frac{21}{\text{sen}101°}$$

   A equação se torna $b\,\text{sen}101° = 21\,\text{sen}47°$ quando você multiplica em cruz. Isole a variável e determine-a:

   $$b = \frac{21\,\text{sen}47°}{\text{sen}101°}$$
   $$b \approx 15{,}65$$

6. **Determine todas as partes do triângulo como sua resposta final.**

   Algumas respostas podem ser aproximadas, portanto, mantenha os devidos sinais:

   - $\angle A = 32°$, $a \approx 11{,}34$
   - $\angle B = 47°$, $b \approx 15{,}65$
   - $\angle C = 101°$, $c = 21$

AAL: Álgebra Atrai Líderes ou Ângulo Ângulo Lado?

Em muitos problemas de trigonometria, são dados dois ângulos e um lado que não está entre eles. Esse tipo de problema é chamado de *AAL*. Por exemplo, você pode ter $\angle B = 68°$, $\angle C = 29°$ e $b = 15{,}2$, como mostrado pela Figura 11-2. Observe que, se você começar no lado b e seguir à esquerda no triângulo, chegará a $\angle C$, depois a $\angle B$. Essa verificação é uma boa maneira de saber se o triângulo é um exemplo de AAL.

FIGURA 11-2:
Triângulo AAL identificado.

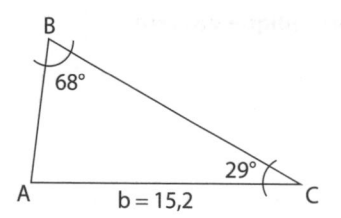

Depois de encontrar o terceiro ângulo, um problema AAL se torna um caso especial de ALA. Veja as etapas para resolver:

1. **Determine a medida do terceiro ângulo.**

   No triângulo ABC, $\angle A + 68° + 29° = 180°$. Isso significa que $\angle A = 83°$.

2. **Prepare a fórmula da Lei dos Senos, preenchendo o que sabe.**

   $$\frac{a}{\operatorname{sen}83°} = \frac{15{,}2}{\operatorname{sen}68°} = \frac{c}{\operatorname{sen}29°}$$

3. **Iguale duas das partes, depois multiplique em cruz.**

   Escolhendo as duas primeiras frações:

   $$\frac{a}{\operatorname{sen}83°} = \frac{15{,}2}{\operatorname{sen}68°}$$

   A multiplicação em cruz resulta em $a\operatorname{sen}68° = 15{,}2\operatorname{sen}83°$.

4. **Determine o lado que falta.**

   Divida por $\operatorname{sen}68°$,

   $$a = \frac{15{,}2\operatorname{sen}83°}{\operatorname{sen}68°}$$
   $$a \approx 16{,}27$$

5. **Repita as Etapas 3 e 4 para determinar o outro lado que falta.**

   Igualando a segunda e a terceira frações, você tem: $\dfrac{15{,}2}{\operatorname{sen}68°} = \dfrac{c}{\operatorname{sen}29°}$

   Multiplique em cruz: $15{,}2\operatorname{sen}29° = c\operatorname{sen}68°$

   Determine c: $c = \dfrac{15{,}2\operatorname{sen}29°}{\operatorname{sen}68°}$
   $$c \approx 7{,}95$$

6. Determine todas as partes do triângulo para sua resposta final.

A resposta final fica assim:

- $\angle A = 83°$, $a \approx 16{,}27$
- $\angle B = 68°$, $b = 15{,}2$
- $\angle C = 29°$, $c \approx 7{,}95$

Quando dois comprimentos dos lados consecutivos são conhecidos

Em alguns problemas de trigonometria, você pode ter dois lados de um triângulo e um ângulo que não está entre eles, um caso clássico de LLA. Nessa situação, há uma solução, duas ou nenhuma.

LEMBRE-SE

Imaginando por que o número de soluções varia? Lembre-se de que em Geometria não é possível demonstrar que dois triângulos são congruentes usando LLA, porque essas condições podem gerar dois triângulos que não são iguais. A Figura 11-3 mostra dois triângulos que entram no caso LLA, mas não são congruentes.

FIGURA 11-3: Triângulos não congruentes que seguem o formato LLA.

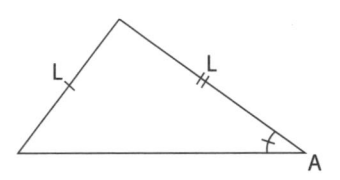

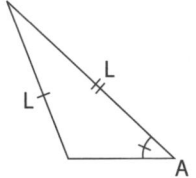

Se você começar com um ângulo e continuar desenhando os outros dois lados, descobrirá que, às vezes, não pode criar um triângulo com essas medidas, e com outras, pode criar dois triângulos diferentes. Infelizmente, o último caso significa determinar esses dois triângulos diferentes.

A maioria dos casos LLA tem apenas uma solução, pois se você usar o que foi dado para traçar o triângulo, em geral haverá somente um modo de fazer isso. Quando estiver diante de um problema LLA, poderá ficar tentado a descobrir quantas soluções precisa encontrar antes de iniciar o processo de solução. Calminha aí! Para determinar o número de possíveis soluções em um problema LLA, você deve primeiro começar a resolver. Você chegará em uma solução ou descobrirá que não existe solução. Se encontrar uma, poderá procurar o segundo conjunto de medidas. Se obtiver um ângulo negativo no segundo conjunto, saberá que o triângulo tem apenas uma solução.

DICA

A melhor abordagem é sempre supor que encontrará duas soluções, porque se lembrar de todas as regras que determinam o número de soluções provavelmente tomará muito do seu tempo e de sua energia. Se tratar todo problema LLA como se tivesse duas soluções até reunir informações suficientes para demonstrar o contrário, achará com mais facilidade todas as soluções adequadas.

Diversão em dobro: Duas soluções

Adquirir experiência ao determinar um triângulo que tem mais de uma solução é útil. O primeiro conjunto de medidas que você encontra em tal situação é sempre de um triângulo agudo. O segundo conjunto vem de um triângulo obtuso. Lembre-se sempre de procurar duas soluções para qualquer problema.

Por exemplo, digamos que você tenha $a = 16$, $c = 20$ e $\angle A = 48°$. A Figura 11-4a mostra como fica. Mas o triângulo também poderia se parecer com a Figura 11-4b? Ambas as situações seguem os limites das informações dadas do triângulo. Se você começa desenhando a imagem com o ângulo dado, o lado perto do ângulo tem um comprimento 20, e o lado em frente tem 16 unidades. O triângulo pode ser formado de dois modos diferentes. O ângulo C pode ser agudo ou obtuso; as informações dadas não são restritivas o bastante para informar qual é. Assim, ambas as soluções são encontradas.

FIGURA 11-4: Duas possíveis representações de um triângulo LLA.
a.
b.

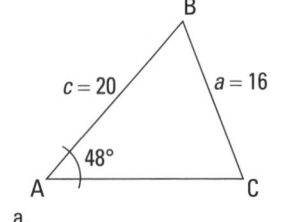

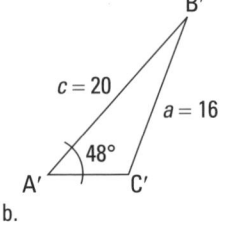

Determinar esse triângulo usando etapas parecidas com as descritas para os casos ALA e AAL fornece as duas possíveis soluções mostradas na Figura 11-4. Como você não tem dois ângulos, precisa encontrar um deles primeiro, sendo por isso que as etapas aqui são diferentes dos outros dois casos:

1. **Preencha a fórmula da Lei dos Senos com o que sabe.**

    A fórmula aqui fica assim: $\dfrac{16}{\text{sen}48°} = \dfrac{b}{\text{sen}B} = \dfrac{20}{\text{sen}C}$

2. **Iguale as duas frações para ter apenas uma desconhecida.**

    Se decidir determinar $\angle C$, iguale a primeira e a terceira frações:
    $\dfrac{16}{\text{sen}48°} = \dfrac{20}{\text{sen}C}$

3. Multiplique em cruz e isole a função seno.

Essa etapa resulta em $16\operatorname{sen}C = 20\operatorname{sen}48°$. Para isolar a função seno, divida por 16:

$$\operatorname{sen}C = \frac{20\operatorname{sen}48°}{16} = \frac{5\operatorname{sen}48°}{4}$$

4. Calcule o seno inverso nos dois lados.

$$\operatorname{sen}^{-1}(\operatorname{sen}C) = \operatorname{sen}^{-1}\left(\frac{5\operatorname{sen}48°}{4}\right)$$

O lado direito vai para sua calculadora, resultando em $\angle C \approx 68{,}27°$.

5. Determine o terceiro ângulo.

Você sabe que $48° + \angle B + 68{,}27 = 180°$, portanto, $\angle B \approx 63{,}73°$.

6. Coloque o ângulo final de volta na fórmula da Lei dos Senos para encontrar o terceiro lado.

$$\frac{16}{\operatorname{sen}48°} = \frac{b}{\operatorname{sen}63{,}73}$$

Isso resulta em $16\operatorname{sen}63{,}73 = b\operatorname{sen}48°$.

Finalmente, determinando b:

$$b = \frac{16\operatorname{sen}63{,}73}{\operatorname{sen}48°} \approx 19{,}31$$

Mas você não deveria ter duas soluções? Onde está a outra? Consulte a Etapa 4, na qual determinou $\angle C$, depois veja a Figura 11-5.

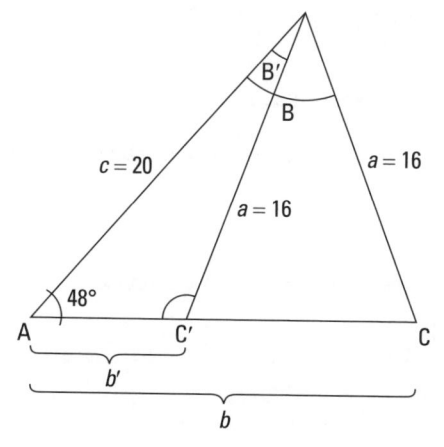

FIGURA 11-5: Dois triângulos possíveis se sobrepondo.

LEMBRE-SE

Determinar o triângulo ABC é o que você fez nas etapas anteriores. O triângulo AB'C' tem um segundo conjunto de medidas que você deve procurar. Certa identidade trigonométrica, que não é usada ao determinar ou simplificar as expressões trigonométricas porque não é útil para elas, agora é usada para resolver os triângulos. Essa identidade determina que $\text{sen}(180° - \theta) = \text{sen}\theta$.

No caso desse triângulo, $\text{sen}(180° - 68{,}27°) = \text{sen}111{,}73°$. Verificando na calculadora, $\text{sen}68{,}27° = \text{sen}111{,}73° \approx 0{,}9319$. Mas se você coloca $\text{sen}^{-1}(0{,}9319)$ na calculadora para determinar θ, um ângulo agudo é a única solução obtida. O outro ângulo é encontrado subtraindo-se de 180°.

PAPO DE ESPECIALISTA

Outra maneira de dizer o que foi mostrado antes é que o seno é positivo nos quadrantes I e II. Portanto, há dois ângulos com o mesmo seno, ou seja, dois ângulos que podem entrar no triângulo sendo determinado. É preciso verificar para saber se os dois funcionam ou apenas um deles.

As etapas a seguir se baseiam nessas ações para que você possa encontrar a segunda solução para o problema LLA:

1. **Use a identidade trigonométrica** $\text{sen}(180° - \theta) = \text{sen}\theta$ **para encontrar o segundo ângulo do segundo triângulo.**

Como $\angle C \approx 68{,}27°$, subtraia esse valor de 180° para descobrir que $\angle C' \approx 111{,}73°$.

2. **Encontre a medida do terceiro ângulo.**

Se $\angle A = 48°$ e $\angle C' \approx 111{,}73°$, então $\angle B' \approx 20{,}27°$, porque os três ângulos devem somar 180°.

3. **Coloque esses valores na fórmula da Lei dos Senos.**

$$\frac{16}{\text{sen}48°} = \frac{b'}{\text{sen}20{,}27°} = \frac{20}{\text{sen}111{,}73°}$$

4. **Iguale as duas partes na fórmula.**

Você precisa encontrar b'. Iguale a primeira fração com a segunda:

$$\frac{16}{\text{sen}48°} = \frac{b'}{\text{sen}20{,}27°}$$

5. **Multiplique em cruz para determinar a variável.**

$16\text{sen}20{,}27° = b'\text{sen}48°$

$b' = \dfrac{16\text{sen}20{,}27°}{\text{sen}48°} \approx 7{,}46$

6. **Liste *todas* as medidas dos dois triângulos (veja a lista numerada anterior).**

   Originalmente, havia $a = 16$, $c = 20$ e $\angle A = 48°$. As duas soluções são:

   - **Primeiro triângulo:** $\angle A = 48°$, $a = 16$, $\angle B \approx 63{,}73°$, $b = 19{,}31$, $\angle C \approx 68{,}27°$, $c = 20$

   - **Segundo triângulo:** $\angle A = 48°$, $a = 16$, $\angle B' \approx 20{,}27°$, $b' \approx 7{,}46$, $\angle C' \approx 111{,}73°$, $c = 20$

Chegando à conclusão: Apenas uma solução

Se você não vir uma mensagem de erro na calculadora ao tentar determinar um triângulo, sabe que pode encontrar, pelo menos, uma solução. Mas como sabe se encontrará apenas uma? Resposta: não sabe. Continue resolvendo como se existisse uma segunda, e no final, verá que há somente uma.

Por exemplo, digamos que seja pedido para determinar um triângulo em que $a = 19$, $b = 14$ e $\angle A = 35°$. A Figura 11-6 mostra como fica o triângulo.

FIGURA 11-6: A estrutura de um triângulo LLA com apenas um conjunto de solução.

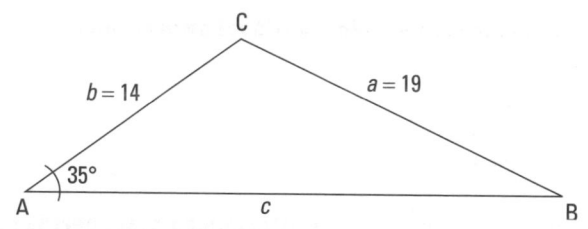

Como você conhece apenas um dos ângulos do triângulo, use os dois lados dados e o ângulo informado para descobrir primeiro um dos ângulos que faltam. Esse processo leva ao terceiro ângulo, depois ao terceiro lado. Siga estas etapas para determinar o triângulo:

1. **Preencha a fórmula da Lei dos Senos com o que sabe.**

   $$\frac{19}{\operatorname{sen}35°} = \frac{14}{\operatorname{senB}} = \frac{c}{\operatorname{senC}}$$

2. **Iguale as duas partes da fórmula.**

   Como você tem a, b e A, determine $\angle B$. Igualando a primeira e a segunda frações:

   $$\frac{19}{\operatorname{sen}35°} = \frac{14}{\operatorname{senB}}$$

   DICA

3. **Multiplique em cruz.**

   $19\operatorname{senB} = 14\operatorname{sen}35°$

4. **Isole a função seno.**

   $\operatorname{sen} B = \dfrac{14\operatorname{sen}35°}{19}$

5. **Calcule o seno inverso dos dois lados da equação.**

   $\operatorname{sen}^{-1}(\operatorname{sen} B) = \operatorname{sen}^{-1}\left(\dfrac{14\operatorname{sen}35°}{19}\right)$

   que se simplifica como

   $B = \operatorname{sen}^{-1}(0{,}4226352689)$

   ou $B \approx 25{,}00°$.

6. **Determine a medida do terceiro ângulo.**

   Com $35° + 25° + \angle B = 180°$, determine que $\angle C = 120°$.

7. **Use a primeira e a terceira frações para encontrar c.**

   $\dfrac{19}{\operatorname{sen}35°} = \dfrac{c}{\operatorname{sen}120°}$

8. **Multiplique em cruz e isole a variável para resolver.**

   $19\operatorname{sen}120° = c\operatorname{sen}35°$

   $c = \dfrac{19\operatorname{sen}120°}{\operatorname{sen}35°}$

   $c \approx 28{,}69$

9. **Anote todas as seis partes de informação descobertas na fórmula.**

   Sua resposta é:

   - $\angle A = 35°$, $a = 19$
   - $\angle B = 25°$, $b = 14$
   - $\angle C = 120°$, $c \approx 28{,}69$

10. **Procure um segundo conjunto de medidas.**

    A primeira coisa que você fez nesse exemplo foi encontrar $\angle B$. A etapa 5 mostra que B é aproximadamente $25°$. Se o triângulo tem duas soluções, a medida de B' é $180° - 25°$ ou $155°$. Então, para encontrar a medida do ângulo C', comece com $\angle A + \angle B' + \angle C' = 180°$. Essa equação se torna $35° + 155° + \angle C' = 180°$ ou $\angle C' = -10°$.

    Os ângulos nos triângulos não podem ter medidas negativas, portanto, a resposta informa que ele tem apenas uma solução. Você não se sente melhor sabendo que esgotou as possibilidades?

Meio chato: Sem solução

Se um problema mostra um ângulo e dois lados consecutivos de um triângulo, você pode descobrir que o segundo lado não será suficiente para conseguir o terceiro lado dele. Nesse caso, não há solução para o problema. Mas você pode não conseguir dizer isso só vendo a imagem; realmente, é preciso resolver o problema para saber com certeza. Portanto, comece resolvendo o triângulo, como fez nas seções anteriores.

Por exemplo, digamos que $b = 19$, $\angle A = 35°$ e $a = 10$. A Figura 11-7 mostra como deve ficar.

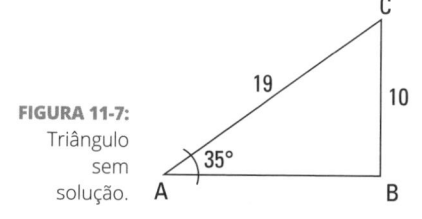

FIGURA 11-7: Triângulo sem solução.

Se você começa resolvendo esse triângulo com os métodos das estruturas anteriores, acontece algo muito interessante: a calculadora mostra uma mensagem de erro ao tentar encontrar o ângulo desconhecido. É porque o seno de um ângulo deve estar entre −1 e 1. Se você tentar calcular o seno inverso de um número fora desse intervalo, o valor do ângulo será indefinido (significando que não existe). As etapas a seguir mostram isso:

1. Preencha a fórmula da Lei dos Senos com o que sabe.

$$\frac{10}{\operatorname{sen}35°} = \frac{19}{\operatorname{sen}B} = \frac{c}{\operatorname{sen}C}$$

2. Iguale as duas frações e multiplique em cruz.

Você começa com esta equação:

$$\frac{10}{\operatorname{sen}35°} = \frac{19}{\operatorname{sen}B}$$

e termina com $10\operatorname{sen}B = 19\operatorname{sen}35°$.

3. Isole a função seno.

$$\operatorname{sen}B = \frac{19\operatorname{sen}35°}{10}$$

4. **Calcule o seno inverso nos dois lados para encontrar o ângulo que falta.**

$$\text{sen}^{-1}(\text{senB}) = \text{sen}^{-1}\left(\frac{19\text{sen}35°}{10}\right)$$

$$B = \text{sen}^{-1}(1,089795229)$$

Você vê uma mensagem de erro quando tenta colocar isso na calculadora, e isso acontece porque a equação informa $\text{senB} \approx 1,09$. O seno de um ângulo não pode ser maior que 1 e nem menor que –1. Assim, as medidas dadas não podem formar um triângulo, significando que o problema não tem solução.

Conquistando um Triângulo com a Lei dos Cossenos

Use as fórmulas da *Lei dos Cossenos* para determinar um triângulo se estiver em uma das seguintes situações:

» Dois lados e o ângulo incluído (LAL).

» Todos os três lados do triângulo (LLL).

LEMBRE-SE

Para determinar os ângulos de um triângulo usando a Lei dos Cossenos, primeiro é preciso encontrar os comprimentos dos três lados. Você tem três fórmulas à disposição para encontrar os lados que faltam e três para os ângulos. Se um problema fornecer os três lados para começar, você estará preparado porque pode manipular as fórmulas do lado para elaborar as fórmulas do ângulo (verá como na próxima seção). Se um problema fornecer dois lados e o ângulo entre eles, primeiro encontre o lado que falta, depois os ângulos.

PAPO DE ESPECIALISTA

Para encontrar um lado do triângulo (a, b ou c), use as seguintes fórmulas, que incluem a Lei dos Cossenos:

» $a^2 = b^2 + c^2 - 2bc\cos A$

» $b^2 = a^2 + c^2 - 2ac\cos B$

» $c^2 = a^2 + b^2 - 2ab\cos C$

As fórmulas do lado são muito parecidas, mudando apenas as letras. Portanto, se você conseguir se lembrar só de duas, poderá mudar a ordem para encontrar rápido a outra. As próximas seções usam as fórmulas da Lei dos Cossenos para determinar os triângulos LLL e LAL.

LEMBRE-SE

Ao usar a Lei dos Cossenos para determinar um triângulo, você encontra apenas um conjunto de soluções (um triângulo), portanto, não perca tempo procurando um segundo conjunto. Com essa fórmula, você está determinando os triângulos LLL e LAL a partir dos postulados de congruência dos triângulos em Geometria. É possível usá-los porque eles levam a apenas um triângulo sempre (para saber mais sobre as regras da Geometria, verifique o livro *Geometria Para Leigos*, de Mark Ryan [Alta Books]).

LLL: Encontrando ângulos usando apenas os lados

A Lei dos Cossenos fornece fórmulas que determinam os comprimentos dos lados. Com algumas manipulações inteligentes, você pode mudá-las para as que fornecem as medidas dos ângulos (como mostrado nas próximas etapas). Você não deve mesmo se preocupar em memorizar as seis fórmulas. Caso se lembre das fórmulas para encontrar os lados que faltam usando a Lei dos Cossenos, poderá usar a álgebra para encontrar um ângulo. Por exemplo, veja como determinar o ângulo A:

1. **Inicie com a fórmula.**

   $$a^2 = b^2 + c^2 - 2bc\cos A$$

2. **Subtraia b^2 e c^2 nos dois lados.**

   $$a^2 - b^2 - c^2 = -2bc\cos A$$

3. **Divida os dois lados por $-2bc$.**

   $$\frac{a^2 - b^2 - c^2}{-2bc} = \frac{\cancel{-2bc}\cos A}{\cancel{-2bc}}$$

4. **Simplifique e reorganize os termos.**

   $$\frac{b^2 + c^2 - a^2}{2bc} = \cos A$$

5. **Calcule o cosseno inverso dos dois lados.**

   $$\cos^{-1}(\cos A) = \cos^{-1}\left(\frac{b^2 + c^2 - a^2}{2bc}\right)$$

   $$A = \cos^{-1}\left(\frac{b^2 + c^2 - a^2}{2bc}\right)$$

PAPO DE ESPECIALISTA

O mesmo processo se aplica ao encontrar os ângulos B e C, então você acaba com estas fórmulas para encontrar os ângulos:

» $A = \cos^{-1}\left(\dfrac{b^2 + c^2 - a^2}{2bc}\right)$

» $B = \cos^{-1}\left(\dfrac{a^2 + c^2 - b^2}{2ac}\right)$

» $C = \cos^{-1}\left(\dfrac{a^2 + b^2 - c^2}{2ab}\right)$

Suponha que você tenha três pedaços de madeira com diferentes tamanhos. Uma tábua mede 12cm, outra mede 9cm, e a última, 4cm. Se quiser criar uma caixa de flores usando essa madeira, em quais ângulos deve colocar todos os pedaços para os lados se encontrarem? Se cada pedaço é um lado da caixa, é possível usar a Lei dos Cossenos para determinar os três ângulos que faltam.

Digamos que $a = 12$, $b = 4$ e $c = 9$. Você pode encontrar qualquer ângulo primeiro. Siga as etapas para resolver:

1. **Decida qual ângulo quer determinar primeiro, depois coloque os lados na fórmula.**

Determinando o ângulo A:

$A = \cos^{-1}\left(\dfrac{b^2 + c^2 - a^2}{2bc}\right) = \cos^{-1}\left(\dfrac{4^2 + 9^2 - 12^2}{2(4)(9)}\right) = \cos^{-1}\left(\dfrac{-47}{72}\right) \approx 130{,}75°$

2. **Determine os outros dois ângulos.**

Ângulo B:

$B = \cos^{-1}\left(\dfrac{12^2 + 9^2 - 4^2}{2(12)(9)}\right) = \cos^{-1}\left(\dfrac{209}{216}\right) \approx 14{,}63°$

Ângulo C:

$C = \cos^{-1}\left(\dfrac{12^2 + 4^2 - 9^2}{2(12)(4)}\right) = \cos^{-1}\left(\dfrac{79}{96}\right) \approx 34{,}62°$

3. **Verifique suas respostas somando os ângulos encontrados.**

Você descobre que $130{,}75° + 14{,}63° + 34{,}62° = 180°$.

É possível descobrir o ângulo C somando A e B e subtraindo de 180°. Sempre é uma boa ideia usar a Etapa 3 como uma verificação depois de encontrar as medidas do ângulo usando a fórmula.

Desenhando as soluções, o ângulo na frente da tábua de 12cm ($\angle A$) precisa ser de 130,75°, o ângulo na frente da tábua de 4cm ($\angle B$) precisa ser de 14,63°, e o ângulo na frente de 9cm ($\angle C$) precisa ser de 34,62°. Veja a Figura 11-8.

FIGURA 11-8: Determinando os ângulos quando os três comprimentos dos lados são conhecidos.

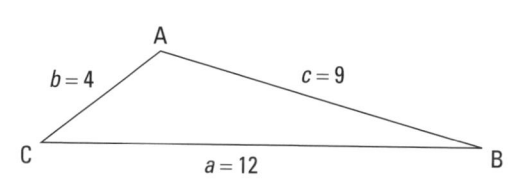

LAL: Marcando o ângulo no meio (e os dois lados)

Se um problema fornecer os comprimentos dos dois lados de um triângulo e a medida do ângulo entre eles, use a Lei dos Cossenos para encontrar o outro lado (o que precisa ser feito primeiro). Quando tiver o terceiro lado, poderá usar facilmente todas as medidas dos lados para calcular as medidas dos ângulos restantes.

Por exemplo, se $a = 12$, $b = 23$ e $\angle C = 39°$, determine primeiro o lado c, depois resolva $\angle A$ e $\angle B$. Siga estas etapas simples:

1. **Desenhe o triângulo e identifique claramente todos os lados e ângulos.**

   Desenhando, você pode assegurar que a Lei dos Cossenos é o método que deve usar para determinar o triângulo. A Figura 11-9 tem todas as partes identificadas.

2. **Decida qual fórmula do lado precisa usar primeiro.**

   Como os lados a e b são dados, use a seguinte fórmula para encontrar o lado c:

   $c^2 = a^2 + b^2 - 2ab \cos C$

3. **Coloque as informações dadas na devida fórmula.**

   Essa etapa resulta na equação:

   $c^2 = 12^2 + 23^2 - 2(12)(23)\cos 39°$

   DICA Se você precisar de uma calculadora gráfica, poderá colocar a fórmula exatamente como está escrita, depois ir direto para a Etapa 6. Se não (significando que usa uma calculadora científica), fique muito atento à ordem das operações.

CUIDADO

Seguir a ordem das operações ao usar a Lei dos Cossenos é muitíssimo importante. Se tentar digitar as partes na calculadora em uma etapa, sem o uso correto dos parênteses, os resultados poderão ser incorretos. Veja se está à vontade com sua calculadora. Algumas calculadoras científicas requerem que sejam digitados graus antes de se pressionar o botão da função trigonométrica. Se você tentar digitar um cosseno inverso sem parênteses para separar as partes superior e inferior da fração (veja a Etapa 7), sua resposta será incorreta também. O melhor método é elevar ao quadrado separadamente, combinar os termos afins no numerador e no denominador, dividir a fração, depois calcular o cosseno inverso, como verá a partir desse ponto.

4. **Eleve ao quadrado cada número e multiplique pelo cosseno separadamente.**

    A equação resultante é:

    $c^2 = 144 + 529 - 428{,}985$

5. **Combine todos os números.**

    $c^2 = 244{,}015$

6. **Encontre a raiz quadrada dos dois lados.**

    $c \approx 15{,}6$

7. **Encontre os ângulos que faltam.**

    Começando em $\angle A$, você prepara a fórmula (na seção anterior), colocando as informações que conhece, e determina A:

    $$A = \cos^{-1}\left(\frac{b^2 + c^2 - a^2}{2bc}\right)$$

    $$A = \cos^{-1}\left(\frac{23^2 + 15{,}6^2 - 12^2}{2(23)(15{,}6)}\right) = \cos^{-1}\left(\frac{628{,}36}{717{,}6}\right) \approx 28{,}9$$

LEMBRE-SE

Ao usar sua calculadora gráfica, use parênteses para separar o numerador do denominador. Coloque parênteses envolvendo toda fração.

DICA

Você pode encontrar o terceiro ângulo rapidamente subtraindo a soma dos dois ângulos conhecidos de $180°$. Mas se não tiver pressa, recomendo usar a Lei dos Cossenos para encontrar o terceiro ângulo, porque ela permite verificar sua resposta.

Veja como encontrar ∠B:

$$B = \cos^{-1}\left(\frac{a^2 + c^2 - b^2}{2ac}\right)$$

$$B = \cos^{-1}\left(\frac{12^2 + 15{,}6^2 - 23^2}{2(12)(15{,}6)}\right) = \cos^{-1}\left(\frac{-141{,}64}{374{,}4}\right) \approx 112{,}2°$$

8. **Verifique se todos os ângulos somam 180°.**

   39° + 112,2° + 28,9° = 180,1°

   Por causa de um erro de arredondamento, às vezes os ângulos não somam exatamente 180°. Como as medidas foram arredondadas pelo décimo mais próximo, um erro assim é esperado.

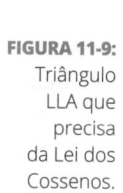

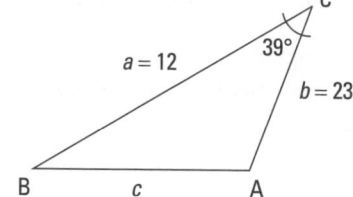

FIGURA 11-9: Triângulo LLA que precisa da Lei dos Cossenos.

Preenchendo o Triângulo Calculando a Área

A Geometria fornece uma ótima fórmula para encontrar a área dos triângulos: $A = \frac{1}{2}bh$. Ela é útil apenas quando você sabe a base e a altura do triângulo. Mas em um triângulo oblíquo, onde está a base? E qual é a altura? Você pode usar dois métodos diferentes para encontrar a área de um triângulo oblíquo, dependendo das informações dadas.

Encontrando a área com dois lados e um ângulo incluído (para LAL)

Por sorte, o Sr. Herão (veja a próxima seção) conseguiu uma fórmula que leva seu nome, mas o cara LAL a quem esta seção é dedicada permanece no anonimato.

PAPO DE ESPECIALISTA

Use a seguinte fórmula para encontrar a área quando conhece os dois lados de um triângulo e o ângulo entre eles (LAL):

$$A = \frac{1}{2}ab\operatorname{sen}C$$

Na fórmula, C é o ângulo entre os lados a e b.

Por exemplo, ao construir uma caixa de flores, como na seção anterior "LLL: Encontrando ângulos usando apenas os lados", você sabe que $a = 12$ e $b = 4$, e descobre usando a Lei dos Cossenos que C = 34,62. Agora você pode encontrar a área:

$$A = \frac{1}{2}(12)(4)\operatorname{sen}34,6° \approx 13,64$$

Usando a Fórmula de Herão (para LLL)

PAPO DE ESPECIALISTA

Você pode encontrar a área de um triângulo quando são dados apenas os comprimentos de todos os três lados (ou seja, nenhum ângulo) usando a chamada *Fórmula de Herão*. Ela determina que

$$A = \sqrt{s(s-a)(s-b)(s-c)}$$

em que $s = \frac{1}{2}(a+b+c)$

A variável s é chamada de *semiperímetro* ou metade do perímetro.

Por exemplo, é possível encontrar a área da caixa de flor (veja o exemplo na seção anterior) sem determinar nenhum ângulo. Quando todos os três lados são conhecidos, você pode usar a Fórmula de Herão. Para um triângulo com lados 4, 9 e 12, siga estas etapas:

1. Calcule o semiperímetro, s.

Siga este cálculo simples:

$$s = \frac{1}{2}(4+9+12) = \frac{1}{2}(25) = 12,5$$

2. Coloque s, a, b e c na Fórmula de Herão.

$$A = \sqrt{12,5(12,5-4)(12,5-9)(12,5-12)} = \sqrt{12,5(8,5)(3,5)(0,5)} \approx 13,64$$

Você descobre que a área da caixa de flor é igual em cada fórmula apresentada. Terá de escolher entre a fórmula LAL e a de Herão, a que for melhor.

3 Geometria Analítica e Resolução de Sistemas

NESTA PARTE. . .

Desenhe números complexos e curvas em um gráfico polar.

Trabalhe com seções cônicas.

Resolva sistemas de equações e desigualdades.

Liste sequências e some suas séries.

NESTE CAPÍTULO

» Contrapondo real versus imaginário

» Explorando o sistema de números complexos

» Plotando números complexos em um plano

» Desenhando coordenadas polares

Capítulo **12**

Raciocínio Plano: Números Complexos e Coordenadas Polares

Números complexos e coordenadas polares são alguns dos tópicos mais interessantes, mas geralmente negligenciados, em um estudo padrão de pré-cálculo. Os dois conceitos têm explicações muito básicas quanto a suas estruturas e podem simplificar muito um problema difícil ou até permitir resolver um problema que não teria solução antes.

Nas primeiras experiências em Matemática, pode ter sido dito que não é possível encontrar a raiz quadrada de um número negativo. Se em algum ponto dos seus cálculos você encontrasse uma resposta em que precisasse calcular a raiz quadrada de um número negativo, simplesmente jogava a resposta pela janela. Conforme avançou em seus estudos, descobriu que precisava de números complexos para explicar um fenômeno natural que os números reais são incapazes de esclarecer. Na verdade, cursos inteiros de Matemática são dedicados a estudar números complexos e suas aplicações. Você terá esse aprofundamento aqui, mas será apresentado ao básico, o suficiente para trabalhar com tais aplicações.

Coordenadas polares e gráficos são isso: giram em torno do polo (que você reconhecerá como a origem do gráfico anterior). O gráfico polar envolve equações ligadas a ângulos e funções trigonométricas. Um mundo novo o aguarda.

Neste capítulo, você descobre os conceitos de números complexos e coordenadas polares. Você verá de onde vêm e como usá-los (assim como desenhá-los).

Entendendo Real versus Imaginário

As Álgebras I e II apresentam o sistema de números reais. O pré-cálculo pode expandir seus horizontes adicionando números complexos ao seu repertório. *Números complexos* são os que incluem uma parte real e outra imaginária; eles são muito usados para a análise complexa, que teoriza funções usando números complexos como variáveis (veja a próxima seção para saber mais sobre esse sistema numérico).

Se antes foi dito para você desconsiderar as raízes negativas sempre que as encontrasse, veja uma explicação rápida: você pode calcular a raiz quadrada de um número negativo, mas ela não é um número real. Mas existe! Tem a forma de um *número imaginário*.

LEMBRE-SE

Esses números têm a forma bi, em que b é um número real e i é um número imaginário. A letra i representa $\sqrt{-1}$. Um número complexo, $a + bi$, pode ser real ou imaginário, dependendo dos valores de a e b. A constante a também deve ser um número real.

Por sorte, você já está familiarizado com o plano cartesiano de eixos x e y usado para desenhar funções (como no Capítulo 4). Você também pode usar um plano complexo para desenhar números imaginários. Embora os dois planos sejam construídos do mesmo modo (dois eixos perpendiculares entre si na origem), eles são diferentes. Para os números desenhados no plano cartesiano, os pares de coordenadas representam números reais na forma de variáveis (x e y). Você pode mostrar as relações entre essas duas variáveis como pontos no plano. Por outro lado, use o plano complexo apenas para plotar números complexos. Se quiser desenhar um número real, tudo de que precisará é de uma reta de números reais. Mas se quiser desenhar um número complexo, precisará de um plano inteiro para poder representar as partes real e imaginária.

Que entre o plano complexo ou plano de *Argand-Gauss*. Nesse plano, existem números reais puros na forma $a + 0i$ completamente no eixo real (eixo horizontal) e números imaginários puros na forma $0 + bi$ completamente no eixo imaginário (eixo vertical). A Figura 12-1a mostra o gráfico de um número real, e a Figura 12-1b, o de um número imaginário.

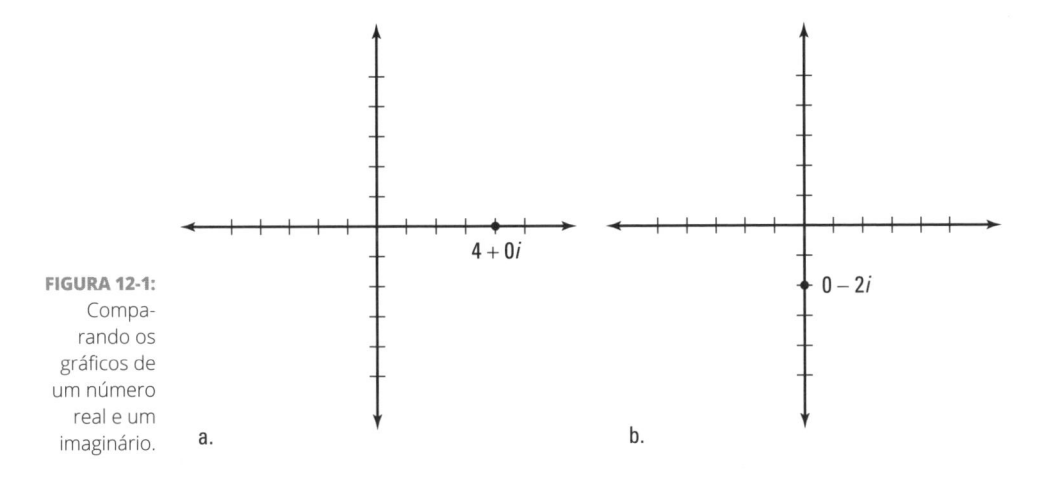

FIGURA 12-1:
Comparando os gráficos de um número real e um imaginário.

a.   4 + 0i

b.   0 − 2i

A Figura 12-1a mostra o gráfico do número real 4, e a Figura 12-1b mostra o gráfico do número imaginário puro −2i. O 0 em 4 + 0i torna o número *real*, e o 0 em 0 − 2i torna esse número *imaginário puro*.

Combinando Real e Imaginário: Sistema de Números Complexos

O *sistema de números complexos* é mais complexo que o sistema de números reais ou números imaginários puros em suas formas separadas. Você pode usar tal sistema para representar números reais, imaginários e números com partes real e imaginária. Na verdade, o sistema de números complexos é o conjunto mais completo para lidar em pré-cálculo.

Entendendo a utilidade dos números complexos

Você pode estar se fazendo duas perguntas importantes agora: quando os números complexos são úteis e onde os encontrarei? Os números imaginários são tão importantes no mundo real quanto os números reais, mas suas aplicações ficam ocultas entre alguns conceitos muito profundos, como a teoria do caos e a mecânica quântica. E mais, formas de arte matemática, chamadas *fractais*, usam números complexos. Talvez o fractal mais famoso seja chamado de Conjunto de Mandelbrot. Mas você não precisa se preocupar com isso. No seu caso, os números imaginários podem ser usados como soluções para equações que não têm soluções reais (como as equações quadráticas).

Por exemplo, considere a equação quadrática $x^2 + x + 1 = 0$. Ela não pode ser fatorada (veja o Capítulo 5). Usando a fórmula quadrática, você obtém a seguinte solução:

$$x = \frac{-b \pm \sqrt{b^2 - 4ac}}{2a} = \frac{-1 \pm \sqrt{1^2 - 4(1)(1)}}{2(1)} = \frac{-1 \pm \sqrt{1-4}}{2} = \frac{-1 \pm \sqrt{-3}}{2}$$

Usando $\sqrt{-1} = i$, o valor sob o radical pode ser simplificado:

$$x = \frac{-1 \pm \sqrt{-3}}{2} = \frac{-1 \pm \sqrt{-1}\sqrt{3}}{2} = \frac{-1 \pm i\sqrt{3}}{2}$$

Note que o *discriminante* (a parte $b^2 - 4ac$) é um número negativo, que não pode ser determinado só com números reais. Quando você descobriu pela primeira vez a fórmula quadrática em Álgebra, possivelmente a usou para encontrar raízes reais apenas. Mas por causa dos números complexos, não é preciso descartar a solução. A resposta anterior é uma solução complexa legítima ou uma *raiz complexa*. (Talvez você se lembre de ter encontrado as raízes complexas dos quadráticos em Álgebra II. Verifique o livro *Álgebra II Para Leigos*, de Mary Jane Sterling [Alta Books], para relembrar.)

Escrevendo a solução anterior no formato $a + bi$:

$x = \frac{-1 \pm i\sqrt{3}}{2} = \frac{-1}{2} \pm \frac{i\sqrt{3}}{2} = -\frac{1}{2} \pm \frac{\sqrt{3}}{2}i$. Há duas soluções complexas.

Realizando operações com números complexos

Às vezes, há situações em que você precisa trabalhar com números reais e imaginários juntos. Para tanto, é necessário escrever ambos como números complexos para conseguir somar, subtrair, multiplicar ou dividir.

Considere os três tipos a seguir de números complexos:

> » **Número real como número complexo:** $3 + 0i$
>
> Observe que a parte imaginária da expressão é 0.
>
> » **Número imaginário como número complexo:** $0 + 2i$
>
> Observe que a parte real da expressão é 0.
>
> » **Número complexo com partes real e imaginária:** $1 + 4i$
>
> Esse número não pode ser descrito como apenas real ou imaginário, daí o termo *complexo*.

LEMBRE-SE

É possível manipular os números complexos de forma algébrica exatamente como os números reais para realizar operações. Só é preciso ter cuidado para manter todos os *i*s corretos. Você não pode combinar partes reais e imaginárias usando a adição ou a subtração, pois não são termos afins, portanto, precisam ficar separados. E mais: ao multiplicar números complexos, o produto de dois números imaginários é um número real, o produto de um número real e um imaginário ainda é imaginário, e o produto de dois números reais é real.

A lista a seguir mostra as possíveis operações com números complexos:

» **Somar e subtrair números complexos:** Basta combinar os termos afins. Por exemplo, $(3-2i)-(2-6i) = 3-2i-2+6i = (3-2)+(-2i+6i) = 1+4i$.

» **Multiplicar quando um número complexo está envolvido:** Use um dos três métodos diferentes, de acordo com a situação:

- **Multiplicar um número complexo por um real:** Basta distribuir o número real nas partes real e imaginária do número complexo. Por exemplo, veja como lidar com um *escalar* (constante) multiplicando um número complexo entre parênteses: $2(3+2i) = 6+4i$.

- **Multiplicar um número complexo por um imaginário:** Primeiro, perceba que, como resultado da multiplicação, a parte real do número complexo se torna imaginária, e a parte imaginária se torna real. Mas ao expressar a resposta final, ainda expressará a parte real primeiro, seguida da parte imaginária, na forma $a+bi$.

  Por exemplo, veja como $2i$ multiplica $3+2i$: $2i(3+2i) = 6i+4i^2$. Como $i = \sqrt{-1}$, então $i^2 = \left(\sqrt{-1}\right)^2 = -1$. Assim, você tem $6i+4(-1)$. Escrita na forma padrão de um número complexo, sua resposta é $-4+6i$.

- **Multiplicar dois números complexos:** Basta seguir o método PEIU (veja o Capítulo 5). Por exemplo, $(3-2i)(9+4i) = 27+12i-18i-8i^2 = 27+12i-18i-8i^2$, que se simplifica como $27-6i-8(-1) = 27-6i+8 = 35-6i$.

» **Dividir números complexos:** Multiplique o numerador e o denominador pelo conjugado do denominador, aplique o método PEIU no numerador e no denominador separadamente, então combine os termos afins. Esse processo é necessário porque a parte imaginária no denominador envolve uma raiz quadrada (-1, lembre-se), e o denominador da fração não deve conter radical nem parte imaginária.

Por exemplo, digamos que seja pedido para dividir $\frac{1+2i}{3-4i}$. A raiz complexa conjugada de $3+4i$ é $3+4i$. Siga estas etapas para terminar o problema:

1. **Multiplique o numerador e o denominador pelo conjugado do denominador.**

   $\frac{1+2i}{3-4i} \cdot \frac{3+4i}{3+4i}$

2. Aplique o método PEIU no numerador e no denominador.

$$\frac{1+2i}{3-4i} \cdot \frac{3+4i}{3+4i} = \frac{3+4i+6i+8i^2}{9+12i-12i-16i^2} = \frac{3+10i+8i^2}{9-16i^2}$$

3. Substitua i^2 por -1 e simplifique.

$$\frac{3+10i+8(-1)}{9-16(-1)} = \frac{3+10i-8}{9+16} = \frac{-5+10i}{25}$$

4. Reescreva o resultado na forma padrão de um número complexo.

$$\frac{-5+10i}{25} = \frac{-5}{25} + \frac{10i}{25} = -\frac{1}{5} + \frac{2}{5}i$$

Desenhando Números Complexos

Para desenhar números complexos, basta combinar as ideias do plano cartesiano de números reais e do plano de Argand-Gauss (explicado na seção "Entendendo Real versus Imaginário" anteriormente neste capítulo) para criar o plano complexo; ou seja, pega-se a parte real do número complexo, *a*, para representar a coordenada *x*, e pega-se a parte imaginária, *b*, para a coordenada *y*.

LEMBRE-SE

Embora você desenhe os números complexos como qualquer ponto no plano cartesiano de números reais, os números complexos não são reais! A coordenada *x* é a única parte real de um número complexo, portanto, chamamos o eixo *x* de *eixo real*, e o *y* de *eixo imaginário* quando desenhamos no plano complexo.

Desenhar números complexos fornece um meio de visualizá-los, mas um número complexo desenhado não tem a mesma significância física de um par de coordenadas de números reais. Para uma coordenada (*x*, *y*), a posição do ponto no plano é representada por dois números. No plano complexo, o valor de um único número complexo é representado pela posição do ponto, portanto, cada número complexo $a + bi$ pode ser expresso como o par ordenado (*a*, *b*).

Vários exemplos de números complexos desenhados são vistos na Figura 12-2:

> **Ponto A:** A parte real é 2, e a imaginária é 3, portanto, a coordenada complexa é (2, 3), em que 2 está no eixo real (ou horizontal) e 3 está no imaginário (ou vertical). Esse ponto é $2+3i$.
>
> **Ponto B:** A parte real é -1, e a imaginária é -4; você pode desenhar o ponto no plano complexo como $(-1,-4)$. Esse ponto é $-1-4i$.

Ponto C: A parte real é $\frac{1}{2}$, e a imaginária é −3, portanto, a coordenada complexa é $\left(\frac{1}{2},-3\right)$. Esse ponto é $\frac{1}{2}-3i$.

Ponto D: A parte real é −2, e a imaginária é 1, significando que, no plano complexo, o ponto é $(-2,1)$. Essa coordenada é $-2+i$.

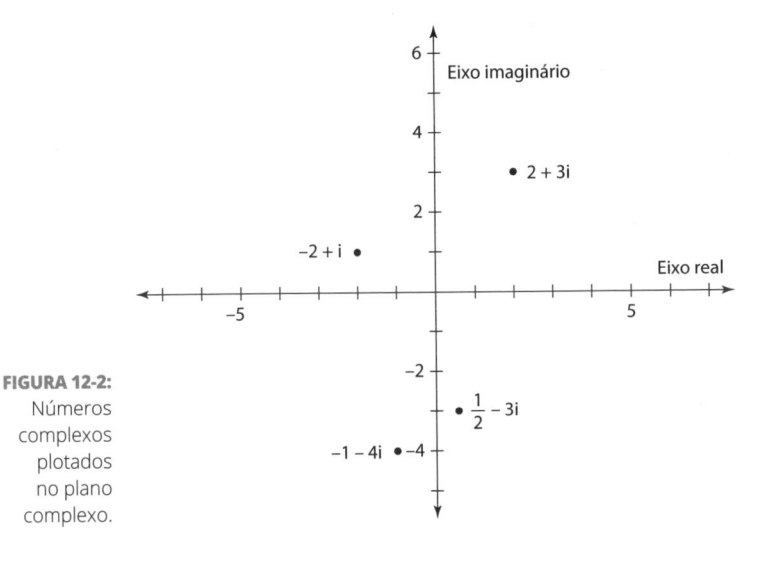

FIGURA 12-2: Números complexos plotados no plano complexo.

Plotando em Torno do Polo: Coordenadas Polares

Coordenadas polares são um acréscimo muito útil ao seu kit de ferramentas matemáticas porque permitem resolver problemas que seriam extremamente difíceis se você contasse com as coordenadas *x* e *y* padrão. Por exemplo, você pode usar as coordenadas polares em problemas nos quais a relação entre duas quantidades é descrita com mais facilidade em termos de ângulo e distância entre elas, como navegação ou sinais de antena. Em vez de contar com os eixos *x* e *y* como pontos de referência, as coordenadas polares se baseiam nas distâncias no eixo *x* positivo (a reta que começa na origem e continua na direção horizontal positiva infinitamente). A partir dessa reta, você mede um ângulo (chamado teta ou θ) e um comprimento (ou raio) no lado terminal do ângulo (chamado *r*). Essas coordenadas substituem as coordenadas *x* e *y*.

LEMBRE-SE

Nas coordenadas polares, sempre escreva o par ordenado como (r,θ). Por exemplo, uma coordenada polar poderia ser $\left(5,\frac{\pi}{6}\right)$ ou $(-3,\pi)$.

CAPÍTULO 12 **Raciocínio Plano: Números Complexos e Coordenadas Polares**

Nas próximas seções, você verá como desenhar pontos nas coordenadas polares e como representar as equações. Também descobrirá como mudar entre as coordenadas cartesianas e polares.

Entendendo o plano das coordenadas polares

Para entender como plotar pontos na forma (r,θ), é preciso ver como é um plano das coordenadas polares. Na Figura 12-3, você pode ver que o plano não é mais uma rede de coordenadas retangulares, mas uma série de círculos concêntricos em torno de um ponto central, chamado *polo*. É porque as coordenadas polares têm raio e ângulo na posição padrão em torno do polo. Cada círculo no gráfico representa uma unidade do raio, e cada linha, os lados terminais dos ângulos especiais no círculo unitário (facilitando encontrar os ângulos; veja o Capítulo 7).

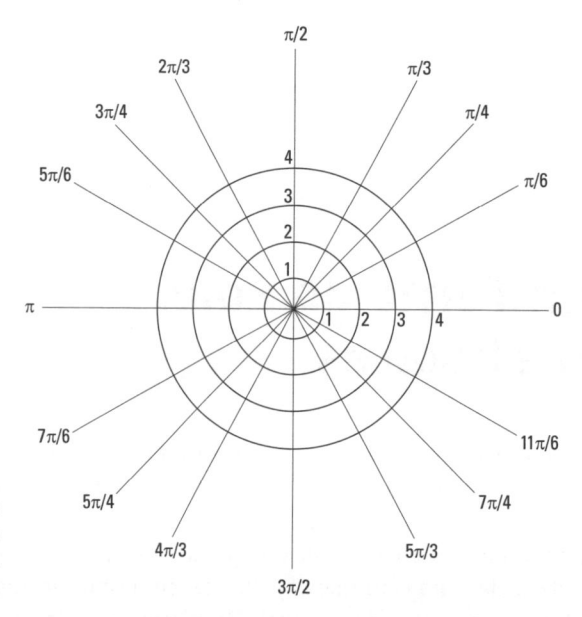

FIGURA 12-3: Plano das coordenadas polares.

PAPO DE ESPECIALISTA Embora a princípio θ e r possam parecer estranhos como pontos de plotagem, eles não são mais nem menos estranhos ou úteis que x e y. Na verdade, quando consideramos uma esfera como a Terra, descrever pontos na superfície, acima ou abaixo é muito mais simples com coordenadas polares em um plano de coordenadas redondo.

DICA Como todos os pontos no plano polar são escritos como (r,θ), para desenhar um ponto é melhor encontrar primeiro θ, depois localizar r na linha que corresponde a θ. Essa abordagem permite restringir o local de um ponto a um lugar em uma das linhas que representam os ângulos. Nesse local, você pode contar a distância radial a partir do polo. Se optar por outro caminho e começar com r, poderá ficar em apuros quando os problemas ficarem mais complicados.

A seguir, veja como plotar o ponto E em $\left(2, \frac{\pi}{3}\right)$, mostrado na Figura 12-4:

1. **Localize o ângulo no plano das coordenadas polares.**

   Siga no sentido anti-horário a partir do eixo x positivo até chegar no ângulo correto. Consulte a Figura 12-3 para encontrar o ângulo: $\theta = \frac{\pi}{3}$.

2. **Determine onde o raio cruza o ângulo.**

   Como o raio é $2 (r = 2)$, inicie no polo e se mova em duas unidades no lado terminal do ângulo.

3. **Plote o ponto dado.**

   No cruzamento do raio e do ângulo no plano das coordenadas polares, plote um ponto e termine aqui! A Figura 12-4 mostra o ponto E no plano.

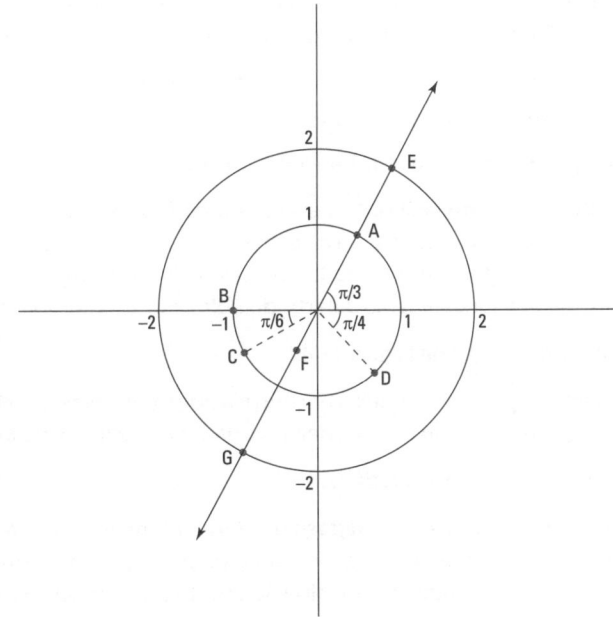

FIGURA 12-4: Visualizando as coordenadas polares simples e complexas.

Os pares de coordenadas polares podem ter ângulos positivos ou negativos para os valores de θ. E mais: podem ter raios positivos e negativos. É provável que esse conceito seja novo; você sempre achou que um raio tinha de ser positivo. Mas ao desenhar coordenadas polares, o raio pode ser negativo, significando que se move na direção *oposta* ao lado terminal do ângulo no outro lado do polo.

LEMBRE-SE

Como as coordenadas polares se baseiam em ângulos, diferente das coordenadas cartesianas, um único ponto pode ser representado por muitos pares ordenados diferentes. Infinitos valores de θ têm o mesmo ângulo na posição padrão (veja o Capítulo 7), portanto, um número infinito de pares coordenados descreve o mesmo ponto. E mais: um ângulo côngruo positivo e negativo pode descrever o mesmo ponto do mesmo raio, e como o raio pode ser positivo ou negativo, você pode expressar de diversos modos o ponto com coordenadas polares.

Desenhando coordenadas polares com valores negativos

Coordenadas polares simples são pontos em que o raio e o ângulo são positivos. Você viu as etapas para desenhá-las na seção anterior. Mas também deve se preparar para quando tiver pontos com ângulos e/ou raios negativos. A lista a seguir mostra como plotar nas três situações, ou seja, quando o ângulo é negativo, quando o raio é negativo, e quando ambos são negativos:

» Quando o ângulo é negativo: Os ângulos negativos movem-se no sentido horário (veja o Capítulo 7 para saber mais sobre isso). Verifique a Figura 12-4 para ver um ponto de exemplo, D. Para localizar o ponto da coordenada polar D em $\left(1, -\frac{\pi}{4}\right)$, primeiro encontre o ângulo $-\frac{\pi}{4}$. É o ângulo $\frac{\pi}{4}$, mas no sentido horário, e não anti-horário. Depois localize o ponto que representa o raio 1 na linha do ângulo.

» **Quando o raio é negativo:** Ao desenhar uma coordenada polar com um raio negativo (basicamente o valor *x*), siga a partir do polo na direção oposta até o ângulo positivo dado (na mesma linha do ângulo dado, mas na direção oposta do ângulo a partir do polo). Por exemplo, verifique o ponto F em $\left(-\frac{1}{2}, \frac{\pi}{3}\right)$ na Figura 12-4.

Para plotar o ponto F, primeiro encontre a linha que corresponde a um ângulo $\frac{\pi}{3}$. Então, como o raio é negativo, volte nessa linha, no outro lado do polo, para $\frac{1}{2}$ de uma unidade.

» **Quando ângulo e raio são negativos:** Para desenhar uma coordenada polar com raio e ângulo negativos, primeiro localize o lado terminal do ângulo negativo, depois siga na direção oposta para encontrar o raio. Por exemplo, o ponto G na Figura 12-4 tem essas características em $\left(-2, -\frac{5\pi}{3}\right)$.

Primeiro encontre a linha que corresponde a um ângulo de $-\frac{5\pi}{3}$. Pode ajudar lembrar que $-\frac{5\pi}{3}$ tem o mesmo lado terminal de $\frac{\pi}{3}$ (some 2π e $-\frac{5\pi}{3}$, obtendo $\frac{\pi}{3}$ — um ângulo côngruo). Depois, usando a linha para $-\frac{5\pi}{3}$, mova-se duas unidades no outro lado do ponto, desça e vá para a esquerda.

Na verdade, exceto pela origem, cada ponto dado pode ter os quatro tipos de representações a seguir:

» Raio positivo, ângulo positivo

» Raio positivo, ângulo negativo

» Raio negativo, ângulo positivo

» Raio negativo, ângulo negativo

Por exemplo, o ponto E na Figura 12-4, $\left(2, \frac{\pi}{3}\right)$, pode ter três outras representações da coordenada polar com diferentes combinações de sinais para raio e ângulo:

$\left(2, -\frac{5\pi}{3}\right)$, porque $\frac{\pi}{3}$ e $-\frac{5\pi}{3}$ são diferentes em uma rotação.

$\left(-2, \frac{4\pi}{3}\right)$, porque -2 está no lado oposto do polo e $\frac{4\pi}{3}$ é o ângulo cuja linha correspondente está ao longo de $\frac{\pi}{3}$.

$\left(-2, -\frac{2\pi}{3}\right)$, porque -2 está no lado oposto do polo e $-\frac{2\pi}{3}$ é metade de uma rotação em relação a $\frac{\pi}{3}$.

No gráfico polar, você pode mudar a coordenada de qualquer ponto dado para as coordenadas polares que são mais fáceis de lidar (como o raio e o ângulo positivos).

Mudando entre as coordenadas polares

Você pode usar as coordenadas polares e as coordenadas (x, y) a qualquer momento para descrever o mesmo local no plano das coordenadas. Às vezes, será mais fácil usar uma forma, e por isso agora você verá como transitar entre as duas. As coordenadas cartesianas são muito mais adequadas para gráficos com linhas retas ou curvas simples. As coordenadas polares podem produzir vários gráficos bonitos e muito complexos que não podem ser plotados com as coordenadas cartesianas.

DICA Ao mudar entre as coordenadas polares, seu trabalho geralmente ficará mais fácil se tiver todas as medidas do ângulo em radianos. Você pode fazer a mudança usando o fator de conversão 180° = π radianos. Porém, pode escolher deixar as medidas do ângulo em graus, o que é bom, contanto que sua calculadora esteja no modo certo.

Criando equações que mudam

Examine a Figura 12-5, que mostra um ponto mapeado nas coordenadas (x, y) e (r, θ), permitindo ver a relação entre elas.

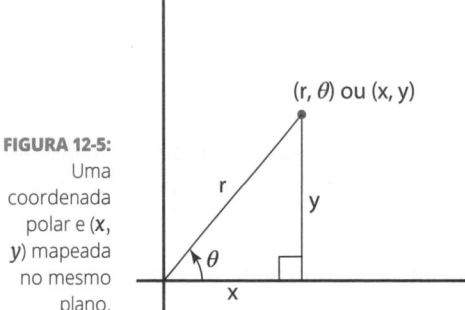

FIGURA 12-5: Uma coordenada polar e (**x**, **y**) mapeada no mesmo plano.

Qual é exatamente a relação geométrica entre r, θ, x e y? Veja a identificação no gráfico; são partes do mesmo triângulo!

LEMBRE-SE Usando a trigonometria do triângulo retângulo (veja o Capítulo 7), você conhece os seguintes fatores:

$$\operatorname{sen}\theta = \frac{y}{r}$$

$$\cos\theta = \frac{x}{r}$$

Essas equações se simplificam em duas expressões muito importantes para x e y em termos de r e θ:

$$y = r\operatorname{sen}\theta$$

$$x = r\cos\theta$$

E mais: você pode usar o Teorema de Pitágoras no triângulo retângulo da Figura 12-5 para encontrar o raio do triângulo se x e y forem dados:

Como $x^2 + y^2 = r^2$, então $r = \sqrt{x^2 + y^2}$.

Uma equação final permite encontrar o ângulo θ; ele deriva da tangente do ângulo:

$$\operatorname{tg}\theta = \frac{y}{x}$$

Resolva a equação para θ e obterá a seguinte expressão:

$$\theta = \operatorname{tg}^{-1}\frac{y}{x}$$

CUIDADO

Quanto à equação final, $\theta = \operatorname{tg}^{-1}\frac{y}{x}$, lembre-se de que sua calculadora sempre retorna um valor da tangente que coloca θ no primeiro ou no quarto quadrante. Você precisa ver as coordenadas x e y, e decidir se essa colocação está mesmo correta para o problema em mãos. A calculadora não procura as possibilidades da tangente no segundo e terceiro quadrantes, mas isso não significa que você fará o mesmo!

LEMBRE-SE

Como nos graus (veja a seção "Entendendo o plano das coordenadas polares"), você pode somar ou subtrair 2π de qualquer ângulo para obter um ângulo côngruo para ter mais de um modo de nomear cada ponto nas coordenadas polares. Na verdade, existem infinitas maneiras de nomear o mesmo ponto. Por exemplo, $\left(2,\frac{\pi}{3}\right)$, $\left(2,-\frac{5\pi}{3}\right)$, $\left(-2,\frac{4\pi}{3}\right)$, $\left(2,-\frac{2\pi}{3}\right)$ e $\left(2,\frac{7\pi}{3}\right)$ são várias nomenclaturas do mesmo ponto.

Colocando as equações em ação

Juntas, as quatro equações para r, θ, x e y permitem mudar as coordenadas (x, y) para as coordenadas (r,θ) polares e retornar a qualquer momento. Por exemplo, para mudar a coordenada polar $\left(2,\frac{\pi}{6}\right)$ para uma coordenada retangular, siga estas etapas:

1. Encontre o valor de x.

Como $x = r\cos\theta$, substitua o que você sabe, $r = 2$ e $\theta = \frac{\pi}{6}$, para obter

$$x = 2\cos\frac{\pi}{6}$$

Substitua o valor do cosseno e $x = 2 \cdot \frac{\sqrt{3}}{2} = \sqrt{3}$

2. Encontre o valor de y.

Com $y = r\operatorname{sen}\theta$, substitua o que você sabe para obter $y = 2\operatorname{sen}\frac{\pi}{6} = 2 \cdot \frac{1}{2} = 1$

3. **Expresse os valores das Etapas 1 e 2 como um ponto da coordenada.**

   Você descobriu que $\left(2, \frac{\pi}{6}\right)$ no gráfico polar corresponde ao ponto $\left(\sqrt{3}, 1\right)$ em um sistema de coordenadas retangulares. A Figura 12-6 mostra os dois pontos desenhados em seus respectivos sistemas de coordenadas. Os pontos $\left(\sqrt{3}, 1\right)$ e $\left(2, \frac{\pi}{6}\right)$ são identificados com A. A Figura 12-6a é o gráfico retangular, e a 12-6b é o gráfico polar.

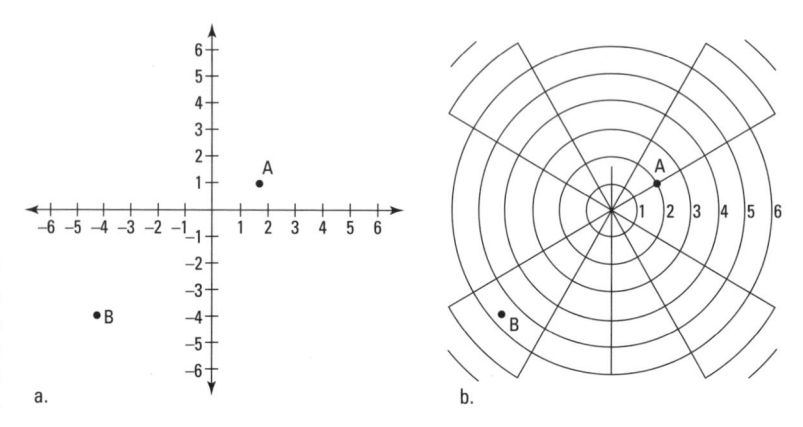

FIGURA 12-6: Os mesmos pontos, A e B, como retangulares e polares.

a.   b.

É hora de um exemplo ao contrário. Dado o ponto $(-4, -4)$, encontre a coordenada polar equivalente:

1. **Primeiro plote o ponto (x, y).**

   A Figura 12-6a mostra o local do ponto, identificado como B, no quadrante III.

2. **Encontre o valor de r.**

   Para essa etapa, use o Teorema de Pitágoras para as coordenadas polares: $x^2 + y^2 = r^2$. Coloque o que você sabe, $x = -4$ e $y = -4$ para obter $(-4)^2 + (-4)^2 = r^2$. Determinando r, o resultado é $r = 4\sqrt{2}$.

3. **Encontre o valor de θ.**

   Use a razão da tangente para as coordenadas polares: $\theta = \text{tg}^{-1}\frac{y}{x} = \text{tg}^{-1}\frac{-4}{-4} = \text{tg}^{-1} 1$. O ângulo de referência desse valor é $\theta' = \frac{\pi}{4}$ (veja o Capítulo 7). Você sabe, com a Figura 12-6, que o ponto está no terceiro quadrante, portanto, $\theta = \frac{5\pi}{4}$.

4. **Expresse os valores das Etapas 2 e 3 como uma coordenada polar.**

   O ponto no sistema retangular $(-4,-4)$ é igual a $\left(4\sqrt{2}, \frac{5\pi}{4}\right)$ no sistema polar. Esses pontos são identificados com B nos gráficos da Figura 12-6.

Representando equações polares

A equação de uma circunferência no sistema de coordenadas retangulares tem a forma $x^2 + y^2 = r^2$, em que r é o raio da circunferência. As circunferências com essa forma têm o centro na origem. No Capítulo 13, você pode saber mais sobre circunferências e como elas podem se mover no gráfico.

As equações polares para uma circunferência são bem diferentes, e muito mais simples. De fato, existem muitas curvas bonitas que podem ser criadas em um gráfico polar com sentenças muito simples. Há três neste capítulo e muito mais no Capítulo 17.

Circulando com dois círculos

Existem duas equações básicas para o gráfico de uma circunferência: $r = a\operatorname{sen}\theta$ e $r = a\cos\theta$. Uma fica no topo do polo, e a outra, no lado. O multiplicador a indica o diâmetro do círculo, e θ representa todos os valores de entrada em termos de radianos.

Primeiro, encontre alguns pontos na circunferência $r = 3\operatorname{sen}\theta$. Se $\theta = 0$, então $r = 3 \cdot 0 = 0$ e você tem o ponto $(0,0)$. Se $\theta = \frac{\pi}{6}$, então $r = 3 \cdot \frac{1}{2} = \frac{3}{2}$ e tem o ponto $\left(\frac{3}{2}, \frac{\pi}{6}\right)$. Continuando, os outros pontos são: $\left(\frac{3\sqrt{2}}{2}, \frac{\pi}{4}\right)$, $\left(\frac{3\sqrt{3}}{2}, \frac{\pi}{3}\right)$, $\left(3, \frac{\pi}{2}\right)$, $\left(\frac{3\sqrt{3}}{2}, \frac{4\pi}{3}\right)$, $\left(\frac{3\sqrt{2}}{2}, \frac{3\pi}{4}\right)$, $\left(\frac{3}{2}, \frac{5\pi}{6}\right)$ e $(0, \pi)$. Depois de plotar os pontos e criar o círculo, você verá na Figura 12-7 como fica.

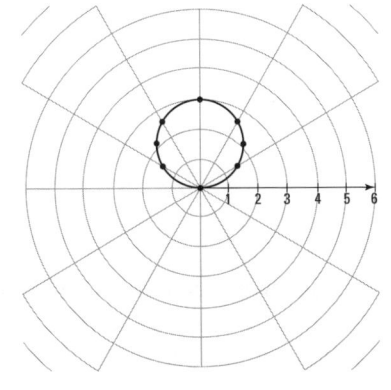

FIGURA 12-7: Desenhando $r = 3\operatorname{sen}\theta$.

O gráfico de $r = 3\cos\theta$ lembra muito o do $r = 3\text{sen}\theta$, só girou 90° para ficar à direita do polo.

Dois outros gráficos polares populares são a espiral e a rosa. E sim, eles lembram exatamente essa forma. Uma espiral tem uma equação geral $r = a\theta$. Só isso! Multiplique a medida do ângulo (em radianos) por uma constante. θ deve estar em radianos porque você precisa de valores do número real na multiplicação. Conforme o valor de θ fica cada vez maior, mais longe segue a espiral. A Figura 12-8 mostra um exemplo de espiral, com a equação $r = \frac{1}{3}\theta$.

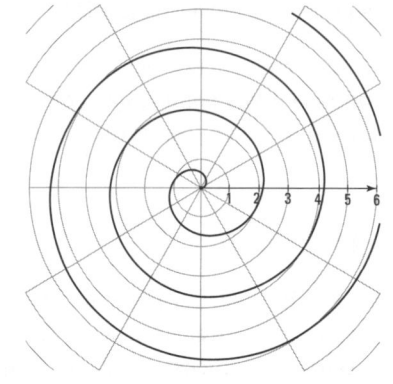

FIGURA 12-8: Uma espiral é só um múltiplo de θ.

Usando o jargão polar, uma rosa pode ter muitas pétalas. Tudo depende do formato da equação. As equações gerais para uma rosa são $r = a\text{sen}b\theta$ ou $r = a\cos b\theta$. Quando o valor de b é ímpar, há b pétalas. Quando b é par, há $2b$ pétalas. A Figura 12-9 mostra o gráfico de $r = 2\text{sen}3\theta$.

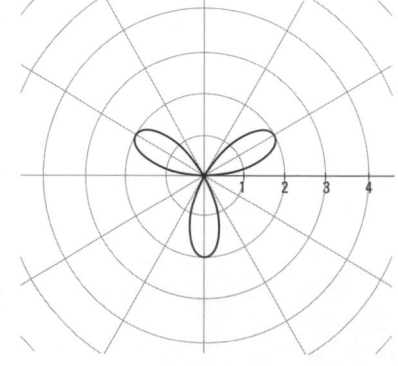

FIGURA 12-9: Uma rosa pode ter muitas pétalas.

Existem muitas, muitas outras funções polares bonitas com gráficos e variações em seus gráficos que são intrigantes. Vá para o Capítulo 17 para ver um cardioide, uma lemniscata, um limaçon, entre outros.

> **NESTE CAPÍTULO**
>
> » Girando com circunferências
>
> » Dissecando partes e gráficos das parábolas
>
> » Explorando a elipse
>
> » Limitando com hipérboles
>
> » Escrevendo e desenhando cônicas de duas formas distintas

Capítulo **13**

Criando Seções Cônicas ao Fatiar Cones

Os astrônomos investigam o espaço há tempos, mais tempo do que você passa olhando uma casquinha de sorvete coberto de caramelo. Algumas coisas que acontecem no espaço são misteriosas, outras mostraram suas verdadeiras cores para observadores curiosos. Um fenômeno que os astrônomos descobriram e comprovaram é sobre o movimento dos corpos no espaço. Eles sabem que os caminhos dos objetos se movendo no espaço são formados como uma das quatro seções cônicas (formas criadas por cones): circunferência, parábola, elipse e hipérbole. As seções cônicas se desenvolveram de maneiras populares para descrever o movimento, a luz e outras ocorrências naturais no mundo físico.

Em termos astronômicos, uma elipse, por exemplo, descreve o caminho de um planeta em torno do Sol. Então um cometa, em sua trajetória em torno de um planeta, pode viajar tão perto da gravidade deste, que seu caminho é afetado e oscila de volta na galáxia. Se uma caneta gigante fosse presa ao cometa, seu caminho traçaria uma parábola enorme. O movimento dos objetos conforme são afetados pela gravidade muitas vezes pode ser descrito usando-se seções cônicas. Por exemplo, é possível descrever o movimento de uma bola lançada no ar usando uma seção cônica. As seções cônicas encontradas aqui têm muitas aplicações, sobretudo para a ciência espacial!

As seções cônicas têm esse nome porque são compostas de dois cones circulares retos (imagine duas casquinhas de sorvete em sua sorveteria favorita). Basicamente, pense em dois cones circulares retos, com suas pontinhas se tocando (a pontinha de dois cones circulares é chamada de *ápice* ou *vértice*). As seções cônicas são formadas pela interseção entre um plano e esses dois cones. Quando se fatiam os cones com um plano, a interseção desse plano com os cones produz muitas curvas diferentes. O plano é completamente arbitrário; o ponto onde o plano corta o(s) cone(s) e o ângulo são propriedades que fornecem muitas seções cônicas diferentes que serão vistas neste capítulo.

Aqui, veremos cada seção cônica, do início ao fim. Veremos as semelhanças e as diferenças entre as quatro seções e suas aplicações na Matemática e na Ciência. Também encontraremos o gráfico de cada seção e suas propriedades. As seções cônicas fazem parte da fronteira final ao desenhar gráficos em duas dimensões em Matemática, portanto, sente-se, relaxe e curta a viagem!

Cone a Cone: Identificando as Quatro Seções Cônicas

Cada seção cônica tem sua própria forma padrão de uma equação com variáveis x e y que podem ser desenhadas no plano cartesiano. Você pode escrever a equação de uma seção cônica se tiver pontos-chave no gráfico e pode desenhar a seção cônica a partir da equação. É possível alterar a forma de cada um dos gráficos de vários modos, mas as formas gerais ainda permanecem fiéis ao tipo de curva que elas são.

Conseguir identificar qual é a seção cônica só pela equação é importante porque, às vezes, é tudo o que se tem (nem sempre será informado o tipo de curva sendo desenhada). Certos pontos-chave são comuns a todas as cônicas (vértices, focos e eixos, para citar alguns), portanto, você começa plotando esses pontos e identificando qual tipo de curva eles formam.

Desenho (forma gráfica)

O objetivo deste capítulo é conseguir representar graficamente as seções cônicas com todas as informações fornecidas. A Figura 13-1 mostra como um plano corta os cones para criar as seções cônicas, e a lista a seguir explica a figura:

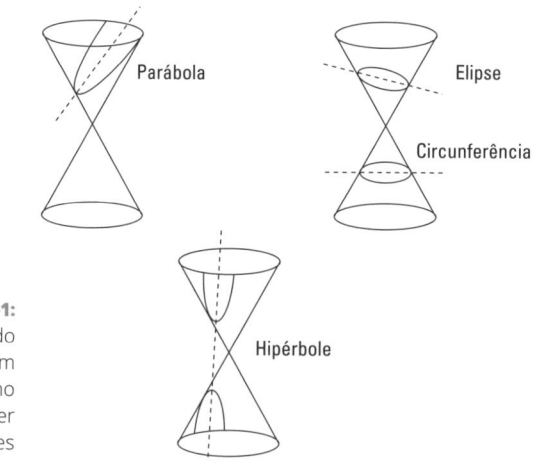

FIGURA 13-1: Cortando cones com um plano para obter seções cônicas.

» **Circunferência:** É o conjunto de todos os pontos que estão a uma determinada distância (raio, *r*) de um determinado ponto (centro). Para criar uma circunferência a partir de um cone reto, o plano corta o cone paralelamente a um lado, mas não corta o ápice deles.

» **Parábola:** É uma curva na qual cada ponto está equidistante de um ponto especial (*foco*) e uma reta (*diretriz*). Uma parábola lembra a letra *U*, embora possa estar de cabeça para baixo ou de lado. Para formar uma parábola, o plano corta o cone paralelamente a um lado, mas não corta o vértice deles.

» **Elipse:** É o conjunto de todos os pontos cuja soma das distâncias de dois pontos em particular (*focos*) é constante. Você pode estar familiarizado com outro termo para a elipse, *oval*. Para obter uma elipse de dois cones retos, o plano deve cortar apenas um cone, não paralelo à base e não pelo vértice.

» **Hipérbole:** É o conjunto de pontos cuja diferença das distâncias entre dois pontos dados é constante. A forma da hipérbole lembra visualmente duas parábolas (embora uma parábola seja muito diferente matematicamente), espelhando-se com algum espaço entre os vértices. Para formar uma hipérbole, o plano corta os dois cones perpendicularmente às bases (para cima e para baixo), mas não pelo vértice.

LEMBRE-SE

Muitas vezes, traçar uma seção cônica não é o suficiente. Cada seção tem seu próprio conjunto de propriedades que talvez você precise determinar para complementar o gráfico. Você pode indicar onde ficam o centro, os vértices, os eixos maior e menor e os focos. Em geral, essas informações são até mais importantes do que o gráfico em si. E mais: saber todas essas informações valiosas ajuda a desenhar o gráfico com mais precisão.

Impressão (forma da equação)

As equações das seções cônicas são muito importantes porque não só mostram qual seção deve ser desenhada, como também fornecem informações sobre como deve ficar o gráfico. A aparência de cada seção cônica tem ajustes com base nos valores das constantes na equação. Normalmente, essas constantes usam as letras a, b, h e k. Nem toda seção cônica tem essas constantes, mas as que têm são afetadas do mesmo modo pelas mudanças no valor da mesma constante. Essas seções têm formas e tamanhos variados: grandes, pequenas, grossas, finas, verticais, horizontais etc. As constantes listadas anteriormente são as culpadas por essas alterações.

PAPO DE ESPECIALISTA

Uma equação precisa ter x^2 ou y^2, ou x^2 e y^2 para criar uma seção cônica. Se x ou y não estiverem ao quadrado, então a equação será uma reta (não considerada uma seção cônica para esse fim). Nenhuma variável de uma seção cônica pode ser elevada a uma potência maior que dois.

Como mencionado rapidamente, certas características são exclusivas de cada tipo de seção cônica. Para reconhecer com qual seção você está lidando, quando for dada uma equação na forma padrão, consulte a lista a seguir. A forma padrão de uma seção cônica é: $Ax^2 + By^2 + Cx + Dy + E = 0$.

» **Circunferência:** Quando x e y estão ao quadrado e os coeficientes são iguais, inclusive o sinal: $A = B$.

Por exemplo, veja $3x^2 + 3y^2 - 12x - 2 = 0$. Note que x^2 e y^2 têm o mesmo coeficiente (3 positivo). Essa informação é tudo de que você precisa para reconhecer que está trabalhando com uma circunferência.

» **Parábola:** Quando x ou y está ao quadrado, não ambos: $A = 0$ ou $B = 0$.

As equações $y = x^2 - 4$ e $x = 2y^2 - 3y + 10$ são parábolas (as equações não estão tecnicamente na forma padrão, mas reescrevê-las não muda as características). Na primeira equação, você vê x^2, mas nenhum y^2, e na segunda, vê y^2, mas nenhum x^2. Nada mais importa, ou seja, o sinal e os coeficientes mudam a aparência física da parábola (como ela se abre e sua espessura), mas não mudam o fato de que é uma parábola.

» **Elipse:** Quando x e y estão ao quadrado e os coeficientes têm o mesmo sinal, mas são diferentes: $A \neq B$.

A equação $3x^2 - 9x + 2y^2 + 10y - 6 = 0$ é um exemplo de elipse. Os coeficientes em x^2 e y^2 são diferentes, mas ambos são positivos.

» **Hipérbole:** Quando x e y estão ao quadrado e exatamente um dos coeficientes nos termos ao quadrado é negativo (os coeficientes podem ser iguais ou diferentes em valor absoluto): $A < 0$ ou $B < 0$, mas não ambos.

A equação $4y^2 - 10y - 3x^2 = 12$ é um exemplo de hipérbole. Dessa vez, os coeficientes em x^2 e y^2 são diferentes, mas um deles é negativo, sendo um requisito para o gráfico de uma hipérbole.

CUIDADO

As equações para as quatro seções cônicas são muito parecidas, com pequenas diferenças (um sinal de mais, ao invés de menos, por exemplo, resulta em um tipo inteiramente diferente de seção cônica).

Dando Voltas: Desenhando Circunferências

É simples trabalhar com circunferências. Elas têm um centro, um raio e muitos pontos. Nesta seção, vemos como desenhar circunferências no plano cartesiano e descobrimos com o gráfico e a equação da circunferência onde está o centro e qual é o raio.

LEMBRE-SE

A primeira coisa de que você precisa saber para desenhar o gráfico da equação de uma circunferência é onde o centro está localizado no plano. A equação de uma circunferência é $(x-h)^2 + (y-k)^2 = r^2$. É referida como *forma do centro e raio* (ou forma padrão) porque fornece as duas informações ao mesmo tempo. As letras h e k representam o centro da circunferência no ponto (h, k), e r é o raio. Especificamente h representa o deslocamento horizontal, ou seja, a que distância à esquerda ou à direita do eixo y está o centro da circunferência. A variável k representa o deslocamento vertical ou a que distância acima ou abaixo do eixo x está o centro. A partir de (h, k), é possível contar r unidades (raio) na horizontal e na vertical em ambas as direções para obter os quatro pontos diferentes, todos equidistantes do centro. Conecte esses pontos com uma curva para formar a circunferência.

Desenhando circunferência na origem

A circunferência mais simples de desenhar tem seu centro na origem (0, 0). Como h e k são zero, você pode simplificar a equação da circunferência padrão como $x^2 + y^2 = r^2$. Por exemplo, para desenhar a circunferência $x^2 + y^2 = 16$, siga estas etapas:

1. Note que a circunferência tem centro na origem e coloque um ponto aí.

2. Calcule o raio determinando r.

Defina $r^2 = 16$. Nesse caso, você obtém $r = 4$.

3. **Plote os pontos do raio no plano cartesiano.**

   Conte 4 unidades em cada direção a partir do centro (0, 0): esquerda, direita, para cima e para baixo.

4. **Conecte os pontos para desenhar a circunferência fazendo uma curva suave e redonda.**

   A Figura 13-2 mostra a circunferência no plano.

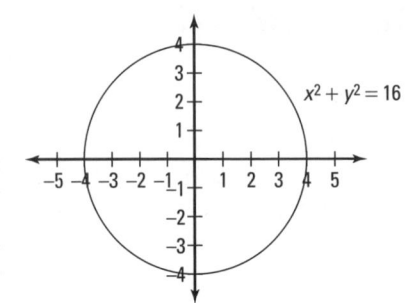

FIGURA 13-2: Desenhando uma circunferência centrado na origem.

Desenhando circunferências distantes da origem

Desenhar uma circunferência em qualquer lugar no plano cartesiano é muito fácil quando a equação tem a forma de centro e raio. Tudo o que você precisa fazer é plotar o centro da circunferência em (h, k), se deslocar a partir do centro r unidades nas quatro direções (para cima, para baixo, para esquerda e para direita) e conectar os quatro pontos com uma circunferência. Ou pode considerá-lo como uma transformação que envolve deslocamentos horizontais e verticais. Consulte o Capítulo 4 se precisar de mais informações sobre as transformações.

LEMBRE-SE Não se esqueça de trocar o sinal de h e k entre parênteses na equação. Essa etapa é necessária porque h e k estão entre símbolos de agrupamento, significando que o deslocamento é o oposto do que você pensa ser.

Por exemplo, siga estas etapas para desenhar a equação $(x-3)^2 + (y+1)^2 = 25$:

1. **Localize o centro da circunferência na equação (h, k).**

   $(x-3)^2$ significa que a coordenada x do centro é 3 positivo.

   $(y+1)^2$ significa que a coordenada y do centro é 1 negativo.

   Coloque o centro da circunferência em $(3, -1)$.

2. **Calcule o raio determinando r.**

   Defina $r^2 = 25$ e encontre a raiz quadrada dos dois lados, obtendo $r = 5$.

3. **Plote os pontos do raio no plano cartesiano.**

   Conte cinco unidades para cima, para baixo, para esquerda e para direita a partir do centro em $(3,-1)$. Essa etapa fornece pontos em $(8,-1)$, $(-2,-1)$, $(3,-6)$ e $(3, 4)$.

4. **Conecte os pontos para desenhar a circunferência com uma curva redonda e suave.**

   Veja a Figura 13-3 para ter uma representação visual da circunferência.

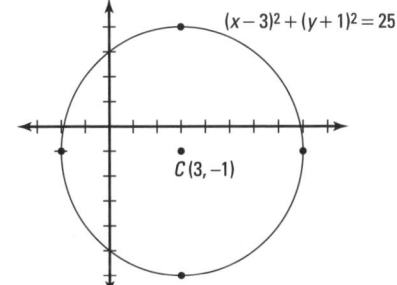

FIGURA 13-3: Desenhando uma circunferência com centro fora da origem.

Escrevendo na forma de centro e raio

Às vezes, a equação de uma circunferência está na forma de centro e raio (o gráfico é moleza), e em outras, é preciso manipular um pouco para conseguir uma forma que seja fácil de trabalhar. Quando uma circunferência não está na forma de centro e raio, normalmente você precisa completar o quadrado para encontrar o centro. Veja como mudar a equação $x^2 + y^2 + 4x - 6y - 23 = 0$ para essa forma:

1. **Reagrupe as variáveis e mova a constante para o lado direito.**

   $x^2 + 4x + y^2 - 6y = 23$

2. **Complete o quadrado (veja o Capítulo 5 para saber mais sobre isso) em x e y. Então fatore os trinômios.**

   $x^2 + 4x + 4 - 4 + y^2 - 6y + 9 - 9 = 23$
   $x^2 + 4x + 4 \quad + y^2 - 6y + 9 \quad = 23 + 4 + 9$
   $(x+2)^2 \quad\quad + (y-3)^2 \quad = 36$

O centro da circunferência é $(-2, 3)$, e o raio é 6.

Subindo e Descendo com Parábolas

Embora as parábolas pareçam curvas em U simples, há mais coisas do que os olhos conseguem ver. Como as equações das parábolas envolvem uma variável ao quadrado (e apenas uma), elas se tornam uma imagem espelhada em seu eixo de simetria, como as funções quadráticas do Capítulo 3.

As parábolas explicadas no Capítulo 3 são todas *funções* quadráticas, significando que elas passaram no teste da linha vertical. A finalidade de introduzir parábolas neste capítulo é para analisá-las não como funções, mas como seções cônicas. Qual a diferença, você pergunta? As funções quadráticas devem ser compatíveis com a definição de função, enquanto as parábolas no mundo das seções cônicas podem ser verticais (como as funções) ou horizontais (como um U de lado, que não passa no teste da linha vertical).

Nesta seção, apresentamos diferentes parábolas que se encontram na jornada das seções cônicas.

Identificando as partes

Cada uma das diferentes parábolas nesta seção tem a mesma forma geral, mas a largura delas, o local no plano cartesiano e a direção na qual se abrem podem variar muito.

Algo que é real para todas as parábolas é sua simetria, ou seja, você pode dobrar uma parábola pela metade. A linha que divide uma parábola na metade é chamada de *eixo de simetria*. O *foco* é um ponto dentro (não na superfície) da parábola que fica no eixo de simetria, e a *diretriz* é uma reta que passa por fora da parábola. O *vértice* da parábola fica exatamente na metade entre o foco e a diretriz, e fica na curva. Lembre-se de que, na Geometria Plana, a distância de uma reta dada a um ponto não pertencente a ela é um segmento que une a reta e o ponto. É como as distâncias dos pontos na parábola até a diretriz são medidos. Uma parábola é formada por todos os pontos equidistantes do foco e da diretriz. A distância entre o vértice e o foco dita a abertura da parábola.

A primeira coisa que você deve descobrir para desenhar uma parábola é onde está localizado o vértice. Nesse ponto, pode descobrir se a parábola sobe e desce (parábola vertical) ou fica de lado (parábola horizontal). Os coeficientes da parábola também informam como ela se abre (em direção a números positivos ou negativos).

Se você estiver desenhando uma parábola vertical, o vértice também será o valor máximo ou mínimo da curva. Calcular esses valores tem inúmeras aplicações no mundo real nas quais você pode se aprofundar. Em geral, quanto maior, melhor, e a área máxima não faz diferença. As parábolas são muito úteis ao informar a área máxima (ou muitas vezes mínima) dos retângulos. Por exemplo, se você está construindo uma pista para cães com uma quantidade predefinida de cerca, pode usar parábolas para descobrir as dimensões da pista que produziriam a área máxima para seu cão se exercitar.

Entendendo as características de uma parábola padrão

As variáveis ao quadrado na equação da parábola determinam como ela se abre:

» **Quando x está ao quadrado e y não:** Nesse caso, o eixo de simetria é vertical, e a parábola se abre para cima ou para baixo. Por exemplo, $y = x^2$ é uma parábola vertical; seu gráfico é mostrado na Figura 13-4a.

» **Quando y está ao quadrado e x não:** Nesse caso, o eixo de simetria é horizontal, e a parábola se abre para a esquerda ou a direita. Por exemplo, $x = y^2$ é uma parábola horizontal, como na Figura 13-4b.

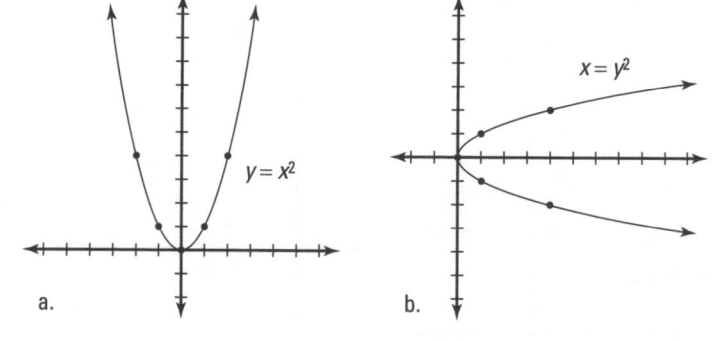

FIGURA 13-4: Parábolas vertical e horizontal baseadas na origem.

As duas parábolas têm o vértice localizado na origem.

LEMBRE-SE

Fique atento aos coeficientes negativos nos termos ao quadrado nas parábolas. Se a parábola for vertical, um coeficiente negativo em x^2 faz com que ela se abra para baixo. Se a parábola for horizontal, um coeficiente negativo em y^2 faz com que se abra para a esquerda.

Plotando variações: Parábolas por todo o plano

Assim como nas circunferências e seus centros, o vértice da parábola nem sempre está na origem. Você também precisa se sentir à vontade com o deslocamento das parábolas no plano cartesiano. Certos movimentos, sobretudo o movimento de objetos que caem, movem-se em um formato de parábola em relação ao tempo. Por exemplo, a altura de uma bola lançada no ar no tempo t pode ser descrita pela equação $h(t) = -16t^2 + 32t$. Encontrar o vértice dessa equação informa a altura máxima da bola e também quando ela atingiu essa altura. Encontrar os interceptos-x também informa quando a bola tocará o chão.

PAPO DE ESPECIALISTA

Uma parábola vertical escrita na forma $y = a(x - h)^2 + k$ fornece o seguinte:

» **Uma transformação vertical (designada pela variável a):** Por exemplo, para $y = 2(x-1)^2 - 3$, cada ponto é dilatado na vertical por um fator 2 (veja a Figura 13-5a do gráfico). Portanto, sempre que você plota um ponto no gráfico, a altura da origem $y = x^2$ é multiplicada por 2.

» **O deslocamento horizontal do gráfico (designado pela variável h):** Nesse exemplo, o vértice é deslocado para a direita da origem em uma unidade.

» **O deslocamento vertical do gráfico (designado pela variável k):** Nesse exemplo, o vértice é deslocado para baixo em três unidades.

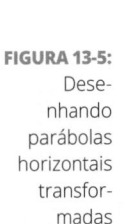

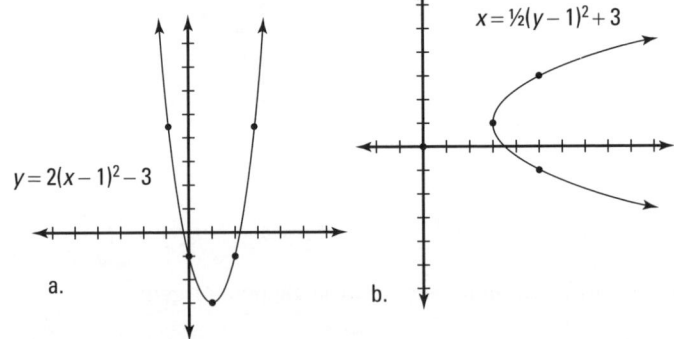

FIGURA 13-5: Desenhando parábolas horizontais transformadas

a. $y = 2(x-1)^2 - 3$

b. $x = \frac{1}{2}(y-1)^2 + 3$

DICA

Uma parábola horizontal tem a forma $x = a(y-k)^2 + h$. Nessas parábolas, o deslocamento vertical vem com a variável y entre parênteses $(y-k)$ e o deslocamento horizontal está fora dos parênteses $(+h)$. Por exemplo, $x = \frac{1}{2}(y-1)^2 + 3$ tem as seguintes características:

Tem uma transformação vertical de $\frac{1}{2}$ em cada ponto.

O vértice deslocou 1 unidade para cima (você troca o sinal porque está entre parênteses).

O vértice se deslocou 3 unidades para a direita.

É possível ver o gráfico dessa parábola na Figura 13-5b.

Vértice, eixo de simetria, foco e diretriz

Para desenhar corretamente uma parábola, é preciso notar se ela é horizontal ou vertical, pois, embora as variáveis e as constantes nas equações das duas curvas tenham a mesma finalidade, seu efeito nos gráficos no final é um pouco diferente. Adicionar uma constante entre parênteses da parábola vertical move tudo na horizontal, ao passo que fazer isso com uma parábola horizontal move tudo na vertical (veja a seção anterior para ter mais informações). É importante anotar essas diferenças antes de começar a desenhar para não mover sem querer o gráfico na direção errada. Nas próximas seções, veremos como encontrar todas essas informações para as parábolas vertical e horizontal.

Encontrando as partes de uma parábola vertical

PAPO DE ESPECIALISTA

Uma parábola vertical, $y = a(x - h)^2 + k$, tem seu eixo de simetria em $x = h$, e o vértice é (h, k). Com essas informações, você pode encontrar as seguintes partes:

» **Foco:** A distância do vértice até o foco é $\frac{1}{4a}$, em que a é o coeficiente do termo x^2. O foco, como ponto, é $\left(h, k + \frac{1}{4a}\right)$; ele deve estar diretamente acima ou abaixo do vértice. Ele sempre aparece dentro da parábola.

» **Diretriz:** A equação da diretriz é $y = k - \frac{1}{4a}$. É a mesma distância a partir do vértice no eixo de simetria do foco, na direção oposta. A diretriz aparece fora da parábola e é perpendicular ao eixo de simetria. Como tal eixo é vertical, a diretriz é uma reta horizontal, assim, tem uma equação com a forma $y =$ a constante.

A Figura 13-6 algumas vezes é referida como o "martini" das parábolas. O gráfico se parece com um copo de martini: o eixo de simetria é a haste do copo, a diretriz é a base, e o foco é a azeitona. Você precisa de todas essas partes para fazer um bom martini e uma boa parábola.

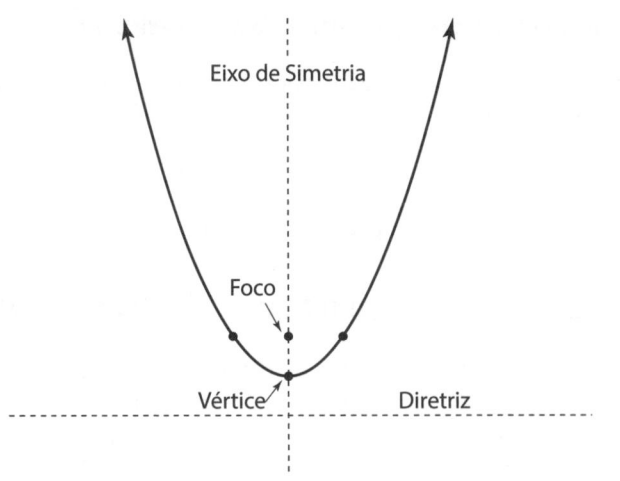

FIGURA 13-6: Identificando as partes de uma parábola vertical.

Por exemplo, a equação $y = 2(x-1)^2 - 3$ tem seu vértice em $(1,-3)$. Isso significa que $a = 2$, $h = 1$ e $k = -3$. Com essas informações, é possível identificar todas as partes de uma parábola (eixo de simetria, foco e diretriz) como pontos ou equações:

1. **Encontre o eixo de simetria.**

   O eixo de simetria está em $x = h$, significando que $x = 1$ é tal eixo.

2. **Determine a distância focal e escreva o foco como um ponto.**

   Você pode encontrar a distância focal usando a fórmula $\frac{1}{4a}$. Como $a = 2$, a distância focal dessa parábola é $\frac{1}{4 \cdot 2} = \frac{1}{8}$. Com isso, você pode escrever o foco como o ponto $\left(h, k + \frac{1}{4a}\right)$ ou $\left(1, -3 + \frac{1}{8}\right) = \left(1, -2\frac{7}{8}\right)$.

3. **Encontre a diretriz.**

   Para escrever a equação da diretriz: $y = k - \frac{1}{4a}$ ou $y = -3 - \frac{1}{8} = -3\frac{1}{8}$.

4. **Desenhe a parábola e identifique todas as partes.**

   Você pode ver o gráfico com todas as suas partes na Figura 13-7. Deve-se plotar pelo menos dois outros pontos além do vértice para poder mostrar melhor a transformação vertical. Como essa transformação na equação é um fator 2, os dois pontos em ambos os lados do vértice são dilatados em um fator 2. A partir do vértice, você plota um ponto à direita em uma unidade, e para cima em duas (em vez de uma). Então, pode desenhar o ponto na mesma altura do outro lado do eixo de simetria; os outros dois pontos no gráfico estão em $(2,-1)$ e $(0,-1)$.

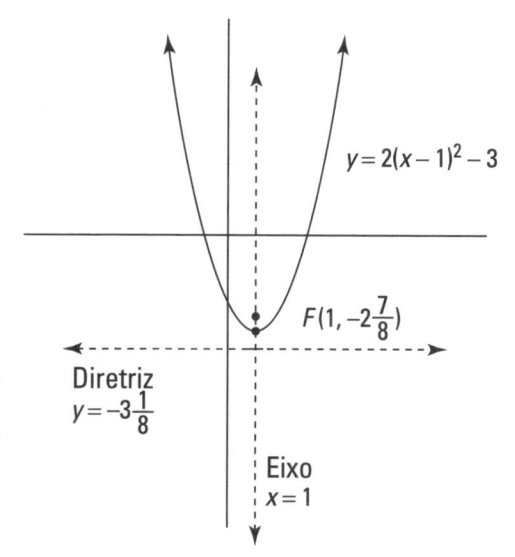

FIGURA 13-7: Encontrando todas as partes da parábola $y = 2(x-1)^2 - 3$.

Encontrando os pontos de uma parábola horizontal

PAPO DE ESPECIALISTA

Uma parábola horizontal tem suas próprias equações para descrever seus recursos; essas equações são um pouquinho diferentes em relação a uma parábola vertical. A distância até o foco e a diretriz em relação ao vértice, nesse caso, é horizontal, pois se movem no eixo de simetria, que é uma reta horizontal. Portanto, $\frac{1}{4a}$ é adicionado e subtraído de h. Veja:

» O eixo de simetria está em $y = k$, e o vértice ainda está em (h, k).

» O foco está diretamente à esquerda ou à direita do vértice, no ponto $\left(h + \frac{1}{4a}, k\right)$.

» A diretriz é a mesma distância do vértice, pois o foco está na direção oposta, em $x = h - \frac{1}{4a}$.

Por exemplo, trabalhe com a parábola $x = \frac{1}{8}(y-1)^2 + 3$:

1. Encontre o eixo de simetria.

O vértice dessa parábola é (3, 1). O eixo de simetria está em $y = k$, portanto, para o exemplo, está em $y = 1$.

2. **Determine a distância focal e escreva como um ponto.**

   Para a equação anterior, $a = \frac{1}{8}$, e a distância focal é $\dfrac{1}{4\left(\frac{1}{8}\right)} = \dfrac{1}{\frac{1}{2}} = 2$.

   Adicione esse valor a h para encontrar o foco: $(3+2, 1)$ ou $(5, 1)$.

3. **Encontre a diretriz.**

   Subtraia a distância focal na Etapa 2 de *h* para encontrar a equação da diretriz. Como essa parábola é horizontal e o eixo de simetria é horizontal, a diretriz é vertical. A equação da diretriz é $x = 3 - 2$ ou $x = 1$.

4. **Desenhe a parábola e identifique suas partes.**

   A Figura 13-8 mostra o gráfico, com todas as partes identificadas.

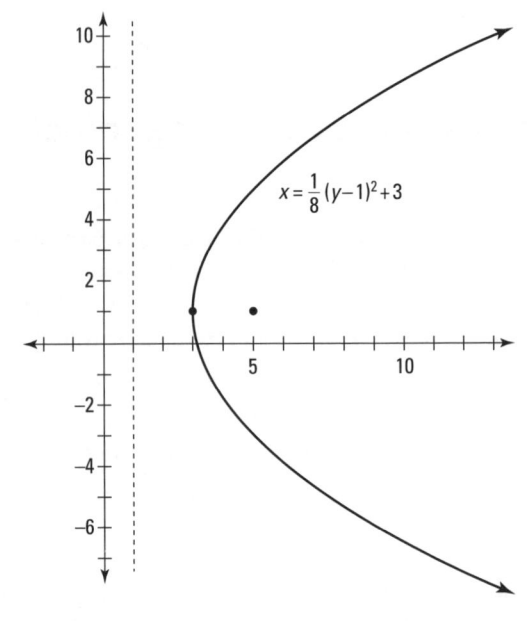

FIGURA 13-8: Gráfico de uma parábola horizontal.

O foco está dentro da parábola, e a diretriz é uma reta vertical duas unidades à esquerda do vértice.

Identificando os valores de mínimo e de máximo nas parábolas

As parábolas verticais podem fornecer uma importante informação: quando a parábola se abre para cima, o vértice é o ponto mais baixo no gráfico, chamado de *mínimo*. Quando a parábola se abre para baixo, o vértice é o ponto mais alto no gráfico, chamado de *máximo*. Apenas as parábolas verticais podem ter valores mínimo e máximo, pois as horizontais não têm limite quanto à altura que podem chegar. Encontrar o máximo de uma parábola pode informar a altura máxima de uma bola lançada no ar, a área máxima de um retângulo, o valor máximo ou mínimo do lucro de uma empresa etc.

Por exemplo, digamos que um problema peça que sejam encontrados dois números cuja soma é 10 e cujo produto é um máximo. Se esses dois números desconhecidos são x e y, então você pode escrever as seguintes sentenças matemáticas:

$x + y = 10$
$xy = $ MÁX

DICA

Normalmente é mais fácil resolver equações que envolvem uma variável apenas. Portanto, use a substituição e determine uma equação para uma variável para trocar pela outra. Nesse caso, é melhor determinar uma variável na equação que não inclua mínimo nem máximo. Assim, se $x + y = 10$, pode ser dito que $y = 10 - x$. Você coloca esse valor na outra equação para obter o seguinte: $x(10 - x) = $ MÁX.

Aplique a propriedade distributiva para obter $10x - x^2 = $ MÁX. Esse resultado é uma equação quadrática para a qual pode encontrar o vértice completando o quadrado (que coloca a equação na forma habitual e identifica o vértice). Encontrar o vértice completando o quadrado fornece o valor máximo. Para tanto, siga estas etapas:

1. **Reorganize os termos em ordem decrescente.**

    Essa etapa resulta em $-x^2 + 10x = $ MÁX.

2. **Fatore o termo à esquerda.**

    Agora você tem $-1(x^2 - 10x) = $ MÁX.

3. **Complete o quadrado (veja o Capítulo 5 para ter uma referência).**

    Essa etapa expande a equação para $-1(x^2 - 10x + 25) = $ MÁX$- 25$. Note que –1 na frente dos parênteses transformou 25 em –25, sendo por isso que você deve adicionar –25 à direita também.

4. Fatore o trinômio entre parênteses.

O resultado é $-1(x-5)^2 = \text{MÁX} - 25$.

5. Mova a constante para o outro lado da equação.

Você acabará com $-1(x-5)^2 + 25 = \text{MÁX}$.

Se pensar em termos da equação $-1(x-5)^2 + 25 = y$, o vértice da parábola é $(5, 25)$ (veja a seção anterior "Plotando variações: Parábolas por todo o plano"). Assim, o número procurado para (x) é 5, e o produto máximo é 25. Você pode colocar 5 em x para obter y em qualquer equação: $5 + y = 10$ fornece $y = 5$, portanto os dois números, x e y, são 5 e 5.

A Figura 13-9 mostra o gráfico da função máxima para demonstrar que o vértice, nesse caso, é o ponto máximo.

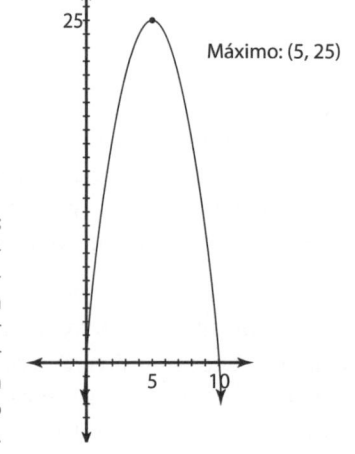

FIGURA 13-9: Desenhando uma parábola para encontrar um valor máximo a partir do enunciado.

DICA A propósito, uma calculadora gráfica pode encontrar fácil o vértice desse tipo de questão. Mesmo na forma de tabela, você pode ver com a simetria da parábola que o vértice é o ponto mais alto (ou mais baixo).

Espessura na Elipse

Uma *elipse* é um conjunto de pontos no plano, criando uma forma oval de modo que a soma das distâncias de qualquer ponto na curva até dois pontos fixos (os *focos*) é uma constante (sempre igual). Uma elipse é basicamente uma circunferência que foi apertado na horizontal ou na vertical.

Você tem uma tendência mais visual? Veja como desenhar uma elipse: pegue um pedaço de papel e prenda-o em uma cortiça com dois alfinetes. Prenda um pedaço de corda em torno dos dois alfinetes com um pouco de folga. Usando um lápis, estique a corda e trace a forma em volta dos alfinetes, mantendo a corda esticada o tempo todo. A forma desenhada com essa técnica é uma elipse. As somas das distâncias até os alfinetes são a corda. O comprimento da corda é sempre igual em certa elipse, e os diferentes comprimentos resultam em elipses diferentes.

Essa definição que se refere às somas das distâncias pode dar dor de cabeça até nos melhores matemáticos, porque a ideia de somar as distâncias pode ser difícil de visualizar. A Figura 13-10 mostra como funciona. A soma das distâncias do lápis até os dois alfinetes é sempre igual, não importa em qual ponto da elipse o lápis esteja.

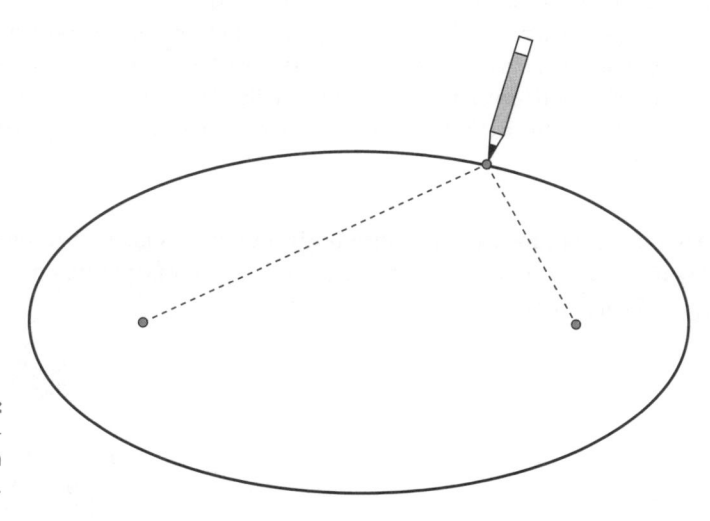

FIGURA 13-10: Elipse desenhada com um lápis.

Identificando elipses e expressando-as com a álgebra

Graficamente falando, existem dois tipos diferentes de elipses: horizontal e vertical. Uma elipse horizontal se estende à esquerda e à direita (mais larga que alta); uma vertical se estende para cima e para baixo (mais alta que larga). Cada tipo tem estas partes principais:

» **Centro:** O ponto no meio da elipse é chamado de *centro* e é identificado como (*h*, *k*), exatamente como o vértice de uma parábola e o centro de uma circunferência. Ele fica onde os dois eixos se cruzam.

» **Eixo maior:** *Eixo maior* é a reta que corta o centro da elipse no caminho maior. A variável *a* é a letra usada para nomear a distância do centro até um ponto na elipse no eixo maior. As extremidades do eixo maior estão na elipse e são chamados de *vértices*.

» **Eixo menor:** O *eixo menor* é perpendicular ao eixo maior e corta o centro no caminho menor. A variável *b* é a letra usada para nomear a distância até um ponto na elipse a partir do centro no eixo menor. Como o eixo maior é sempre mais longo que o menor, $a > b$. As extremidades no eixo menor também são chamadas de *vértices*.

» **Focos:** *Focos* são dois pontos que ditam a espessura da elipse. Eles estão sempre localizados no eixo maior, em ambos os lados do centro, e podem ser encontrados com a seguinte equação: $a^2 - b^2 = F^2$, em que *a* é o comprimento do centro até um vértice no eixo maior, e *b* é a distância do centro até um vértice no eixo menor. *F* é a distância do centro até cada foco.

A Figura 13-11a mostra uma elipse horizontal com suas partes identificadas; a Figura 13-11b mostra a vertical. Observe que o comprimento do eixo maior é 2*a*, e o do eixo menor é 2*b*.

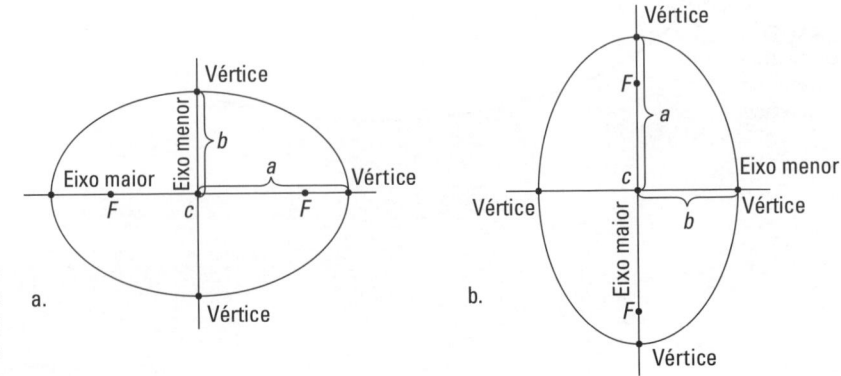

FIGURA 13-11: Partes de uma elipse horizontal e uma vertical.

A Figura 13-11 também mostra a colocação correta dos focos, sempre no eixo maior.

Dois tipos de equações se aplicam às elipses, dependendo de elas serem horizontais ou verticais.

A equação horizontal tem o centro em (h, k), o eixo maior é $2a$, e o menor é $2b$:

$$\frac{(x-h)^2}{a^2} + \frac{(y-k)^2}{b^2} = 1$$

A equação vertical tem o mesmo centro e comprimentos do eixo, embora a e b troquem de lugar:

$$\frac{(x-h)^2}{b^2} + \frac{(y-k)^2}{a^2} = 1$$

DICA: Quando o número maior a está sob x, a elipse é horizontal; quando está sob y, é vertical.

Identificando as partes da equação

Você precisa estar preparado não apenas para desenhar elipses, mas também para nomear todas as partes. Se um problema pedir para determinar pontos ou medidas diferentes de uma elipse, prepare-se para lidar com algumas raízes quadradas interessantes e/ou decimais. A Tabela 13-1 apresenta as partes em um formato prático e claro. Esta seção o prepara para desenhar e encontrar todas as partes de uma elipse.

TABELA 13-1 Partes da Elipse

	Elipse Horizontal	Elipse Vertical
Equação	$\frac{(x-h)^2}{a^2} + \frac{(y-k)^2}{b^2} = 1$	$\frac{(x-h)^2}{b^2} + \frac{(y-k)^2}{a^2} = 1$
Centro	(h, k)	(h, k)
Vértices do eixo maior	$(h \pm a, k)$	$(h, k \pm a)$
Vértices do eixo menor	$(h, k \pm b)$	$(h \pm b, k)$
Comprimento do eixo maior	$2a$	$2a$
Comprimento do eixo menor	$2b$	$2b$
Focos em que $F^2 = a^2 - b^2$	$(h \pm F, k)$	$(h, k \pm F)$

Localizando os vértices

Em uma elipse horizontal, para localizar os vértices do eixo maior, use $(h \pm a, k)$; e para encontrar os vértices do eixo menor, use $(h, k \pm b)$. Uma elipse vertical possui os vértices do eixo maior em $(h, k \pm a)$ e do eixo menor em $(h \pm b, k)$.

Por exemplo, veja esta equação, que já está na forma de gráfico:

$$\frac{(x-5)^2}{9} + \frac{(y+1)^2}{16} = 1$$

Você sabe que $h = 5$ e $k = -1$, portanto, o centro é $(5,-1)$. Também sabe que $a^2 = 16$ (porque a precisa ser o número maior!) ou $a = 4$. Como $b^2 = 9$, então $b = 3$.

Esse exemplo é uma elipse vertical porque o número maior está sob y, então use a fórmula correta. A equação tem vértices do eixo maior em $(5,-1\pm 4)$ ou $(5,3)$ e $(5,-5)$. E os vértices do eixo menor em $(5\pm 3,-1)$ ou $(8,-1)$ e $(2,-1)$.

Localizando eixos e focos

PAPO DE ESPECIALISTA

O eixo maior em uma elipse horizontal fica em $y = k$; o eixo menor fica em $x = h$. O eixo maior em uma elipse vertical fica em $x = h$, e o eixo menor, em $y = k$. O comprimento do eixo maior é $2a$, e o do eixo menor é $2b$.

Você pode calcular a distância do centro até os focos em uma elipse (qualquer tipo) usando a equação $a^2 - b^2 = F^2$, em que F é a distância do centro até cada foco. Os focos sempre aparecem no eixo maior em certa distância (F) a partir do centro.

Usando o exemplo da seção anterior, $\frac{(x-5)^2}{9} + \frac{(y+1)^2}{16} = 1$, você pode encontrar os focos com a equação $16 - 9 = 7 = F^2$. A distância focal é $\sqrt{7}$. Como a elipse é vertical, os focos estão em $\left(5, -1 \pm \sqrt{7}\right)$.

Trabalhando com uma elipse de forma não padrão

E se a equação elíptica dada não estiver na forma padrão? Veja a elipse $3x^2 + 6x + 4y^2 - 16y - 5 = 0$. Antes de fazer qualquer coisa, determine se a equação é uma elipse, porque os coeficientes em x^2 e y^2 são positivos, mas diferentes. Siga estas etapas para colocar a equação na forma padrão:

1. Adicione a constante ao outro lado.

Essa etapa resulta em $3x^2 + 6x + 4y^2 - 16y = 5$.

2. **Complete o quadrado e fatore.**

   Agora você precisa fatorar duas constantes diferentes: os coeficientes diferentes para x^2 e y^2; depois complete os quadrados entre parênteses e adicione a mesma quantidade aos dois lados da equação.

   $$3(x^2+2x)+4(y^2-4y)=5$$
   $$3(x^2+2x+1)+4(y^2-4y+4)=5+3+16$$
   $$3(x+1)^2+4(y-2)^2=24$$

   Nota: Adicionar 1 e 4 entre parênteses realmente significa adicionar $3 \cdot 1$ e $4 \cdot 4$ a cada lado, porque é preciso multiplicar pelo coeficiente antes de adicionar ao lado direito.

3. **Divida a equação pela constante à direita para obter 1, depois simplifique as frações.**

   $$\frac{3(x+1)^2}{24}+\frac{4(y-2)^2}{24}=\frac{24}{24}$$
   $$\frac{(x+1)^2}{8}+\frac{(y-2)^2}{6}=1$$

4. **Determine se a elipse é horizontal ou vertical.**

   Como o número maior está sob *x*, essa elipse é horizontal.

5. **Encontre o centro e o comprimento dos eixos maior e menor.**

   O centro está localizado em (h, k) ou $(-1, 2)$.

   Como $a^2 = 8$, então $a = \sqrt{8} = 2\sqrt{2} \approx 2{,}83$.

   Como $b^2 = 6$, então $b = \sqrt{6} \approx 2{,}45$.

6. **Desenhe a elipse para determinar os vértices.**

   Primeiro vá para o centro e marque o ponto. Como a elipse é horizontal, marque os pontos a $2\sqrt{2}$ unidades (cerca de 2,83) a partir do centro. Em seguida, marque os pontos a $\sqrt{6}$ unidades (2,45) para cima e para baixo a partir do centro. Plotar esses pontos localiza os vértices da elipse.

   Seus vértices do eixo maior estão cerca de $(-1 \pm 2{,}83, 2)$, e seus vértices do eixo menor estão cerca de $(-1{,}2 \pm 2{,}45)$. O eixo maior fica em $y = 2$, e o menor, em $x = -1$. O comprimento do eixo maior é $2a = 2 \cdot 2\sqrt{2} = 4\sqrt{2} \approx 5{,}66$, e o comprimento do eixo menor é $2b = 2\sqrt{6} \approx 4{,}90$.

7. **Plote os focos da elipse.**

Determine a distância focal do centro até os focos nessa elipse com a equação $8-6=2=F^2$, portanto, $F=\sqrt{2}\approx 1{,}41$. Os focos, expressados como pontos, estão localizados em $\left(-1\pm\sqrt{2},2\right)$.

A Figura 13-12 mostra todas as partes da elipse.

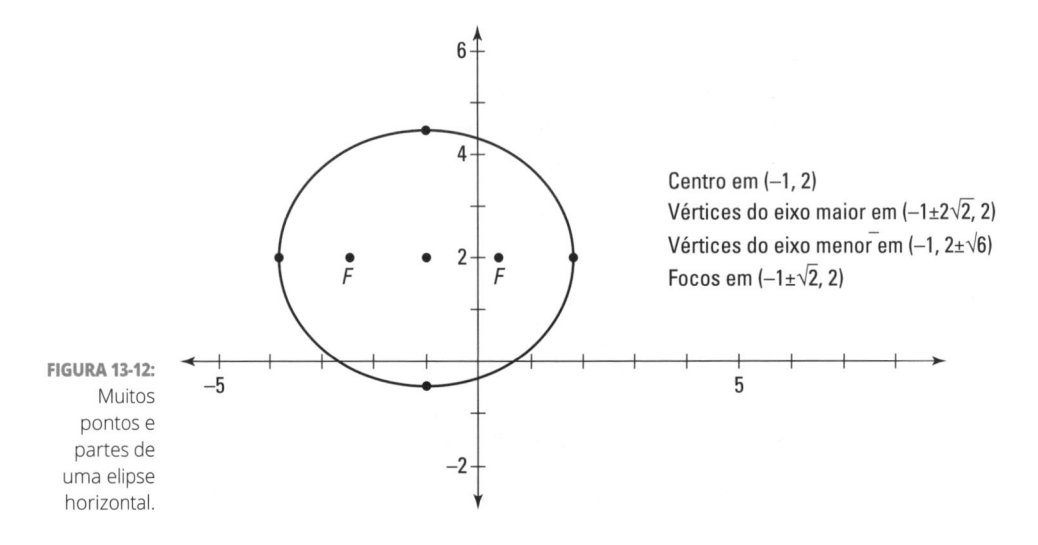

FIGURA 13-12: Muitos pontos e partes de uma elipse horizontal.

Centro em (–1, 2)
Vértices do eixo maior em (–1±2√2, 2)
Vértices do eixo menor em (–1, 2±√6)
Focos em (–1±√2, 2)

Junte Duas Curvas, e o que Você Tem? Hipérboles

Hipérbole significa literalmente "excesso" em grego, portanto, é um nome adequado. Uma *hipérbole* é basicamente duas vezes o que se tem com uma parábola. Considere uma hipérbole como duas curvas em U, cada uma sendo uma imagem de espelho perfeita, abrindo para longe uma da outra. Os vértices dessas duas curvas se separam em certa distância, e as curvas se abrem na vertical ou na horizontal.

A definição matemática de uma hipérbole é o conjunto de todos os pontos em que a diferença na distância de dois pontos fixos (chamados de *focos*) é constante. Nesta seção, veremos os prós e os contras da hipérbole, inclusive como nomear suas partes e desenhá-la.

Visualizando os dois tipos de hipérboles e suas partes

Parecidas com as elipses (veja a seção anterior), há dois tipos de hipérbole: horizontal e vertical.

PAPO DE ESPECIALISTA

A equação de uma hipérbole horizontal é $\dfrac{(x-h)^2}{a^2} - \dfrac{(y-k)^2}{b^2} = 1$.

A equação de uma hipérbole vertical é $\dfrac{(y-k)^2}{a^2} - \dfrac{(x-h)^2}{b^2} = 1$.

Observe que x e y trocam de lugar (assim como h e k) para serem horizontal versus vertical, mas a e b ficam onde estão. Para as hipérboles, a^2 sempre vem primeiro, mas não é necessariamente maior. Mais precisamente, a é sempre ao quadrado sob o termo positivo (x^2 ou y^2). Em essência, para ter uma hipérbole na forma padrão, é preciso assegurar que o termo ao quadrado positivo seja o primeiro.

O centro de uma hipérbole não está na curva em si, mas na metade exata entre os dois vértices dela. Sempre plote primeiro o centro, depois conte a partir dele para encontrar os vértices, os eixos e as assíntotas.

Uma hipérbole tem dois eixos de simetria. O eixo que passa pelo centro, pelas curvas da hipérbole e pelos dois focos é chamado de *eixo transverso*; o eixo perpendicular ao eixo transverso no centro é chamado de *eixo conjugado*. Uma hipérbole horizontal tem seu eixo transverso em y = k e seu eixo conjugado em x = h; uma hipérbole vertical tem seu eixo transverso em x = h e seu eixo conjugado em y = k.

Você pode ver os dois tipos de hipérboles na Figura 13-13. A Figura 13-13a é uma hipérbole horizontal, e a Figura 13-13b é uma vertical.

Se a hipérbole que você tenta desenhar não está na forma padrão, então é preciso completar o quadrado. Para ver as etapas de completar o quadrado com seções cônicas, verifique a seção anterior "Identificando os valores de mínimo e de máximo nas parábolas".

Por exemplo, a equação a seguir é uma hipérbole vertical:

$$\dfrac{(y-3)^2}{16} - \dfrac{(x+1)^2}{9} = 1$$

O centro (h, k) é (-1, 3). Os valores de a e b são informativos, pois ajudam a formar um retângulo que contém a hipérbole. Nesse caso, como $a^2 = 16$, então a = 4, significando que você conta nas direções verticais a partir do centro (porque a é o número sob a variável y), e com $b^2 = 9$, então b = 3 (que significa contar na horizontal três unidades a partir do centro à esquerda e à direita).

Essas distâncias do centro até os pontos médios dos lados dos retângulos são a metade do comprimento dos eixos transverso e conjugado. Em uma hipérbole, a pode ser maior, menor ou igual a b. Esse retângulo tem lados paralelos aos eixos x e y (ou seja, não conecte os quatro pontos, pois eles são os pontos médios dos lados, não dos cantos do retângulo). Esse retângulo é um guia útil ao desenhar a hipérbole.

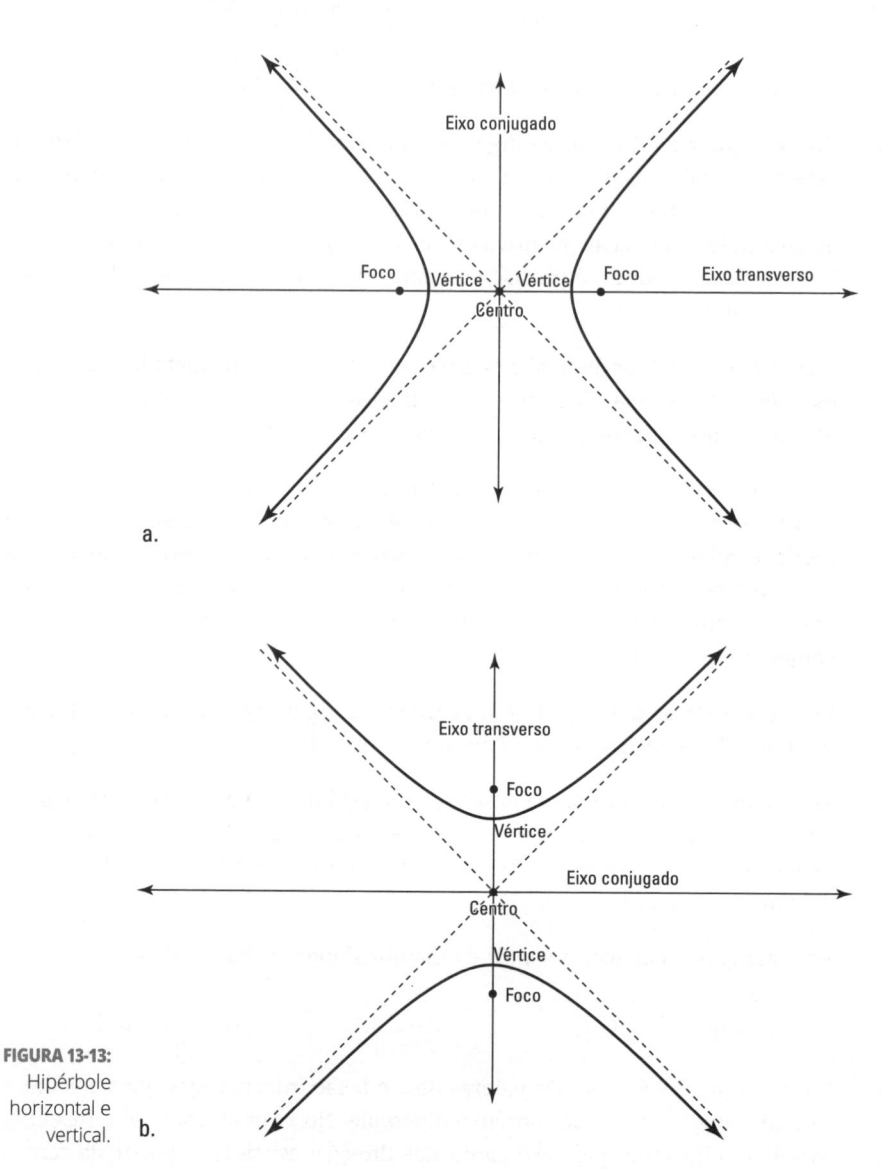

a.

b.

FIGURA 13-13: Hipérbole horizontal e vertical.

Mas como se pode ver na Figura 13-13, as hipérboles contêm outras partes importantes que devem ser consideradas. Por exemplo, ela tem dois vértices. As hipérboles horizontais e verticais têm equações diferentes para os vértices:

> » Uma hipérbole horizontal tem vértices do eixo maior em $(h \pm a, k)$.
> » Uma hipérbole vertical tem vértices em $(h, k \pm a)$.

Os vértices desse exemplo estão em $(-1, 3 \pm 4)$ ou $(-1, 7)$ e $(-1, -1)$.

Você encontra os focos de qualquer hipérbole usando a equação $a^2 + b^2 = F^2$, em que F é a distância do centro até os focos no eixo transverso, o mesmo eixo onde estão os vértices. A distância F se move na mesma direção de a. Continuando com o exemplo, $16 + 9 = F^2$ ou $25 = F^2$. Calcular a raiz dos dois lados resulta em $5 = F$.

Para nomear as coordenadas dos focos em uma hipérbole horizontal, use $(h \pm F, k)$; para nomeá-las em uma hipérbole vertical, use $(h, k \pm F)$. Os focos no exemplo seriam $(-1, 3 \pm 5)$ ou $(-1, 8)$ e $(-1, -2)$. Note que esses pontos os colocam dentro das curvas da hipérbole.

Pelo centro da hipérbole e pelos cantos do retângulo mencionado anteriormente passam as assíntotas da hipérbole. Elas ajudam a orientar o desenho das curvas porque as curvas não as cortam em nenhum ponto no gráfico. As inclinações dessas assíntotas são $m = \pm \frac{a}{b}$ para uma parábola vertical ou $m = \pm \frac{b}{a}$ para uma parábola horizontal.

Desenhando hipérbole com uma equação

Para desenhar a hipérbole $\frac{(y-3)^2}{16} - \frac{(x+1)^2}{9} = 1$, você pega todas as informações da seção anterior e trabalha com elas. Siga estas etapas simples:

1. **Marque o centro.**

    $$\frac{(y-3)^2}{16} - \frac{(x+1)^2}{9} = 1$$

    Você descobre que o centro dessa hipérbole é $(-1, 3)$.

2. **No centro da Etapa 1, encontre os pontos nos eixos transversos e conjugado.**

    Suba e desça o eixo transverso em uma distância de 4 unidades (porque 4 está sob y) e marque os pontos, depois vá para a direita e à esquerda em 3 (porque 3 está sob x) e marque os pontos. Os pontos marcados como a (no eixo transverso) são seus vértices em $(-1, 7)$ e $(-1, -1)$.

3. **Use esses pontos para desenhar um retângulo que ajudará a guiar a forma da hipérbole.**

   São os pontos do meio nos lados do retângulo. Como você subiu e desceu 4 unidades, a altura do retângulo é 8; ir para a esquerda e para a direita em 3 resulta em uma largura de 6 unidades.

4. **Desenhe retas diagonais passando pelo centro e pelos cantos do retângulo estendendo-se além do retângulo.**

   Essa etapa fornece duas retas que serão suas assíntotas.

5. **Trace as curvas.**

   Começando em cada vértice separadamente, desenhe curvas que se aproximam mais das assíntotas à medida que a curva se afasta dos vértices.

   O gráfico se aproxima das assíntotas, mas nunca as toca.

A Figura 13-14 mostra a hipérbole terminada. Você também pode ver os focos marcados em $(-1, 8)$ e $(-1, -2)$.

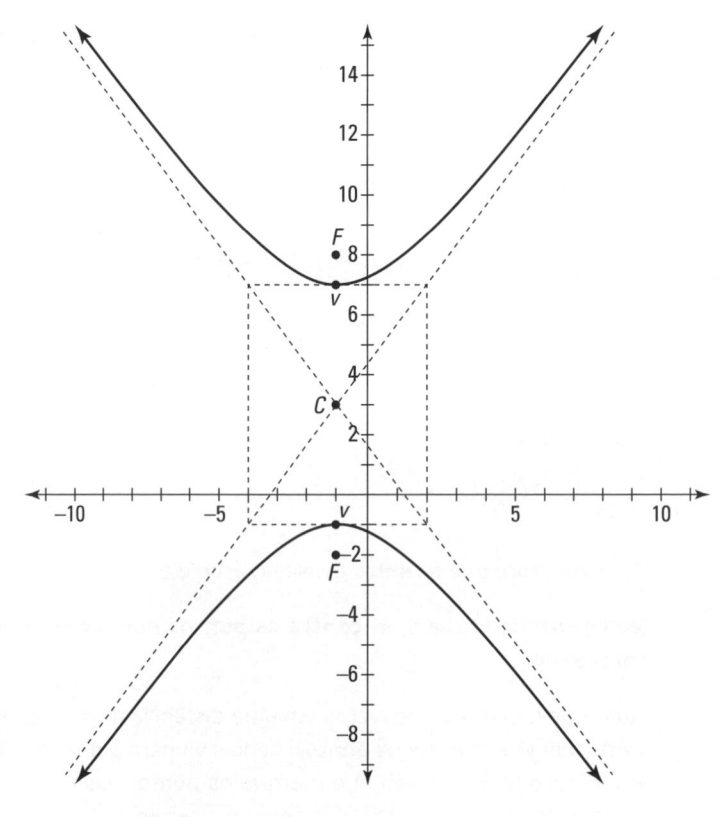

FIGURA 13-14: Usando um retângulo para desenhar uma hipérbole e suas assíntotas.

292   PARTE 3   Geometria Analítica e Resolução de Sistemas

Encontrando as equações das assíntotas

Como as hipérboles são formadas por uma curva cuja diferença das distâncias entre dois pontos é constante, as curvas se comportam de modo diferente das outras seções cônicas neste capítulo. Como as distâncias não podem ser negativas, o gráfico tem assíntotas que a curva não pode cruzar.

LEMBRE-SE

As hipérboles são apenas seções cônicas com assíntotas. Mesmo que as parábolas e as hipérboles sejam muito semelhantes, as parábolas são formadas pelo conjunto de pontos que são equidistantes a um ponto dado e a uma reta dada. As parábolas não têm assíntotas.

Alguns problemas pedem para encontrar não somente o gráfico da hipérbole, mas também a equação das retas que determinam as assíntotas. Quando for pedido para encontrar a equação das assíntotas, sua resposta dependerá da hipérbole ser horizontal ou vertical.

PAPO DE ESPECIALISTA

Se a hipérbole é horizontal, as assíntotas são retas com equações $y = \pm \frac{b}{a}(x-h) + k$. Se é vertical, as assíntotas têm equações $y = \pm \frac{a}{b}(x-h) + k$.

As frações $\frac{b}{a}$ e $\frac{a}{b}$ são as inclinações das retas. Agora que você conhece a inclinação de sua linha e um ponto (que é o centro da hipérbole), sempre pode escrever as equações sem ter de memorizar as duas fórmulas da assíntota.

Mais uma vez, usando o exemplo $\frac{(y-3)^2}{16} - \frac{(x+1)^2}{9} = 1$, a hipérbole é vertical, portanto, as inclinações das assíntotas são $m = \pm \frac{a}{b}$.

1. **Encontre as inclinações das assíntotas.**

    Usando a fórmula, as inclinações são $\pm \frac{4}{3}$.

2. **Use a inclinação da Etapa 1 e o centro da hipérbole como o ponto para encontrar a forma de ponto e inclinação da equação.**

    Lembre-se de que a equação de uma reta com inclinação m pelo ponto (x_1, y_1) é $y - y_1 = m(x - x_1)$. Portanto, como as inclinações são $\pm \frac{4}{3}$ e o ponto é $(-1, 3)$, então as equações das retas são $y - 3 = \pm \frac{4}{3}(x+1)$.

3. **Determine y para encontrar as equações na forma inclinação-intercepto.**

    Você calcula cada assíntota separadamente aqui.
    - Distribua $\frac{4}{3}$ à direita para obter $y - 3 = \frac{4}{3}x + \frac{4}{3}$, depois adicione 3 aos dois lados para obter $y = \frac{4}{3}x + \frac{13}{3}$.

- Distribua $-\frac{4}{3}$ à direita para obter $y-3=-\frac{4}{3}x-\frac{4}{3}$, então adicione 3 aos dois lados para obter $y=-\frac{4}{3}x+\frac{5}{3}$.

Expressando Seções Cônicas Fora do Domínio das Coordenadas Cartesianas

Até este ponto, os gráficos das seções cônicas foram construídos usando-se coordenadas retangulares (x,y). Existem também dois outros modos de desenhá-las:

> » **De forma paramétrica:** Forma paramétrica é um jeito elegante de dizer que você pode lidar com as seções cônicas que não são expressas facilmente como o gráfico de uma função $y=f(x)$. Em geral, as equações paramétricas são usadas para descrever o movimento ou a velocidade de um objeto em relação ao tempo. Usar equações paramétricas permite avaliar x e y como variáveis dependentes, em vez de x sendo independente e y dependente de x.
>
> » **De forma polar:** Como pôde ser visto no Capítulo 12, na *forma polar*, todo ponto no gráfico polar é (r, θ).

As próximas seções mostram como desenhar seções cônicas nessas formas.

Desenhando seções cônicas de forma paramétrica

A *forma paramétrica* define as variáveis x e y das seções cônicas em termos de uma terceira variável arbitrária, chamada *parâmetro*, que normalmente é representada por *t*; e você pode encontrar x e y colocando *t* nas equações paramétricas. Conforme *t* muda, x e y também mudam, significando que y não depende mais de x, mas de *t*.

Por que mudar para essa forma? Considere, por exemplo, um objeto que se move em um plano durante um intervalo de tempo específico. Se um problema pede para descrever o trajeto do objeto e seu local em certo momento, você precisa de três variáveis:

> » O tempo *t*, que normalmente é o parâmetro.
>
> » As coordenadas (x, y) do objeto no tempo *t*.

PAPO DE ESPECIALISTA

A variável x_t fornece o movimento horizontal de um objeto conforme t muda; a variável y_t fornece o movimento vertical de um objeto ao longo do tempo.

Veja um exemplo. As equações definem x e y para o mesmo parâmetro, t, e a sentença de desigualdade define o parâmetro em um intervalo definido:

$$x = 2t - 1$$
$$y = t^2 - 3t + 1$$
$$1 < t \leq 5$$

O tempo t existe apenas entre 1 e 5 segundos para esse problema.

Se for pedido para desenhar o gráfico dessas equações, você pode fazer de dois modos. O primeiro método é o "plug and chug": organize o gráfico e pegue os valores t do intervalo dado para descobrir x e y, depois plote esses pontos como sempre. A Tabela 13-2 mostra os resultados do processo. *Nota:* O valor para $t = 1$ está incluído no gráfico, mesmo que o parâmetro não esteja definido nele. Você precisa ver o que seria, porque desenha o ponto em que $t = 1$ com uma circunferência aberta para mostrar o que acontece com a função perto de 1 de modo arbitrário. Torne esse ponto uma circunferência aberta no gráfico.

TABELA 13-2 Aplique "Plug and Chug" nos Valores t do Intervalo

Variável	Intervalo de Tempo				
Valor t	1	2	3	4	5
Valor x	1	3	5	7	9
Valor y	−1	−1	1	5	11

Os pontos (x, y) são plotados na Figura 13-15.

O outro modo de desenhar uma curva paramétrica é determinar uma equação para o parâmetro e substituí-la na outra equação. Você deve pegar a equação mais simples para resolver e iniciar.

Pegando o mesmo exemplo, determine a equação linear $x = 2t - 1$ para t:

1. **Resolva a equação mais simples.**

    Para a equação escolhida, você obtém $t = \frac{x+1}{2}$.

2. **Coloque a equação resolvida na outra equação.**

    Para essa etapa, o resultado é $y = \left(\frac{x+1}{2}\right)^2 - 3\left(\frac{x+1}{2}\right) + 1$.

3. **Simplifique a equação.**

   Fica simplificado como $y = \dfrac{x^2}{4} - x - \dfrac{1}{4}$.

   Como essa etapa fornece uma equação em termos de *x* e *y*, você pode desenhar os pontos no plano cartesiano como sempre. O único problema é que você não desenha o gráfico inteiro, porque precisa ver o intervalo específico de *t*.

4. **Substitua as extremidades do intervalo *t* na função *x* para saber onde o gráfico inicia e termina.**

   Isso é mostrado na Tabela 13-2. Quando $t = 1$, $x = 1$ e quando $t = 5$, $x = 9$.

A Figura 13-15 mostra a curva paramétrica do exemplo (para ambos os métodos). Você acaba com uma parábola, mas pode também escrever equações paramétricas para elipses, circunferências e hipérboles usando o mesmo método.

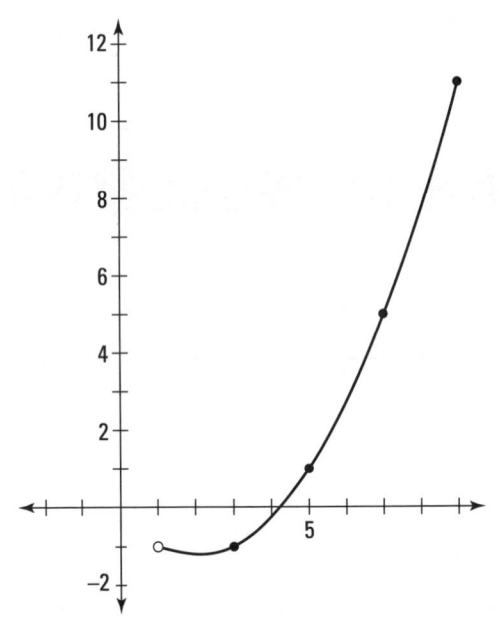

FIGURA 13-15: Desenhando uma curva paramétrica.

DICA

Se você tiver uma calculadora gráfica, poderá defini-la para o modo paramétrico para desenhar. Quando está no utilitário gráfico, tem duas equações: uma é "*x* =", e a outra é "*y* =". Insira as equações exatamente como são dadas, e a calculadora fará o trabalho para você!

Equações das seções cônicas no plano das coordenadas polares

Desenhar seções cônicas no plano polar (veja o Capítulo 12) se baseia nas equações que dependem de um valor especial conhecido como *excentricidade*. A excentricidade é um valor numérico que descreve a forma geral de uma seção cônica. Tal valor pode informar o tipo de seção cônica que a equação descreve, assim como sua espessura. Ao desenhar equações gráficas usando coordenadas polares, você pode ter problemas para dizer qual seção deve ser desenhada com base apenas na equação (diferente de desenhar nas coordenadas cartesianas, em que cada seção cônica tem sua própria equação única). Portanto, pode usar a excentricidade de uma seção cônica para descobrir exatamente qual tipo de curva deve desenhar.

PAPO DE ESPECIALISTA

Veja as equações gerais que permitem colocar as seções cônicas na forma de coordenadas polares, em que (r, θ) é a coordenada de um ponto na curva na forma polar. Lembre-se de que, como visto no Capítulo 12, r é o raio e θ é o ângulo na posição padrão no plano das coordenadas polares.

$$r = \frac{ke}{1 - e\cos\theta} \quad \text{ou} \quad r = \frac{ke}{1 - e\mathrm{sen}\theta}$$

$$r = \frac{-ke}{1 - e\cos\theta} \quad \text{ou} \quad r = \frac{-ke}{1 - e\mathrm{sen}\theta}$$

Ao desenhar seções cônicas na forma polar, você pode colocar diversos valores de θ para obter o gráfico da curva. Nas equações anteriores, k é um valor constante, θ fica no lugar do tempo e e é a excentricidade. A variável e determina a seção cônica:

» Se $0 < e < 1$, a seção cônica é uma elipse.

» Se $e = 1$, a seção cônica é uma parábola.

» Se $e > 1$, a seção cônica é uma hipérbole.

Por exemplo, digamos que você queira desenhar esta equação:

$$r = \frac{2}{4 - \cos\theta}$$

Primeiro perceba que, como é exibida, ela não se encaixa exatamente na forma de nenhuma equação mostrada para as seções cônicas. É porque todos os denominadores das seções cônicas começam com 1, e essa equação começa com 4. Não tenha medo, você pode realizar manobras matemáticas para conseguir dizer o que são k e e!

Primeiro, multiplique numerador e denominador por $\frac{1}{4}$, distribuindo no denominador:

$$r = \frac{\frac{1}{4}}{\frac{1}{4}} \cdot \frac{2}{4-\cos\theta} = \frac{\frac{1}{2}}{1-\frac{1}{4}\cos\theta}$$

Ajustando essa equação na forma $r = \frac{ke}{1-e\cos\theta}$, você vê que a excentricidade é $\frac{1}{4}$. Como o numerador é o produto de k e da excentricidade, então k deve ser igual a 2. Você deve reescrever a equação como: $r = \frac{2\left(\frac{1}{4}\right)}{1-\frac{1}{4}\cos\theta}$. Como a excentricidade é $\frac{1}{4}$, sabe que é uma elipse.

Para desenhar a função polar da elipse, é possível colocar os valores de θ e determinar r. Depois plote as coordenadas de (r, θ) no plano das coordenadas polares para fazer o gráfico. Para o gráfico dessa equação, $r = \frac{2}{4-\cos\theta}$, você pode colocar 0, $\frac{\pi}{2}$, π e $\frac{3\pi}{2}$, encontrando r:

$r(0)$: O cosseno de 0 é 1, portanto, $r(0) = \frac{2}{3}$.

$r\left(\frac{\pi}{2}\right)$: O cosseno de $\frac{\pi}{2}$ é 0, portanto, $r\left(\frac{\pi}{2}\right) = \frac{1}{2}$.

$r(\pi)$: O cosseno de π é -1, portanto, $r(\pi) = \frac{2}{5}$.

$r\left(\frac{3\pi}{2}\right)$: O cosseno de $\frac{3\pi}{2}$ é 0, portanto, $r\left(\frac{3\pi}{2}\right) = \frac{1}{2}$.

Esses quatro pontos são suficientes para fazer um esboço do gráfico. Você pode ver o gráfico da elipse de exemplo na Figura 13-16.

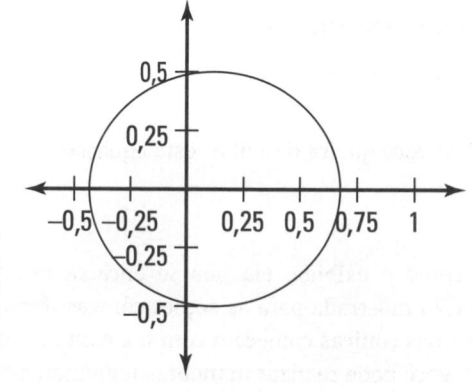

FIGURA 13-16: Gráfico de uma elipse nas coordenadas polares.

NESTE CAPÍTULO

» Eliminando sistemas de duas equações com substituição e eliminação

» Decompondo sistemas com mais de duas equações

» Desenhando sistemas de desigualdades

» Formando e trabalhando com matrizes

» Simplificando matrizes para resolver sistemas de equações

Capítulo **14**

Simplificando Sistemas, Gerenciando Variáveis

Resolvendo equações: o que fazer? Quando você tem uma variável e uma equação, sempre é possível resolver a equação em relação à variável. Mas quando o problema tem duas variáveis, é preciso pelo menos duas equações para resolver e obter uma única solução; esse conjunto de equações é chamado de *sistema*. Quando há três variáveis, é preciso pelo menos três equações no sistema para se obter uma resposta. Basicamente, para cada variável presente, você precisará de uma equação separada se quiser resolver o sistema para sua resposta especial.

Para uma equação com três variáveis, um número infinito de valores para duas variáveis funcionaria para essa equação em particular. Por quê? Você pode escolher dois números quaisquer para colocar nas duas variáveis para encontrar o valor da terceira que torna a equação verdadeira. Se adicionar outra equação ao sistema, agora as soluções para a primeira equação *também* funcionarão na segunda equação, o que resulta em menos soluções para escolher. O conjunto de soluções (em geral x, y, z etc.) deve funcionar quando colocado em toda e qualquer solução no sistema.

É claro que quanto maior fica o sistema de equações, mais tempo pode levar para resolvê-lo com a álgebra. Portanto, certos sistemas são mais fáceis de resolver de modos especiais, sendo por isso que normalmente livros de Matemática mostram diversos métodos. Neste capítulo, veremos onde determinados métodos são preferíveis. É importante que se sinta à vontade com o máximo possível de métodos para poder escolher a rota melhor e mais rápida.

Como se os sistemas de equações não fossem suficientes por si só, neste capítulo você também encontra sistemas de desigualdades que requerem um gráfico para determinar a solução. A solução para tal sistema é mostrada como uma região sombreada no gráfico.

Manual sobre Opções para a Resolução de Sistemas

Antes de você saber qual método de resolução de um sistema de equações é melhor, é preciso se familiarizar com as possibilidades. Suas opções são:

» Se o sistema tem apenas duas ou três variáveis, a substituição ou a eliminação são seu melhor plano de ataque.

» Se o sistema tem quatro ou mais variáveis, uma boa escolha é usar matrizes em sistemas lineares. Matriz é um conjunto retangular que mostra números ou variáveis, chamados *elementos*. E mais, com matrizes, você pode escolher as seguintes abordagens, todas mostradas posteriormente neste capítulo:

- Eliminação gaussiana
- Matrizes inversas
- Regra de Cramer

Você ainda pode usar a substituição ou a eliminação em sistemas grandes de equações, mas normalmente é muito trabalhoso.

DICA

Uma nota para os que usam bem a calculadora: você pode ficar tentado a digitar números na calculadora, não perguntar nada e prosseguir. Se tiver a sorte de ter uma calculadora gráfica e permissão para usá-la, poderá deixar que ela faça os cálculos. Mas como está lendo este livro, mostro como essas calculadoras conseguem as respostas. E há alguns problemas em que essas máquinas não podem ajudar, portanto, você precisa conhecer as técnicas.

LEMBRE-SE

Não importa o método de resolução de sistemas usado, verifique as respostas, porque às vezes até os melhores matemáticos cometem erros. Quanto mais variáveis e equações você tem em um sistema, mais provável é que cometerá um erro. E se errar em algum ponto nos cálculos, isso poderá afetar mais de uma parte da resposta, porque uma variável normalmente depende da outra. Verifique sempre!

Soluções Algébricas dos Sistemas com Duas Equações

Quando você resolve sistemas com duas variáveis e duas equações, as equações podem ser lineares ou não lineares. Em geral, as lineares são expressas como $Ax + By = C$, em que A, B e C são números reais.

As equações não lineares podem incluir círculos, outras formas cônicas, polinômios e funções exponenciais, logarítmicas ou racionais. Normalmente a eliminação não funciona nos sistemas não lineares, porque pode haver termos não afins, portanto, não podem ser somados. Nesse caso, use a substituição para resolver tais sistemas.

Como em muitos problemas de álgebra, os sistemas podem ter muitas soluções possíveis. Se um sistema tem uma ou mais soluções exclusivas que podem ser expressas como pares coordenados, isso é chamado de *consistente e independente*. Se não tem solução, é chamado de *sistema inconsistente*. Se o número de soluções é infinito, o sistema é chamado de *dependente*. Pode ser difícil dizer em qual dessas categorias se enquadra seu sistema de equações só de ver o problema. Um sistema linear pode não ter nenhuma solução, ou pode ter uma solução ou infinitas, pois duas retas diferentes podem ser paralelas, podem se cruzar em um ponto, ou as equações no sistema podem ser múltiplas uma da outra. Uma reta e uma seção cônica podem se cruzar apenas duas vezes, e duas seções cônicas podem se cruzar quatro vezes no máximo. É onde uma imagem vale mais do que palavras.

Resolvendo sistemas lineares

Ao resolver sistemas lineares, há dois métodos à sua disposição, e a escolha depende do problema:

> » Se o coeficiente de qualquer variável é 1, significa que você pode determiná-lo facilmente em termos da outra variável, então a substituição é a melhor aposta. Se esse método for usado, é possível organizar cada equação como quiser.
>
> » Se todos os coeficientes são diferentes de 1, você pode usar a eliminação, mas apenas se as equações puderem ser somadas para que uma das variáveis desapareça. Mas se esse método for usado, verifique se todas as variáveis e o sinal de igual estão alinhados antes de somar as equações.

Método de substituição

No *método de substituição*, use uma equação para determinar uma das variáveis, depois substitua a expressão na outra equação para determinar a outra variável. Para começar do modo mais fácil, procure uma variável com um coeficiente 1 para resolver. Basta somar ou subtrair os termos para mover o resto para o outro lado do sinal de igual. Com um coeficiente 1, você não terá de dividir por um número quando estiver resolvendo, o que significa não ter de lidar com frações.

Veja um exemplo. Suponha que você administre um cinema e precisa saber quantos adultos e crianças irão a uma sessão. A sala está esgotada, e há adultos e crianças misturados. Os ingressos custam R$23 por adulto e R$15 por criança. Se a sala tem 250 lugares e a bilheteria total para o evento é de R$4.846, quantos adultos e crianças estão presentes?

Para resolver o problema com o método de substituição, siga estas etapas:

1. Expresse o enunciado como um sistema de equações.

Deixe que *a* represente o número de ingressos dos adultos e *c* represente os ingressos das crianças vendidos. Se a sala tem 250 lugares e está esgotada, a soma de *a* e *c* deve ser 250.

Os preços do ingresso levam à receita (ou ao dinheiro) do evento. O preço do ingresso dos adultos vezes o número de adultos presentes permite saber quanto dinheiro foi ganho com os adultos. É igual com os ingressos das crianças. A soma de R$23 vezes *a* e R$15 vezes *c* deve ser de R$4.846.

Veja como escrever esse sistema de equações:

$$\begin{cases} a + c = 250 \\ 23a + 15c = 4.846 \end{cases}$$

2. **Determine uma das variáveis.**

   Escolha uma variável com coeficiente 1, se puder, pois determiná-la será fácil. Nesse exemplo, é possível escolher determinar a ou c na primeira equação. Se determinar a, subtraia c dos dois lados: $a = 250 - c$.

3. **Substitua a variável determinada na outra equação.**

   Você pega $a = 250 - c$, e substitui na outra equação.

   Agora, a segunda equação se transforma em $23(250-c)+15c = 4.846$.

4. **Determine a variável desconhecida.**

   Distribua o número 23: $5.750 - 23c + 15c = 4.846$

   Então simplifique: $-8c = -904$

   Dividindo por -8, você obtém $c = 113$. Um total de 113 crianças foi ao evento.

5. **Substitua o valor da variável desconhecida em uma das equações originais para determinar a outra variável desconhecida.**

   > **DICA:** Você não precisa substituir nas equações originais, mas será melhor fazer isso. É provável que sua resposta seja mais precisa.

   Quando você substitui c por 113 na primeira equação, obtém $a + 113 = 250$. Resolvendo a equação, obtém $a = 137$. Você vendeu um total de 137 ingressos para adultos.

6. **Verifique a solução.**

   Quando coloca a e c nas equações originais, deve obter duas sentenças verdadeiras. $137 + 113 = 250$? Sim. $23(137) + 15(113) = 4.846$? Com certeza.

Usando o processo de eliminação

Se a solução de um sistema de duas equações com a substituição não é a melhor opção porque nenhum coeficiente é 1 ou o sistema envolve frações, o *método de eliminação* é sua melhor escolha. Nele, você elimina uma das variáveis fazendo uma soma criativa de duas equações.

Ao usar a eliminação, muitas vezes é preciso multiplicar uma ou ambas as equações por constantes para eliminar uma variável (lembre-se de que, para uma variável ser eliminada, os coeficientes dela devem ser opostos).

Por exemplo, as etapas a seguir mostram como resolver o sistema usando o processo de eliminação:

$$\begin{cases} 10x + 12y = 5 \\ \frac{1}{3}x + \frac{4}{5}y = \frac{5}{6} \end{cases}$$

1. **Reescreva as equações, se necessário, para que as variáveis se alinhem uma sobre a outra.**

    A ordem das variáveis não importa; só verifique se os termos afins se alinham com os termos em cima e embaixo. As equações nesse sistema já têm as variáveis *x* e *y* alinhadas:

    $$\begin{cases} 10x + 12y = 5 \\ \frac{1}{3}x + \frac{4}{5}y = \frac{5}{6} \end{cases}$$

2. **Multiplique as equações por constantes para que um conjunto de variáveis tenha coeficientes opostos.**

    Decida qual variável você quer eliminar.

    Digamos que decida eliminar as variáveis x; primeiro, tem de encontrar o mínimo múltiplo comum (MMC). Qual número é múltiplo de 10 e $\frac{1}{3}$ simultaneamente? A resposta é 30. Mas um dos novos coeficientes precisa ser negativo para que, ao somar as equações, os termos se cancelem (por isso é chamado de eliminação!). Multiplique a equação de cima por –3 e a de baixo por 90 (distribua esse número em cada termo, até no outro lado do sinal de igual). Essa etapa resulta nas seguintes equações:

    $$\begin{cases} -30x - 36y = -15 \\ 30x + 72y = 75 \end{cases}$$

3. **Some as duas equações.**

    Agora você tem $36y = 60$.

4. **Determine a variável desconhecida que resta.**

    Dividir por 36 resulta em $y = \frac{5}{3}$.

5. **Substitua o valor da variável encontrada em qualquer equação.**

   Usando a primeira equação original: $10x + 12\left(\dfrac{5}{3}\right) = 5$.

6. **Determine a variável final desconhecida.**

   Você acaba com $x = -\dfrac{3}{2}$.

7. **Verifique as soluções.**

   Sempre verifique sua resposta colocando as soluções de volta no sistema original. Elas estão corretas!

   $$10\left(-\dfrac{3}{2}\right) + 12\left(\dfrac{5}{3}\right) = -15 + 20 = 5$$

   Funciona! Agora verifique a equação:

   $$\dfrac{1}{3}\left(-\dfrac{3}{2}\right) + \dfrac{4}{5}\left(\dfrac{5}{3}\right) = -\dfrac{1}{2} + \dfrac{4}{3} = -\dfrac{3}{6} + \dfrac{8}{6} = \dfrac{5}{6}$$

   Como o conjunto de valores é uma solução nas duas equações, a solução para o sistema está certa.

Trabalhando com sistemas não lineares

Em um *sistema não linear* de equações, pelo menos uma equação tem um gráfico que não é uma reta. Você sempre pode escrever uma equação linear como $Ax + By = C$ (em que A, B e C são números reais); uma equação não linear é representada de outro modo, dependendo do tipo da função em mãos. Exemplos de equações não lineares incluem, mas não se limitam a: qualquer seção cônica, polinômio, função racional, exponencial ou logarítmica (tudo analisado neste livro). Os sistemas não lineares vistos em pré-cálculo têm duas equações com duas variáveis porque os sistemas tridimensionais são um pouco mais difíceis de resolver. Como você está trabalhando com um sistema com duas equações e duas variáveis, tem à disposição os mesmos dois métodos vistos nos sistemas lineares: substituição e eliminação. Em geral, a substituição é sua melhor escolha. A menos que a variável que deseja eliminar esteja elevada à mesma potência ou tenha o mesmo tipo de operador de função nas duas equações, a eliminação não funcionará.

Quando um sistema de equação é não linear

Se uma equação em um sistema é não linear, seu primeiro pensamento antes de resolvê-la deve ser: "Bingo! Método de substituição!" (ou algo parecido). Nesse caso, você pode determinar uma variável na equação linear e substituir a expressão na equação não linear. E sempre que puder determinar uma variável com facilidade, poderá substituir essa expressão na outra equação para determinar a outra variável.

Por exemplo, siga estas etapas para determinar o sistema:

$$\begin{cases} x - 4y = 3 \\ xy = 6 \end{cases}$$

O sistema consiste em uma reta e uma função racional. Muitas vezes é útil fazer um desenho rápido, pois dá uma visualização para saber se pode não haver nenhuma interseção, uma interseção ou duas intersecções dos gráficos. A Figura 14-1a mostra as duas funções desenhadas.

1. **Resolva a equação linear para uma variável.**

Nesse sistema, a equação de cima é linear. Se você determinar x, obterá $x = 3 + 4y$.

2. **Substitua o valor da variável na equação não linear.**

Ao substituir x por $3 + 4y$, na segunda equação, obterá $(3 + 4y)y = 6$.

3. **Resolva a equação não linear para a variável.**

Ao distribuir y, obterá $4y^2 + 3y = 6$. Como essa equação é quadrática (consulte o Capítulo 5), você deve obter 0 em um lado, portanto, subtraia 6 dos dois lados, resultando em $4y^2 + 3y - 6 = 0$. Isso não fatora, portanto, você precisa usar a fórmula quadrática para resolver a equação quanto a y:

$$y = \frac{-3 \pm \sqrt{3^2 - 4(4)(-6)}}{2(4)} = \frac{-3 \pm \sqrt{9 + 96}}{8} = \frac{-3 \pm \sqrt{105}}{8}$$

4. **Substitua a(s) solução(ões) na equação e determine a outra variável.**

Como você encontra duas soluções para y, tem de substituí-las para obter dois pares de coordenadas diferentes. Veja o que acontece quando substitui na equação linear:

$$x = 3 + 4\left(\frac{-3 \pm \sqrt{105}}{8}\right) = 3 + \frac{-3 \pm \sqrt{105}}{2} = \frac{6}{2} + \frac{-3 \pm \sqrt{105}}{2} = \frac{3 \pm \sqrt{105}}{2}$$

Emparelhando os valores x e y:

Quando $y = \frac{-3 + \sqrt{105}}{8}$, então $x = \frac{3 + \sqrt{105}}{2}$.

E quando $y = \frac{-3 - \sqrt{105}}{8}$, $x = \frac{3 - \sqrt{105}}{2}$.

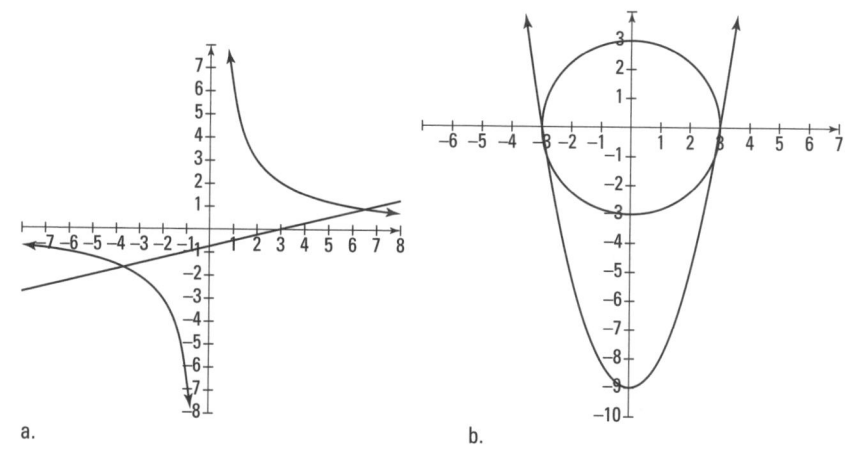

FIGURA 14-1:
Interseções
das curvas. a.   b.

Colocando essas soluções no gráfico, as interseções estão em $(6,62;0,91)$ e $(-3,62;-1,66)$. Verifique os pontos na Figura 14-1a.

Quando duas equações do sistema são não lineares

Se as duas equações em um sistema são não lineares, bem, você precisa ser mais criativo para encontrar as soluções. A menos que uma variável seja elevada à mesma potência em ambas as equações, a eliminação está fora de questão. Resolver uma das variáveis em qualquer equação não é necessariamente fácil, mas pode ser feito. Depois de determinar uma variável, coloque essa expressão na outra equação e determine a outra variável, como fez antes. Diferentemente dos sistemas lineares, muitas operações podem estar envolvidas na simplificação ou na solução dessas equações. Basta se lembrar de manter a ordem das operações em cada etapa.

LEMBRE-SE

Quando as duas equações em um sistema forem seções cônicas, você nunca encontrará mais de quatro soluções (a menos que as duas equações descrevam a mesma seção cônica, e, nesse caso, o sistema tem um número infinito de soluções, portanto, é um sistema dependente). Quatro é o limite, porque as seções cônicas são curvas muito suaves sem cantos acentuados nem inclinações doidas, portanto, duas seções cônicas diferentes não podem se cruzar mais de quatro vezes.

Por exemplo, é importante você resolver o seguinte sistema:

$$\begin{cases} x^2 + y^2 = 9 \\ y = x^2 - 9 \end{cases}$$

De novo, um desenho rápido é útil. Verifique a Figura 14-1b para ver os gráficos do círculo e da parábola. Depois siga estas etapas para encontrar as soluções:

1. **Determine x^2 ou y^2 em uma das equações dadas.**

   A segunda equação é interessante porque tudo que você precisa fazer é adicionar 9 aos dois lados para obter $y + 9 = x^2$.

2. **Substitua o valor da Etapa 1 na outra equação.**

   Agora você tem $y + 9 + y^2 = 9$. Ahá! É uma equação quadrática, e você sabe como resolver isso (veja o Capítulo 5).

3. **Determine a equação quadrática.**

   Subtraia 9 dos dois lados para obter $y + y^2 = 0$.

   CUIDADO: Lembre-se de que não é permitido, nunca, dividir por uma variável.

   Fatore o maior fator comum para obter $y(1 + y) = 0$. Use a propriedade do produto zero para determinar $y = 0$ e $y = -1$ (o Capítulo 5 explica o básico de como concluir essas tarefas).

4. **Substitua o(s) valor(es) da Etapa 3 em qualquer equação para determinar a outra variável.**

   Use a equação $y + 9 = x^2$ da Etapa 1. Quando y é 0, você tem $9 = x^2$, portanto, $x = \pm 3$. Quando y é -1, você tem $8 = x^2$, então $x = \pm\sqrt{8} = \pm 2\sqrt{2}$.

   Suas respostas são $(-3, 0)$, $(3, 0)$, $\left(-2\sqrt{2}, -1\right)$ e $\left(2\sqrt{2}, -1\right)$.

   Esse conjunto de soluções representa as interseções do círculo e da parábola dadas pelas equações no sistema. Você vê as curvas e suas interseções na Figura 14-1b.

Resolvendo Sistemas com Mais de Duas Equações

Os sistemas maiores de equações lineares envolvem mais de duas equações que aceitam mais de duas variáveis. Tais sistemas podem ser escritos como $Ax + By + Cz + \ldots = K$, em que todos os coeficientes (e K) são constantes. Esses sistemas lineares podem ter muitas variáveis e podem ter uma única solução. Três variáveis precisam de três equações para encontrar uma solução única, quatro variáveis precisam de quatro equações, dez variáveis precisariam ter dez equações etc. Para esses sistemas lineares, as soluções que você pode encontrar variam muito:

> » Pode não encontrar nenhuma solução.
>
> » Pode encontrar uma única solução.
>
> » Pode encontrar muitas infinitas soluções.

O número de soluções encontradas depende de como as equações interagem entre si. Como os sistemas lineares de três variáveis descrevem equações de planos, não de retas (como as equações com duas variáveis), a solução para o sistema depende de como os planos ficam no espaço tridimensional em relação entre si. Infelizmente, como nos sistemas de equações com duas variáveis, não é possível dizer quantas soluções o sistema tem sem resolver o problema. Trate cada problema como se não tivesse solução, e se não tiver, chegará a uma sentença que nunca é verdadeira (sem solução) ou sempre é verdadeira (ou seja, o sistema possui infinitas soluções).

LEMBRE-SE

Em geral, você deve usar o método de eliminação mais de uma vez para resolver os sistemas com mais de duas variáveis e duas equações (veja a seção anterior "Usando o processo de eliminação").

Por exemplo, suponha que um problema peça para que seja resolvido o seguinte sistema:

$$\begin{cases} x + 2y + 3z = -7 \\ 2x - 3y - 5z = 9 \\ -6x - 8y + z = -22 \end{cases}$$

Para encontrar a(s) solução(ões), siga estas etapas:

1. **Veja os coeficientes de todas as variáveis e decida qual é mais fácil de eliminar.**

   Com a eliminação, você deseja encontrar o mínimo múltiplo comum (MMC) para uma das variáveis, portanto, use a mais fácil. Nesse caso, x e z são candidatos, porque aparecem com um coeficiente 1. A escolha aqui será x.

2. **Separe duas equações e elimine uma variável.**

   Vendo as duas primeiras equações, multiplique a primeira por −2 e adicione à segunda equação. Fazendo isso, você obtém:

$$\begin{array}{rcrcrcr} \cancel{-2x} & - & 4y & - & 6z & = & 14 \\ \cancel{2x} & - & 3y & - & 5z & = & 9 \\ \hline & - & 7y & - & 11z & = & 23 \end{array}$$

CAPÍTULO 14 **Simplificando Sistemas, Gerenciando Variáveis**

3. **Separe outras duas equações e elimine a *mesma variável*.**

   A primeira e a terceira equações permitem eliminar facilmente x de novo. Multiplique a equação de cima por 6 e adicione à terceira equação, resultando em:

   $$\begin{array}{rcrcrcr} \cancel{6x} & + & 12y & + & 18z & = & -42 \\ \cancel{-6x} & - & 8y & + & z & = & -22 \\ \hline & & 4y & + & 19z & = & -64 \end{array}$$

4. **Repita o processo de eliminação com suas duas equações novas.**

   Agora você tem estas duas equações com duas variáveis:

   $-7y - 11z = 23$
   $4y + 19z = -64$

   É preciso eliminar uma das variáveis. Elimine y multiplicando a equação de cima por 4 e a de baixo por 7, então some os resultados. Veja o resultado dessa etapa:

   $$\begin{array}{rcrcr} \cancel{-28y} & - & 44z & = & 92 \\ \cancel{28y} & + & 133z & = & -448 \\ \hline & & 89z & = & -356 \end{array}$$

5. **Resolva a equação final para a equação que resta.**

   Se $89z = -356$, então $z = -4$.

6. **Substitua o valor da variável resolvida em uma das equações que tem duas variáveis para determinar a outra.**

   Usando a equação $-7y - 11z = 23$, substitua para obter $-7y - 11(-4) = 23$, que se simplifica como $-7y + 44 = 23$. Agora termine o trabalho: $-7y = -21, y = 3$.

7. **Substitua os dois valores que tem agora em uma das equações originais para determinar a última variável.**

   Usando a primeira equação no sistema original, a substituição fornece $x + 2(3) + 3(-4) = -7$. Simplifique para obter a resposta final: $x = -1$.

   As soluções dessa equação são $x = -1$, $y = 3$ e $z = -4$. Agora você deve verificar sua resposta substituindo esses três valores nas três equações originais.

Esse processo é chamado de *substituição reversa*, porque determina literalmente uma variável e depois trabalha ao inverso para determinar as outras (veja o processo novamente mais tarde ao resolver matrizes). Nesse último exemplo, você tem a solução de uma variável em uma equação, passa para duas variáveis em duas equações e vai à última etapa com três variáveis em três equações. Sempre siga do mais simples para o mais complicado.

Decompondo Frações Parciais

Não. Isso não tem nenhuma relação com cadáveres e ciência forense. O processo chamado de *decomposição de frações* pega uma fração e a expressa como a soma ou a diferença de duas outras frações. Há muitos motivos para você querer fazer isso. Em cálculo, esse processo é útil antes de integrar uma função. Como a integração é muito mais fácil quando o grau de uma função racional é 1 no denominador, a decomposição da fração parcial é uma ferramenta útil.

O processo de decompor frações parciais requer que se separe a fração em duas (ou às vezes mais) frações separadas com incógnitas (em geral A, B, C etc.) como espaços reservados nos numeradores. Então você pode organizar um sistema de equações para determinar essas incógnitas. Veja um exemplo de decomposição de fração parcial. Considere a fração:

$$\frac{11x+21}{2x^2+9x-18}$$

1. **Fatore o denominador (veja o Capítulo 5) e reescreva a fração como uma soma com A sobre um fator e B sobre outro.**

   Você faz isso porque quer dividir a fração em duas. O processo se desdobra assim:

   $$\frac{11x+21}{2x^2+9x-18} = \frac{11x+21}{(2x-3)(x+6)} = \frac{A}{2x-3} + \frac{B}{x+6}$$

2. **Multiplique a equação pelo denominador fatorado e simplifique.**

   Multiplique por $(2x-3)(x+6)$:

   $$\frac{11x+21}{(2x-3)(x+6)} \cdot (2x-3)(x+6)$$

   $$= \frac{A}{2x-3} \cdot (2x-3)(x+6) + \frac{B}{x+6} \cdot (2x-3)(x+6)$$

   Essa expressão se simplifica como:

   $11x+21 = A(x+6) + B(2x-3)$

3. **Distribua A e B.**

   Essa etapa resulta em:

   $11x+21 = Ax + 6A + 2Bx - 3B$

4. **No lado direito da equação, agrupe todos os termos com *x* e todos sem ele.**

   A reorganização fornece:

   $11x + 21 = Ax + 2Bx + 6A - 3B$

5. **Fatore *x* nos termos à direita.**

   Agora você tem:

   $11x + 21 = (A + 2B)x + 6A - 3B$

6. **Crie um sistema a partir da equação emparelhando os termos.**

   Para uma equação funcionar, tudo deve estar equilibrado. Por isso, os coeficientes de *x* devem ser iguais, e as constantes também. Se o coeficiente de *x* for 11 à esquerda e $A + 2B$ à direita, você pode dizer que $11 = A + 2B$ é uma equação. Constantes são termos sem variável, e, nesse caso, a constante à esquerda é 21. À direita, $6A - 3B$ é a constante (porque não há variável), portanto, $21 = 6A - 3B$.

7. **Resolva o sistema usando a substituição ou a eliminação (veja as seções anteriores deste capítulo).**

   Usando a eliminação nesse sistema, você trabalha com as seguintes equações:

   $\begin{cases} A + 2B = 11 \\ 6A - 3B = 21 \end{cases}$

   É possível multiplicar a equação de cima por –6, e então adicionar para eliminar e resolver. Você descobre que $A = 5$ e $B = 3$.

8. **Escreva a solução como a soma das duas frações.**

   $$\frac{11x+21}{2x^2+9x-18} = \frac{11x+21}{(2x-3)(x+6)} = \frac{5}{2x-3} + \frac{3}{x+6}$$

Avaliando Sistemas de Desigualdades

Em um *sistema de desigualdades*, você costuma ver mais de uma desigualdade com mais de uma variável. Seu primeiro contato com os sistemas de desigualdades lineares provavelmente lidou com a reta que representa o sistema de números reais ou um sistema de equações lineares e as áreas que representam a solução. Agora você expande seu estudo de sistemas às desigualdades não lineares.

Nesses sistemas de desigualdades, pelo menos uma desigualdade não é linear. O único modo de resolver tal sistema é desenhar a solução. Por sorte, esses gráficos são muito parecidos com os já vistos. E em grande parte, provavelmente essas desigualdades lembram as funções modelo do Capítulo 3 e as seções cônicas do Capítulo 13. As retas e as curvas desenhadas são sólidas ou tracejadas, dependendo de haver "ou igual a", e você tem de colorir (ou sombrear) onde ficam as soluções!

Por exemplo, considere o seguinte sistema não linear de desigualdades:

$$\begin{cases} x^2 + y^2 \leq 25 \\ y \geq -x^2 + 5 \end{cases}$$

Para resolver, primeiro desenhe o sistema de equações relacionadas; mude os sinais de desigualdade para os de igualdade. O fato de que essas expressões são desigualdades e não equações não muda a forma geral do gráfico. Assim, é possível desenhar essas desigualdades como faria se fossem equações. A equação de cima no exemplo é uma circunferência (para ter um lembrete rápido sobre como desenhar circunferências, consulte o Capítulo 13 sobre as seções cônicas). Essa circunferência tem o centro na origem, e o raio é 5. A segunda equação é uma parábola voltada para baixo, deslocada na vertical em 5 unidades. Como ambos os sinais de desigualdade nesse exemplo incluem a linha de igualdade (a primeira é "menor que ou igual a" e a segunda é "maior que ou igual a"), as duas curvas devem ser sólidas.

LEMBRE-SE Se o símbolo de desigualdade informa "estritamente maior que: >" ou "estritamente menor que: <", então a curva (ou a reta) deve ser tracejada.

Depois de desenhar, escolha um ponto de teste que não esteja em uma curva de limite e coloque-o nas equações para ver se obtém sentenças verdadeiras ou falsas. O ponto que você escolhe como solução deve funcionar em toda equação.

Quando puder, use a origem, (0, 0). Se você colocar esse ponto na desigualdade para a circunferência (veja o Capítulo 13), obterá $0^2 + 0^2 \leq 25$. Essa sentença é verdadeira porque $0 \leq 25$, portanto, sombreie dentro da circunferência. Agora coloque o mesmo ponto na parábola para obter $0 \geq -0^2 + 5$, mas como 0 não é maior que 5, essa sentença é falsa. Você sombreia fora da parábola.

LEMBRE-SE A solução desse sistema de desigualdades é onde o sombreamento se sobrepõe.

Nesse caso, a sobreposição é tudo dentro da circunferência, mas não dentro (ou embaixo) da parábola. Veja a Figura 14-2 para o gráfico final.

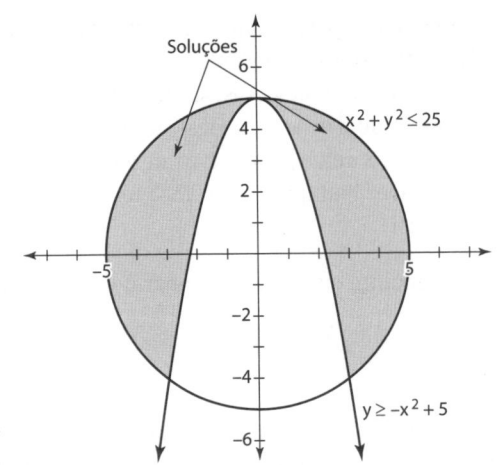

FIGURA 14-2: Desenhando um sistema não linear de desigualdades.

Soluções
$x^2 + y^2 \leq 25$
$y \geq -x^2 + 5$

Apresentando Matrizes: Fundamentos

Nas seções anteriores deste capítulo, você viu como resolver sistemas de duas ou mais equações usando a substituição ou a eliminação. Mas esses métodos ficam muito confusos quando o tamanho de um sistema fica acima de três equações. Não se preocupe, sempre que você tiver quatro ou mais equações para resolver simultaneamente, as matrizes serão uma ótima opção.

Matriz é um conjunto retangular de elementos organizados em linhas e colunas. Você usa matrizes para organizar dados complicados; digamos, por exemplo, que queira controlar os registros de vendas de sua loja. As matrizes ajudam porque podem separar as vendas por dia em colunas, enquanto os diferentes tipos de itens vendidos são organizados por linha.

Depois de se sentir à vontade com o que são matrizes e sua importância, pode começar somando, subtraindo e multiplicando por escalares e entre si. Trabalhar com matrizes é útil quando você precisa somar, subtrair ou multiplicar grupos grandes de dados de modo organizado. (*Nota:* A divisão de matriz não existe; você multiplica pela inversa.) Para ter uma explicação mais detalhada de como funcionam as matrizes, consulte o livro *Finite Math For Dummies*. Esta seção mostra como realizar as operações acima.

LEMBRE-SE Algo de que deve se lembrar sempre ao trabalhar com matrizes é a ordem das operações, que é a mesma em todas as aplicações matemáticas: primeiro faça qualquer multiplicação, depois a adição/subtração.

Você expressa as *dimensões*, às vezes chamadas de *ordem*, de uma matriz como o número de linhas pelo número de colunas. Por exemplo, se a matriz M é 3×2, ela tem três linhas e duas colunas.

Aplicando operações básicas em matrizes

Trabalhar com matrizes é muito parecido com multiplicar termos entre parênteses; você só tem mais termos entre "parênteses". Como nas operações com números, há certa ordem ao trabalhar com matrizes. A multiplicação vem antes da adição e/ou da subtração. Ao multiplicar por um *escalar*, uma constante que multiplica uma quantidade (que muda seu tamanho ou escala), todo elemento da matriz é multiplicado. As próximas seções mostram como realizar algumas operações básicas nas matrizes: adição, subtração e multiplicação.

Ao adicionar ou subtrair matrizes, basta somar ou subtrair seus elementos correspondentes. Simples assim. A seguir, há duas matrizes, chamadas A e B. Então são mostradas a soma e a diferença. Ao adicionar ou subtrair, basta aplicar a operação em cada conjunto de elementos correspondentes.

LEMBRE-SE

Porém, observe que é possível adicionar ou subtrair matrizes apenas se suas dimensões são exatamente iguais. Para tanto, você adiciona ou subtrai seus elementos correspondentes; se as dimensões não forem iguais, os termos não ficarão alinhados.

$$A = \begin{bmatrix} -5 & 1 & -3 \\ 6 & 0 & 2 \\ 2 & 6 & 1 \end{bmatrix} \quad B = \begin{bmatrix} 2 & 4 & 5 \\ -8 & 10 & 3 \\ -2 & -3 & -9 \end{bmatrix}$$

$$A + B = \begin{bmatrix} -3 & 5 & 2 \\ -2 & 10 & 5 \\ 0 & 3 & -8 \end{bmatrix} \quad A - B = \begin{bmatrix} -7 & -3 & -8 \\ 14 & -10 & -1 \\ 4 & 9 & 10 \end{bmatrix}$$

Ao multiplicar uma matriz por um escalar, você está apenas multiplicando por uma constante. Assim, multiplique cada elemento dentro da matriz pela constante no lado de fora. Usando a mesma matriz A do exemplo anterior, você encontra 3A multiplicando cada termo da matriz A por 3.

$$3A = 3 \begin{bmatrix} -5 & 1 & -3 \\ 6 & 0 & 2 \\ 2 & 6 & 1 \end{bmatrix} = \begin{bmatrix} -15 & 3 & -9 \\ 18 & 0 & 6 \\ 6 & 18 & 3 \end{bmatrix}$$

Suponha que um problema peça para combinar as operações de multiplicação e adição ou subtração. Basta multiplicar cada matriz pelo escalar separadamente, depois adicionar ou subtrair os resultados. Por exemplo, considere as duas matrizes a seguir:

$$C = \begin{bmatrix} 3 & -4 & 0 \\ 2 & 6 & -1 \end{bmatrix} \quad D = \begin{bmatrix} 8 & -10 & 4 \\ 2 & -6 & 9 \end{bmatrix}$$

Encontre 3C − 2D assim:

1. **Insira as matrizes no problema.**

$$3C - 2D = 3\begin{bmatrix} 3 & -4 & 0 \\ 2 & 6 & -1 \end{bmatrix} - 2\begin{bmatrix} 8 & -10 & 4 \\ 2 & -6 & 9 \end{bmatrix}$$

2. **Multiplique os escalares nas matrizes.**

$$= \begin{bmatrix} 9 & -12 & 0 \\ 6 & 18 & -3 \end{bmatrix} - \begin{bmatrix} 16 & -20 & 8 \\ 4 & -12 & 18 \end{bmatrix}$$

3. **Conclua o problema adicionando ou subtraindo as matrizes.**

Após subtrair, veja a resposta final:

$$= \begin{bmatrix} -7 & 8 & -8 \\ 2 & 30 & -21 \end{bmatrix}$$

Multiplicando uma matriz por outra

Multiplicar matrizes é muito útil ao resolver sistemas de equações, porque você pode multiplicar uma matriz por sua inversa (não se preocupe, verá como encontrar isso) nos dois lados do sinal de igual para finalmente obter a matriz das variáveis de um lado e a solução para o sistema no outro.

Multiplicar duas matrizes juntas não é tão simples quanto multiplicar por um escalar, e você não pode simplesmente multiplicar os elementos correspondentes.

PAPO DE ESPECIALISTA

Se quiser multiplicar a matriz A pela matriz B, AB, o número de colunas em A deve corresponder ao número de linhas em B. Cada elemento na primeira linha de A é multiplicado por cada elemento correspondente da primeira coluna de B, então todos esses produtos são somados para fornecer o elemento na primeira linha, a primeira coluna de AB. Para encontrar o valor na primeira linha, segunda posição da coluna, multiplique cada elemento na primeira linha de A por cada elemento na segunda coluna de B, então some-os. No final, depois de toda multiplicação e adição ter terminado, sua nova matriz deverá ter o mesmo número de linhas de A e o mesmo número de colunas de B.

Por exemplo, para multiplicar uma matriz com três linhas e duas colunas por uma matriz com duas linhas e quatro colunas, você acabará com uma matriz de três linhas e quatro colunas.

LEMBRE-SE

Se a matriz A tem as dimensões $m \times n$ e a matriz B tem a dimensão $n \times p$, AB é uma matriz $m \times p$.

É hora de ver um exemplo de multiplicação de matrizes. Digamos que um problema peça para multiplicar as duas matrizes a seguir:

$$A = \begin{bmatrix} 5 & -6 \\ -3 & 9 \\ 2 & 4 \end{bmatrix} \quad B = \begin{bmatrix} -2 & 4 & 8 & -5 \\ 1 & 3 & -4 & -2 \end{bmatrix}$$

Primeiro, verifique se é possível multiplicar as duas matrizes. A matriz A é 3×2, e B é 2×4, portanto, você pode multiplicá-las para obter uma matriz 3×4 como resposta. Agora você pode continuar e multiplicar cada linha da primeira matriz por cada coluna da segunda.

Os produtos e as somas são dados na matriz. Comece multiplicando cada termo na primeira linha de A pelos termos sequenciais nas colunas da matriz B. Observe que multiplicar a linha um pela coluna um e adicioná-los fornece a linha um, a resposta da coluna um.

$$AB = \begin{bmatrix} 5(-2)+(-6)(1) & 5(4)+(-6)(3) & 5(8)+(-6)(-4) & 5(-5)+(-6)(-2) \\ -3(-2)+9(1) & -3(4)+9(3) & -3(8)+9(-4) & -3(-5)+9(-2) \\ 2(-2)+4(1) & 2(4)+4(3) & 2(8)+4(-4) & 2(-5)+4(-2) \end{bmatrix}$$

Simplificando cada elemento:

$$AB = \begin{bmatrix} -16 & 2 & 64 & -13 \\ 15 & 15 & -60 & -3 \\ 0 & 20 & 0 & -18 \end{bmatrix}$$

Simplificando Matrizes para Facilitar o Processo de Resolução

Em um sistema de equações lineares, em que cada equação tem a forma $Ax+By+Cz+\cdots=K$, os coeficientes do sistema podem ser representados em uma matriz, chamada *matriz dos coeficientes*. Se todas as variáveis se alinham na vertical, então a primeira coluna da matriz dos coeficientes é dedicada a todos os coeficientes da primeira variável, a segunda linha é para a segunda variável etc. Cada linha representa os coeficientes de cada variável na ordem em que aparecem no sistema de equações. Com alguns processos diferentes, você pode usar a matriz dos coeficientes para encontrar as soluções do sistema.

Resolver um sistema de equações usando uma matriz é um ótimo método, sobretudo para os sistemas maiores (com mais variáveis e equações). Esses métodos funcionam para todos os tamanhos de sistema, portanto, você precisa escolher qual é adequado para qual problema. As próximas seções analisam os processos disponíveis.

Escrevendo um sistema em forma de matriz

Você pode escrever qualquer sistema linear de equações como uma matriz. Veja como:

$$\begin{cases} x+2y+3z = -7 \\ 2x-3y-5z = 9 \\ -6x-8y+z = -22 \end{cases}$$

Para expressar esse sistema em forma de matriz, siga três etapas simples:

1. **Escreva todos os coeficientes em uma matriz primeiro (isso é chamado de *matriz dos coeficientes*). Se uma variável não aparecer em uma das equações, insira seu coeficiente como 0.**

2. **Escreva as variáveis em uma matriz de colunas (chamada de *matriz das variáveis*). Mostre isso como uma matriz multiplicando a matriz dos coeficientes.**

3. **Escreva as constantes em uma matriz de colunas (*matriz das constantes*). Coloque essa matriz no outro lado do sinal =.**

A estrutura fica assim:

$$\begin{bmatrix} 1 & 2 & 3 \\ 2 & -3 & -5 \\ -6 & -8 & 1 \end{bmatrix} \begin{bmatrix} x \\ y \\ z \end{bmatrix} = \begin{bmatrix} -7 \\ 9 \\ -22 \end{bmatrix}$$

Se quiser ir direto para a calculadora, veja "Multiplicando uma matriz por sua inversa" posteriormente neste capítulo.

Forma escalonada reduzida por linhas

Você pode usar a *forma escalonada reduzida por linhas* de uma matriz para resolver as soluções de um sistema de equações. Essa forma é muito específica e permite ler as soluções diretamente nas matrizes.

Mudar uma matriz para a forma escalonada reduzida por linhas é útil porque essa forma é única para cada matriz (e tal matriz única forneceria soluções para seu sistema de equações).

PAPO DE ESPECIALISTA

A forma escalonada reduzida por linhas mostra uma matriz com um conjunto de requisitos muito específico. Para ser considerada na forma escalonada reduzida por linhas, uma matriz deve atender a *todos* os requisitos a seguir:

» Todas as linhas contendo todos os 0s ficam na parte inferior da matriz.

» Todos os coeficientes principais (primeiro coeficiente diferente de 0 de uma linha) são 1.

» Qualquer elemento acima ou abaixo do coeficiente principal é 0.

» O coeficiente principal de qualquer linha sempre está à esquerda do coeficiente principal abaixo dele.

As matrizes mostradas estão na forma escalonada reduzida por linhas.

$$\begin{bmatrix} 1 & 0 & 0 & 0 \\ 0 & 1 & 0 & 0 \\ 0 & 0 & 1 & 0 \\ 0 & 0 & 0 & 1 \end{bmatrix} \begin{bmatrix} 1 & 0 & 0 & 0 \\ 0 & 1 & 0 & 0 \\ 0 & 0 & 1 & 0 \\ 0 & 0 & 0 & 0 \end{bmatrix} \begin{bmatrix} 1 & 0 & 0 & 0 \\ 0 & 0 & 1 & 0 \\ 0 & 0 & 0 & 1 \\ 0 & 0 & 0 & 0 \end{bmatrix}$$

Forma aumentada

Uma alternativa para escrever uma matriz na forma escalonada por linhas ou reduzida por linhas é conhecida como *forma aumentada*, em que a matriz dos coeficientes e a matriz da solução são escritas na mesma matriz, separadas em cada linha por dois pontos ou uma barra. Essa estrutura simplifica muito usar as operações elementares de linha para resolver uma matriz, porque você só precisa de uma matriz com a qual lidar por vez (em vez de três!).

Usar a forma aumentada diminui a quantidade de escrita. E quando você estiver tentando resolver um sistema de equações que requer muitas etapas, ficará agradecido por escrever menos! Então, é possível usar as operações elementares de linha como antes para obter a solução para seu sistema.

Considere esta equação de matriz:

$$\begin{bmatrix} 1 & 2 & 3 \\ 2 & -3 & -5 \\ -6 & -8 & 1 \end{bmatrix} \begin{bmatrix} x \\ y \\ z \end{bmatrix} = \begin{bmatrix} -7 \\ 9 \\ -22 \end{bmatrix}$$

Escrita na forma aumentada, fica assim:

$$\begin{bmatrix} 1 & 2 & 3 & \vdots & -7 \\ 2 & -3 & -5 & \vdots & 9 \\ -6 & -8 & 1 & \vdots & -22 \end{bmatrix}$$

Na próxima seção, você verá como realizar operações da linha nessa matriz aumentada, como se fosse uma matriz 4×3. Reduza a matriz dos coeficientes 3×3 à esquerda para a forma escalonada reduzida por linhas e obtenha a solução.

A forma escalonada por linhas de uma matriz é útil para resolver sistemas de equações. Você verá como colocar uma matriz nessa forma usando as *operações elementares de linha*. Você pode usar qualquer uma dessas operações para colocar uma matriz na forma escalonada reduzida por linhas:

» Multiplique cada elemento em uma linha por uma constante.

» Troque duas linhas.

» Some ou multiplique duas linhas.

Usando essas operações, você pode reescrever qualquer matriz para que as soluções para o sistema representado pela matriz fiquem óbvias.

Colocando as Matrizes para Trabalhar

Quando você se sentir à vontade com a mudança de aparência das matrizes (para que tenham a forma escalonada aumentada e reduzida por linhas, por exemplo), estará pronto para lidar com matrizes e realmente começar a resolver sistemas mais desafiadores. Por sorte, para os sistemas muito grandes (quatro ou mais variáveis), você terá a ajuda da calculadora gráfica. Programas de computador também podem ser muito úteis com matrizes e podem resolver sistemas de equações de vários modos. Os três modos de resolver sistemas usando matrizes nesta seção são a eliminação gaussiana, as inversas da matriz e a Regra de Cramer.

É provável que a eliminação gaussiana seja o melhor método para usar se você não tiver uma calculadora gráfica ou programa de computador. Se tiver essas ferramentas, poderá usar uma delas para encontrar a inversa de qualquer matriz, e nesse caso, a operação inversa é o melhor plano. Se o sistema tem apenas duas ou três variáveis e você não tem uma calculadora gráfica para ajudar, a Regra de Cramer será uma boa opção.

Usando a eliminação gaussiana para resolver sistemas

A eliminação gaussiana requer as operações elementares de linha e usa uma matriz aumentada.

Os objetivos da eliminação gaussiana são tornar o elemento do canto superior esquerdo igual a 1, usar as operações elementares de linha para obter zeros em todas as posições abaixo do primeiro 1, obter valores iguais a 1 para os coeficientes principais em cada linha diagonal da esquerda superior até a direita inferior e obter os abaixo de todos os coeficientes principais. Basicamente, você elimina todas as variáveis na última linha, exceto uma, todas as variáveis, exceto duas na equação acima, e assim por diante até a equação no topo, que tem todas as variáveis. Depois pode usar a substituição reversa para determinar uma variável por vez colocando os valores que conhece nas equações de baixo para cima.

As operações elementares da eliminação gaussiana são expressas aqui com a notação usada:

PAPO DE ESPECIALISTA

Você pode realizar três operações nas matrizes para eliminar as variáveis em um sistema de equações lineares:

» **Pode multiplicar qualquer linha por uma constante:** $-2R_3 \to R_3$ diz para multiplicar a linha três por -2 para ter uma nova linha três.

» **Pode trocar duas linhas quaisquer:** $R_1 \leftrightarrow R_2$ troca as linhas um e dois.

» **Pode somar duas linhas:** $R_1 + R_2 \to R_2$ soma as linhas um e dois, e escreve o resultado na linha dois.

» **Pode adicionar o múltiplo de uma linha a outra linha:** $-3R_1 + R_3 \to R_3$ multiplica a linha um por -3, adiciona o produto à linha três e coloca o resultado na linha três.

Colocar a matriz na *forma escalonada por linhas* permite encontrar o valor da última variável e fazer a substituição reversa para encontrar as demais variáveis. Se você continuar as operações de linha e criar a *forma escalonada reduzida por linhas*, poderá ler os valores das variáveis diretamente na coluna direita da matriz completa.

Forma escalonada por linhas

Considere a seguinte matriz aumentada:

$$\begin{bmatrix} 1 & 2 & 3 & | & -7 \\ 2 & -3 & -5 & | & 9 \\ -6 & -8 & 1 & | & -22 \end{bmatrix}$$

Agora veja as etapas usadas na eliminação gaussiana para reescrever essa matriz:

1. Posicione 1 no canto superior esquerdo.

Você já tem um!

2. Cries zeros sob o 1 na primeira coluna.

É preciso usar a combinação de duas operações da matriz aqui. Veja o que deve ser perguntado: "O que preciso adicionar à linha dois para que 2 se torne 0?" A resposta é -2.

Essa etapa pode ser realizada multiplicando-se a primeira linha por -2 e adicionando-se os elementos resultantes à segunda linha.

$$\begin{bmatrix} 1 & 2 & 3 & | & -7 \\ 2 & -3 & -5 & | & 9 \\ -6 & -8 & 1 & | & -22 \end{bmatrix} -2R_1 + R_2 \to R_2 \begin{bmatrix} 1 & 2 & 3 & | & -7 \\ 0 & -7 & -11 & | & 23 \\ -6 & -8 & 1 & | & -22 \end{bmatrix}$$

3. Na terceira linha, coloque 0 sob 1.

Para essa etapa, você precisa multiplicar a linha um por 6 e adicioná-la à linha três.

$$\begin{bmatrix} 1 & 2 & 3 & | & -7 \\ 0 & -7 & -11 & | & 23 \\ -6 & -8 & 1 & | & -22 \end{bmatrix} 6R_1 + R_3 \to R_3 \begin{bmatrix} 1 & 2 & 3 & | & -7 \\ 0 & -7 & -11 & | & 23 \\ 0 & 4 & 19 & | & -64 \end{bmatrix}$$

4. Coloque 1 na segunda linha, segunda coluna.

Para essa etapa, multiplique a linha por uma constante, ou seja, multiplique a linha dois pela recíproca de -7.

$$\begin{bmatrix} 1 & 2 & 3 & | & -7 \\ 0 & -7 & -11 & | & 23 \\ 0 & 4 & 19 & | & -64 \end{bmatrix} -\frac{1}{7}R_2 \to R_2 \begin{bmatrix} 1 & 2 & 3 & | & -7 \\ 0 & 1 & \frac{11}{7} & | & -\frac{23}{7} \\ 0 & 4 & 19 & | & -64 \end{bmatrix}$$

5. Coloque 0 sob o 1 criado na linha dois.

Multiplique a linha dois por -4 e adicione à linha três para criar uma nova linha três.

$$\begin{bmatrix} 1 & 2 & 3 & | & -7 \\ 0 & 1 & \frac{11}{7} & | & -\frac{23}{7} \\ 0 & 4 & 19 & | & -64 \end{bmatrix} -4R_2 + R_3 \to R_3 \begin{bmatrix} 1 & 2 & 3 & | & -7 \\ 0 & 1 & \frac{11}{7} & | & -\frac{23}{7} \\ 0 & 0 & \frac{89}{7} & | & -\frac{356}{7} \end{bmatrix}$$

6. Coloque outro 1, desta vez na terceira linha, terceira coluna.

Multiplique a terceira linha pela recíproca de $\frac{89}{7}$ para obter 1.

$$\begin{bmatrix} 1 & 2 & 3 & | & -7 \\ 0 & 1 & \frac{11}{7} & | & -\frac{23}{7} \\ 0 & 0 & \frac{89}{7} & | & -\frac{356}{7} \end{bmatrix} \frac{7}{89}R_3 \to R_3 \begin{bmatrix} 1 & 2 & 3 & | & -7 \\ 0 & 1 & \frac{11}{7} & | & -\frac{23}{7} \\ 0 & 0 & 1 & | & -4 \end{bmatrix}$$

Agora você tem uma matriz na *forma escalonada por linhas*, que permite encontrar soluções ao usar a substituição reversa.

Consultando a última matriz, o sistema original de equações que formava a matriz aumentada era:
$$\begin{cases} x+2y+3z=-7 \\ 2x-3y-5z=9 \\ -6x-8y+z=-22 \end{cases}$$

Esse sistema foi transformado em:
$$\begin{cases} x+2y+3z=-7 \\ y+\dfrac{11}{7}z=-\dfrac{23}{7} \\ z=-4 \end{cases}$$

É fácil ver que $z = -4$. Substituindo isso na segunda equação:
$$y+\frac{11}{7}(-4)=-\frac{23}{7}$$
$$y-\frac{44}{7}=-\frac{23}{7}$$
$$y=\frac{21}{7}=3$$

Então substituindo os valores para y e z na primeira equação:
$$x+2(3)+3(-4)=-7$$
$$x=-1$$

A solução do sistema é $x = -1, y = 3, z = -4$.

Forma escalonada reduzida por linhas

Porém, se quiser continuar com as operações da matriz e colocar essa matriz na *forma escalonada reduzida por linhas* para encontrar as soluções e conseguir ler diretamente na matriz, siga estas etapas:

1. Começando com a forma escalonada por linhas, crie um 0 acima do 1 na linha 2.

Multiplique a linha dois por -2 e adicione-a à linha um.

$$\begin{bmatrix} 1 & 2 & 3 & | & -7 \\ 0 & 1 & \frac{11}{7} & | & -\frac{23}{7} \\ 0 & 0 & 1 & | & -4 \end{bmatrix} \xrightarrow{-2R_2+R_1 \to R_1} \begin{bmatrix} 1 & 0 & -\frac{1}{7} & | & -\frac{3}{7} \\ 0 & 1 & \frac{11}{7} & | & -\frac{23}{7} \\ 0 & 0 & 1 & | & -4 \end{bmatrix}$$

2. **Crie um 0 na linha um, coluna três.**

Para tanto, multiplique a linha três por $\frac{1}{7}$ e adicione à linha um.

$$\begin{bmatrix} 1 & 0 & -\frac{1}{7} & -\frac{3}{7} \\ 0 & 1 & \frac{11}{7} & -\frac{23}{7} \\ 0 & 0 & 1 & -4 \end{bmatrix} \frac{1}{7}R_3 + R_1 \rightarrow R_1 \begin{bmatrix} 1 & 0 & 0 & -1 \\ 0 & 1 & \frac{11}{7} & -\frac{23}{7} \\ 0 & 0 & 1 & -4 \end{bmatrix}$$

3. **Coloque 0 na linha dois, coluna três.**

Multiplique a linha três por $-\frac{11}{7}$ e adicione à linha dois.

$$\begin{bmatrix} 1 & 0 & 0 & -1 \\ 0 & 1 & \frac{11}{7} & -\frac{23}{7} \\ 0 & 0 & 1 & -4 \end{bmatrix} -\frac{11}{7}R_3 + R_2 \rightarrow R_2 \begin{bmatrix} 1 & 0 & 0 & -1 \\ 0 & 1 & 0 & 3 \\ 0 & 0 & 1 & -4 \end{bmatrix}$$

Essa matriz, na forma escalonada reduzida por linhas, mostra a solução para o sistema diretamente, na coluna mais à direita: $x = -1, y = 3, z = -4$.

Soluções infinitas ou nenhuma solução

Até agora, todos os sistemas mostrados tiveram uma solução, mas nem sempre é assim. Às vezes, há soluções infinitas, e em outras, não há solução. Os dois sistemas mostrados em seguida são exemplos desses casos. As duas primeiras equações em cada sistema são iguais; é a constante na terceira equação que faz a diferença.

$$\text{I:} \begin{cases} x + 2y - 3z = 8 \\ 4x - y + z = 15 \\ 6x + 3y - 5z = 31 \end{cases} \quad \text{II:} \begin{cases} x + 2y - 3z = 8 \\ 4x - y + z = 15 \\ 6x + 3y - 5z = 23 \end{cases}$$

Trabalhando nos dois sistemas com uma matriz aumentada e operações de linha, você acaba com as seguintes matrizes; as duas últimas etapas são mostradas aqui:

$$\text{I:} \begin{bmatrix} 1 & 2 & -3 & 8 \\ 0 & -9 & 13 & -17 \\ 0 & -9 & 13 & -17 \end{bmatrix} -1R_2 + R_3 \rightarrow R_3 \begin{bmatrix} 1 & 2 & -3 & 8 \\ 0 & -9 & 13 & -17 \\ 0 & 0 & 0 & 0 \end{bmatrix}$$

$$\text{II:} \begin{bmatrix} 1 & 2 & -3 & 8 \\ 0 & -9 & 13 & -17 \\ 0 & -9 & 13 & -25 \end{bmatrix} -1R_2 + R_3 \rightarrow R_3 \begin{bmatrix} 1 & 2 & -3 & 8 \\ 0 & -9 & 13 & -17 \\ 0 & 0 & 0 & -8 \end{bmatrix}$$

A última linha do primeiro sistema acaba com zeros. A equação associada a essa linha é $0 = 0$, que é sempre verdadeira. Isso indica que a última equação era uma combinação linear de duas outras equações. Há um número infinito de soluções para o sistema. Por exemplo, (4,–1,–2), (5,12,7), (6,25,16) funcionam. E há infinitas outras soluções na forma $\left(\dfrac{z+38}{9}, \dfrac{13z+17}{9}, z\right)$. Basta escolher um valor para z, e as outras coordenadas poderão ser determinadas. De onde vieram as coordenadas? Use as equações da matriz. A segunda linha informa: $-9y+13z=-17$. Determinando y, você obtém $y=\dfrac{13z+17}{9}$. Coloque na equação formada a partir da primeira linha, $x+2y-3z=8$, e verá que $x=\dfrac{z+38}{9}$.

A última linha do segundo sistema tem uma sentença falsa. Colocando em forma de equação, informa que $0=-8$. Essa sentença indica que não há solução para o sistema.

LEMBRE-SE

Talvez uma das matrizes mais reconhecidas seja a *matriz identidade*, que possui elementos iguais a 1 na diagonal da esquerda superior até a direita inferior e tem zeros nos outros lugares. É uma matriz quadrada na forma escalonada reduzida por linhas e representa o elemento identidade da multiplicação no mundo das matrizes.

A matriz identidade é uma estrutura importante ao resolver sistemas de equações, porque, se você puder manipular a matriz dos coeficientes para parecer com a matriz identidade (usando as operações da matriz), então a solução para o sistema estará bem na sua frente.

Multiplicando uma matriz por sua inversa

É possível usar matrizes ainda de outro modo para resolver um sistema de equações. Esse método se baseia na ideia simples de que, se você tem um coeficiente ligado a uma variável em um lado da equação, pode multiplicar pela inversa do coeficiente para ele sumir e ficar apenas com a variável. Por exemplo, se $3x=12$, como você resolveria a equação? Dividiria os dois lados por 3, que é igual a multiplicar por $\dfrac{1}{3}$ para obter $x=4$. É igual com as matrizes.

PAPO DE ESPECIALISTA

Na forma variável, uma função inversa é escrita como $f^{-1}(x)$, em que f^{-1} é a inversa da função f. Você nomeia uma matriz inversa de modo parecido; a inversa da matriz A é A^{-1}. Se A, B e C são matrizes na equação da matriz $AB = C$ e você deseja determinar B, como faz isso? Basta multiplicar pela inversa da matriz A, que é:

$$A^{-1}[AB] = A^{-1}C$$

A versão simplificada é $B = A^{-1}C$.

Usando essa propriedade das matrizes inversas, é possível encontrar a solução de um sistema de equações.

Encontrando a inversa de uma matriz

LEMBRE-SE

Para começar, você precisa saber que apenas as matrizes quadradas têm inversas, ou seja, o número de linhas deve ser igual ao número de colunas. E mesmo assim, nem toda matriz quadrada tem inversa. Se o *determinante* de uma matriz não é 0, então a matriz tem uma inversa. Veja a seção sobre a Regra de Cramer para saber mais sobre os determinantes.

Quando uma matriz tem uma inversa, há vários meios de encontrá-la, dependendo do tamanho dela. Se a matriz é 2×2, você pode usar uma fórmula simples para encontrar a inversa. Mas para algo maior que 2×2, pode usar uma calculadora gráfica, um programa de computador ou pode determinar a inversa usando operações de linha, algo como um sistema de equações (mas diferente). Para determinar uma identidade usando esse método, aumente sua matriz original invertida com a matriz identidade e use as operações elementares de linha para colocar a matriz identidade onde estava sua matriz original.

Dito isso, veja como encontrar a inversa de uma matriz 2×2:

Se a matriz A é 2×2, $\begin{bmatrix} a & b \\ c & d \end{bmatrix}$, sua inversa é:

$$\frac{1}{ad-bc}\begin{bmatrix} d & -b \\ -c & a \end{bmatrix}$$

Basta seguir esse formato para encontrar a inversa de uma matriz 2×2.

Usando a inversa para resolver um sistema

Armado com um sistema de equações e sabendo como usar matrizes inversas (veja a seção anterior), você pode seguir uma série de etapas simples para chegar à solução do sistema, novamente usando a antiga matriz confiável. Para esse caso, você pode resolver o sistema a seguir usando uma matriz inversa:

$$\begin{cases} 4x + 3y = -13 \\ -10x - 2y = 5 \end{cases}$$

Estas etapas mostram o caminho:

1. **Escreva o sistema como uma equação da matriz.**

   Mostre a matriz dos coeficientes, matriz da variável e matriz da constante.

   $$\begin{bmatrix} 4 & 3 \\ -10 & -2 \end{bmatrix}\begin{bmatrix} x \\ y \end{bmatrix} = \begin{bmatrix} -13 \\ 5 \end{bmatrix}$$

2. **Crie a matriz inversa a partir da equação.**

    Usando a fórmula da inversa,

    $$\frac{1}{ad-bc}\begin{bmatrix} d & -b \\ -c & a \end{bmatrix}$$

    Nesse caso, $a = 4$, $b = 3$, $c = -10$ e $d = -2$. A matriz inversa é

    $$\frac{1}{4(-2)-3(-10)}\begin{bmatrix} -2 & -3 \\ 10 & 4 \end{bmatrix} = \frac{1}{22}\begin{bmatrix} -2 & -3 \\ 10 & 4 \end{bmatrix}$$

    Você pode multiplicar cada elemento por $\frac{1}{22}$ nesse ponto, mas isso cria frações complicadas. Pode esperar e multiplicar por esse escalar no fim do processo.

3. **Multiplique a equação da matriz pela inversa.**

    Agora você tem a seguinte equação:

    $$\frac{1}{22}\begin{bmatrix} -2 & -3 \\ 10 & 4 \end{bmatrix}\begin{bmatrix} 4 & 3 \\ -10 & -2 \end{bmatrix}\begin{bmatrix} x \\ y \end{bmatrix} = \frac{1}{22}\begin{bmatrix} -2 & -3 \\ 10 & 4 \end{bmatrix}\begin{bmatrix} -13 \\ 5 \end{bmatrix}$$

4. **Cancele a matriz à esquerda e multiplique as matrizes à direita (veja a seção "Multiplicando uma matriz por outra").**

    Uma matriz inversa multiplicada por sua matriz faz o cancelamento.

    $$\frac{1}{22}\cancel{\begin{bmatrix} -2 & -3 \\ 10 & 4 \end{bmatrix}}\cancel{\begin{bmatrix} 4 & 3 \\ -10 & -2 \end{bmatrix}}\begin{bmatrix} x \\ y \end{bmatrix} = \frac{1}{22}\begin{bmatrix} -2 & -3 \\ 10 & 4 \end{bmatrix}\begin{bmatrix} -13 \\ 5 \end{bmatrix}$$

    $$\begin{bmatrix} x \\ y \end{bmatrix} = \frac{1}{22}\begin{bmatrix} -2(-13)+(-3)(5) \\ 10(-13)+4(5) \end{bmatrix}$$

    $$\begin{bmatrix} x \\ y \end{bmatrix} = \frac{1}{22}\begin{bmatrix} 11 \\ -110 \end{bmatrix}$$

5. **Multiplique o escalar para resolver o sistema.**

    Você termina com os valores x e y:

    $$\begin{bmatrix} x \\ y \end{bmatrix} = \frac{1}{22}\begin{bmatrix} 11 \\ -110 \end{bmatrix} = \begin{bmatrix} \frac{1}{2} \\ -5 \end{bmatrix}$$

    A solução é $x = \frac{1}{2}$, $y = -5$.

Usando determinantes: Regra de Cramer

O método final encontrado aqui para resolver sistemas de equações foi inventado por Gabriel Cramer e recebe seu nome. Como acontece em grande parte deste capítulo, uma calculadora gráfica permite evitar muito trabalho e facilita a vida. Mas pode haver uma ou outra ocasião em que a Regra de Cramer seja necessária e útil. Então aqui vai!

Primeiro, um exemplo rápido deve tornar um pouco mais compreensível a notação usada na Regra de Cramer. Usando essa regra para resolver o sistema de equações:

$$\begin{cases} x + 3y = 6 \\ 2x - 5y = 1 \end{cases}$$

1. Escreva o determinante da matriz dos coeficientes.

A matriz dos coeficientes é $\begin{bmatrix} 1 & 3 \\ 2 & -5 \end{bmatrix}$, e seu determinante é $\begin{vmatrix} 1 & 3 \\ 2 & -5 \end{vmatrix}$. Note a mudança dos colchetes para barras verticais.

2. Encontre o valor, *d*, do determinante.

O determinante de uma matriz 2×2, $\begin{vmatrix} a_1 & b_1 \\ a_2 & b_2 \end{vmatrix}$, é $d = a_1 b_2 - b_1 a_2$. Então $\begin{vmatrix} 1 & 3 \\ 2 & -5 \end{vmatrix} = 1(-5) - 3(2) = -11$.

3. Encontre o valor da variável *x* substituindo os dois coeficientes *x* no determinante pelas constantes, avaliando o novo determinante e dividindo por *d*.

$$x = \frac{\begin{vmatrix} 6 & 3 \\ 1 & -5 \end{vmatrix}}{-11} = \frac{6(-5) - 3(1)}{-11} = \frac{-33}{-11} = 3$$

4. Encontre o valor da variável *y* substituindo os dois coeficientes *y* no determinante pelas constantes, avaliando o novo determinante e dividindo por *d*.

$$y = \frac{\begin{vmatrix} 1 & 6 \\ 2 & 1 \end{vmatrix}}{-11} = \frac{1(1) - 6(2)}{-11} = \frac{-11}{-11} = 1$$

A solução do sistema é $x = 3, y = 1$.

Agora, vejamos a descrição mais geral.

PAPO DE ESPECIALISTA

A Regra de Cramer afirma que, se o determinante de uma matriz dos coeficientes |A| não é 0, então as soluções para um sistema de equações lineares podem ser encontradas como a seguir:

Se um sistema linear de equações

$$a_1x_1 + b_1x_2 + c_1x_3 + \cdots = k_1$$
$$a_2x_1 + b_2x_2 + c_2x_3 + \cdots = k_2$$
$$a_3x_1 + b_3x_2 + c_3x_3 + \cdots = k_3$$
$$\vdots \quad \vdots \quad \vdots \quad \vdots$$

tem um determinante do coeficiente, d, e uma matriz de constante K,

$$d = \begin{vmatrix} a_1 & b_1 & c_1 & \cdots \\ a_2 & b_2 & c_2 & \cdots \\ a_3 & b_3 & c_3 & \cdots \\ \vdots & \vdots & \vdots & \end{vmatrix} \quad K = \begin{bmatrix} k_1 \\ k_2 \\ k_3 \\ \vdots \end{bmatrix}$$

então cada variável é igual ao determinante formado substituindo seus coeficientes pelos valores constantes da matriz e dividindo esse determinante por d.

Portanto, $$x_1 = \frac{\begin{vmatrix} k_1 & b_1 & c_1 & \cdots \\ k_2 & b_2 & c_2 & \cdots \\ k_3 & b_3 & c_3 & \cdots \\ \vdots & \vdots & \vdots & \end{vmatrix}}{d}$$ etc. para as outras variáveis.

O determinante de uma matriz 2×2 é apenas a diferença entre os produtos cruzados. O determinante de uma matriz 3×3 é um pouco mais complicado. Considere a matriz 3×3 geral

$$A = \begin{bmatrix} a_1 & b_1 & c_1 \\ a_2 & b_2 & c_2 \\ a_3 & b_3 & c_3 \end{bmatrix}$$

Você encontra o determinante da matriz com as seguintes etapas:

1. **Reescreva as duas primeiras colunas imediatamente após a terceira coluna.**

$$\begin{vmatrix} a_1 & b_1 & c_1 \\ a_2 & b_2 & c_2 \\ a_3 & b_3 & c_3 \end{vmatrix} \begin{matrix} a_1 & b_1 \\ a_2 & b_2 \\ a_3 & b_3 \end{matrix}$$

2. **Desenhe três linhas diagonais da esquerda superior até a direita inferior e três linhas diagonais da esquerda inferior até a direita superior (veja a Figura 14-3).**

3. **Multiplique as diagonais da esquerda para a direita: primeiro as três de cima para baixo e em seguida as outras três de baixo para cima.**

O determinante da matriz 3×3 é:

$$(a_1b_2c_3 + b_1c_2a_3 + c_1a_2b_3) - (a_3b_2c_1 + b_3c_2a_1 + c_3a_2b_1)$$

FIGURA 14-3: Calculando o determinante de uma matriz 3×3.

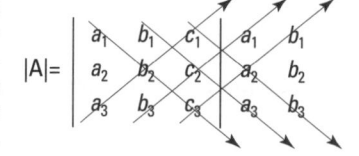

$$|A| = \begin{vmatrix} a_1 & b_1 & c_1 \\ a_2 & b_2 & c_2 \\ a_3 & b_3 & c_3 \end{vmatrix} \begin{matrix} a_1 & b_1 \\ a_2 & b_2 \\ a_3 & b_3 \end{matrix}$$

Como exemplo, o determinante dessa matriz 3×3

$$\begin{bmatrix} 1 & 2 & 3 \\ 2 & -3 & -5 \\ -6 & -8 & 1 \end{bmatrix}$$

é encontrado *usando-se as diagonais*,

$$\begin{vmatrix} 1 & 2 & 3 \\ 2 & -3 & -5 \\ -6 & -8 & 1 \end{vmatrix} \begin{matrix} 1 & 2 \\ 2 & -3 \\ -6 & -8 \end{matrix}$$

$$= (1(-3)(1) + 2(-5)(-6) + 3(2)(-8)) - (3(-3)(-6) + 1(-5)(-8) + 2(2)(1))$$

$$= (-3 + 60 - 48) - (54 + 40 + 4) = 9 - 98 = -89$$

Depois de encontrar o determinando da matriz dos coeficientes (manualmente ou com um dispositivo tecnológico), substitua a primeira coluna dessa matriz pela matriz da constante no outro lado do sinal de igual e encontre o determinante dessa nova matriz. Depois, substitua a segunda coluna da matriz dos coeficientes pela matriz da constante e encontre o determinante dessa matriz. Continue o processo até ter substituído cada coluna e encontrado cada determinante novo. Os valores das respectivas variáveis são iguais ao determinante da nova matriz (quando você substituiu a respectiva coluna) dividido pelo determinante da matriz dos coeficientes.

Você não pode usar a Regra de Cramer quando a matriz não é quadrada ou quando o determinante da matriz dos coeficientes é 0, porque não pode dividir por 0. Essa regra é mais útil para um sistema 2×2 ou 3×3 de equações lineares.

NESTE CAPÍTULO

» Explorando os termos e as fórmulas das sequências

» Entendendo sequências aritméticas e geométricas

» Somando sequências para criar uma série

» Aplicando o teorema binomial para expandir binômios

Capítulo **15**

Sequências, Séries e Expansão de Binômios para o Mundo Real

Você pode dar um suspiro de alívio: neste capítulo, deixaremos de lado o papel quadriculado e usaremos tópicos ainda mais matemáticos do mundo real. As aplicações reais dos capítulos anteriores são úteis somente para áreas de interesse especiais. Este capítulo é diferente porque as aplicações são úteis para todos. Não importa quem você é ou o que faz, deve entender o valor de seus pertences. Por exemplo, pode querer saber o valor do seu carro depois de alguns anos e quais serão os juros de seu cartão de crédito ou o saldo do empréstimo se não pagar em dia. Aqui a Matemática sai da sala de aula e é colocada na realidade.

» **Sequências:** Essa aplicação do pré-cálculo ajuda a entender padrões. Por exemplo, você pode ver como os padrões se desenvolvem na depreciação do seu carro, como os juros do cartão aumentam e como os cientistas estimam o crescimento de populações de bactérias.

» **Séries:** As séries ajudam a entender a soma de uma sequência de números, como anuidades, a distância total que uma bola salta, quantos lugares há em um cinema etc.

Este capítulo aprofunda esses tópicos e desmascara o mito de que a Matemática não é útil no mundo real.

Falando em Sequência: Entendendo o Método Geral

Uma *sequência* é basicamente uma lista ordenada de objetos (números, letras etc.) seguindo um tipo de padrão. Em geral, esse padrão pode ser descrito por uma regra geral que permite determinar quaisquer números nessa lista sem precisar encontrar *todos* os números intermediários. Uma sequência pode ser infinita, significando que pode continuar no mesmo padrão para sempre. A definição matemática de uma sequência é uma função definida sobre o conjunto de inteiros positivos, normalmente escritos como a seguir:

$$\{a_n\} = a_1, a_2, a_3, \ldots, a_n, \ldots$$

A notação $\{a_n\}$ representa o termo geral do conjunto inteiro de números. Cada a_n é chamado de *termo da sequência*; a_1 é o primeiro termo, a_2 é o segundo etc. a_n é o *enésimo* termo, ou seja, pode ser qualquer termo necessário. Os valores de n são sempre inteiros positivos.

No mundo real, as sequências são úteis ao descrever uma quantidade que aumenta ou diminui com o tempo: juros financeiros, débito, vendas, populações e depreciação ou valorização de ativos, para citar alguns. Todas as quantidades que mudam com o tempo com base em certa porcentagem seguem um padrão que pode ser descrito usando-se uma sequência. Dependendo da regra de determinada sequência, é possível multiplicar o valor inicial de um objeto por certa porcentagem para encontrar um novo valor após determinado período de tempo. Repetir esse processo revela o padrão geral e a mudança no valor do objeto.

Determinando os termos da sequência

PAPO DE ESPECIALISTA

A fórmula ou a regra geral usada para determinar os termos de uma sequência normalmente é referida como *termo geral* e é indicada com algo como $\{a_n\}$. Essa regra envolve a letra n, que é o número do termo (o primeiro termo seria $n=1$, e o vigésimo termo seria $n=20$). Você pode encontrar qualquer termo de uma sequência colocando o número do termo que deseja na expressão que representa o termo geral. A fórmula associada ao termo geral fornece instruções específicas sobre o que fazer com o valor colocado. Se você tiver alguns termos de uma sequência, poderá usá-los para encontrar o termo geral da sequência. Se tiver o termo geral (completo com n como a variável), poderá encontrar qualquer termo colocando o número que deseja para n.

LEMBRE-SE

A menos que o contrário seja indicado, o primeiro termo de qualquer sequência $\{a_n\}$ começa com $n=1$. O próximo n sempre aumenta em 1.

Por exemplo, é possível usar a fórmula para encontrar os três primeiros termos de $a_n = (-1)^{n-1} \cdot (n^2)$:

1. **Encontre a_1 primeiro colocando 1 onde vir n.**

   $a_1 = (-1)^{1-1} \cdot (1^2) = (-1)^0 \cdot (1) = 1 \cdot 1 = 1$

2. **Continue colocando inteiros consecutivos para n.**

   Esse processo fornece os termos dois e três:

   $a_2 = (-1)^{2-1} \cdot (2^2) = (-1)^1 \cdot (4) = -1 \cdot 4 = -4$

   $a_3 = (-1)^{3-1} \cdot (3^2) = (-1)^2 \cdot (9) = 1 \cdot 9 = 9$

Os três primeiros termos dessa sequência são: $1, -4, 9$. Se continuasse, descobriria que é uma *sequência alternada*, em que termo sim, termo não é negativo.

Trabalhando ao contrário: Formando uma expressão a partir dos termos

Se você conhece os primeiros termos de uma sequência, normalmente pode escrever uma expressão matemática para o termo geral. Para escrever a fórmula do termo, você deve procurar um padrão nos primeiros termos da sequência, que demonstra um raciocínio lógico, e todos queremos ser pessoas racionais, certo? A fórmula escrita deve funcionar para cada valor inteiro de n, começando em $n=1$.

Às vezes, esse cálculo é fácil, em outras, é menos aparente e mais complicado. As sequências que envolvem frações e/ou exponentes tendem a ser mais complicadas e menos óbvias em seus padrões. As fáceis de escrever incluem adição, subtração, multiplicação ou divisão por inteiros.

Por exemplo, para encontrar o termo geral do *enésimo* termo da sequência $\frac{2}{3}, \frac{3}{5}, \frac{4}{7}, \frac{5}{9}, \frac{6}{11}, \ldots$, você deve ver o numerador e o denominador separados:

» Os numeradores começam com 2 e aumentam em 1 sempre. Essa sequência é descrita por $b_n = n+1$.

» Os denominadores começam com 3 e aumentam em 2 sempre. Essa sequência é descrita por $c_n = 2n+1$.

Assim, os termos nessa sequência podem ser expressos usando $\frac{b_n}{c_n}$:

$$a_n = \frac{n+1}{2n+1}$$

Para confirmar sua fórmula e assegurar que as respostas funcionarão, coloque 1, 2, 3 etc. para ver se obtém os números originais a partir da sequência dada.

$n = 1, a_1 = \frac{1+1}{2(1)+1} = \frac{2}{3}$ $n = 2, a_2 = \frac{2+1}{2(2)+1} = \frac{3}{5}$

$n = 3, a_3 = \frac{3+1}{2(3)+1} = \frac{4}{7}$ $n = 4, a_4 = \frac{4+1}{2(4)+1} = \frac{5}{9}$

$n = 5, a_5 = \frac{5+1}{2(5)+1} = \frac{6}{11}$

Funcionam! E, claro, o que você realmente quer saber é o valor do centésimo termo, portanto, use a fórmula para obter: $n = 100, a_{100} = \frac{100+1}{2(100)+1} = \frac{101}{201}$.

Sequências recursivas: Um tipo de sequência geral

Uma *sequência recursiva* é aquela na qual cada termo depende do termo anterior. Para encontrar qualquer termo nessa sequência, use o termo dado (pelo menos um termo, em geral o primeiro, é dado para o problema) e a fórmula no termo geral, permitindo encontrar os outros termos.

Você pode reconhecer as sequências recursivas porque a fórmula dada geralmente tem a_n (o *enésimo* ou o termo geral da sequência), assim como a_{n-1} (o termo anterior ao *enésimo* termo da sequência).

Por exemplo, a sequência recursiva mais famosa é a sequência de Fibonacci, em que cada termo após o segundo é definido como a soma dos dois termos anteriores. O primeiro termo dessa sequência é 1 e o segundo também é 1. A fórmula da sequência de Fibonacci é $a_n = a_{n-2} + a_{n-1}$ para $n \geq 3$.

Portanto, se fosse pedido para encontrar os três termos seguintes dessa sequência, começando com 1, 1, você usaria a fórmula assim:

$$a_3 = a_{3-2} + a_{3-1} = a_1 + a_2 = 1+1 = 2$$
$$a_4 = a_{4-2} + a_{4-1} = a_2 + a_3 = 1+2 = 3$$
$$a_5 = a_{5-2} + a_{5-1} = a_3 + a_4 = 2+3 = 5$$

Os dez primeiros termos dessa sequência são 1, 1, 2, 3, 5, 8, 13, 21, 34, 55. Essa sequência é muito famosa porque muitas coisas na natureza seguem esse padrão. Por exemplo, as florzinhas na cabeça do girassol formam duas espirais opostas, 55 delas para a direita e 34 para a esquerda. As sementes das equináceas e os girassóis também foram observados e seguem o mesmo padrão da sequência de Fibonacci. E a Proporção Áurea é encontrada em termos consecutivos da sequência de Fibonacci. Ao dividir o termo a_n pelo termo a_{n-1}, quanto maior n, mais casas decimais da Proporção Áurea existem.

Diferença entre Termos: Sequências Aritméticas

Um dos tipos mais comuns de sequências é chamado de *sequência aritmética*. Nela, cada termo difere do anterior pelo mesmo número, o que é chamado de *razão* ou *diferença comum*. Para determinar se uma sequência é aritmética, subtraia cada termo de seu anterior; se a diferença entre cada conjunto de termos for igual, a sequência será aritmética.

Essas sequências têm o mesmo formato do *enésimo* termo ou geral:

$$a_n = a_1 + (n-1)r$$

em que a_1 é o primeiro termo e r é a razão.

Por exemplo, se forem pedidos os dez primeiros termos da sequência aritmética em que $a_n = -6 + (n-1)2$, comece com $n=1$ e termine com $n=10$, criando a lista $-6, -4, -2, 0, 2, 4, 6, 8, 10, 12$. Você pode ver muito claramente a diferença de 2 entre os termos.

É possível encontrar dois outros tipos de problemas de sequência aritmética: um em que é dada uma lista de termos consecutivos e outra em que são dados dois termos não consecutivos (mas os termos são informados). Nas duas seções a seguir, veja como lidar com cada um.

Usando termos consecutivos para encontrar outro

Se são dados dois termos consecutivos de uma sequência aritmética, a diferença comum entre eles não é muito grande.

Por exemplo, uma sequência aritmética é $-7, -4, -1, 2, 5\ldots$ Se você quiser encontrar o 55º termo dessa sequência, poderá continuar o padrão iniciado pelos primeiros termos mais cinquenta vezes. Mas esse processo será demorado e não é muito eficiente para encontrar os termos que entram depois na sequência.

Ao contrário, é possível criar uma fórmula para encontrar qualquer termo da sequência aritmética. Encontrar a fórmula para o *enésimo* termo de tal sequência é fácil, contanto que você saiba o primeiro termo e a razão.

1. **Encontre a razão.**

    Para encontrar a razão, basta subtrair um termo do que vem depois dele. Nesse caso, é mostrado o primeiro termo subtraído do segundo: $-4 - (-7) = 3$. A razão é 3. Você obterá esse mesmo resultado, não importando os dois termos escolhidos.

2. **Coloque a_1 e r na fórmula para escrever o termo geral específico da sequência dada.**

    Inicie com:
    $$a_n = a_1 + (n - 1)r$$

    Então coloque o que sabe: o primeiro termo da sequência é -7, e a razão é 3:
    $$a_n = -7 + (n-1)3 = -7 + 3n - 3 = 3n - 10$$

3. **Coloque o número do termo que está tentando encontrar para n.**

    Para encontrar o 55º termo, substitua n por 55 na fórmula para a_n:

    Usando $a_n = 3n - 10$

    $a_{55} = 3(55) - 10 = 165 - 10 = 155$

Usando dois termos quaisquer

Às vezes, você precisa encontrar o termo geral do *enésimo* termo de uma sequência aritmética sem conhecer o primeiro termo ou a razão. Nesse caso, são dados dois termos (não necessariamente consecutivos), e você usará essa informação para encontrar a_1 e r. As etapas ainda são as mesmas: encontre a razão, escreva a regra específica da sequência dada, depois encontre o termo que está procurando.

Por exemplo, para encontrar o termo geral de uma sequência aritmética em que $a_4 = -23$ e $a_{22} = 40$, siga estas etapas:

1. Encontre a razão.

Você precisa ser mais criativo para encontrar a razão desses problemas.

a. Use a fórmula $a_n = a_1 + (n-1)r$ para preparar duas equações que usam as informações dadas.

Para a primeira equação, você sabe que quando $n = 4$, $a_n = -23$:

$-23 = a_1 + (4 - 1)r$

$-23 = a_1 + 3r$

Para a segunda, sabe que quando $n = 22$, $a_n = 40$:

$40 = a_1 + (22 - 1)d$

$40 = a_1 + 21d$

b. Prepare um sistema de equações (veja o Capítulo 14) e determine r.

O sistema fica assim:

$$\begin{cases} a_1 + 3r = -23 \\ a_1 + 21r = 40 \end{cases}$$

Você pode usar a eliminação ou a substituição para resolver o sistema (consulte o Capítulo 14). A eliminação funciona bem porque você pode multiplicar a equação de cima por -1 e somar as duas para obter $18r = 63$. Com isso, obtém $r = 3,5$.

2. Encontre o valor de a_1.

Coloque r em uma das equações na Etapa 1-b para determinar a_1.

Você pode colocar 3,5 de volta na equação; usando a equação de cima:

$a_1 + 3(3,5) = -23$

$a_1 + 10,5 = -23$

$a_1 = -33,5$

3. **Escreva o termo geral.**

Substituindo os valores encontrados em $a_n = a_1 + (n-1)r$, você tem $a_n = -33,5 + (n-1)3,5$, que se simplifica como $a_n = 3,5n - 37$. Usando isso, é possível encontrar qualquer outro termo na sequência. Por exemplo, o vigésimo termo é $a_{20} = 3,5(20) - 37 = 70 - 37 = 33$.

Razões e Termos em Pares Consecutivos: Sequências Geométricas

Uma *sequência geométrica* tem termos consecutivos com uma razão comum, ou seja, se você dividir qualquer termo pelo anterior, o quociente, indicado pela letra q, será o mesmo.

Certos objetos, como carros, se depreciam com o tempo. E muitas vezes essa taxa de depreciação é constante. É possível descrever isso usando uma sequência geométrica. A razão comum é sempre uma porcentagem (às vezes chamada de APR ou taxa anual de porcentagem). Encontrar o valor do carro em determinado momento, contanto que você saiba seu valor original, é bem fácil. As próximas seções mostram como identificar os termos e as expressões das sequências geométricas, que permitem aplicar as sequências em situações reais (como ao negociar seu carro!).

No trabalho com sequências geométricas a seguir, você descobre como determinar um termo na sequência, assim como escrever a fórmula para a sequência específica quando ela não é dada. Mas primeiro, veja algumas ideias gerais das quais se lembrar.

LEMBRE-SE

Indique o primeiro termo de uma sequência geométrica como a_1. Para encontrar o segundo termo da sequência, multiplique o primeiro pela razão q. Você segue esse padrão infinitamente para encontrar qualquer termo de uma sequência geométrica:

$\{a_n\} = a_1, a_2, a_3, \ldots, a_n, \ldots$
$\{a_n\} = a_1, a_1 \cdot q, a_1 \cdot q^2, a_1 \cdot q^3, \ldots, a \cdot r^{n-1}, \ldots$

PAPO DE ESPECIALISTA

Simplificando, a fórmula para o *enésimo* termo de uma sequência geométrica é

$a_n = a_1 q^{n-1}$

Na fórmula, a_1 é o primeiro termo, e q é a razão.

Identificando determinado termo quando termos consecutivos são dados

As etapas para lidar com as sequências geométricas são muito parecidas com as das seções da sequência aritmética. Você encontra a razão da progressão geométrica, escreve a fórmula específica da sequência dada, depois encontra o termo que procura.

Um exemplo de sequência geométrica é 2, 4, 8, 16, 32. Para encontrar o 15º termo, siga estas etapas:

1. **Encontre a razão.**

    Nessa sequência, cada termo consecutivo é duas vezes o termo anterior. Se você não puder ver a razão olhando a sequência, divida qualquer termo pelo termo anterior. Por exemplo, divida o quarto termo pelo terceiro: $\frac{16}{8} = 2$. Portanto, $r = 2$.

2. **Encontre o termo geral da sequência dada.**

    O primeiro termo, $a_1 = 2$ e $q = 2$. Assim, o termo geral dessa sequência é $a = 2 \cdot 2^{n-1}$, que se simplifica (usando a regras dos expoentes) como $a_n = 2^1 \cdot 2^{n-1} = 2^n$.

3. **Encontre o termo procurado.**

    Como $a_n = 2^n$, então $a_{15} = 2^{15} = 32.768$.

CUIDADO: A fórmula no exemplo anterior se simplifica sem problemas porque as bases dos dois fatores são iguais. Se o primeiro termo e q não tiverem a mesma base, não será possível combinar (para saber mais sobre esse tipo de regra, vá para o Capítulo 6).

Fora de ordem: Lidando com termos não consecutivos

Se você conhece dois termos não consecutivos de uma sequência geométrica, pode usar essa informação para encontrar o termo geral da sequência e qualquer termo especificado. Por exemplo, se o 5º termo de uma sequência geométrica é 64 e o 10º termo é 2, você pode encontrar o 15º termo. Basta seguir estas etapas:

1. Determine o valor de q.

Você pode usar a fórmula geométrica geral $a_n = a_1 q^{n-1}$ para criar um sistema de duas equações: $a_5 = a_1 \cdot q^{5-1} = 64$ e $a_{10} = a_1 \cdot q^{10-1} = 2$ ou

$$\begin{cases} a_1 q = 64 \\ a_1 q^9 = 2 \end{cases}$$

Pode usar a substituição para resolver a primeira equação para a_1 (veja o Capítulo 14 para saber mais sobre esse método de solução de sistemas):

$q^4 a_1 = 64$ se torna $a_1 = \dfrac{64}{q^4}$.

Coloque essa expressão para a_1 na segunda equação:

$$r^9 \left(\dfrac{64}{r^4} \right) = 2$$

Simplificando a equação e determinando q ao calcular a quinta raiz de cada lado:

$$q^9 \left(\dfrac{64}{q^4} \right) = 2$$
$$q^5 (64) = 2$$
$$q^5 = \dfrac{2}{64} = \dfrac{1}{32}$$
$$q = \dfrac{1}{2}$$

2. Escreva a fórmula específica da sequência dada.

a. **Coloque q em uma das equações para encontrar a_1.**

Essa etapa resulta em

$$q^4 a_1 = 64$$
$$\left(\dfrac{1}{2}\right)^4 a_1 = 64$$
$$\dfrac{1}{16} a_1 = 64$$
$$\dfrac{\cancel{16}}{1} \cdot \dfrac{1}{\cancel{16}} a_1 = \dfrac{16}{1} \cdot 64$$
$$a_1 = 1.024$$

b. **Coloque a_1 e q no termo geral $a_n = a_1 q^{n-1}$.**

$$a_n = 1.024 \left(\dfrac{1}{2}\right)^{n-1}$$

3. **Encontre o termo procurado.**

Nesse caso, você quer encontrar o 15º termo $(n=15)$:

$$a_{15} = 1.024\left(\frac{1}{2}\right)^{15-1} = 1.024\left(\frac{1}{2}\right)^{14} = 1.024\left(\frac{1}{16.384}\right) = \frac{1.024}{16.384} = \frac{1}{16}$$

PAPO DE ESPECIALISTA

A depreciação anual do valor de um carro é de aproximadamente 30%. A cada ano, o carro vale 70% de seu valor em relação ao ano anterior. Se a_1 representa o valor de um carro quando ele era novo e n representa o número de anos passados, então $a = a_1(0,70)^n$ quando $n \geq 0$. Observe que essa sequência inicia com $n=0$, em vez de $n=1$, que é certo porque permite que o valor original seja o preço quando comprado.

Criando uma Série: Somando os Termos de uma Sequência

Série é a soma dos termos em uma sequência. Exceto pelas situações em que você pode realmente determinar a soma de uma série infinita, em geral é pedido para encontrar a soma de certo número de termos (os primeiros doze, por exemplo). Somar uma sequência é especialmente útil em cálculo quando você começa a analisar a integração, que é usada para encontrar as áreas sob curvas. Encontrar a área de um retângulo é fácil, mas como as curvas não são retas, isso não é fácil. A área sob uma curva pode ser encontrada dividindo-se a região em retângulos muito pequenos e somando-os. Esse processo é como encontrar a soma dos termos em uma sequência.

Revendo a notação da soma geral

A soma dos primeiros termos k de uma sequência é referida como *k-ésima soma parcial*. São chamadas de somas parciais porque você só precisa encontrar a soma de certos termos; nada de série infinita aqui! Você pode usar as somas parciais quando quer encontrar a área sob uma curva (gráfico) entre dois valores de x.

LEMBRE-SE

Não deixe que o uso de uma variável diferente aqui o confunda. Trocar para k, para o número do termo, apenas o alerta para o fato de que você está lidando com uma soma parcial. Lembre-se de que uma variável apenas significa algo desconhecido, portanto, realmente pode ser qualquer variável desejada, até as variáveis gregas usadas nos capítulos sobre trigonometria.

PAPO DE ESPECIALISTA

A notação da *k-ésima* soma parcial de uma sequência é como a seguir:

$$\sum_{n=1}^{k} a_n = a_1 + a_2 + a_3 + \cdots + a_k$$

A equação é lida como "a *k-ésima* soma parcial de a_n é...", em que $n=1$ é o *limite inferior* da soma e k é o *limite superior*. Para encontrar a *k-ésima* soma parcial, você começa colocando o limite inferior no termo geral e continua em ordem, colocando inteiros até atingir o limite superior. Nesse ponto, basta adicionar todos os termos para encontrar a soma.

Para encontrar a quinta soma parcial de $a_n = n^3 - 4n + 2$, escrita como $\sum_{n=1}^{5}(n^3 - 4n + 2)$, siga estas etapas:

1. **Coloque todos os valores de *n* (começando com 1 e terminando com *k*) na fórmula.**

   Como você quer encontrar a quinta soma parcial, coloque 1, 2, 3, 4 e 5:
   $a_1 = 1^3 - 4(1) + 2 = 1 - 4 + 2 = -1$
   $a_2 = 2^3 - 4(2) + 2 = 8 - 8 + 2 = 2$
   $a_3 = 3^3 - 4(3) + 2 = 27 - 12 + 2 = 17$
   $a_4 = 4^3 - 4(4) + 2 = 64 - 16 + 2 = 50$
   $a_5 = 5^3 - 4(5) + 2 = 125 - 20 + 2 = 107$

2. **Some todos os valores de a_1 a a_k para determinar a soma.**

   O resultado é:
   $$\sum_{n=1}^{5}(n^3 - 4n + 2) = -1 + 2 + 17 + 50 + 107 = 175$$

Somando uma sequência aritmética

A *k-ésima* soma parcial de uma sequência aritmética ainda requer que sejam somados os primeiros *k* termos. Mas com uma sequência aritmética, há uma fórmula para usar, em vez de colocar cada um dos valores de *n*. A *k-ésima* soma parcial de uma série aritmética é

$$S_k = \sum_{n=1}^{k} a_n = \frac{k}{2}(a_1 + a_k)$$

Basta colocar os limites inferior e superior na fórmula para a_n para encontrar a_1 e a_k.

Uma aplicação real de uma soma aritmética envolve os lugares em um estádio. Digamos, por exemplo, que um estádio tenha 35 filas de lugares; há 20 lugares na primeira fila, 21 lugares na segunda, 22 na terceira etc. Quantos lugares todas as 35 filas contêm? Siga estas etapas para descobrir:

1. Encontre o primeiro termo da sequência.

O primeiro termo dessa sequência (ou o número de lugares na primeira fila) é dado: 20.

2. Encontre o *k-ésimo* termo da sequência.

Como o estádio tem 35 filas, encontre a_{35}. Use a fórmula para o *enésimo* termo de uma sequência aritmética (veja a seção anterior "Diferença entre Termos: Sequências Aritméticas"). O primeiro termo é 20, e cada fila tem um lugar a mais que a fila anterior, portanto, $r = 1$. Coloque esses valores na fórmula:

$$a_{35} = a_1 + (35-1)r$$
$$= 20 + 34 \cdot 1$$
$$= 54$$

Nota: Isso fornece o número de lugares na 35ª fila, não a resposta para quantos lugares o estádio tem.

3. Use a fórmula da *k-ésima* soma parcial de uma sequência aritmética para encontrar a soma.

$$S_{35} = \frac{35}{2}(a_1 + a_{35})$$
$$= \frac{35}{2}(20 + 54) = \frac{35}{2}(74) = 1.295$$

Vendo como uma sequência geométrica é somada

Assim como existe uma sequência aritmética e uma fórmula especial para a soma, você também tem uma fórmula para a soma de uma sequência geométrica; bem, na verdade, são duas fórmulas.

A primeira fórmula calcula uma soma finita (em comparação com uma *k-ésima* soma parcial da seção anterior) e tem também limites superior e inferior. A razão desse tipo de soma parcial não tem restrições específicas.

O segundo tipo é chamado de soma geométrica *infinita*, e a razão comum é muito específica (*deve* ficar restrita entre –1 e 1). Esse tipo de sequência geométrica é muito útil se você solta uma bola e conta a distância que ela percorre ao subir e descer, até finalmente começar a rolar. Por definição, uma série geométrica continua infinitamente, contanto que você queira continuar colocando valores para n. Mas nesse tipo especial de série, não importa até quando você coloca valores para n, a soma nunca é maior que certo valor. Esse tipo tem uma fórmula específica para que seja encontrada a soma infinita. Em termos matemáticos, é dito que algumas sequências geométricas (com uma razão comum entre –1 e 1) têm um limite em sua sequência de somas parciais, ou seja, a soma parcial se aproxima cada vez mais de certo número sem realmente nunca alcançá-lo. Você chama esse número de *soma da sequência*, ao contrário da *k-ésima* soma parcial, como foi visto nas seções anteriores.

Pare bem aí: Determinando a soma parcial de uma sequência geométrica finita

Você pode encontrar a soma parcial de uma sequência geométrica usando a fórmula a seguir. O k representa o número de termos sendo adicionados, a_1 é o primeiro termo, e q é a razão.

$$S_k = \sum_{n=1}^{k} a_1 \cdot r^{n-1} = a_1 \left(\frac{1-q^k}{1-q} \right)$$

Siga as etapas para encontrar a soma dos sete primeiros termos.

$$\sum_{n=1}^{7} 9\left(-\frac{1}{3}\right)^{n-1}$$

1. Encontre a_1 e q.

A fórmula da sequência está na forma padrão, portanto, você pode ler os valores de a_1 e q na sentença do problema. É visto que $g_1 = 9$ e $q = -\frac{1}{3}$.

Se o formato não estivesse exatamente na forma geral, você poderia determinar a_1 substituindo n por 1, então determinar q encontrando os dois primeiros termos e dividindo o segundo pelo primeiro.

2. Coloque a_1, q e k na fórmula da soma.

$$\sum_{n=1}^{7} 9\left(-\frac{1}{3}\right)^{n-1} = 9 \left(\frac{1-\left(-\frac{1}{3}\right)^7}{1-\left(-\frac{1}{3}\right)} \right)$$

Simplificando,

$$9\left(\frac{1-\left(-\frac{1}{3}\right)^7}{1-\left(-\frac{1}{3}\right)}\right) = 9\left(\frac{1-\left(-\frac{1}{2.187}\right)}{1+\frac{1}{3}}\right) = 9\left(\frac{1+\frac{1}{2.187}}{1+\frac{1}{3}}\right)$$

$$= 9\left(\frac{\frac{2.188}{2.187}}{\frac{4}{3}}\right) = 9 \cdot \frac{2.188}{2.187} \cdot \frac{3}{4} = \frac{547}{81}$$

Os problemas com soma geométrica dão um pouco de trabalho quando envolvem frações, portanto, encontre um denominador comum, inverta e multiplique quando necessário. Ou é possível usar uma calculadora e converter de novo em uma fração. Mas tenha o cuidado de usar os parênteses corretos ao inserir os números.

À geometria e além: Encontrando o valor de uma soma infinita

Encontrar o valor de uma soma infinita em uma sequência geométrica é realmente muito simples, contanto que você mantenha corretas as frações e os decimais. Se q fica fora do intervalo $-1 < r < 1$, a_n cresce sem limites, portanto, não há limites para o tamanho que o valor absoluto de $a_n(|a_n|)$ pode chegar, então a soma continua aumentando também. Se $|q| < 1$, para cada valor de n, $|q^n|$ continua a diminuir infinitamente até que se torne arbitrariamente próximo de 0. Essa diminuição ocorre porque, quando você multiplica uma fração entre -1 e 1 por ela mesma, o valor absoluto dessa fração continua a diminuir até ficar tão pequeno, que é difícil perceber. Assim, o termo r^k quase desaparece por completo na fórmula da soma geométrica finita:

$$S_k = \sum_{n=1}^{k} a_1 \cdot r^{n-1} = a_1\left(\frac{1-q^K}{1-q}\right)$$

Portanto, se q^k desaparece (fica cada vez mais perto de 0), a fórmula finita muda para a seguinte e permite encontrar a soma de uma série geométrica infinita:

$$S_k = \sum_{n=1}^{\infty} a_1 \cdot r^{n-1} = a_1\left(\frac{1-0}{1-q}\right) = \frac{a_1}{1-q}$$

Use esta nova fórmula para encontrar:

$$\sum_{n=1}^{\infty} 4\left(\frac{2}{5}\right)^{n-1}$$

1. **Encontre a_1 e q.**

   Lendo o termo geral, $a_1 = 4$ e $q = \frac{2}{5}$.

2. **Coloque a_1 e q na fórmula para encontrar a soma infinita.**

$$\sum_{n=1}^{\infty} 4\left(\frac{2}{5}\right)^{n-1} = \frac{4}{1-\frac{2}{5}} = \frac{4}{\frac{3}{5}} = 4 \cdot \frac{5}{3} = \frac{20}{3}$$

Reescrevendo no formato do termo geral

Ao usar a fórmula para a soma de uma série geométrica finita ou infinita, você precisa do primeiro termo e da razão. Mas e se a expressão dada não estiver assim? Por exemplo, considere o problema em que você precisa encontrar a soma dos dez primeiros termos do seguinte somatório:

$$\sum_{n=1}^{10} 9\left(\frac{2}{3}\right)^n$$

O termo geral não está na forma padrão, porque o expoente é n, em vez de $n-1$. Você poderia realizar alguns processos algébricos e colocar a expressão no formato correto, ou pode simplesmente colocar a mão na massa e usar o que tem para encontrar aquilo de que precisa.

Tudo o que precisa fazer é encontrar os dois primeiros termos da expressão dada.

Quando $n = 1$, você tem $9\left(\frac{2}{3}\right)^1 = 6$, e quando $n = 2$, você tem $9\left(\frac{2}{3}\right)^2 = 9\left(\frac{4}{9}\right) = 4$. O primeiro termo é $a_1 = 6$. E a razão, q, é o resultado de dividir o segundo termo pelo primeiro: $q = \frac{4}{6} = \frac{2}{3}$.

Usando a fórmula para os dez primeiros termos,

$$\sum_{n=1}^{10} 6 \cdot \left(\frac{2}{3}\right)^{n-1} = 6\left(\frac{1-\left(\frac{2}{3}\right)^{10}}{1-\frac{2}{3}}\right) = 6\left(\frac{1-\frac{1.024}{59.049}}{1-\frac{2}{3}}\right)$$

$$= 6\left(\frac{\frac{58.025}{59.049}}{\frac{1}{3}}\right) = 6 \cdot \frac{58.025}{59.049} \cdot \frac{3}{1} = \frac{116.050}{6.561}$$

PAPO DE ESPECIALISTA

Uma dízima periódica também pode ser expressa como somas infinitas. Considere o número 0,555555.... Você pode escrevê-lo como 0,5 + 0,05 + 0,005 + 0,0005 +..., e assim sucessivamente. O primeiro termo dessa sequência é 0,5; para encontrar q, divida o segundo termo pelo primeiro; $\frac{0,05}{0,5} = 0,1$. Coloque esses valores na fórmula da soma infinita:

$$\sum_{n=1}^{\infty} 0,5(0,1)^{n-1} = \frac{0,5}{1-0,1} = \frac{0,5}{0,9} = \frac{5}{9}$$

LEMBRE-SE

Essa soma é finita apenas se q fica estritamente entre -1 e 1.

Expandindo com o Teorema Binomial

Binômio é um polinômio com exatamente dois termos. Expressar as potências dos binômios como uma soma dos termos é chamado de *expansão binomial*. Usar o teorema binomial para escrever a potência de um binômio permite encontrar os coeficientes dessa expansão.

Expandir muitos binômios pode requerer uma aplicação bem extensa da propriedade distributiva e levar bastante tempo. Multiplicar dois binômios é fácil se você usa o método PEIU (veja o Capítulo 5), e multiplicar três não requer grande esforço. Mas multiplicar dez binômios é muitíssimo demorado.

PAPO DE ESPECIALISTA

Para encontrar a expansão de um binômio $(a+b)^n$, use:

$$(a+b)^n = \binom{n}{0}a^n b^0 + \binom{n}{1}a^{n-1}b^1 + \binom{n}{2}a^{n-2}b^2 + \cdots$$

$$+ \binom{n}{n-2}a^2 b^{n-2} + \binom{n}{n-1}a^1 b^{n-1} + \binom{n}{n}a^0 b^n$$

Usar essa fórmula não é tão difícil quanto parece. Cada $\binom{n}{k}$ representa uma fórmula combinada e fornece o coeficiente do termo correspondente (às vezes são chamados de *coeficientes binomiais*). Veja como calcular essas combinações posteriormente nesta seção.

Por exemplo, para escrever os termos de $(2y-1)^4$, comece o teorema binomial substituindo a por $2y$, b por -1, e n por 4 para obter:

$$(2y-1)^4 = \binom{4}{0}(2y)^4(-1)^0 + \binom{4}{1}(2y)^3(-1)^1 + \binom{4}{2}(2y)^2(-1)^2$$

$$+ \binom{4}{3}(2y)^1(-1)^3 + \binom{4}{4}(2y)^0(-1)^4$$

É possível notar um padrão nos expoentes. Os expoentes em 2y diminuem em 1 com cada termo, e os expoentes em −1 aumentam em 1. Os coeficientes como combinações ainda podem ser um termo desconhecido para você, portanto, é só o começo do processo de expansão. E você encontrará a conclusão desse problema mais adiante, em "Terminando o problema".

PAPO DE ESPECIALISTA

As combinações de n elementos k a k são um método de contagem. A fórmula para as combinações também fornece os coeficientes de uma expansão binomial.

$$\binom{n}{k} = \frac{n!}{k!(n-k)}$$

Lembre-se de que *fatorial* é uma operação. A operação n! é lida como "n fatorial" e é definida como:

$$n! = n(n-1)(n-2)\cdots 3 \cdot 2 \cdot 1$$

A expressão lida para o coeficiente binomial $\binom{n}{k}$ é "n escolhe r". Em geral você encontra um botão para as combinações na calculadora. Se não, pode usar o botão fatorial e calcular cada parte em separado.

DICA

Para facilitar um pouco as coisas, 0! é definido como 1. Assim, ao fazer expansões binomiais, você tem estas igualdades:

$$\binom{n}{0} = \frac{n!}{0!(n-0)!} = \frac{n!}{1 \cdot n!} = 1$$

$$\binom{n}{n} = \frac{n!}{n!(n-n)!} = \frac{n!}{n!1} = 1$$

Por exemplo, para encontrar o coeficiente binomial correspondente a $\binom{5}{3}$, substitua os valores na fórmula:

$$\binom{5}{3} = \frac{5!}{3!(5-3)!} = \frac{5!}{3!2!} = \frac{5 \cdot 4 \cdot \cancel{3} \cdot \cancel{2} \cdot \cancel{1}}{\cancel{3} \cdot \cancel{2} \cdot \cancel{1} \cdot 2 \cdot 1} = \frac{20}{2} = 10.$$

Dividindo o teorema binomial

LEMBRE-SE

A expansão do teorema binomial fica muito mais simples se você o divide em etapas menores e as examina. Vejas algumas coisas que ajudam no processo; depois de ter todas estas informações, sua tarefa será muito mais gerenciável:

» Os coeficientes binomiais $\binom{n}{k}$ não serão necessariamente os coeficientes em sua resposta final. Você está elevando cada binômio a uma potência, inclusive quaisquer coeficientes anexados a cada uma delas, portanto, pode haver multiplicadores extras.

» O teorema é escrito para um binômio, a soma de dois monômios, portanto, se a expansão envolve a *diferença* de dois monômios, os termos em sua resposta final devem alternar entre números positivo e negativo.

» O expoente do primeiro monômio começa em *n* e diminui em 1, com cada termo sequencial, até chegar a 0 no último termo. O expoente do segundo monômio começa em 0 e aumenta em 1 a cada vez até chegar a *n* no último termo.

» Os expoentes dos dois monômios somam *n*, a menos que os monômios em si tenham potências maiores que 1.

Começando no início: Coeficientes binomiais

Dependendo da potência do binômio, os coeficientes usados na expansão desse expoente em particular sempre começam com o mesmo formato. Os coeficientes binomiais são encontrados usando-se a fórmula de combinações $\binom{n}{k}$. Se o expoente for relativamente pequeno, você poderá usar um atalho chamado *triângulo de Pascal* para encontrar os coeficientes. Do contrário, sempre conte com a álgebra!

Usando o triângulo de Pascal

O *triângulo de Pascal*, em homenagem ao famoso matemático Blaise Pascal, nomeia os coeficientes de uma expansão binomial. É especialmente útil com graus menores. Por exemplo, se você precisasse encontrar $(3x+4)^{10}$, é provável que não usaria esse atalho; pelo contrário, usaria a fórmula como descrita na seção anterior, "Expandindo com o Teorema Binomial". A Figura 15-1 mostra esse conceito. Cada linha fornece os coeficientes para $(a+b)^n$, começando com $n=0$. O número de cima do triângulo é 1, assim como todos os números nos lados externos. Para obter qualquer termo no triângulo, você encontra a soma dos dois números acima dele.

FIGURA 15-1: Determinando os coeficientes com o triângulo de Pascal.

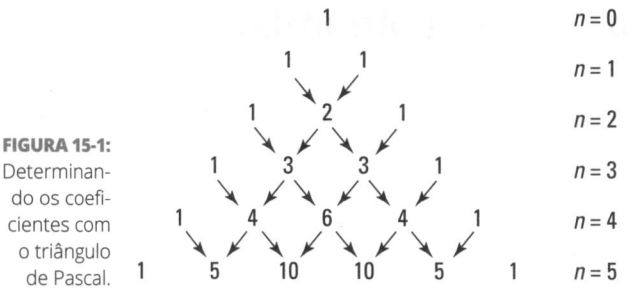

```
            1                  n = 0
          1   1                n = 1
        1   2   1              n = 2
      1   3   3   1            n = 3
    1   4   6   4   1          n = 4
  1   5  10  10   5   1        n = 5
```

Por exemplo, os coeficientes binomiais para $(a+b)^5$ são 1, 5, 10, 10, 5 e 1, nessa ordem.

Expandindo usando o teorema binomial

Usar o teorema binomial pode economizar tempo. Apenas mantenha cada etapa separada até quase o fim ao fazer a simplificação final. Você deve ter o cuidado de levar em conta quando o monômio original tem coeficientes ou expoentes diferentes de 1 na(s) variável(eis). Vejas as etapas a seguir.

Problemas da expansão normal

Para encontrar a expansão dos binômios com o teorema em uma situação básica, siga estas etapas:

1. **Escreva a expansão binomial usando o teorema, mudando os valores conforme eles aparecem.**

   Por exemplo, considere o problema $(m+2)^4$. Segundo o teorema, você deve substituir a letra *a* por *m*, a letra *b* por 2, e o expoente *n* por 4:

   $$(m+2)^4 = \binom{4}{0}m^4 \cdot 2^0 + \binom{4}{1}m^3 \cdot 2^1 + \binom{4}{2}m^2 \cdot 2^2 + \binom{4}{3}m^1 \cdot 2^3 + \binom{4}{4}m^0 \cdot 2^4$$

   Os expoentes de *m* começam com 4 e terminam com 0 (veja a seção "Dividindo o teorema binomial"). Do mesmo modo, os expoentes de 2 começam com 0 e terminam com 4. Para cada termo, a soma dos expoentes na expansão é sempre 4.

2. **Encontre os coeficientes binomiais (veja a seção "Começando no início: Coeficientes binomiais").**

   Você pode usar a fórmula de combinações para encontrar os cinco coeficientes, mas poderia usar o triângulo de Pascal como um atalho, porque o grau é muito baixo (não faria mal escrever cinco linhas do triângulo de Pascal, começando com 0 até 4).

$$\binom{4}{0}=1, \binom{4}{1}=4, \binom{4}{2}=6, \binom{4}{3}=4, \binom{4}{4}=1$$

Você pode ter notado que depois de chegar no meio da expansão, os coeficientes são uma imagem de espelho da primeira metade. Esse truque economiza um tempo para não precisar fazer todos os cálculos para $\binom{n}{k}$.

3. **Substitua todas as ocorrências de $\binom{n}{k}$ pelos coeficientes da Etapa 2.**

   Essa etapa resulta em
   $$(m+2)^4 = 1 \cdot m^4 \cdot 2^0 + 4 \cdot m^3 \cdot 2^1 + 6 \cdot m^2 \cdot 2^2 + 4 \cdot m^1 \cdot 2^3 + 1 \cdot m^0 \cdot 2^4$$

4. **Eleve os monômios às potências especificadas para cada termo.**

   $$= 1 \cdot m^4 \cdot 1 + 4 \cdot m^3 \cdot 2 + 6 \cdot m^2 \cdot 4 + 4 \cdot m^1 \cdot 8 + 1 \cdot m^0 \cdot 16$$

5. **Combine os termos afins e simplifique.**

   $$= m^4 + 8m^3 + 24m^2 + 32m + 16$$

LEMBRE-SE

Observe que os coeficientes obtidos na resposta final não são os coeficientes binomiais encontrados na Etapa 1. Essa diferença é porque você deve elevar cada monômio a uma potência (Etapa 4), e a constante no binômio original alterou cada termo após a simplificação.

Terminando o problema

Anteriormente, no começo da seção "Expandindo com o teorema binomial", o seguinte problema foi introduzido, mas não terminado:

$$(2y-1)^4 = \binom{4}{0}(2y)^4(-1)^0 + \binom{4}{1}(2y)^3(-1)^1 + \binom{4}{2}(2y)^2(-1)^2$$
$$+ \binom{4}{3}(2y)^1(-1)^3 + \binom{4}{4}(2y)^0(-1)^4$$

Para concluir o problema inserindo os valores das combinações encontradas no triângulo de Pascal (1, 4, 6, 4, 1):

$$(2y-1)^4 = (1)(2y)^4(-1)^0 + (4)(2y)^3(-1)^1 + (6)(2y)^2(-1)^2 + (4)(2y)^1(-1)^3$$
$$+ (1)(2y)^0(-1)^4$$
$$= (1)(16y^4)(1) + (4)(8y^3)(-1) + (6)(4y^2)(1) + (4)(2y)(-1) + (1)(1)(1)$$
$$= 16y^4 - 32y^3 + 24y^2 - 8y + 1$$

Elevando os monômios a uma expansão prévia da potência

Às vezes, os monômios podem ter coeficientes e/ou expoentes diferentes de 1. Nesses casos, é preciso elevar o monômio inteiro à devida potência em cada etapa. Por exemplo, veja como expandir a expressão $(3x^2 - 2y)^7$:

1. **Escreva a expansão binomial usando o teorema, mudando as variáveis onde for necessário.**

Substitua a letra *a* no teorema pela quantidade $(3x^2)$, e a letra *b* por $(-2y)$. Substitua *n* por 7. Isso resulta em:

$$(3x^2 - 2y)^7 = \binom{7}{0}(3x^2)^7(-2y)^0 + \binom{7}{1}(3x^2)^6(-2y)^1 + \binom{7}{2}(3x^2)^5(-2y)^2$$
$$+ \binom{7}{3}(3x^2)^4(-2y)^3 + \binom{7}{4}(3x^2)^3(-2y)^4 + \binom{7}{5}(3x^2)^2(-2y)^5$$
$$+ \binom{7}{6}(3x^2)^1(-2y)^6 + \binom{7}{7}(3x^2)^0(-2y)^7$$

2. **Encontre os coeficientes binomiais (veja a seção "Começando no início: Coeficientes binomiais").**

Usar a fórmula da combinação resulta no seguinte:

$\binom{7}{0} = 1$, $\binom{7}{1} = 7$, $\binom{7}{2} = 21$, $\binom{7}{3} = 35$, $\binom{7}{4} = 35$, $\binom{7}{5} = 21$, $\binom{7}{6} = 7$, $\binom{7}{7} = 1$

Em vez de calcular todas essas combinações, você poderia apenas estender o triângulo de Pascal (veja a Figura 15-1) para mais duas linhas.

3. **Substitua todas as ocorrências de $\binom{n}{k}$ pelos coeficientes da Etapa 2.**

$$1(3x^2)^7(-2y)^0 + 7(3x^2)^6(-2y)^1 + 21(3x^2)^5(-2y)^2 + 35(3x^2)^4(-2y)^3$$
$$+ 35(3x^2)^3(-2y)^4 + 21(3x^2)^2(-2y)^5 + 7(3x^2)^1(-2y)^6 + 1(3x^2)^0(-2y)^7$$

4. **Eleve os monômios às potências especificadas para cada termo.**

$$1(2.187x^{14})(1) + 7(729x^{12})(-2y) + 21(243x^{10})(4y^2) + 35(x^8)(-8y^3)$$
$$+ 35(27x^6)(16y^4) + 21(9x^4)(-32y^5) + 7(3x^2)(64y^6) + 1(1)(-128y^7)$$

5. **Simplifique.**

$2.187x^{14} - 10.206x^{12}y + 20.412x^{10}y^2 - 22.680x^8y^3 + 15.120x^6y^4$
$- 6.048x^4y^5 + 1.344x^2y^6 - 128y^7$

Expansão com números complexos

Um tipo ainda mais interessante de expansão binomial envolve o número complexo *i*, porque você não lida apenas com o teorema binomial, mas com números imaginários também (para saber mais sobre números complexos, veja o Capítulo 12). Ao elevar números complexos a uma potência, note que $i^1 = i$, $i^2 = -1$, $i^3 = -i$ e $i^4 = 1$. Se encontra potências mais altas, esse padrão se repete: $i^5 = i$, $i^6 = -1$, $i^7 = -i$ etc. Como as potências do número imaginário *i* podem ser simplificadas, sua resposta final para a expansão não deve incluir as potências de *i*. Ao contrário, use as informações dadas aqui para simplificar as potências de *i*, e então combinar os termos afins.

Por exemplo, para expandir $(1+2i)^8$, siga estas etapas:

1. **Escreva a expansão binomial usando o teorema, mudando as variáveis onde necessário.**

$$(1+2i)^8 = \binom{8}{0}(1)^8(2i)^0 + \binom{8}{1}(1)^7(2i)^1 + \binom{8}{2}(1)^6(2i)^2 + \binom{8}{3}(1)^5(2i)^3$$
$$+ \binom{8}{4}(1)^4(2i)^4 + \binom{8}{5}(1)^3(2i)^5 + \binom{8}{6}(1)^2(2i)^6 + \binom{8}{7}(1)^1(2i)^7$$
$$+ \binom{8}{8}(1)^0(2i)^8$$

2. **Encontre os coeficientes binomiais.**

Usar a fórmula da combinação resulta no seguinte:

$\binom{8}{0} = 1$, $\binom{8}{1} = 8$, $\binom{8}{2} = 28$, $\binom{8}{3} = 56$, $\binom{8}{4} = 70$, $\binom{8}{5} = 56$, $\binom{8}{6} = 28$, $\binom{8}{7} = 8$, $\binom{8}{8} = 1$

3. **Substitua todas as ocorrências de $\binom{n}{k}$ pelos coeficientes da Etapa 2.**

$$1(1)^8(2i)^0 + 8(1)^7(2i)^1 + 28(1)^6(2i)^2 + 56(1)^5(2i)^3 + 70(1)^4(2i)^4$$
$$+ 56(1)^3(2i)^5 + 28(1)^2(2i)^6 + 8(1)^1(2i)^7 + 1(1)^0(2i)^8$$

4. **Eleve os monômios às potências especificadas para cada termo.**

$$1(1)(1) + 8(1)(2i) + 28(1)(4i^2) + 56(1)(8i^3) + 70(1)(16i^4)$$
$$+ 56(1)(32i^5) + 28(1)(64i^6) + 8(1)(128i^7) + 1(1)(256i^8)$$

5. **Simplifique qualquer potência de *i*.**

$1(1)(1) + 8(1)(2i) + 28(1)(4(-1)) + 56(1)(8(-i)) + 70(1)(16(1))$
$+ 56(1)(32(i)) + 28(1)(64(-1)) + 8(1)(128(-i)) + 1(1)(256(1))$

6. **Combine os termos afins e simplifique.**

$1 + 16i - 112 - 448i + 1.120 + 1.792i - 1.792 - 1.024i + 256$
$= -527 + 336i$

> **NESTE CAPÍTULO**
> » Determinando limites de modos gráfico, analítico e algébrico
> » Combinando limites e operações
> » Concentrando-se na taxa média de mudança
> » Identificando a continuidade e a descontinuidade em uma função

Capítulo **16**

Avante com o Cálculo

Tudo que é bom deve ter um fim, e para o pré-cálculo, o fim nada mais é que o começo — o começo do cálculo. O cálculo inclui o estudo da mudança e das taxas de variação (sem mencionar uma grande mudança para você!). Antes do cálculo, normalmente tudo era estático (estacionário ou sem movimento), mas o cálculo mostra que as coisas podem ser diferentes ao longo do tempo. Esse ramo da Matemática permite estudar como as coisas se movem, crescem, viajam, expandem e contraem, ajudando a fazer muito mais do que qualquer outro tema da Matemática anterior.

Este capítulo ajuda você a se preparar para o cálculo apresentando alguns fundamentos do tema. Primeiro, você verá as diferenças entre pré-cálculo e cálculo. Depois vêm os *limites*, que determinam que um gráfico pode se aproximar de valores sem realmente alcançá-los. Antes de entrar no cálculo, os problemas matemáticos fornecem uma função $f(x)$ e pedem para que seja encontrado o valor de y em um x específico no domínio (veja o Capítulo 3). Mas quando você inicia no cálculo, vê o que acontece com a função quando chega mais perto de certos valores (como um jogo difícil de esconde-esconde). Sendo ainda mais específico, uma função pode ser *descontínua* em um ponto.

Você explora esses pontos, um por vez, para poder ter uma boa visão do que acontece na função em determinado valor; essa informação é muito útil no cálculo ao iniciar o estudo da mudança. Ao estudar limites e continuidade, você não trabalha com o estudo da mudança especificamente, mas depois deste capítulo, estará pronto para dar o próximo passo.

Examinando as Diferenças entre Pré-cálculo e Cálculo

Veja algumas distinções básicas entre pré-cálculo e cálculo para mostrar a mudança no tema:

» **Pré-cálculo:** Você estuda a inclinação de uma reta.

   Cálculo: Estuda a inclinação de uma reta tangente em relação a um ponto na curva.

   Uma reta tem a mesma inclinação sempre. Não importa o ponto escolhido, a inclinação é igual. Mas como uma curva se move e muda, a inclinação da reta tangente é diferente em diversos pontos na curva.

» **Pré-cálculo:** Você estuda a área das formas geométricas.

   Cálculo: Estuda a área sob uma curva.

   Em pré-cálculo, você fica tranquilo sabendo que uma forma geométrica basicamente é sempre igual, portanto, pode encontrar sua área com uma fórmula usando certas medidas e uma fórmula padrão. Uma curva segue infinitamente, e, dependendo da seção observada, sua área muda. Nada de fórmulas boas e bonitas para encontrar a área aqui; pelo contrário, você usa um processo chamado *integração* (que também pode ser qualificado como bom e bonito).

» **Pré-cálculo:** Você estuda o volume de um sólido geométrico.

   Cálculo: Estuda o volume de formas interessantes chamadas *sólidos de revolução*.

   Os sólidos geométricos para os quais você encontra o volume (prismas, cilindros e pirâmides, por exemplo) têm fórmulas sempre iguais, com base nas formas essenciais dos sólidos e suas dimensões. O volume de um sólido de revolução é encontrado cortando-se a forma em infinitas fatias pequenas e encontrando o volume de cada fatia. O volume delas muda ao longo do tempo com base na seção da curva observada.

» **Pré-cálculo:** Você estuda os objetos que se movem com velocidades constantes.

Cálculo: Estuda os objetos que se movem com aceleração.

Usando a álgebra, você pode encontrar a taxa média de mudança de um objeto ao longo de certo intervalo de tempo. Usando o cálculo, pode encontrar a taxa de mudança *instantânea* para um objeto em um momento exato no tempo.

» **Pré-cálculo:** Você estuda as funções em termos de *x*.

Cálculo: Estuda as mudanças nas funções em termos de *x*, com tais mudanças em termos de *t*.

Os gráficos das funções, referidos como $f(x)$, podem ser criados plotando-se pontos. Em cálculo, você descreve as mudanças no gráfico $f(x)$ usando a variável *t*, indicada por $\frac{dx}{dt}$.

> **DICA:** É melhor ver o cálculo com mente aberta e espírito de aventura! Não o veja como um novo ramo de material a memorizar. Pelo contrário, tente se basear em seu conhecimento e experiência com o pré-cálculo. Tente entender o *motivo* de o cálculo fazer o que faz. Nesse campo, os conceitos são o segredo.

Entendendo Seus Limites

Nem toda função é definida em cada valor de x no sistema de números reais. Por exemplo, as funções racionais são indefinidas quando o valor de x torna o denominador da função igual a 0. Você pode usar um limite (que, se existe, representa um valor que a função tende a se aproximar conforme a variável independente se aproxima do número dado) para ver uma função para saber o que ela faria se pudesse. Para tanto, veja o comportamento da função perto do(s) valor(es) indefinidos(s). Por exemplo, esta função é indefinida em $x = 3$:

$$f(x) = \frac{x^2 - 9}{x - 3}$$

O seguinte mostra o que acontece com a função quando você insere *x* valores perto de 3.

x	2,5	2,9	2,99	2,999	⋯	3,001	3,01	3,1	3,5
f(x)	5,5	5,9	5,99	5,999	⋯	6,001	6,01	6,1	6,5

Quanto mais você se aproxima de 3, mais perto o valor de $f(x)$ chega de 6. Mas $f(x)$ nunca é 6, porque *x* nunca é 3. Todos os valores de *x* são definidos, exceto para $x = 3$. Há um *limite* quando *x* se aproxima de 3. Você vê um gráfico dessa função na Figura 16-1.

PAPO DE ESPECIALISTA

Para expressar um limite em símbolos, escreva $\lim_{x \to n} f(x) = L$, que é lido como "o limite de $f(x)$ quando x se aproxima de n é igual a L", em que L é o valor procurado. Para o limite de uma função existir, os limites esquerdo e direito devem existir e ser equivalentes:

» Um *limite esquerdo* inicia em um valor menor do qual o número x está se aproximando e chega cada vez mais perto no lado esquerdo do gráfico.

» Um *limite direito* é exatamente o oposto; ele começa maior que o número x do qual está se aproximando e chega cada vez mais perto no lado direito.

Se, e apenas se, o limite esquerdo for igual ao limite direito, é possível dizer que a função tem um limite para esse determinado valor de x.

Matematicamente, você permitiria a f ser uma função e permitiria a c e L serem números reais. Então $\lim_{x \to c} f(x) = L$ quando $\lim_{x \to c^-} f(x) = L$ e $\lim_{x \to c^+} f(x) = L$ (note os expoentes negativo e positivo em c, indicando que se aproxima pela esquerda e pela direita, respectivamente). Na linguagem real, essa estrutura significa que, se você pegasse dois lápis, um em cada mão, e começasse a desenhar no gráfico da função em direção ao mesmo ponto, os dois lápis se encontrariam em um local entre eles para o limite existir (olhando adiante, a Figura 16-1 mostra que mesmo que a função não estivesse definida em $x = 3$, o limite existiria).

Para as funções *bem conectadas*, os lápis sempre se encontram cedo ou tarde em determinado local (ou seja, um limite sempre existe). Mas você verá mais adiante que, às vezes, eles não se encontram (veja as Figuras 16-1 e 16-2). A conhecida função de etapa de unidade, ou função de passo, é definida assim:

$$g(x) = \begin{cases} 0, x \leq 0 \\ 1, x > 0 \end{cases}$$

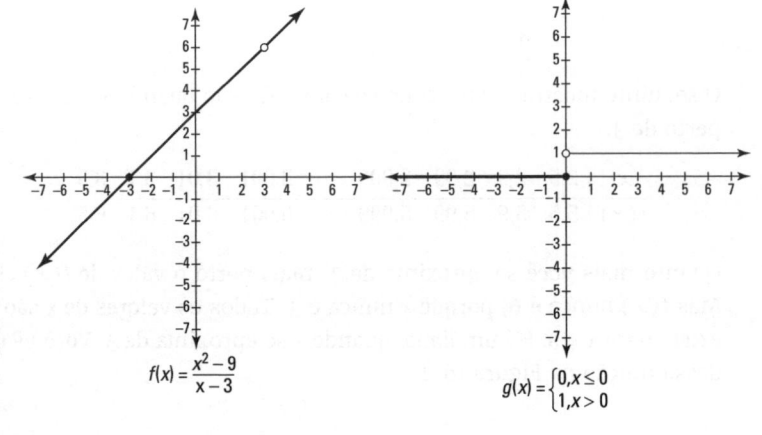

FIGURA 16-1: Funções $f(x)$ com um limite em 3 e $g(x)$ sem limite em 0.

$f(x) = \dfrac{x^2 - 9}{x - 3}$

$g(x) = \begin{cases} 0, x \leq 0 \\ 1, x > 0 \end{cases}$

Encontrando o Limite de uma Função

"O que é *limite*?", você pergunta. Matematicamente falando, um limite descreve o comportamento de uma função conforme ela se aproxima cada vez mais de certo ponto. Você pode procurar o limite de uma função em determinado valor de x de três modos diferentes: gráfico, analítico e algébrico. Nas seções a seguir será mostrado como fazer isso. Mas nem sempre você consegue chegar a uma conclusão (talvez a função não se aproxime apenas de um valor de y em determinado valor de x observado). Nesses casos, o gráfico tem lacunas significativas e pode se dizer que ele não é contínuo.

DICA Em raras ocasiões, quando for pedido para encontrar o limite de uma função e realizar a tarefa de colocar o valor de x na regra da função, comemore o fato de ter encontrado o limite. Em geral, não é tão fácil, e é por isso que você achará outros métodos mais úteis. Por vezes, o valor da função em determinado x não informa o que a função está fazendo conforme se aproxima cada vez mais de x.

Você deve usar o método gráfico apenas quando já foi dado o gráfico e foi pedido para encontrar um limite; encontrar um limite a partir de um gráfico pode ser complicado. O método analítico funciona para qualquer função, mas é lento. Se você puder usar o método algébrico, economizará tempo. Cada método é analisado nas próximas seções.

Modo gráfico

Quando você tem o gráfico de uma função e o problema pede que o limite seja encontrado, leia os valores do gráfico, algo que vem fazendo desde que aprendeu o que era um gráfico! Se você procura um limite vindo da esquerda, siga essa função à esquerda em direção ao valor de x em questão. Repita o processo à direita para encontrar o limite à direita. Se o valor de y no valor de x em questão é igual à esquerda e à direita (os lápis se encontraram?), o valor de y é o limite.

Por exemplo, na Figura 16-2, encontre $\lim_{x \to -2,5} f(x)$, $\lim_{x \to 3} f(x)$ e $\lim_{x \to -5} f(x)$:

» $\lim_{x \to -2,5} f(x)$: Observe que a função parece cruzar o eixo x quando $x = -2,5$. Portanto, o valor de y é 0, e o limite conforme x se aproxima de –2,5 a partir de qualquer direção é 0.

» $\lim_{x \to 3} f(x)$: No gráfico, é possível ver um buraco na função em $x = 3$, significando que a função é indefinida nesse ponto, mas não significa que você não pode estabelecer um limite. Se você vir os valores da função à esquerda, $\lim_{x \to 3^-} f(x)$, e à direita, $\lim_{x \to 3^+} f(x)$, notará que o valor de y continua a se aproximar cada vez mais em cerca de –1,5. Você pode imaginar que o limite é –1,5.

» $\lim_{x \to -5} f(x)$: Você pode ver que a função tem uma assíntota vertical em $x = -5$ (para saber mais sobre as assíntotas, veja o Capítulo 3). À esquerda, a função se aproxima de $-\infty$ conforme chega perto de $x = -5$. Você pode expressar isso matematicamente como $\lim_{x \to -5^-} f(x) = -\infty$. À direita, a função se aproxima de $+\infty$ conforme chega perto de $x = -5$. Você escreve essa situação como $\lim_{x \to -5^+} f(x) = +\infty$. Assim, o limite não existe nesse valor, porque um lado é $-\infty$ e o outro é $+\infty$.

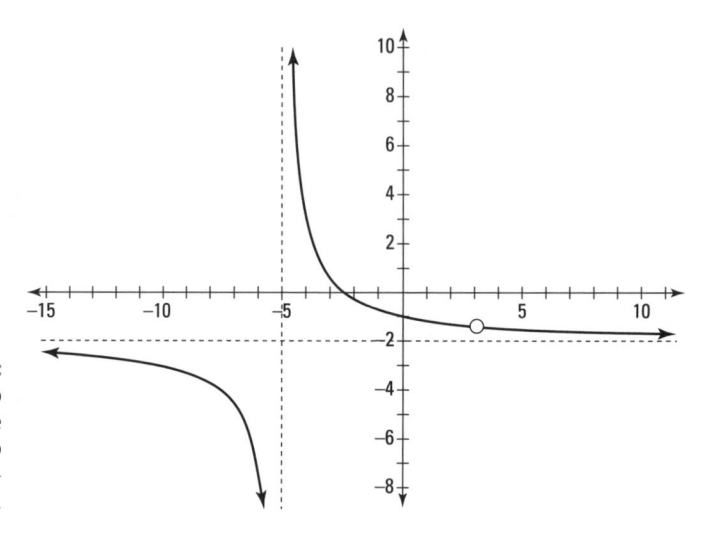

FIGURA 16-2: Observando o limite de uma função graficamente.

LEMBRE-SE Para uma função ter um limite, os valores à esquerda e à direita devem ser iguais. Uma função com um buraco no gráfico, como $\lim_{x \to 3} f(x)$, pode ter um limite, mas ela não pode pular uma assíntota em um valor e ter um limite (como $\lim_{x \to -5} f(x)$).

Modo analítico

Para encontrar um limite de modo analítico, basicamente você prepara um gráfico e coloca o número do qual x se aproxima bem no meio. Então, vindo da esquerda na mesma linha, escolha aleatoriamente números que se aproximam do número. Faça o mesmo à direita. Na próxima linha, calcule os valores de y que correspondem aos valores dos quais x se aproxima.

Resolver de modo analítico não é o modo mais eficiente de encontrar um limite, mas às vezes haverá uma situação em que você deseja usar essa técnica, portanto, é bom conhecê-la. Basicamente, se puder usar a técnica algébrica descrita na próxima seção, deverá optar por esse método. Como exemplo de uso do método analítico, a seguinte função é indefinida em $x = 4$ porque esse valor torna o denominador 0:

$$f(x) = \frac{x^2 - 6x + 8}{x - 4}$$

Mas você pode encontrar o limite da função conforme x se aproxima de 4 usando um gráfico. A Tabela 16-1 mostra como organizar.

TABELA 16-1   **Encontrando um Limite de Modo Analítico**

Ponto	Valor								
x	3,0	3,9	3,99	3,999	4,0	4,001	4,01	4,1	5,0
$f(x)$ (valor de y)	1,0	1,9	1,99	1,999	indefinido	2,001	2,01	2,1	3,0

Os valores escolhidos para x são totalmente arbitrários; eles podem ser qualquer coisa desejada. Apenas verifique se eles se aproximam cada vez mais do valor procurado nas duas direções. Quanto mais perto você chega do valor real de x, mais próximo também é seu limite. Se você observar os valores de y no gráfico, notará que eles se aproximam cada vez mais de 2 nos dois lados, portanto, 2 é o limite da função, determinada analiticamente.

DICA Você faz esse gráfico facilmente com uma calculadora e o recurso da tabela. Veja no manual da calculadora para saber como. Em geral, é preciso inserir a equação da função em "$y =$" e encontrar o botão "tabela". Fácil!

Modo algébrico

O último modo de encontrar um limite é fazer isso de forma algébrica. Quando puder usar uma das quatro técnicas algébricas descritas nesta seção, deverá fazer isso. O melhor lugar para iniciar é com a primeira técnica; se você coloca o valor do qual x se aproxima e a resposta é indefinida, deve tentar outras técnicas para simplificar e colocar o valor aproximado para x. As próximas seções mostram todas as técnicas em detalhes.

Inserindo

A primeira técnica funciona melhor para as funções não definidas por partes e envolve resolver de forma algébrica um limite colocando o número do qual x se aproxima na função. Se você obtém um valor indefinido (0 no denominador), deve tentar outra técnica. Mas quando tem um valor, terminou; você encontrou seu limite! Por exemplo, com esse método, é possível encontrar esse limite:

$$\lim_{x \to 5} \frac{x^2 - 6x + 8}{x - 4}$$

O limite é 3, porque $f(5) = 3$.

Fatorando

Fatorar é o método usado sempre que a estrutura da regra da função permite, sobretudo quando alguma parte da função dada é uma expressão polinomial (se você esqueceu como fatorar um polinômio, consulte o Capítulo 5).

Digamos que seja pedido para encontrar esse limite:

$$\lim_{x \to 4} \frac{x^2 - 6x + 8}{x - 4}$$

Primeiro, tente colocar 4 na função, e obterá 0 no numerador e no denominador, o que indica que deve tentar a próxima técnica. A expressão quadrática no numerador pede uma fatoração. Observe que o numerador fatora como $(x-4)(x-2)$. O $x-4$ se cancela em cima e embaixo da fração. Essa etapa resulta em $f(x) = x - 2$. Você pode colocar 4 nessa função e obter $f(4) = 4 - 2 = 2$.

Se desenhar o gráfico da função, ela parecerá uma reta $f(x) = x - 2$, mas haverá um buraco quando $x = 4$, porque a função original ainda é indefinida nesse local (porque cria 0 no denominador). Veja a Figura 16-3 para ter uma ilustração do que isso quer dizer.

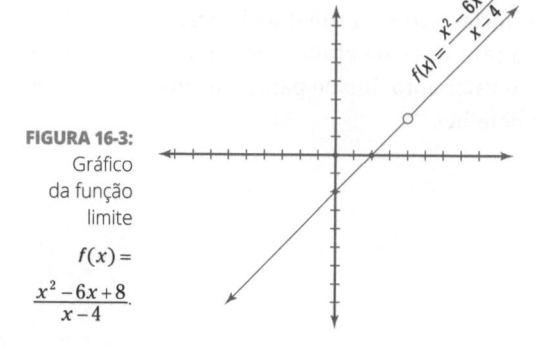

FIGURA 16-3: Gráfico da função limite $f(x) = \frac{x^2 - 6x + 8}{x - 4}$

LEMBRE-SE

Se, depois de ter fatorado as partes de cima e de baixo da função, um termo no denominador não se cancelou e o valor procurado é indefinido, o limite da função nesse valor de x não existe.

Por exemplo, esta função se fatora como:

$$f(x) = \frac{x^2 - 3x - 28}{x^2 - 6x - 7} = \frac{(x-7)(x+4)}{(x-7)(x+1)}$$

$$= \frac{\cancel{(x-7)}(x+4)}{\cancel{(x-7)}(x+1)} = \frac{x+4}{x+1}$$

$(x-7)$ nas partes de cima e de baixo se cancelam. Assim, se for pedido para encontrar o limite da função conforme x se aproxima de 7, você pode colocá-lo na versão cancelada e obter $\frac{11}{8}$. Mas se estiver vendo $\lim_{x \to -1} f(x)$, o limite não existe, porque você obteria 0 no denominador. Portanto, essa função tem um limite em qualquer lugar, menos quando x se aproxima de –1.

Racionalizando o numerador

A terceira técnica que você precisa conhecer para encontrar os limites de forma algébrica requer racionalizar o numerador. As funções que requerem esse método normalmente têm uma raiz quadrada no numerador e uma expressão polinomial no denominador. Por exemplo, digamos que você precise encontrar o limite desta função conforme x se aproxima de 13:

$$g(x) = \frac{\sqrt{x-4} - 3}{x - 13}$$

Inserir o número 13 não funciona, pois você obtém 0 no denominador da fração. Fatorar falha porque a equação não tem nenhum polinômio para fatorar. Nesse caso, se você multiplica a parte de cima por seu conjugado, o termo no denominador que era um problema se cancela e você consegue encontrar o limite:

1. **Multiplique as partes de cima e de baixo da fração pelo conjugado (veja o Capítulo 2 para ter mais informações).**

O conjugado aqui é $\sqrt{x-4} + 3$. Multiplicando o numerador e o denominador pelo conjugado:

$$g(x) = \frac{\sqrt{x-4} - 3}{x - 13} \cdot \frac{\sqrt{x-4} + 3}{\sqrt{x-4} + 3} = \frac{(x-4) + 3\sqrt{x-4} - 3\sqrt{x-4} - 9}{(x-13)(\sqrt{x-4} + 3)}$$

$$= \frac{(x-4) - 9}{(x-13)(\sqrt{x-4} + 3)} = \frac{x - 13}{(x-13)(\sqrt{x-4} + 3)}$$

2. **Cancele os fatores.**

   Cancelar resulta nesta expressão:

   $$g(x) = \frac{1}{\sqrt{x-4}+3}$$

3. **Calcule os limites.**

   Ao colocar 13 na função agora, você obtém o limite.

   $$\lim_{x \to 13} g(x) = \frac{1}{\sqrt{13-4}+3} = \frac{1}{\sqrt{9}+3} = \frac{1}{6}$$

Encontrando o mínimo múltiplo comum

Quando for dada uma função racional complexa, use a quarta técnica para encontrar o limite algébrico. A técnica para inserir falha, porque você acaba com 0 em algum lugar do denominador. A função não pode ser fatorada, e não há raízes quadradas para racionalizar. Assim, você sabe que deve tentar a última técnica. Com esse método, você combina as funções encontrando o mínimo múltiplo comum. Os termos se cancelam e nesse ponto pode encontrar o limite.

Por exemplo, siga as etapas para encontrar o limite:

$$\lim_{x \to 0} \frac{\frac{1}{x+6} - \frac{1}{6}}{x}$$

1. **Encontre o mínimo múltiplo comum das frações na parte de cima.**

   $$\lim_{x \to 0} \frac{\frac{1}{x+6} - \frac{1}{6}}{x} = \lim_{x \to 0} \frac{\frac{1}{x+6} \cdot \frac{6}{6} - \frac{1}{6} \cdot \frac{x+6}{x+6}}{x} = \lim_{x \to 0} \frac{\frac{6}{6(x+6)} - \frac{x+6}{6(x+6)}}{x}$$

2. **Some ou subtraia os numeradores, depois cancele os termos.**

   Subtrair os numeradores resulta em

   $$\lim_{x \to 0} \frac{\frac{6-x-6}{6(x+6)}}{x} = \lim_{x \to 0} \frac{\frac{-x}{6(x+6)}}{x}$$

3. **Use as regras das frações para simplificar mais.**

   $$\lim_{x \to 0} \frac{\frac{-x}{6(x+6)}}{\frac{x}{1}} = \lim_{x \to 0} \frac{-\cancel{x}}{6(x+6)} \cdot \frac{1}{\cancel{x}} = \lim_{x \to 0} \frac{-1}{6(x+6)}$$

4. **Substitua o valor limite nessa função e simplifique.**

Você deseja encontrar o limite conforme *x* se aproxima de 0, portanto, o limite aqui é:

$$\lim_{x \to 0} \frac{-1}{6(x+6)} = \frac{-1}{6(0+6)} = -\frac{1}{36}$$

Operando no Limite: Leis do Limite

Se você conhecer as leis do limite em cálculo, conseguirá encontrar os limites de todas as funções interessantes que o cálculo pode colocar em seu caminho. Graças a essas leis, é possível encontrar o limite de funções combinadas (adição, subtração, multiplicação e divisão das funções, assim como elevá-las às potências). Tudo o que você precisa fazer é encontrar o limite de cada função individual separadamente.

PAPO DE ESPECIALISTA

Se você conhece os limites de duas funções (veja as seções anteriores deste capítulo), conhece os limites delas somadas, subtraídas, multiplicadas, divididas ou elevadas a uma potência. Se $\lim_{x \to a} f(x) = L$ e $\lim_{x \to a} g(x) = M$, você pode usar as operações do limite dos seguintes modos:

» **Lei da adição:** $\lim_{x \to a}(f(x) + g(x)) = L + M$

» **Lei da subtração:** $\lim_{x \to a}(f(x) - g(x)) = L - M$

» **Lei da multiplicação:** $\lim_{x \to a}(f(x) \cdot g(x)) = L \cdot M$

» **Lei da divisão:** Se $M \neq 0$, então $\lim_{x \to a}\left(\frac{f(x)}{g(x)}\right) = \frac{L}{M}$

» **Leia da potência:** $\lim_{x \to a}(f(x))^p = L^p$

O exemplo a seguir usa as leis da subtração, divisão e potência:

Se $\lim_{x \to 3} f(x) = 10$ e $\lim_{x \to 3} g(x) = 5$, então você calcula $\lim_{x \to 3}\left[\frac{2f(x) - 3g(x)}{(g(x))^2}\right]$ com o seguinte:

$$\lim_{x \to 3}\left[\frac{2f(x) - 3g(x)}{(g(x))^2}\right] = \frac{2 \cdot 10 - 3 \cdot 5}{5^2} = \frac{20 - 15}{25} = \frac{5}{25} = \frac{1}{5}$$

Encontrar o limite com as leis é realmente muito fácil!

Calculando a Taxa Média de Mudança

A *taxa média de mudança* de uma reta é simplesmente sua inclinação. Muito fácil! Mas a taxa média de mudança de uma curva é um número que sempre muda, cujo valor depende de onde você está na curva.

Considere o gráfico de $f(x) = -\frac{1}{3}x^2 + x + 6$, como mostrado na Figura 16-4. Se você desenhar tangentes na curva em vários pontos, algumas retas terão inclinações positivas, negativas e uma das linhas terá uma inclinação 0, no vértice da parábola.

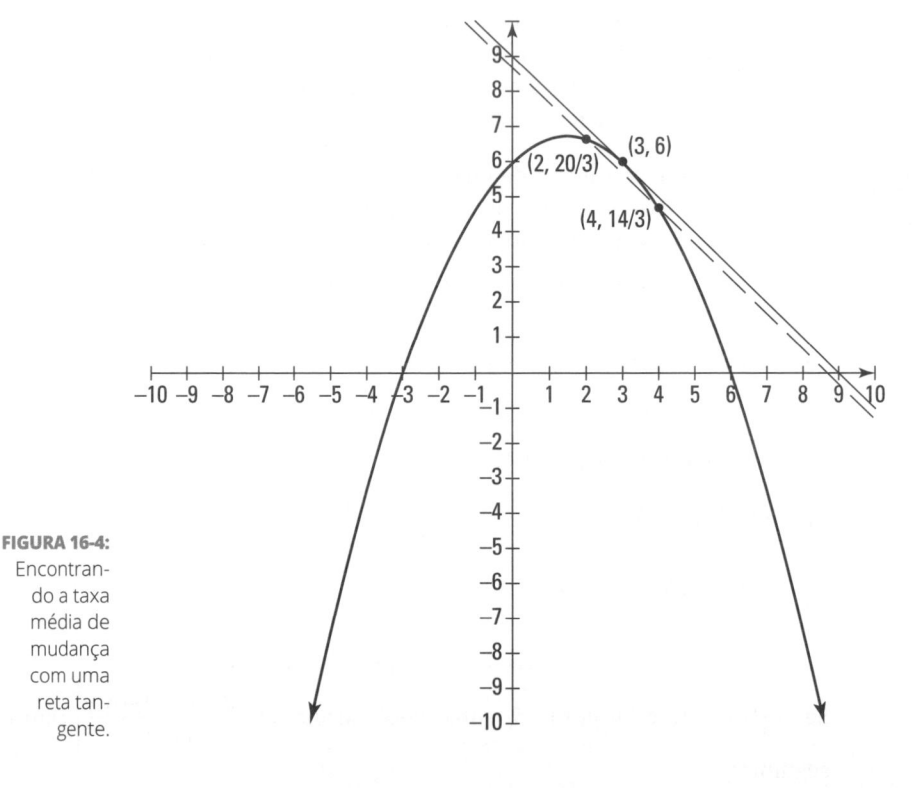

FIGURA 16-4: Encontrando a taxa média de mudança com uma reta tangente.

Concentrando-se em apenas uma reta tangente em um ponto, considere a tangente da curva no ponto (3, 6). Na Figura 16-4, veja a tangente desenhada em (3, 6); ela toca apenas esse único ponto. Mas como você pode encontrar a inclinação (taxa média de mudança) dessa reta tangente quando tem apenas um ponto? A fórmula da inclinação requer dois pontos.

Um método que pode ser usado é escolher dois pontos na curva, um em cada lado do ponto em questão. Nesse caso, veja os pontos $\left(2, \frac{20}{3}\right)$ e $\left(4, \frac{14}{3}\right)$ marcados na curva da Figura 16-4. Então uma linha tracejada é desenhada passando pelos pontos.

Você calcula a inclinação da linha passando pelos dois pontos e usa isso como uma estimativa da inclinação da reta tangente.

$$m = \frac{\frac{14}{3} - \frac{20}{3}}{4 - 2} = \frac{-\frac{6}{3}}{2} = \frac{-2}{2} = -1$$

Então pode experimentar dois pontos um pouco mais próximos do ponto na curva, como (2,7; 6,27) e (3,3; 5,67). Calcule a inclinação da reta nesse ponto e pode continuar escolhendo pontos cada vez mais próximos do destino, (3, 6). (Parece familiar, como um limite?)

Esse processo pode dar uma boa estimativa da taxa média de mudança em um ponto. Mas uma novidade ainda melhor é que o cálculo fornece um método muito mais bonito e fácil para encontrar esse valor, que é chamado de encontrar a derivada.

Explorando a Continuidade em Funções

Quanto mais complicada fica uma função, mais complicado pode se tornar também seu gráfico. Uma função pode ter buracos, pode pular ou ter assíntotas, para citar algumas variações (como foi mostrado nos exemplos anteriores neste capítulo). Por outro lado, um gráfico que é suave, sem nenhum buraco, salto ou assíntota, é chamado de *contínuo*. Você pode dizer, informalmente, que é possível desenhar um gráfico contínuo sem tirar o lápis do papel.

LEMBRE-SE As funções polinomiais, exponenciais e logarítmicas são sempre contínuas em cada ponto (sem buracos nem saltos) em seu domínio. Se for pedido para descrever a continuidade de um desses grupos de funções em particular, sua resposta é que ele é sempre contínuo onde é definido!

DICA E mais, se precisar encontrar um limite para qualquer uma dessas funções polinomiais, exponenciais e logarítmicas, poderá usar a técnica de inserção mencionada na seção "Modo algébrico", porque as funções são todas contínuas em *cada* ponto. Você pode inserir qualquer número, e o valor de *y* sempre existirá.

Você pode ver a continuidade de uma função em um valor específico de x. Em geral, não se vê a continuidade de uma função inteira, apenas se ela é contínua em certos pontos. Mas até as funções descontínuas são descontínuas em apenas certos pontos. Nas próximas seções, veja como determinar se uma função é contínua ou não. Você pode usar essa informação para dizer se consegue encontrar uma derivada (algo com o qual ficará muito familiarizado em cálculo).

Determinando se uma função é contínua

PAPO DE ESPECIALISTA

Três coisas precisam ser verdadeiras para uma função $f(x)$ ser contínua em algum valor de c em seu domínio:

» $f(c)$ **deve ser definida.** A função deve existir em um valor x de (c), significando que você não pode ter um buraco na função (como um 0 no denominador).

» **O limite da função deve existir conforme x se aproxima do valor de c.** Os limites esquerdo e direito devem ser iguais, ou seja, significa que a função não pode pular ou ter uma assíntota. O modo matemático de dizer isso é que $\lim_{x \to c} f(x)$ deve existir.

» **O valor e o limite da função devem ser iguais.**

$$f(c) = \lim_{x \to c} f(x)$$

Por exemplo, você pode mostrar que essa função é contínua em $x = 4$ checando a lista de verificação:

$$f(x) = \frac{x^2 - 2x}{x - 3}$$

» $f(4)$ **existe.** Você pode substituir 4 nessa função para obter: $f(4) = 8$.

» $\lim_{x \to 4} f(x)$ **existe.** Vendo a função de forma algébrica (veja a seção anterior sobre esse tópico), ela fatora assim:

$$f(x) = \frac{x^2 - 2x}{x - 3} = \frac{x(x - 2)}{x - 3}$$

Nada se cancela, mas você ainda pode colocar 4 para ter

$$f(4) = \frac{4(4 - 2)}{4 - 3}$$

que é 8.

» $f(4) = \lim_{x \to 4} f(x)$. Os dois lados da equação são 8, portanto, ela é contínua em 4.

Se alguma situação anterior não for verdadeira, a função será descontínua nesse ponto.

Descontinuidade nas funções racionais

As funções que não são contínuas em um valor de x têm uma *descontinuidade removível* (um buraco) ou uma *descontinuidade não removível* (como um salto ou uma assíntota):

» **Se a função fatora e um termo na parte inferior se cancela, a descontinuidade correspondente a esse fator é removível, portanto, o gráfico tem um buraco.**

Por exemplo, essa função fatora como:

$$f(x) = \frac{x^2 - 4x - 21}{x + 3} = \frac{(x-7)\cancel{(x+3)}}{\cancel{x+3}} = x - 7$$

Isso indica que $x + 3 = 0$ (ou $x = -3$) é uma descontinuidade removível, ou seja, o gráfico tem um buraco, como visto na Figura 16-5.

» **Se um termo não fatora, a descontinuidade é não removível, e o gráfico tem uma assíntota vertical ou inclinada.**

A seguinte função fatora como:

$$g(x) = \frac{x^2 - x - 2}{x^2 - 5x - 6} = \frac{\cancel{(x+1)}(x-2)}{\cancel{(x+1)}(x-6)} = \frac{x-2}{x-6}$$

Como $x + 1$ se cancela, há uma descontinuidade removível em $x = -1$ (você veria um buraco no gráfico nesse local, não uma assíntota). Mas $x - 6$ não cancelou no denominador, portanto, você tem uma descontinuidade não removível em $x = 6$. Essa descontinuidade cria uma assíntota vertical no gráfico em $x = 6$. A Figura 16-6 mostra o gráfico de g(x).

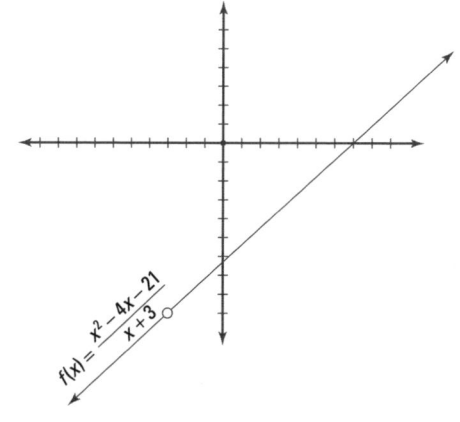

FIGURA 16-5: O gráfico de uma descontinuidade removível é indicado com um buraco.

FIGURA 16-6: Gráfico mostrando uma descontinuidade removível e uma não removível.

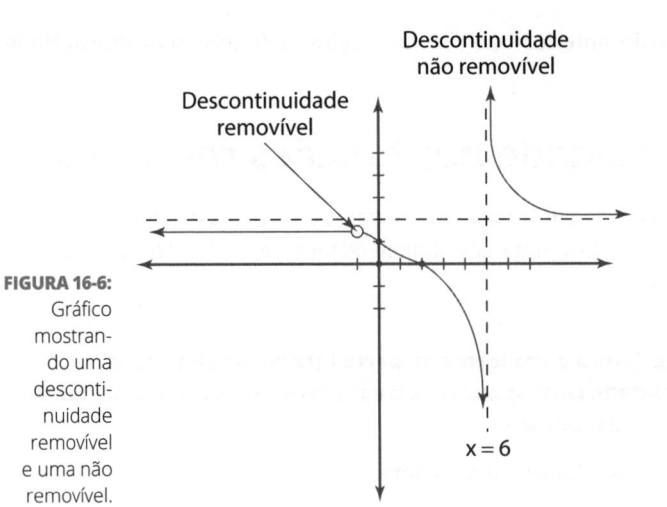

Descontinuidade removível

Descontinuidade não removível

x = 6

4
A Parte dos Dez

NESTA PARTE...

Veja os gráficos polares e aprecie sua beleza.

Adote alguns hábitos para ser bem-sucedido em cálculo.

Capítulo 17
Dez Gráficos Polares

Os gráficos polares são apresentados no Capítulo 12. Chame este capítulo de continuação, porque aqui você encontra algumas curvas muito interessantes que são formadas a partir de equações de função bem simples. O truque para desenhar essas curvas polares é usar medidas em radianos para inserir variáveis e colocar os resultados em um gráfico polar. Tal gráfico usa ângulos em posições padrão e raios de circunferências; não é seu sistema de coordenadas retangulares habitual.

Espiral para Fora

Vemos espirais nas conchas do oceano e na imensidão do espaço. E você pode criá-las a partir de funções polares. A forma geral de uma espiral é $r = a\theta$, em que θ é a medida do ângulo em radianos e a é um multiplicador. No Capítulo 12, vemos o gráfico de $r = \frac{1}{3}\theta$. O multiplicador $\frac{1}{3}$ torna a espiral mais estreita perto do polo. Um número maior fará com que ela se estenda mais rapidamente. E que tal um multiplicador de número negativo? Ele faz a espiral seguir na direção oposta, no sentido horário, em vez de sentido anti-horário. A Figura 17-1 mostra um exemplo dessa espiral.

FIGURA 17-1:
Gráfico de
$r = a\theta$.

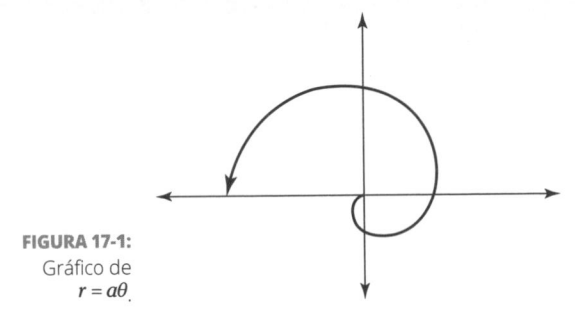

Paixão pelo Cardioide

O gráfico de um cardioide pode lembrar uma maçã sem o caule. Mas seu nome vem da palavra grega coração. Essa curva é o traço de um ponto no perímetro de uma circunferência que gira em torno de outra circunferência. Como esse tipo de traço é difícil de fazer, colocar a equação em um mecanismo gráfico é muito mais fácil. As formas gerais da curva cardioide são $r = a(1 \pm \text{sen}\,\theta)$ e $r = a(1 \pm \cos\theta)$. Quando o seno é usado e quando θ é um ângulo negativo, então você tem a fruta favorita de Newton, como visto na Figura 17-2.

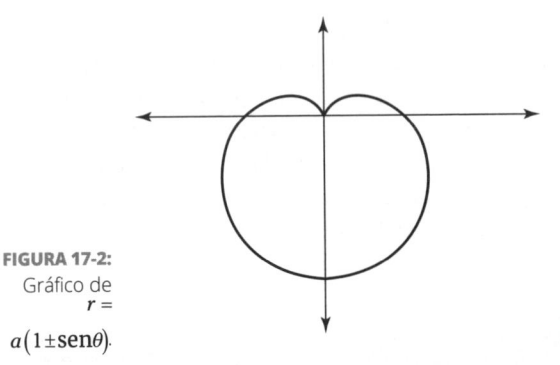

FIGURA 17-2:
Gráfico de
$r = a(1 \pm \text{sen}\,\theta)$.

Cardioides e Feijão-manteiga

Um cardioide pode estar à esquerda ou à direita quando o cosseno é usado na definição da função. O feijão-manteiga voltado para a esquerda nesse gráfico vem de uma função em que inserir θ envolve apenas medidas positivas dos ângulos: $r = 2(1 + \cos\theta)$ (veja a Figura 17-3).

FIGURA 17-3:
Gráfico de $r = 2(1+\cos\theta)$.

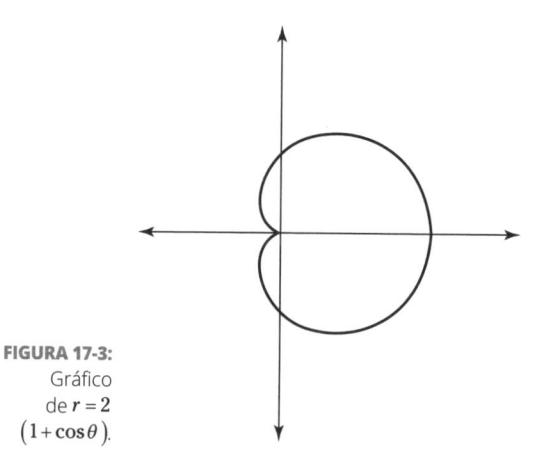

Lemniscatas Inclinadas

Uma lemniscata lembra o símbolo do infinito. Seu nome vem do latim, significando "decorado com fitas". Essa curva pode cortar na diagonal os quadrantes ou ficar nos eixos e ser atravessada como um espetinho. Uma lemniscata com um seno em sua função corta na diagonal. O formato geral da equação para essa curva é $r = \sqrt{a^2 \text{sen} 2\theta}$. Aumentar o tamanho do multiplicador a aumenta o tamanho das pétalas. Uma lemniscata $r = \sqrt{4\text{sen}2\theta}$ é desenhada na Figura 17-4.

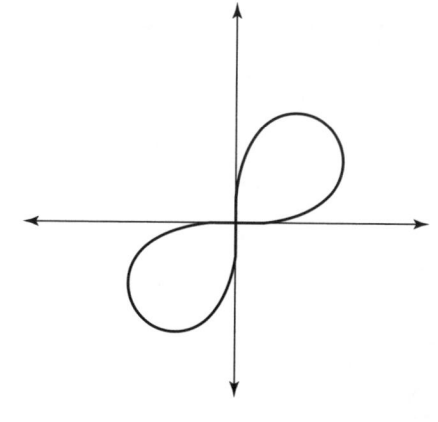

FIGURA 17-4:
Gráfico de $r = \sqrt{4\text{sen}2\theta}$.

Laço com Lemniscatas

As lemniscatas transpassadas nos eixos têm uma equação com a forma geral $r = \sqrt{a^2 \cos 2\theta}$. A curva na Figura 17-5 tem a equação $r = \sqrt{4 \cos 2\theta}$.

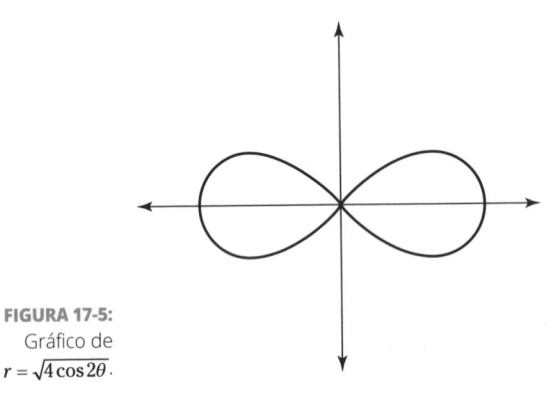

FIGURA 17-5:
Gráfico de $r = \sqrt{4\cos 2\theta}$.

Rosas com Pétalas Pares

Rosas também podem ser representadas usando-se seno ou cosseno. No Capítulo 12, vemos uma rosa com três pétalas. O número de pétalas é determinado pelo multiplicador do ângulo sendo par ou ímpar. Usando o cosseno no formato geral, a rosa tem uma equação $r = a\cos b\theta$. Se b é par, então há $2b$ pétalas. Portanto, a rosa desenhada com $r = 2\cos 4\theta$ tem oito pétalas, como na Figura 17-6.

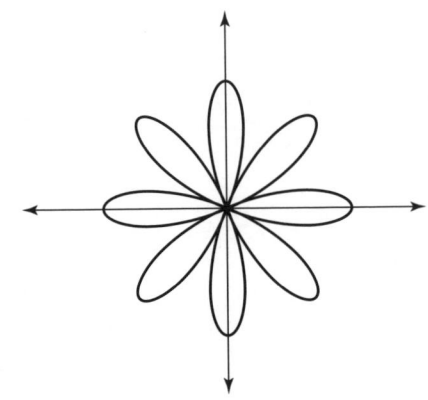

FIGURA 17-6:
Gráfico de $r = 2\cos 4\theta$.

Uma Rosa É uma Rosa Sempre

Escrevendo a equação da função para uma rosa usando o seno, temos $r = a\operatorname{sen}b\theta$. Quando b é um número ímpar, o número de pétalas é b. A rosa mostrada na Figura 17-7 tem cinco pétalas, e sua equação da função é $r = 2\operatorname{sen}5\theta$.

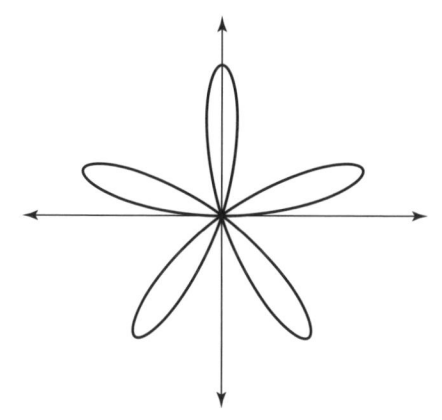

FIGURA 17-7: Gráfico de $r = 2\operatorname{sen}5\theta$.

Limaçon ou Caracol?

Às vezes um limaçon pode lembrar um cardioide e até parecer uma oval. Mas são as versões de uma curva dentro de outra curva exclusiva que os tornam tão elegantes. A palavra limaçon vem do francês, significando "caracol". Usando a forma geral $r = a \pm b\operatorname{sen}\theta$, temos uma curva no topo do polo, em vez da lateral. Se você permitir que $a < b$, então a segunda curva aparecerá dentro da primeira, como mostrado na Figura 17-8 com $r = 1 + 2\operatorname{sen}\theta$.

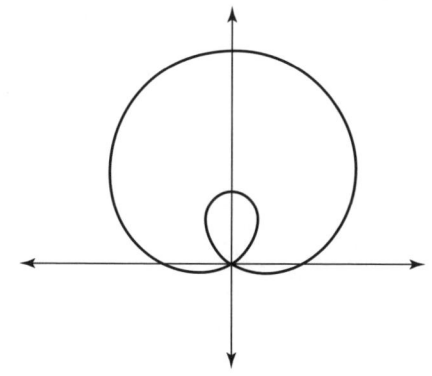

FIGURA 17-8: Gráfico de $r = 1 + 2\operatorname{sen}\theta$.

Limaçon de Lado

As curvas do limaçon podem mudar de posição no polo, sobretudo devido à função usada. Aumentar a diferença entre a e b na equação geral $r = a \pm b\cos\theta$ também pode mudar as curvas, como visto no desenho de $r = 1 + 4\cos\theta$ na Figura 17-9.

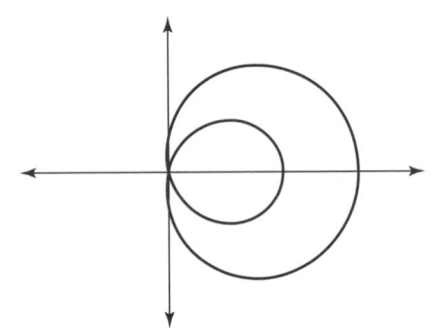

FIGURA 17-9:
Gráfico de $r = 1 + 4\cos\theta$.

Bifólio ou Orelhas de Coelho?

E exatamente quando você pensou que não havia mais modos de mudar as coisas com curvas, termino com o bifólio. Com "bi" no nome, você já tem uma dica do que encontrará. A equação geral $r = a\,\text{sen}\,\theta \cos^2\theta$ é única, porque seno e cosseno aparecem em sua equação de função. A simetria é diferente nessa curva; uma reflexão, não uma rotação (veja a Figura 17-10).

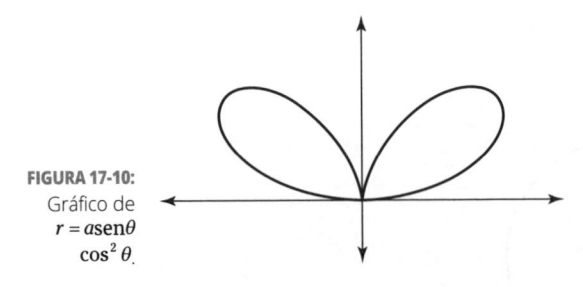

FIGURA 17-10:
Gráfico de $r = a\,\text{sen}\,\theta \cos^2\theta$.

Capítulo 18
Dez Hábitos para Ajustar Antes do Cálculo

Quando se trabalha com pré-cálculo, adotar certas tarefas como hábitos pode ajudar a preparar seu cérebro para enfrentar seu próximo desafio: o cálculo. Neste capítulo, você encontra dez hábitos que devem fazer parte de seu arsenal diário de Matemática. Talvez tenha sido pedido a você que realizasse algumas dessas tarefas desde o ensino fundamental (como mostrar todo seu trabalho), mas outros truques podem ser novos. De qualquer modo, se você se lembrar desses dez conselhos, estará ainda mais pronto para qualquer cálculo que surgir pelo caminho.

Descubra o que Pede o Problema

Muitas vezes, você achará que a compreensão da leitura e a capacidade de trabalhar com as diversas partes que compõem o todo é uma propriedade inerente de um problema matemático. Tudo bem, isso também faz parte da vida! Quando vir um problema matemático, comece lendo tudo ou as instruções. Procure a pergunta dentro da questão. Mantenha os olhos abertos para palavras como *resolva*, *simplifique*, *encontre* e *demonstre*, todas sendo palavras-chave comuns em qualquer livro de Matemática. Não comece a trabalhar em um problema até ter certeza do que precisa ser feito.

Por exemplo, veja este problema:

> O comprimento de um jardim retangular é 24m maior que sua largura. Se você adiciona 2m à largura e ao comprimento, a área do jardim é de 432m². Qual o tamanho do novo jardim maior?

Se você perder alguma informação importante, poderá começar a resolver o problema para descobrir a largura do jardim ou poderá encontrar o comprimento, mas não saberá que deve descobrir o tamanho dele com mais 2 metros *adicionados*. Olhe antes de pular!

DICA

Sublinhar as palavras-chave e as informações na questão geralmente é útil. Isso é muito importante. Destacar as palavras importantes e as partes de informação consolida-as em seu cérebro, fazendo com que, conforme trabalha, possa redirecionar seu foco se ele se perder. Quando for apresentado um enunciado, por exemplo, primeiro converta as palavras em uma equação algébrica. Se tiver sorte e a equação for dada de início, poderá seguir para a próxima etapa, que é criar uma imagem visual da situação em mãos.

E se estiver imaginando qual é a resposta para o problema, a encontrará quando ler mais.

Desenhe (Quanto Mais, Melhor)

Seu cérebro é como uma tela de cinema em seu crânio, e será mais fácil trabalhar com os problemas se você projetar o que vê em um pedaço de papel. Quando você visualiza os problemas matemáticos, está mais apto a compreendê-los. Desenhe imagens que correspondam a um problema e identifique todas as partes para que tenha uma imagem visual para seguir que o permita ligar símbolos matemáticos a estruturas físicas. Esse processo trabalha a parte conceitual de seu cérebro e o ajuda a se lembrar de conceitos importantes. Assim, será menos provável que deixe de fazer certas etapas ou se desorganize.

Se a questão é sobre triângulo, por exemplo, desenhe um; se ela menciona um jardim retangular com narcisos em 30% do espaço, desenhe isso. Na verdade, sempre que um problema muda e novas informações são introduzidas, a imagem deve mudar também. (Entre os muitos exemplos neste livro, os Capítulos 7 e 11 mostram como desenhar um problema pode melhorar muito suas chances de resolvê-lo!)

Se fosse pedido para resolver o problema do jardim retangular da seção anterior, você começaria desenhando dois retângulos: um para o jardim antigo e menor, outro para o maior. Colocar a caneta ou o lápis no papel é o começo da solução.

Planeje Seu Ataque — Identifique os Alvos

Quando você sabe e pode desenhar o que precisa descobrir, pode planejar seu ataque a partir desse ponto, interpretando o problema matematicamente e propondo equações que funcionarão para descobrir a resposta:

1. **Comece escrevendo uma sentença** "deixe $x =$". **No problema do jardim nas duas últimas seções, você procura o comprimento e a largura depois de ele ficar maior. Com isso em mente, defina algumas variáveis:**

    - Deixe x = largura do jardim agora.
    - Deixe y = comprimento do jardim agora.

2. **Agora adicione variáveis ao retângulo desenhado do antigo jardim.**

3. **Como sabe que o comprimento é 24 metros maior que a largura, então pode reescrever a variável y em termos da variável x para que** $y = x + 24$.

4. **Sabe que o novo jardim teve 2 metros adicionados à largura e ao comprimento, então pode modificar as equações:**

    - Deixe $x + 2$ = nova largura do jardim.
    - Deixe $y + 2 = x + 24 + 2 = x + 26$ como o novo comprimento do jardim.

5. **Adicione essas identificações à imagem do novo jardim.**

Planejando o ataque, você identificou as partes da equação que precisa resolver.

Escreva as Fórmulas

Se você começar o ataque escrevendo a fórmula necessária para resolver o problema, tudo que terá de fazer é colocar o que sabe e resolver a incógnita. Um problema sempre faz mais sentido se a fórmula é a primeira coisa escrita ao resolver. Mas antes, é preciso descobrir qual usar. Em geral, você pode conseguir isso vendo com atenção as palavras do problema.

No caso do problema do jardim nas seções anteriores, a fórmula é para a área do retângulo. Essa área é $A = cl$. Foi informado que a área do novo retângulo tem 432m², e você tem expressões que representam o comprimento e a largura, portanto, substitua $A = cl$ por $432 = (x+26)(x+2)$.

Como outro exemplo, se você precisa determinar um triângulo retângulo, pode começar escrevendo o Teorema de Pitágoras (veja o Capítulo 7) se conhece os dois lados e procura o terceiro. Para outro triângulo retângulo, talvez seja dado um ângulo e a hipotenusa, e é preciso encontrar o lado oposto; nesse caso, você começaria escrevendo a razão do seno (também no Capítulo 7).

Mostre Cada Etapa do Trabalho

Sim, você sempre ouviu isso, e seu professor do terceiro ano estava certo: mostrar cada etapa do trabalho é essencial em Matemática. Escrever cada etapa no papel diminui os erros bobos que podem ser cometidos ao calcular de cabeça. Também é uma ótima maneira de manter um problema organizado e claro. Além disso, ajuda ter o trabalho escrito quando você é interrompido por um telefonema ou mensagem de texto; você pode continuar de onde parou e não precisa começar tudo de novo. Pode levar tempo anotar cada etapa, mas vale a pena o investimento.

Saiba Quando Parar

Às vezes, um problema não tem solução. Sim, isso pode ser uma resposta também! Se você tentou de tudo e não encontrou uma saída, considere que o problema pode não ter solução. Alguns problemas comuns sem solução incluem os seguintes:

» **Equações com valor absoluto**

Isso acontece quando a expressão com valor absoluto é definida para ser igual a um número negativo. Você pode não perceber que o número é negativo de início, se for representado por uma variável.

» **Equações com variável sob a raiz quadrada**

Se sua resposta precisa ser um número real e os números complexos não são uma opção, então a expressão sob o radical pode representar um número negativo. Não é permitido.

» **Equações quadráticas**

Quando um polinômio de segundo grau não pode ser fatorado e você tem de recorrer à fórmula quadrática, pode encontrar um número negativo sob o radical; não é possível usar essa expressão se apenas respostas reais são permitidas.

» **Equações racionais**

As expressões racionais têm numeradores e denominadores. Se há uma variável no denominador que acaba criando um zero, isso não é permitido.

» **Equações trigonométricas**

As funções trigonométricas têm restrições. Os senos e os cossenos devem ficar entre -1 e 1. As secantes e as cossecantes devem ser maiores ou iguais a 1, menores ou iguais a -1. Uma equação aparentemente perfeita pode criar uma resposta impossível.

> Por outro lado, você pode ter uma solução para um problema que simplesmente não faz sentido. Cuidado com as seguintes situações:
>
> » Se você resolve uma equação para uma medida (como comprimento ou área) e obtém uma resposta negativa, ou cometeu um erro ou não há solução. Os problemas de medição incluem distância, e ela não pode ser negativa.
>
> » Se resolve uma equação para encontrar o número de coisas (como quantos livros estão na estante) e obtém uma fração ou resposta decimal, então não faz sentido. Como seria possível ter 13,4 livros em uma prateleira?

Verifique Suas Respostas

Até os melhores matemáticos cometem erros. Quando você corre com os cálculos ou trabalha pressionado, pode cometer erros com mais frequência. Portanto, verifique seu trabalho. Em geral, é muito fácil: pegue sua resposta e coloque-a de volta na equação ou na descrição do problema para ver se realmente funciona. A verificação não leva muito tempo, mas assegura que você acertou, então por que não fazer?

Por exemplo, se você voltasse e resolvesse o problema do jardim anteriormente neste capítulo vendo a equação a ser resolvida: $432 = (x+26)(x+2)$, multiplique os dois binômios e mova 432 para o outro lado. Resolvendo $x^2 + 28x - 380 = 0$ você obtém $x = 10$ e $x = -38$. É claro que desconsiderou $x = -38$ e descobriu que a largura original era de 10 metros. Assim, qual era a pergunta? O problema pede o comprimento do novo jardim maior. Esse comprimento é encontrado com $y = x + 26$. Portanto, o comprimento (e a resposta) é 36 metros. Verificou? Se você usar o novo comprimento ou 36, a nova largura $x + 2 = 12$ e multiplicar 36 por 12, obterá 432m². Está certo!

Pratique Muitos Problemas

Você não nasceu sabendo como andar de bicicleta, jogar futebol ou até falar. O modo de melhorar com tarefas desafiadoras é praticar, praticar e praticar. A melhor maneira de praticar Matemática é trabalhar com problemas. Você pode buscar exemplos de questões mais difíceis ou complicadas que forçarão seu cérebro e o tornarão melhor em um conceito na próxima vez.

DICA

Além de trabalhar nos problemas de exemplo neste livro, você pode utilizar livros com muitos exercícios práticos. Para citar alguns, veja o *Trigonometry Workbook For Dummies*, de Mary Jane Sterling, *Algebra Workbook* e *Algebra II Workbook For Dummies*, ambos de Mary Jane Sterling também, e *Geometry Workbook For Dummies*, de Mark Ryan.

Até um livro escolar de Matemática é ótimo para praticar. Por que não experimentar (engoli em seco!) alguns problemas que não foram indicados ou talvez voltar a uma antiga seção para rever e verificar se não perdeu o jeito? Em geral, os livros escolares mostram as respostas para problemas estranhos, portanto se você escolhê-los, sempre poderá confirmar suas respostas. E se quiser uma prática extra, basta pesquisar na internet usando "praticar problemas matemáticos" para ver o que consegue encontrar! Por exemplo, para ver mais problemas como o do jardim nas seções anteriores, se pesquisar a internet usando "praticar problemas com sistemas de equações", encontrará mais de um milhão de resultados. É muita prática!

Controle a Ordem das Operações

Não caia na armadilha de sempre realizar operações na ordem errada. Por exemplo, $2 - 6 \cdot 3$ não se torna $-4 \cdot 3 = -12$. Você encontrará essas respostas incorretas se esquecer de fazer a multiplicação primeiro. Foque a ordem PEMDAS sempre, o tempo todo:

Parênteses (e outros sinais de agrupamento)

Expoentes e raízes

Multiplicação e **D**ivisão da esquerda para a direita

Adição e **S**ubtração da esquerda para a direita

Nunca saia da ordem, e isso é uma ordem!

Cuidado ao Lidar com Frações

Trabalhar com denominadores pode ser complicado. Tudo bem escrever:

$$\frac{4x+7}{2} = \frac{4x}{2} + \frac{7}{2}$$

Mas, por outro lado:

$$\frac{2}{4x+7} \neq \frac{2}{4x} + \frac{2}{7}$$

E mais, a simplificação ou o cancelamento de frações podem ser feitos de modo incorreto. Cada termo no numerador precisa ser dividido pelo mesmo fator, ou seja, aquele que divide o denominador. Portanto, é certo que:

$$\frac{16x^3 - 8x^2 + 12}{4x} = \frac{4x^3 - 2x^2 + 3}{x}, \text{ porque } \frac{16x^3 - 8x^2 + 12}{4x} = \frac{\cancel{4}(4x^3 - 2x^2 + 3)}{\cancel{4}x}.$$

Mas $\frac{16x^3 - 8x^2 + 12}{4x} \neq \frac{4x^2 - 2x + 3}{x}$, porque o fator sendo dividido é apenas 4, não 4x.

E de novo, precisa ser o mesmo fator na divisão o tempo todo. Você consegue identificar o erro aqui?

$$\frac{\cancel{x^2} - 2\cancel{x} - \cancel{3}^1}{\cancel{x^2} - \cancel{x} - \cancel{6}_2} \neq \frac{-3}{2}$$

Uma pobre alma cancelou cada termo e o termo diretamente acima, separadamente. Não funciona assim. O processo correto é fatorar os trinômios e dividir pelo fator comum:

$$\frac{x^2 - 2x - 3}{x^2 - x - 6} = \frac{\cancel{(x-3)}(x+1)}{\cancel{(x-3)}(x+2)} = \frac{x+1}{x+2}$$

Índice

SÍMBOLOS
30°, ângulo, 136
45°, ângulo, 134
60°, ângulo, 136
360°, círculo, 122

A
AAL, triângulo, 233
ALA, triângulo, 232
ângulo
    ângulo ângulo lado (AAL), 232
    ângulo central, 149
    ângulo de referência, 145
    ângulo lado ângulo (ALA), 232
    ângulo, lado inicial, 122
    ângulo, lado terminal, 122
    côngruo, 122
    cossecante, 127
    cosseno, 125
    cotangente, 127
    graus, 209
    medir em graus, 209–210
    radianos, 210–211
    secante, 127
    seno, 123
    SOHCAHTOA, mnemônico, 123
    soma ou diferença, 209
    tangente, 126
antilogaritmo, 107
arco duplo
    cosseno, 220
    fórmula do, 218
    seno, 218
    tangente, 222

arco, medidas de um, 149
arco metade
    fórmulas do, 224
    identidades, 223
Argand-Gauss, plano de, 252
assíntota, 40, 159
    horizontal, 41
    oblíqua, 42
    vertical, 40

B
base, 104
Bháskara, fórmula. *veja* fórmula quadrática
bifólio, 378
binômio, 69, 347
    conjugado, 29, 204
    diferença de cubos, 75, 77
    diferença de quadrados, 75–76
    expansão binomial, 347
    quadrado perfeito, 75
    soma de cubos, 75–76
Blaise Pascal, matemático, 349

C
calculadora gráfica, 17–18
cardioide, 374
círculo, graus, 122
círculo unitário, 8, 121, 129, 137, 143, 155, 207, 210
    ângulos em radianos, 211
    completo, 140
    famílias, 144
    período, 156

circunferência, 269
    centro, 269
    forma do centro e raio, 271
coeficiente, 50
    angular, 14
    binominal, 347
    principal, 70
completar o quadrado, método, 79
conjunto
    de todos os números reais, 10
    disjunto, 23
    dos números complexos, 10
    dos números imaginários, 10
    dos números inteiros, 9
    dos números irracionais, 10
    dos números naturais, 9
    dos números racionais, 9
coordenadas
    cartesianas, 13
    par, 13
    polares, 257
    polares simples, 260
cosseno, definição, 125
Cramer, regra, 328
crescimento exponencial
    crescimento, 117
    decaimento, 117
curva paramétrica, 295

D

decomposição de frações, 311
demonstrações trigonométricas, 188
Descartes, regra dos sinais, 83
descontinuidade, funções
    não removível, 369
    removível, 369
desigualdade, 20
deslocamento, 103, 172
    horizontal, 52
    vertical, 53
diferença comum, 335
diferença de cubos, 75, 77
diferença de quadrados, 75–76
discriminante, 254
dividendo, 87

divisão
    longa, 87
    sintética, 89
divisor, 87
domínio, 14, 37

E

eixo
    conjugado, 289
    imaginário, 256
    maior, 284
    menor, 284
    real, 256
    senoidal, 169
    transverso, 289
eliminação gaussiana, 320
elipse, 269, 283
    centro, 284
    foco, 284
    forma padrão, 286
    horizontal, 284
    oval, 269
    vertical, 284
equação
    com variáveis nos dois lados, 112
    com variável em um lado, 112
    exponencial, 112
    interseções das curvas, 307
    substituição reversa, 310
equação polinomial, 70
    grau, 82
    raízes ou zeros, 70
equação quadrática, 79
    completar o quadrado, 79
    fórmula quadrática, 79
    raízes complexas conjugadas, 84
    raízes imaginárias, 84
equações logarítmicas, tipos, 115–116
espiral, 266
expoente, 24–25, 104
    expoentes fracionários, 26
    expoentes racionais, 25
expressão quadrática, 70
    coeficiente principal, 70
    constante, 70
    termo linear, 70
    termo quadrático, 70

F

fator, 71
    comum, 30
    trinomial, 77
fatoração, 71
    método "adivinhe e confira", 73
    método PEIU de, 73
fatorar, método, 362
fatorial, 348
forma polar, 9
fórmula
    arco duplo, 218–219
    arco metade, 224
    quadrática, 79
    redução da potência, 227
    soma/diferença, 209, 212, 215
fração, 386
    com zero no denominador, 10
    decomposição de, 311
    fator comum, 30
    limite, 44
    multiplicando por um conjugado, 204–205
    racionalizando o numerador, 30
    raiz cúbica, 28
    raiz quadrada, 27
frações
    trabalhando com identidades recíprocas, 202–203
função, 32
    adição e subtração, 59
    combinar, 59
    composição de, 61–62
    composta, intervalo da, 63
    contínua, 368
    cúbica, 36
    descontínua, 39, 355, 369
    domínio, 62
    esticando e achatando, 50
    exponencial, 100
        função modelo, 108
        regras básicas, 100–101
    forma inclinação-intercepto, 65
    ímpar, 32, 156
    indefinida, 159
    injetora, 33
    inversa, 33, 64, 128
    linear, 33
    logarítmica, 104
    modelo, 50, 54, 58
    multiplicação e divisão, 60
    par, 32, 158
    parábola, 34
    ponto a ponto, 57–58
    ponto crítico, 34
    por partes, 37
    quadrática, 33, 38, 274
    racional, 40, 61
    raiz cúbica, 37
    raiz quadrada, 34, 61
    recíproca, 127
    trigonométrica, 121–152
        interceptos-x do gráfico, 155
        valores do domínio e do intervalo, 155
    valor absoluto, 35
    valores excluídos do domínio, 62
    vértice, 34

G

gráfico, 12
    achatado, 51
    amplitude, 168–169
        mudando a amplitude, 168
    calculando a distância, 15
    como criar um, 40
    contínuo, 367
    cosseno, 156
    cotangente, 161
    da função
        ponto crítico, 34, 36, 54
        ponto de simetria, 54
        ponto médio, 16–17
        pontos âncora, 177
    descobrindo a inclinação da reta, 16–17
    de sentenças, 23–24
    desigualdade, 14
    encontrando o ponto médio, 16–17
    esticado, 51
    interceptos-x do, 155
    modelo, 33, 154
        período, 170
        período do, 170
        ponto-chave, 103

pontos máximo e mínimo do, 155
  raiz quadrada, 34
  secante, 164
  seno, 154
  tangente, 159
grau, 41, 70
  do numerador, 47

H
Herão, fórmula, 248
hipérbole, 269, 288
  desenhar, 291

I
identidades
  cofunção, 196
    demonstrando uma igualdade, 197-198
  pares/ímpares, 194
    demonstrando uma igualdade, 195-196
    simplificando expressões, 194-195
  periodicidade, 198
    demonstrando uma igualdade, 199-200
  pitagóricas, 192
    demonstrando uma igualdade, 193-194
  razão, 190
  recíprocas, 189, 190
    demonstrando igualdades, 191-192
    simplificando uma expressão, 190-191
  regras, 189
imaginários, números, 10
inclinação-intercepto, equação, 14
infinito, conceito, 10
integração, processo, 356
intercepto-x e intercepto-y, 43-48
intervalo, 14
  aberto e fechado, 23

L
LAL, triângulo, 245
lei
  das tangentes, 230
  do limite, 365
  dos cossenos, 230, 242
  dos senos, 230-231
lemniscata, 375
limaçon, 377
limite
  direito e esquerdo, 358
  inferior e superior, 342

modo algébrico, 361
modo analítico, 360
modo gráfico, 359
LLA, triângulo, 235
LLL, triângulo, 243
logaritmo, 104
  base, 107-108
  comum, 105
  fórmula de mudança da base, 107
  função modelo, 108-109
  identidade do, 105-106
  inverso, 107
  natural, 105
  nos dois lados, 113
  regra da potência, 106
  regra do produto, 106
  regra do quociente, 106
  transformado, 109

M
Mandelbrot, conjunto, 253
matriz, 300, 314
  coeficientes, 317-318
  constantes, 318
  dimensões, 314
  elementos, 300
  escalar, 315
  forma aumentada, 319
  forma escalonada por linhas, 321
  forma escalonada reduzida por linhas, 318, 323
  identidade, 325
  multiplicar, 316
  variáveis, 318
máximo divisor comum (MDC), 72
medidas radianas, 373
método
  "adivinhe e confira", 73
  caixa, 73
  eliminação, 303
  PEIU, 29, 72-73, 75, 195, 200, 255, 347
  plug and chug, 59, 62, 108
  substituição, 302
mínimo e máximo, valores, 281
mínimo múltiplo comum (MMC), 304, 309, 364
mnemônico
  PEMDAS, 11
  SOHCAHTOA, 123
monômio, 69

N

notação de intervalo, 8, 19, 23
    intervalo aberto e fechado, 23
numerador, grau do, 47
números
    conjuntos, 9
    indefinidos, 10
    inteiros, 9
    irracionais, 10
    naturais, 9
    propriedades, 11
    racionais, 9
    reais, 10
números complexos, 10, 252
    escalar, 255
    fractais, 253
    número complexo i, 353
    operações, 255
    sistema, 253
    tipos, 254
números imaginários, 10, 252
    número imaginário puro, 253
números reais, 19–30

O

operações
    elementares de linha, 320
    ordem, 11, 385

P

parábola, 34, 269, 274
    diretriz, 269, 274, 277
    eixo de simetria, 274
    foco, 269, 274, 277
    horizontal, 276, 279
    partes de uma, 277–278
    pontos de uma, 279–280
    vertical, 276
    vértice, 274
Pascal, triângulo, 349
PEIU (Primeiros, Externos, Internos e Últimos), 73
PEMDAS, mnemônico, 11
Pitágoras, teorema, 262
planejar ataque, 381
plano cartesiano, 13, 32, 122
    deslocando ondas no, 172–173
    ponto no plano, 129

plano das coordenadas polares, 258
    polo, 258
plug and chug, método, 14, 59, 295
polinômio, 62–63, 69
    agrupar, 78
    constante, 70
    cúbico, 33
    de grau par, 63
    deprimido, 86, 91
    dividendo, 87
    divisão longa, 87–88
    divisão sintética, 89–90
    expressão quadrática, 70
    fatoração, 71
    função racional, 40
    grau do, 41, 70
    máximo divisor comum (MDC), 72
    produto zero, 79
    propriedade de produto zero, 79
    quadrático, primo, 72
    quociente, 87
    raízes complexas do, 84
    raízes imaginárias, 84
    raízes reais, 83
    raízes totais de um, 82
    resto, 87
    teste do coeficiente principal, 93
polinômios
    especiais, 75–77
    raízes dividindo, 87–88
potências. *Veja* expoente
pré-cálculo versus cálculo, 356–357
problemas matemáticos, visualizar, 380
problemas sem solução, 383
proporção áurea, 335

Q

quadrado perfeito, 75
quadrantes, 138, 140
quadrática, função, 63
quociente, 87
    da diferença, 30

R

racionalização, 27
racionalizar, 363
radiano, 122, 210

radicais, 24–25
    raiz quadrada, 25
radicando, 10, 61
raio, 269
raízes. *Veja* radicais
    complexas, 254
    complexas conjugadas, 84
    cúbicas, 25, 28
    dividindo polinômios, 87–88
    duplas, 90
    equação polinomial, 70
    imaginárias, 84
    multiplicidade da solução, 82
    negativas, 10
    quadradas, 25, 27, 62
        índice, 30
    radicando, 61
    reais, 83, 85–86
        negativas e positivas, 84
    totais, 82
razão, 123, 335
    comum, 338
razões SOHCAHTOA, 129
reflexões, 54
regra
    caracol, 105–106
    de Cramer, 326, 330
    do logaritmo, 114
    potência, 106
    produto, 106
    quociente, 106
relação, conjunto, 13

S
seção cônica, 268
    excentricidade, 297
    forma padrão, 270
    forma paramétrica, 294
    forma polar, 294
    parâmetro, 294
semiperímetro, 248
seno, 156
    definição, 123
senoide, 155

sequência, 332
    alternada, 333
    aritmética, 335, 339
    Fibonacci, 335
    geométrica, 338
        soma da sequência, 344
        soma geométrica infinita, 344
    recursiva, 334
série, 341
sistema, 299
    consistente e independente, 301
    de coordenadas polares, 8
    desigualdade, 312
    inconsistente, 301
    linear, 302
    não linear, 305
SOHCAHTOA, mnemônico, 123
soma de cubos, 75–76
soma e diferença
    cosseno, 212
    seno, 209
    tangente, 215
soma parcial, 341

T
tangente, definição, 126
taxa média de mudança, 366
teorema
    binomial, 353
    da raiz racional, 86–87
    de Pitágoras, 8, 124, 192, 213, 229, 382
    fator, 91
    fundamental, 84
    raiz racional, 85
    resto, 91
termo
    da sequência, 332
    geral, 333
    linear, 70
    quadrático, 70

teste do coeficiente principal, 93, 97
teta linha, ângulo, 145
translação, 52, 168, 172
    deslocamento horizontal, 52
    deslocamento vertical, 53
triângulo
    área, 247
    de Pascal, 352
    oblíquo, 230
triângulos
    30°-60°-90°, 136
    baseados em 45, 134
trinômio, 69, 73–75
    quadrado perfeito, 75–76

U
união, símbolo, 24

V
valor absoluto, 11, 21, 33
    gráfico de uma desigualdade com um, 22
valores excluídos, 62
valores trigonométricos, 207
vértice, 34, 284

Z
zeros, equação polinomial, 70

CONHEÇA OUTROS LIVROS DA PARA LEIGOS

- Coaching Empresarial & Mentoria Para Leigos
- Astrologia Para Leigos
- Mineração de Criptomoedas Para Leigos
- Dieta Keto Para Leigos
- Microsoft Teams Para Leigos
- Criando Games em 3D
- Fortnite Para Leigos
- Detectando & Vivendo com Câncer de Mama Para Leigos
- Instagram para Empresas Para Leigos

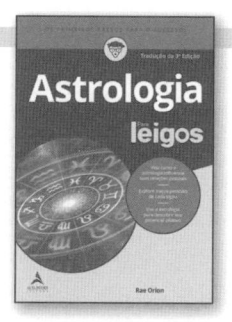

Todas as imagens são meramente ilustrativas.

+ CATEGORIAS

Negócios - Nacionais - Comunicação - Guias de Viagem - Interesse Geral - Informática - Idiomas

---

SEJA AUTOR DA ALTA BOOKS!

Envie a sua proposta para: autoria@altabooks.com.br

Visite também nosso site e nossas redes sociais para conhecer lançamentos e futuras publicações!

www.altabooks.com.br

ALTA BOOKS EDITORA

/altabooks · /altabooks · /alta_books

ROTAPLAN
GRÁFICA E EDITORA LTDA
Rua Álvaro Seixas, 165
Engenho Novo - Rio de Janeiro
Tels.: (21) 2201-2089 / 8898
E-mail: rotaplanrio@gmail.com